C0-ATX-863

Элизабет Джордж — настоящая королева детективного жанра. Книги об инспекторе Линли составляют самую умную, поразительно многогранную и страстную детективную серию из когда-либо изданных.

— Entertainment Weekly

Я бы не пропустил новый роман Элизабет Джордж... В наши дни очень мало писателей-детективщиков, которые могут с равным успехом создавать и описания жестокого насилия, и нежнейшие любовные сцены.

— Philadelphia Inquirer

Замечательная писательница! Прочитала все книги серии «Инспектор Томас Линли». С нетерпением жду продолжения. Кто любит детективы, разочарован не будет. Отлично написано. С удовольствием почитала бы другие ее произведения, не входящие в данную серию.

— Из отзывов читателей на Ozon.ru

Фирменный знак Джордж — пристальный, неусыпный взгляд, направленный на ее персонажей,— всегда присутствует, наряду с психологическим проникновением в суть и вдохновенным стилем повествования. И что особенно примечательно, она постоянно становится лучше, постоянно поднимает свои произведения на более высокий уровень.

— Richmond Times Dispatch

Элизабет Джордж — американский мастер британского детективного романа.

— New York Daily News

Элизабет Джордж выходит далеко за пределы детективного жанра.

— Daily News of Los Angeles

Я изумлен тем, что истинная американка Джордж пишет так по-британски. Она настоящий специалист в исследовании человеческих взаимоотношений.

— Cincinnati Enquirer

Элизабет Джордж обеспечивает достаточное количество резких поворотов и потрясений в течение всего полицейского расследования, чтобы поразить и удовлетворить самого взыскательного читателя.

— Wall Street Journal

Огромный талант Элизабет Джордж уже многие годы оказывает воздействие на развитие детективного романа.

— Kirkus Reviews

Джордж — мастер закрученного сюжета. У нее множество второстепенных персонажей, за которыми по ходу книги также следишь, затаив дыхание... Читателю, который не любит всего, что связано с психологическими описаниями мотивов, в принципе не стоит обращаться к Джордж. Это ее «фишка», она прослеживается во всех книгах в большей или меньшей степени.

— Из отзывов читателей на Ozon.ru

Как и П. Д. Джеймс, Элизабет Джордж понимает важность самых незначительных человеческих поступков.

— People

Немногие писатели-романисты из тех, чьи первые произведения были встречены единодушным одобрением, способны поддерживать то качество, благодаря которому их заметили, не говоря уже о том, чтобы показывать все более высокий уровень с каждой книгой. Элизабет Джордж, к удовольствию легионов ее поклонников, входит в число этих немногих.

— Richmond Times-Dispatch

Трудно поверить, но характерная для Джордж мастерски приготовленная смесь изобретательной интриги и ярких характеров раз от раза становится все лучше.

— Hartford Courant

Джордж настоящий мастер... Она прекрасно поддерживает английские традиции.

— Chicago Tribune

Персонажи Элизабет давно, облекшись плотью и кровью, живут своей жизнью, и ей не остается ничего другого, как наблюдать и следовать за ними. Повлиять на ход истории она уже не в силах. Невозможно поверить, чтоб Барбара стала другой, скажем, села на диету, начала следить за собой да и просто решила хоть один из внутренних конфликтов. Хотя я, искренне поверив в ее существование, от всей души желаю ей семейного счастья... Мне невыносимо обидно, что Джордж очень мало читают (судя по отзывам и разговорам с читающими людьми)! Это такая мощняга, которой определили до обидного тесную детективную нишу, а она совсем не детективист. А даже напротив — Большой Талант, пишущий Большую Литературу.

— Из отзывов читателей на Ozon.ru

Книги Элизабет Джордж не похожи одна на другую, они вообще ни на что не похожи... и ни у кого из других писателей вы не найдете такого занимательного персонажа, как совершенно невозможная и такая настоящая Барбара Хейверс.

— Vogue

Элизабет Джордж сравнивают с П. Д. Джеймсом, Рут Ренделл и даже Дороти Сейерс. Это неизбежно, поскольку она так хороша. Однако она не имеет себе равных.

— Mystery Scene

Одним словом: великолепно!

— Melbourne Herald Sun

Романы Элизабет Джордж предназначены для тех читателей, которые ищут в детективах не только занимательную историю про убийство, но и моральную дилемму и тонкий психологический анализ.

— Indianapolis Star Tribune

Элизабет Джордж не просто автор детективов, а первоклассная романистка.

— Atlanta Journal-Constitution

Джордж — истинная королева современного британского психологического детектива.

— Winston-Salem Journal

Исключительно хорошо написанная проза, поразительный состав персонажей и сложное переплетение психологических мотивов — вот результат творчества Элизабет Джордж.

— USA Today

Элизабет Джордж пишет, как Агата Кристи в лучшие свои периоды.

— Washington Post Book World

Элизабет Джордж — прирожденный рассказчик, она сплетает волшебную паутину, которая захватывает читателя в плен и не отпускает его.

— San Diego Union-Tribune

Джордж населяет свои книги компанией интригующих персонажей, которые не всегда являются теми, кем кажутся. Ее скрупулезность и основательность впечатляет. Благодаря ее воображению и чутью обособленные, казалось бы, сюжетные линии всегда сходятся с безупречной точностью.

— Rendezvous

Исключительный литературный талант.

— Nashville Banner

Захватывающе... Хотя Джордж американка, за последние десять лет она завоевала твердые позиции в английской детективной литературе.

— Orlando Sentinel

Элизабет Джордж — непревзойденный мастер неожиданных концовок.

— Baltimore Sun

Элизабет Джордж доказывает, что авторы высококлассных детективов являются настоящими романистами.

— New York Times

Инспектор Томас Линли

и сержант Барбара Хейверс:

Великое избавление

Расплата кровью

Школа убийств

Месть под расчет

Ради Елены

Картина без Иосифа

Прах к праху

В присутствии врага

Обман

Преследование праведного грешника

Предатель памяти

Тайник

Без единого свидетеля

Перед тем, как он ее застрелил

Женщина в красном

Это смертное тело

ИЗДАНО ОБЩИМ ТИРАЖОМ БОЛЕЕ 100 МИЛЛИОНОВ ЭКЗЕМПЛЯРОВ

misterium

ЭЛИЗАБЕТ ДЖОРДЖ

ТАЙНИК

ЭКСМО
Москва
Санкт-Петербург
ИД ДОМИНО
2012

УДК 82(1-87)
ББК 84(7США)
Д 42

Elizabeth George

A PLACE OF HIDING

Руководитель проекта *Александр Жикаренцев*

Оформление серии *Бориса Волкова*

Оригинал-макет подготовлен ООО «ИД «Домино»

Джордж Э.

Д 42 Тайник : роман / Элизабет Джордж ; [пер. с англ. Н. Екимовой]. — СПб. : Домино ; М. : Эксмо, 2012. — 736 с.

ISBN 978-5-699-55369-3

Внезапная смерть Ги Бруара потрясает обитателей острова Гернси, щедрым покровителем и благодетелем которого Бруар был долгие годы. В убийстве обвиняют молодую американку Чайну Ривер, гостившую в доме Бруара. Ее брат ищет помощи у единственного знакомого ему в Англии человека — у Деборы Сент-Джеймс, жены известного эксперта-криминалиста. С ужасом узнав, что ее старинная подруга арестована, Дебора уговаривает своего мужа Саймона поехать вместе с ней на остров, чтобы предотвратить судебную ошибку и найти настоящего преступника.

Элизабет Джордж — выдающийся мастер детективного романа. Ее творчество завоевало признание читателей во всем мире, в том числе и в России. Ее книги издаются миллионными тиражами, становятся основой для телефильмов, получают престижные литературные премии.

УДК 82(1-87)
ББК 84(7США)

ISBN 978-5-699-55369-3

Это книга о братьях и сестрах, и я посвящаю ее моему родному брату Роберту Ривеллу Джорджу с любовью и восхищением перед его талантом, мудростью и остроумием

В одном отношении наше занятие, конечно, может считаться бесчестным, поскольку мы, подобно великим мужам государства, поощряем тех, кто предает своих друзей.

Джон Гей. Опера нищих

10 НОЯБРЯ, 14.45
МОНТЕСИТО, КАЛИФОРНИЯ

Санта-Ана с ее ветрами — не самое подходящее место для работы фотографа, но попробуйте объяснить это архитектору-эгоисту, который вбил себе в голову, что вся его репутация зависит от того, удастся ли запечатлеть для вечности — и «Архитектурного дайджеста» — все пятьдесят два квадратных фута недостроенного дома на склоне холма именно сегодня. Даже и не заикайтесь. Особенно если вы, раз двадцать повернув не туда, наконец прибываете, но с опозданием, архитектор бесится, а горячий ветер швыряет горстями пыли, пробуждая лишь одно желание — убраться с этого склона как можно скорее, чего может и не случиться, если заявить, что сегодня съемки вообще не будет. И вы снимаете, не обращая внимания на пыль и кусты перекати-поля, которых тут столько, что кажется, будто целая команда специалистов по эффектам потрудилась, превращая миллионный особняк с видом на океан в некое подобие Барстоу* в августе, когда песок забивается под контактные линзы, горячий воздух стягивает лицо, а волосы становятся похожими на пересушенное сено. Нет ничего, кроме работы; работа превыше всего. А поскольку работа давала средства к существованию, то Чайна Ривер сосредоточилась на ней.

Но радости она не испытывала. Когда она закончила, грязь покрывала ее одежду, липла к коже, и все, чего ей хотелось,— кроме большого стакана ледяной воды и напол-

---

* Барстоу — город в штате Калифорния, США, на границе с пустыней Мохаве.

ненной прохладной ванны, разумеется,— как можно скорее убраться с холмов и оказаться поближе к пляжу. Поэтому она сказала:

— Ну вот и все. Послезавтра снимки будут готовы, посмотрите и выберете. В час? В вашем офисе? Отлично. Я приеду.

И она зашагала прочь, не дав архитектору и рта раскрыть. Ей было наплевать на то, какое впечатление произведет на него столь стремительный отъезд. На своем престарелом «плимуте» она скатилась по холму вниз и поехала по шоссе Монтесито, идеально гладкому, никогда не знавшему выбоин. Ее путь лежал мимо супербогатых домов Санта-Барбары, чьи привилегированные обитатели, надежно скрытые от постороннего глаза оградами и электронными воротами, купались в дизайнерских бассейнах и вытирались махровыми полотенцами, белыми и мягкими, как первый снег на берегах реки Колорадо. Время от времени она притормаживала, чтобы взглянуть на садовников-мексиканцев, которые трудились за заборами, или пропустить стайку юных наездниц в облегающих джинсах и коротеньких маечках. Их волосы мерно раскачивались в такт движению, золотясь в лучах солнца. У всех до одной они были такие длинные, гладкие и блестящие, словно светились изнутри. А еще у них была безупречная кожа и идеальные зубы. И ни грамма лишнего жира... нигде. И откуда ему взяться? Жиру просто не хватало силы духа удержаться на их телах хотя бы секунду после того, как они, встав на весы в ванной комнате, впадали в истерику и опрометью кидались в туалет.

Жалко их все-таки, думала Чайна. Заморыши избалованные. И ведь что самое ужасное, мамаши этих бедняжек, наверное, ничем не отличаются от них и из кожи вон лезут, чтобы подавать положительный пример дочкам, которым тоже предстоит делить свое время между персональным тренером, пластическим хирургом, походами по магазинам, ежедневным массажем, еженедельным маникюром и регулярными посещениями психоаналитика. Что это за жизнь, когда любую вещь тебе подносят на блюдечке с золотой каемочкой, и все по милости какого-нибудь идиота, для которого ценность любой женщины выражается в количестве нулей в ее счетах от парикмахеров, визажистов и прочих мастеров цеха красоты.

Каждый раз, попадая в Монтесито, Чайна спешила выбраться оттуда как можно скорее, так было и теперь. Более того, сегодняшняя жара и ветер превращали обычное желание увеличить расстояние между собой и этим местом в потребность, они словно подтачивали ее настроение. А оно, по правде сказать, и так было не блестящим. Какая-то тяжесть давила на плечи с тех самых пор, как утром прозвонил будильник.

Будильник звонил, а телефон молчал. В этом-то и была проблема. Едва проснувшись, она привычно отсчитала три часа назад и подумала: «Десять часов на Манхэттене. Почему же он не звонит?», и потом до часу дня, когда пора было отправляться на встречу в Монтесито, она то и дело поглядывала на телефон и тихо закипала, что было совсем не трудно, ведь столбик термометра на улице уже в девять утра показывал плюс тридцать два градуса.

Она пыталась найти себе занятие. Собственноручно вымыла сначала весь передний двор, а потом и задний, до самого газона. Перекинулась через забор парой слов с Анитой Гарсия: «Привет, соседка, ты как в такую жару? Я просто ни рукой ни ногой»,— повздыхала над ее отеками последнего месяца беременности. Перед отъездом помыла и высушила на ходу свой «плимут», умудряясь всю дорогу держаться на шаг впереди пыльного облака, которое норовило осесть на автомобиль и превратить воду в грязь. Дважды она врывалась в дом, чтобы ответить на звонок, и каждый раз слышала голоса этих противных липучек — агентов телефонных компаний, которые неизменно спрашивали, как у нее дела, а потом начинали убеждать сменить телефонную компанию, обслуживающую междугородние звонки, чтобы вся ее жизнь изменилась к лучшему. Наконец настало время ехать. Но она не тронулась с места, пока дважды не проверила, что телефон в порядке и автоответчик включен.

И все время ненавидела себя за то, что не может просто взять и выкинуть его из головы. Это не удавалось ей много лет. Целых тринадцать. Господи. Как же она ненавидит любовь.

Когда она возвращалась к своему дому на пляже, зазвонил мобильник. До горба на тротуаре, с которого начиналась подъездная дорожка к ее дому, оставалось меньше пяти минут, когда телефон на соседнем сиденье запел. Чайна схватила его и услышала голос Мэтта.

— Привет, красотка.

Голос у него был бодрый.

— И тебе привет.

И тут же возненавидела себя за то, что вся ее тревога улетучилась, словно газ из открытой бутылки, и наступила легкость. Больше она ничего не сказала.

Он сразу ее раскусил.

— Злишься?

Никакого ответа с ее стороны. «Пусть подергается»,— подумала она.

— Похоже, я перестарался.

— Где ты был? — спросила она.— Я думала, ты позвонишь утром. Сидела ждала звонка. Терпеть не могу, когда ты так поступаешь, Мэтт. Когда ты это усвоишь? Не хочешь звонить — не надо, переживу, только не обещай тогда. Почему ты не позвонил?

— Извини. Я правда собирался. Весь день напоминал себе об этом.

— И...

— Тебе это не понравится, Чайна.

— Сначала скажи, а там посмотрим.

— Ладно. Вчера вечером здесь вдруг дьявольски похолодало. Пришлось все утро бегать по магазинам, искать приличное пальто.

— А с мобильного позвонить нельзя было?

— Я его в номере забыл. Прости. Я же говорил, тебе не понравится.

Вездесущие звуки Манхэттена проникали в трубку, как было всегда, когда он звонил ей из Нью-Йорка. Рев клаксонов эхом отдавался в каньонах улиц, отбойные молотки крушили бетон, словно тяжелая артиллерия. Но раз он забыл свой мобильник в отеле, то почему сейчас он у него с собой?

— Иду на обед,— объяснил он.— Последняя встреча. На сегодня, конечно.

Она подрулила к тротуару, заметив свободное место ярдах в тридцати от дома. Находиться в стоящей машине было неприятно, потому что никуда не годный кондиционер справлялся с духотой лишь на скорости, и она спешила выбраться наружу, однако последняя фраза Мэтта неожиданно отодвинула жару на второй план и даже сделала ее менее заметной. Смысл сказанного приковал ее внимание.

Уж что-что, а держать язык за зубами, когда Мэтт ронял фразы, похожие на крохотные зажигательные бомбочки, она научилась. Было время, когда после замечания вроде «на сегодня, конечно» она вцепилась бы в него мертвой хваткой и начала выцарапывать подробности — что именно он хотел этим сказать. Но годы убедили ее в том, что молчание действует иногда не хуже требований или обвинений. Кроме того, молчание давало ей чувство собственного превосходства, когда он наконец сознавался в том, что пытался скрыть.

Вот и на этот раз его прорвало.

— Тут вот какое дело. Мне придется задержаться здесь еще на неделю. Появилась возможность потолковать кое с кем о гранте, и мне очень нужно повидаться с этими людьми.

— Мэтт, выкладывай.

— Подожди, детка. Послушай. В прошлом году эти ребята потратили целое состояние на какого-то киношника из Нью-Йоркского университета. Им нужен проект. Понимаешь? В самом деле нужен.

— А ты откуда знаешь?

— Мне рассказали.

— Кто?

— В общем, я позвонил им и договорился о встрече. Но только на следующий четверг. Поэтому придется задержаться.

— Значит, прощай, Камбрия*.

— Нет, мы обязательно туда выберемся. Только не на следующей неделе.

— Понятно. Тогда когда?

— В этом все и дело.

Звуки улицы на том конце вдруг стали громче, как будто он окунулся в них, вытесненный с тротуара напором городской толпы в конце рабочего дня.

— Мэтт? Мэтт? — сказала она в трубку и внезапно страшно перепугалась, представив, что потеряла его.

Черт бы побрал эти телефоны со связью вместе, вечно она исчезает в самый неподходящий момент. Но тут его голос вернулся, а шумов стало меньше. Зашел в ресторан, объяснил он.

— Для меня это пан или пропал. А ведь мой фильм обязательно возьмет приз на каком-нибудь фестивале, Чайна. По крайней мере, на «Санденсе»**, а ты знаешь, что это значит. Мне совсем не хочется так подводить тебя опять, но если я не договорюсь с этими ребятами, то мне просто не на что будет с тобой куда-нибудь поехать. Ни в Камбрию, ни в Париж, ни даже в Каламазу***. Такие вот дела.

— Хорошо,— ответила она, хотя все было совсем не хорошо, и он мог бы догадаться об этом по ее тусклому голосу.

Месяц назад он обещал ей выкроить два дня, свободные от встреч с потенциальными продюсерами в Лос-Анджелесе и вылазок за деньгами в разные уголки страны, и шесть

---

* Камбрия — курортный город на берегу Тихого океана в Калифорнии.

** «Санденс» — крупнейший американский фестиваль независимого кино. Назван в честь знаменитого кинофильма «Буч Кэссиди и Санденс Кид», главные роли в котором исполнили Роберт Редфорд и Пол Ньюмен.

*** Каламазу — город на юго-западе штата Мичиган.

недель назад она начала отказывать клиентам, а он еще вовсю преследовал свою мечту.

— Иногда,— продолжила она,— я сомневаюсь, получится ли у тебя вообще когда-нибудь, Мэтт.

— Знаю. Порой кажется, что на один фильм уходит целая вечность. И так оно иногда и бывает. Ты же знаешь такие истории. Годы съемок, а потом бац! — и касса в кармане. Но я своего добьюсь. Мне это необходимо. Жаль только, что мы с тобой чаще бываем врозь, чем вместе.

Чайна слушала и наблюдала за малышом, который катил по тротуару на трехколесном велосипеде в сопровождении бдительной матери и еще более бдительной немецкой овчарки. Ребенок доехал до того места, где цементная поверхность дорожки вспучилась, приподнятая древесным корнем, и переднее колесо его велосипеда уперлось в холмик. Он продолжал крутить педали, но ничего не получалось, так что пришлось мамочке ему помочь. Глядя на них, Чайне вдруг стало грустно.

Мэтт ждал ее ответа. Она попыталась придумать какой-нибудь новый способ выразить свое разочарование, но ничего не приходило в голову. Тогда она сказала:

— Вообще-то я не о фильме говорила, Мэтт.

— А-а,— ответил он.

Говорить было больше не о чем, потому что она знала: он останется в Нью-Йорке, чтобы пойти на встречу, за которую так долго бился, а ей придется самой заботиться о себе. Еще одно свидание сорвано, еще одна жертва великому жизненному плану принесена.

Она сказала:

— Ну ладно, удачи тебе на встрече.

Он ответил:

— Я буду звонить тебе. Каждый день. Хорошо? Ты согласна, Чайна?

— Разве у меня есть выбор? — спросила она и попрощалась.

Она злилась на себя за то, что закончила разговор вот так, но ей было жарко, тяжко, тошно и ужасно жалко себя...

В общем, как хотите, так ее ощущения и назовите. Как бы там ни было, ей больше нечего было ему дать.

Свою неуверенность в завтрашнем дне — вот что она больше всего ненавидела, хотя давно научилась не давать ей воли. Но когда та выходила из-под контроля и врывалась в ее жизнь, точно передовой отряд противника в хаос отступающей армии, это всегда заканчивалось плохо. Она начинала верить в то, что только издавна ненавидимый ею способ заарканить мужика, женив его на себе любой ценой и как можно скорее нарожав детишек, и есть единственно правильный. «Это не для меня»,— повторяла она себе раз за разом. Но какая-то ее часть все равно стремилась именно к этому. И тогда она начинала задавать вопросы, предъявлять требования и больше заботиться о «мы», чем о «я». Когда это происходило, между ней и мужчиной — то есть Мэттом — снова вспыхивал спор пятилетней давности. Бесконечная полемика на тему брака всегда заканчивалась одинаково: он открыто заявлял, что надевать ярмо не собирается,— как будто она и так этого не знала,— в ответ она осыпала его яростными упреками, и они разбегались после того, как один из них заявлял, что устал от этих вечных разногласий. Но те же самые разногласия и сводили их вновь. Они заряжали их отношения такой возбуждающей силой, которой ни одному из них не удавалось достичь с кем-либо другим. Он, скорее всего, пытался. Чайна это знала. Она — никогда. Ей это было ни к чему. Ведь она давно поняла, что, кроме Мэттью Уайткомба, ей не нужен ни один мужчина.

Чайна еще раз пришла к этому убеждению уже на пороге своего бунгало — тысячи квадратных футов, построенных в двадцатые годы двадцатого века в качестве воскресного убежища для некоего обитателя Лос-Анджелеса. Дом стоял среди других похожих домов на засаженной пальмами улице, близко к воде, что позволяло наслаждаться прохладным бризом с океана, но волны до него не доставали. Жилище было довольно скромное: пять маленьких комнат, считая ванную, и всего девять окон, с широкой верандой по фасаду и двумя прямоугольниками травы перед домом и за ним.

От улицы участок отделяла изгородь из штакетника, ронявшая хлопья белой краски на клумбы и тротуар, и именно к ней, точнее, к калитке в ней Чайна и потащила свое фотографическое оборудование, завершив разговор с Мэттом.

Жара здесь стояла удушающая, почти такая же, как на холмах, но ветер был потише. Листья на пальмах трещали, как старые кости, лавандовая лантана с цветами, похожими на лиловые звездочки, росшая местами у изгороди, безжизненно поникла в ярком солнечном свете, а земля у корней так спеклась за день, как будто ее не поливали как минимум сутки.

Чайна приподняла и распахнула покосившуюся калитку, футляры с фототехникой оттягивали ей плечи и подавляли желание отправиться прямиком в сарай и вытащить оттуда шланг, чтобы полить бедное растение. Но открывшееся глазам зрелище заставило позабыть обо всем: посреди газона лежал на пузе мужик в одних трусах, подложив под голову, точно подушку, свернутые в ком джинсы и линялую желтую футболку. Башмаки отсутствовали, подошвы ног были чернее черного, а загрубевшие пятки растрескались. Судя по состоянию его локтей и коленей, мытье, как и ношение обуви, было у него не в чести. Чего нельзя было сказать о еде и физических упражнениях — подтверждением тому служила хорошая фигура без лишнего жира. О питье тоже: в правой руке он сжимал запотевшую бутылку «пеллегрино». Из ее холодильника, судя по виду. Ту самую, которую она так мечтала прикончить. Он медленно перевернулся и, прищурившись, посмотрел на сестру, опираясь на грязные локти.

— С безопасностью у тебя хреново, Чайн.

И он смачно глотнул из бутылки. Чайна взглянула на крыльцо и увидела вскрытую дверь-сетку и распахнутую входную дверь.

— Черт тебя побери,— заорала она,— ты что, снова лазал ко мне в дом?

Ее брат сел прямо и прикрыл от солнца глаза.

— А ты чего это так вырядилась? Тридцать с лишним градусов, а ты как будто в Аспене* в январе.

— Зато ты, похоже, дожидаешься, когда тебя придут арестовать за непристойный вид. Господи, Чероки, где твои мозги? На этой улице ведь есть маленькие девочки. Да если хоть одна из них пройдет мимо и увидит тебя в таком виде, полицейский наряд будет здесь через пятнадцать минут.

Она нахмурилась.

— Ты кремом от загара намазался?

— Ты не ответила на мой вопрос,— напомнил он.— Почему ты в коже? Запоздалый протест?

Он усмехнулся.

— Видела бы эти штаны мама, она бы тут...

— Я их ношу, потому что мне они нравятся,— отрезала Чайна.— В них удобно.

«И еще потому, что я могу себе это позволить»,— добавила она мысленно.

И в этом была главная причина: ей нравилось, живя в Южной Калифорнии, покупать роскошные и бесполезные вещи только потому, что ей хотелось их иметь; в детстве и юности ей приходилось колесить по универмагу «Гудвил» в поисках вещей, которые бы неплохо сидели, были не слишком безобразны и на которых — в угоду убеждениям матери — не было бы ни клочка натуральной кожи или меха.

— Ну конечно.— Он поднялся на ноги, когда она проходила мимо него к крыльцу.— Кожа в Санта-Ане. Очень удобно. Как я сразу не понял?

— Это моя последняя бутылка «пеллегрино».— Она поставила футляры с техникой прямо в открытую дверь.— Я всю дорогу о ней мечтала.

— Дорогу откуда?

Она ответила, и он опять усмехнулся.

— А, понятно. Снимала для архитектора. Богатый и свободный? Надеюсь. И еще никто не положил на него глаз? Класс. Дай-ка я посмотрю, как ты выглядишь.

---

* Аспен — фешенебельный горнолыжный курорт в штате Колорадо.

И он опрокинул в рот бутылку, одновременно оглядывая ее с головы до ног. Удовлетворившись, он протянул ей бутылку и сказал:

— Можешь допить. Волосы у тебя как мочало. Когда ты перестанешь их обесцвечивать? Это плохо для тебя. И для окружающей среды тоже: только представь, сколько всякой дряни попадает в воду.

— Можно подумать, состояние окружающей среды тебя беспокоит.

— Эй, потише. У меня тоже есть свои принципы.

— Похоже, дожидаться, пока вернутся хозяева, а не лезть в чужой дом без спросу — не один из них.

— Тебе повезло, что это был только я,— сказал он.— Глупо уходить из дома и оставлять окна нараспашку. А сетки твои — полное дерьмо. Перочинного ножа хватило. Большего им не потребовалось.

Чайна увидела, как именно ее брат забрался в дом, поскольку Чероки, по своему обыкновению, никакой тайны из этого не делал. На одном из окон в гостиной старая рама с противомоскитной сеткой отсутствовала — снять ее было легче легкого, она держалась за подоконник только при помощи старого крючка и петли. Хорошо хоть у него хватило ума лезть в дом через окно, выходящее во двор, а не на виду у всех соседей, которые с удовольствием вызвали бы полицию.

С бутылкой «пеллегрино» в руке она прошла через кухню. Вылила в стакан остатки, добавила ломтик лимона. Взболтала, выпила и сунула стакан в мойку, раздраженная и неудовлетворенная.

— Что ты тут делаешь? — спросила она у брата.— И на чем ты приехал? Починил машину?

— Этот кусок дерьма?

Он прошлепал по линолеуму прямиком к холодильнику, открыл дверцу и принялся шарить среди полиэтиленовых пакетов с овощами и фруктами. Вытащил большой красный перец, подошел с ним к раковине и тщательно вымыл. Отыскал в ящике нож и разрезал овощ на две половинки. Очистил обе от семечек и протянул одну Чайне.

— Я тут кое-что задумал, так что машина мне все равно ни к чему.

На это Чайна не клюнула. Она знала, как бросает наживку ее брат.

— Машина нужна любому.

Свою половинку перца она положила на стол. И пошла в спальню переодеваться. В такую погоду она чувствовала себя в кожаных штанах как в сауне. Выглядят круто, но внутри — сдохнуть можно.

— Надеюсь, ты явился сюда не затем, чтобы позаимствовать мою,— крикнула она ему.— Потому что если ты на это надеешься, то я тебя сразу разочарую. У матери попроси. Пусть она тебе свою даст. Если та еще жива.

— На День благодарения приедешь? — откликнулся Чероки.

— А кто спрашивает?

— Угадай.

— У нее что, телефон сломался?

— Я сказал ей, что еду к тебе. Она просила узнать, приедешь ты или нет. Так как?

— Я поговорю с Мэттом.

Она повесила в шкаф сначала кожаные штаны, потом жилет, а шелковую блузку бросила в пакет из химчистки. Накинула свободное гавайское платье, достала с полки сандалии. И вернулась к брату.

— А где он нынче пропадает?

Чероки уже съел одну половинку перца и занялся второй.

Она забрала ее у него и откусила. Мякоть была прохладной и сладковатой, скромное противоядие от жажды и жары.

— Уехал,— ответила она.— Чероки, может, ты все-таки оденешься?

— А что? — Осклабившись, он вильнул бедрами в ее сторону.— Я тебя возбуждаю?

— Ты не в моем вкусе.

— Так куда он подался?

— В Нью-Йорк. По делу. Ты оденешься или нет?

Он пожал плечами и вышел. Через секунду она услышала, как хлопнула сетчатая дверь и он вышел во двор за своей одеждой. В пропахшем плесенью чулане, который служил ей кладовой, она отыскала бутылку «калистоги».

«Теплая, но хотя бы с газом»,— подумала она.

Найдя немного льда, она наполнила стакан.

— Ты не спросила.

Она обернулась. Чероки стоял перед ней одетый: футболка села от многочисленных стирок, джинсы висели на бедрах. Штанины волочились по полу, и Чайна, оглядев брата, в который уже раз подумала, что он опоздал родиться. Длинноватые для мужчины песочного цвета кудри, неряшливая одежда, босые ноги и своеобразные манеры делали его похожим на участника «лета любви»*. Мать, увидев его сейчас, наверняка гордилась бы им, его отец одобрил бы, а ее отец только посмеялся. Сама же Чайна... ее это раздражало. Несмотря на возраст и внешность, Чероки все еще казался наивным ребенком, которого нельзя отпускать на улицу одного.

— Ты меня не спросила,— повторил он.

— О чем?

— Что я задумал? Почему мне больше не понадобится машина? Кстати, сюда я приехал автостопом. Хотя вообще-то автостоп приказал долго жить. Я сюда со вчерашнего обеда ехал.

— Вот поэтому тебе и нужна машина.

— Для того, что я задумал, не нужна.

— Я тебя предупредила. На мою машину не рассчитывай. Мне она нужна для работы. И почему ты не на занятиях? Тебя что, опять выгнали?

---

* Такое название получило в прессе лето 1967 года, когда внимание газет было приковано к жизни хиппи в районе Хайт-Эшбери в Сан-Франциско. По окончании поп-фестиваля в Монтерее около 50 тысяч его участников превратили Хайт-Эшбери в «рай для хиппи» — царство наркотиков, любви и музыки.

— Бросил. На работы времени не хватает. Спрос на них просто грандиозный. Должен тебе сказать, Чайн, бессовестных студентов сегодня развелось столько, что просто уму непостижимо. Будь это моей профессией, я бы ушел на пенсию в сорок.

Чайна вытаращила глаза. Работами назывались курсовики, домашние сочинения, периодические магистерские диссертации и даже пара докторских. Чероки писал их для студентов университета, у которых были деньги, но не было желания работать самостоятельно. В этой связи давно назрел вопрос: почему Чероки, который никогда не получал меньше четверки за свои платные работы, никак не соберется с духом и не закончит колледж сам. Он столько раз поступал в Калифорнийский университет и вылетал из него, что там уже почти решили сделать для него отдельный вход и повесить над ним табличку с его именем. Но Чероки, не задумываясь, объяснял свою замаранную студенческую репутацию так: «Если бы университет платил за мою работу столько же, сколько ленивые студенты платят мне за их работы, я бы работал для себя».

— Мать знает, что тебя опять выгнали? — спросила она брата.

— Я не маленький.

— Конечно, ты у нас взрослый.

Чайна пропустила обед, и это начинало сказываться. Она достала из холодильника приготовленные для салата овощи и одну тарелку из буфета: тонкий намек, который ее брат, как она надеялась, поймет.

— Ну давай, спрашивай.

Он вытащил из-под кухонного стола стул и плюхнулся на него. Из разрисованной корзинки в центре стола он достал яблоко и почти надкусил его, когда понял, что оно искусственное.

Она развернула лист салата и начала рвать его над тарелкой.

— Что спрашивать?

— Ты знаешь. Просто избегаешь вопроса. Ладно. Я спрошу за тебя. «Что у тебя за план, Чероки? Что ты задумал? Почему тебе не нужна больше машина?» Ответ: потому что я покупаю лодку. А лодка дает мне все, что нужно. Транспорт, деньги и дом.

— «Думай, думай, Буч»,— пробормотала Чайна больше себе, чем ему.

Все тридцать три года своей жизни Чероки во многом прожил как этот изгой с Дикого Запада: у него всегда был план, как быстро разбогатеть, раздобыть что-нибудь на халяву, а потом прожигать жизнь.

— Да нет,— сказал он.— Ты только послушай. Дело-то верное. Лодку я уже нашел. Она стоит в Ньюпорте. Рыбацкий баркас. Сейчас на ней вывозят желающих из гавани. За большие бабки. За бонитой ходят. Обычно ходка занимает день, но за большую сумму — а я говорю о действительно большой сумме — идут и в Баху*. Лодка, правда, нуждается в починке, но я поживу на ней первое время и подлатаю. Все, что мне нужно, я буду покупать в морской лавке — машина для этого не нужна — и буду себе круглый год возить людей.

— Да что ты знаешь о рыбной ловле? Что ты знаешь о лодках? И вообще, где ты возьмешь на это деньги?

Чайна отрезала кусок огурца и стала крошить его в салат. Рассмотрев собственный вопрос в свете столь удачного появления брата на ее крыльце, она добавила:

— Чероки, даже не вздумай.

— Эй, за кого ты меня принимаешь? Я же говорю, у меня есть план, и это не фу-фу. Черт. Я думал, ты за меня порадуешься. Я даже у матери денег не просил.

— Как будто они у нее есть.

— Зато у нее есть дом. Я мог бы попросить ее переписать его на меня, чтобы заложить его во второй раз и получить

---

* Баха — Нижняя Калифорния (*исп.* Baja California), самый северный штат Мексики.

деньги таким способом. Она бы не отказалась. Ты же знаешь, что нет.

«Это верно»,— подумала Чайна.

Когда мать не потакала планам Чероки? «Он же астматик»,— оправдывала она его в детстве. С годами фраза зазвучала иначе: «Он же мужчина».

Значит, источником дохода оставалась сама Чайна.

— И на меня тоже не рассчитывай, ладно? Все, что у меня есть, принадлежит мне, Мэтту и нашему будущему.

— Как бы не так.

Чероки оттолкнулся от стола. Он подошел к кухонной двери, открыл ее и остановился, положив руки на косяк и глядя на жарящийся на солнце задний двор.

— Что это значит?

— Ничего.

Чайна вымыла два помидора и начала их резать. Бросив взгляд на брата, она заметила, что он хмурится и жует верхнюю губу изнутри. Для нее Чероки Ривер был понятен, как афиша, которую можно прочесть с расстояния в пятьдесят ярдов: в его голове зрела какая-то махинация.

— Я отложил кое-что,— сказал он.— Этого, конечно, не хватит, но у меня есть шанс подзаработать еще немного, и тогда все будет в порядке.

— И ты хочешь сказать, что проехал всю дорогу сюда автостопом не для того, чтобы попросить меня вложиться? Ты сутки простоял на обочине, сигналя машинам, просто для того, чтобы нанести мне визит вежливости? Поделиться со мной своими планами? Спросить, собираюсь ли я на День благодарения к ма? Что-то тут не складывается. Есть ведь телефоны. Электронная почта. Телеграммы. Сигнальные барабаны, наконец.

Повернувшись спиной к двери, он наблюдал, как она счищает грязь с четырех шампиньонов.

— Вообще-то,— сказал он,— у меня есть два бесплатных билета в Европу, и я подумал, что моя маленькая сестренка не прочь будет составить мне компанию. За этим я и приехал. Пригласить тебя с собой. Ты ведь не была в Европе, правда? Считай это ранним рождественским подарком.

Чайна опустила нож.

— Где, черт возьми, ты взял два бесплатных билета в Европу?

— Курьерская почта.

И он объяснил. Курьеры, сказал он, перевозят письма и посылки из Соединенных Штатов в любую точку мира в случае, если отправитель считает, что почта, федеральная служба доставки, «Ю-пи-эс» и другие организации не смогут своевременно доставить его отправление в целости и сохранности. Корпорация или отдельный наниматель покупает путешественнику билет в определенном направлении — иногда еще и с доплатой,— и, как только посылка попадает в руки адресата, курьер волен наслаждаться красотами природы или ехать дальше.

Чероки увидел на доске объявлений в университете записку — «оказалось, от какого-то адвоката в Тастине»,— в которой говорилось, что курьеру, который согласится перевезти посылку в Великобританию, предоставят два бесплатных авиабилета и оплату. Чероки предложил свои услуги, и его выбрали, при условии, что он «оденется построже и сделает что-нибудь с волосами».

— Пять тысяч баксов за доставку,— весело закончил Чероки.— Неплохая сделка, как тебе кажется?

— Что за чушь? Пять тысяч баксов?

Из своего опыта Чайна знала, что бесплатный сыр бывает только в мышеловке, да и то для второй мышки.

— Подожди-ка, Чероки, а что в этом пакете?

— Чертежи какого-то архитектора. Понимаешь, это одна из причин, почему я сразу о тебе подумал. Архитектура. Черт возьми. Как раз по твоей части.

Чероки возвратился к столу, но теперь повернул стул кругом и оседлал его.

— А почему этот архитектор не отвезет свои чертежи сам? Или не пошлет по Интернету? Для этого есть специальная программа, а если на том конце ее ни у кого нет, то почему он не пошлет диск?

— Кто знает. Да и какая разница? Пять тысяч баксов и бесплатный билет. Да пусть хоть гребной лодкой свои чертежи посылают, если им так хочется.

Чайна покачала головой и вернулась к салату.

— Слишком странное предложение. Езжай-ка ты лучше один.

— Эй. Речь идет о Европе. Биг-Бен. Эйфелева башня. Чертов Колизей.

— Вот и развлечешься. Если, конечно, на таможне тебя с героином не накроют.

— Говорю тебе, тут все чисто.

— Пять тысяч долларов за доставку обыкновенного пакета? Не верю.

— Давай, Чайна. Ты должна поехать.

Тут в его голосе прозвучало какое-то напряжение, которое он пытался выдать за нетерпение, но оно больше напоминало отчаяние. Чайна осторожно спросила:

— В чем дело? Лучше скажи мне сразу.

Чероки ковырял виниловый шнур на краю спинки стула.

— Дело в том... Я должен быть с женой.

— Что?

— Я говорю про курьера. Про билеты. Они для супругов. Сначала я этого не знал, но когда адвокат спросил, есть ли у меня жена, я понял, что он хочет услышать положительный ответ, и сказал «да».

— Почему?

— Да какая разница? Откуда они узнают? Фамилия у нас одна. Мы не похожи. Можно притвориться...

— Я хочу сказать, почему посылку должна привезти супружеская пара? Да еще и в строгих костюмах? Пара, которая «сделает что-нибудь с волосами»? Что-нибудь такое, чтобы выглядеть неприметно, законопослушно и невинно? Господи, Чероки. Да где твои мозги? Это же наверняка контрабанда, а ты угодишь в тюрьму.

— Да не дрейфь ты. Я все проверил. Мы же говорим об адвокате. Он существует.

— Ну, этим ты меня очень сильно утешил.

Она обложила салат крохотными морковками, а сверху насыпала горстку тыквенных семечек. Полила все лимонным соком и понесла на стол.

— Я с тобой не поеду. На роль миссис Ривер ищи кого-нибудь другого.

— Да нет больше никого. И даже если бы я нашел кого-нибудь так скоро, в билете будет стоять фамилия Ривер, а паспорт должен соответствовать билету... Ну поехали, Чайна.

Он говорил как маленький мальчик, огорченный тем, что его план, который, казалось, отделяет от осуществления лишь поездка в Санта-Барбару, вдруг оказался так близок к провалу. В этом был весь Чероки: у меня есть идея, и мир, конечно же, поможет мне ее воплотить.

Но Чайна уперлась. Брата она любила. И хотя он был старше, добрую половину детства и часть отрочества она провела, опекая его. Но даже привязанность к Чероки не могла заставить ее участвовать в афере, которая грозила обернуться то ли легкими деньгами, то ли кучей неприятностей.

— Ни за что,— сказала она ему.— И думать забудь. Найди себе работу. Пора тебе начать жить в реальном мире.

— Именно это я и пытаюсь сделать.

— Тогда найди нормальную работу. Все равно рано или поздно придется. Почему бы не сейчас?

— Вот здорово.— Он так и соскочил со стула.— Просто класс, Чайна. Найди нормальную работу. Живи в реальном мире. А я чего, по-твоему, добиваюсь? Я придумал, как получить работу, дом и деньги одним махом, но тебя это, по-видимому, не устраивает. И реальный мир, и нормальная работа должны быть только такими, какими ты их себе представляешь, не иначе.

Он метнулся к двери и выскочил во двор.

Чайна пошла за ним. В центре умирающего от жажды газона стояла ванночка для птиц. Чероки выплеснул из нее воду, схватил проволочную щетку, которая лежала рядом, и принялся яростно драить ребристую поверхность ванны, отскребая птичий помет. Потом промаршировал к дому, где лежал свернутый шланг, открыл воду и вытащил шланг во двор, чтобы заново наполнить ванну.

— Слушай,— начала Чайна.

— Забудь,— сказал он.— Мой план для тебя просто глупость. А я — дурак.

— Я так сказала?

— Я не хочу жить так, как другие: вкалывать с восьми до пяти на чужого дядю за вшивую зарплату,— но ты этого не одобряешь. По-твоему, жить можно только так, а если кто-то с тобой не согласен, что ж, значит, он тупица, дурак и кончит свои дни в тюрьме.

— С чего это тебя вдруг прорвало?

— По-твоему, я должен вкалывать за гроши, складывать их в кубышку, а когда их наберется достаточно, начать выплачивать кредит за дом, завести детей и жену, которая, может быть, окажется лучшей женой и матерью, чем наша ма. Но только это твой жизненный план, ясно? А никак не мой.

И он швырнул булькающий шланг на землю, так что вода полилась на пересохший газон.

— Да при чем тут жизненный план? Это же обыкновенный здравый смысл. Бога ради, сам подумай, что ты предлагаешь. Подумай, что тебе предлагают.

— Деньги,— сказал он.— Пять тысяч долларов. Которые мне чертовски необходимы.

— Чтобы купить лодку, с которой ты понятия не имеешь, что делать? И возить людей на рыбалку бог знает куда? Подумай сначала хорошенько. Если не насчет лодки, то хотя бы насчет этой затеи с курьером.

— Подумать? — И он разразился лающим смехом.— Это я должен подумать? Сама-то ты когда этим займешься?

— Я? При чем здесь...

— Просто восхитительно. Ты учишь меня жить, в то время как твоя собственная жизнь — один сплошной анекдот, а ты об этом даже не знаешь. И вот я прихожу и даю тебе приличный шанс вылезти из всего этого впервые за...— сколько? лет десять? больше? — а ты...

— О чем ты? Из чего вылезти?

— ...ты меня же и унижаешь. Потому что тебе не нравится, как я живу. А того, что ты сама живешь еще хуже, ты не замечаешь.

— Да что ты знаешь о том, как я живу?

Она почувствовала, что тоже злится. И как ее братец всегда умеет вывернуть разговор наизнанку! Стоит только заговорить с ним о том, что он натворил или еще собирается натворить, и он тут же переведет стрелки на тебя. А за переводом стрелок всегда следовала атака, да такая, что только большой ловкач мог от нее увернуться.

— Я тебя несколько месяцев не видела. И вот ты являешься, врываешься в мой дом, заявляешь, что тебе нужна моя помощь в какой-то сомнительной махинации, а когда я не отвечаю тебе немедленным согласием, то становлюсь вдруг во всем виноватой. Но я тебе подыгрывать не буду.

— Нет, конечно. Ты лучше подыграешь Мэтту.

— А это еще тут при чем? — спросила Чайна.

Но она ничего не могла с собой поделать — от одного упоминания имени Мэтта страх холодком пробежал по ее спине, точно кто-то провел костлявым пальцем вдоль позвоночника.

— Господи, Чайна. Меня ты считаешь дураком. А сама-то когда начнешь соображать, что к чему?

— Что соображать? О чем ты?

— Да о Мэтте. Ты живешь для Мэтта. Копишь деньги «для себя, Мэтта и нашего будущего». Это же смешно. Нет. Это чертовски грустно. Стоишь тут передо мной, задрав нос, а сама даже...

Он осекся. Казалось, он неожиданно вспомнил, где находится, с кем говорит и почему. Нагнувшись, он схватил с земли шланг, отнес к дому и закрыл воду. Как-то слишком аккуратно свернул шланг и положил его на место у стены.

Чайна наблюдала за ним. У нее вдруг возникло такое чувство, будто все, что было в ее жизни — и прошлое, и будущее,— сгорело в огне и остался лишь этот миг. Миг, когда она знала и в то же время не знала.

— Что ты знаешь о Мэтте? — спросила она у брата.

Частично ответ у нее уже был. Ведь подростками они все трое жили в одном и том же обшарпанном районе городка под названием Ориндж, где Мэтт был серфингистом, Чероки — его адептом, а Чайна — тенью их обоих. Но была еще и другая часть, которой она не знала и которая скрывалась в днях и часах, когда двое мальчишек уходили кататься на волнах на Хантингтон-Бич.

— Ничего.

Чероки прошел мимо нее и вернулся в дом.

Она пошла за ним. Но ни в кухне, ни в гостиной он не задержался. Вместо этого он прошел дом насквозь, распахнул сетчатую дверь и вышел на покосившуюся веранду. Там остановился и, сощурившись, стал смотреть на сухую светлую улицу, где томились на солнце припаркованные машины и порыв ветра гнал сухие листья по тротуару.

— Лучше скажи, на что это ты намекаешь,— сказала Чайна.— Начал — так давай выкладывай.

— Забудь.

— Ты сказал — грустно. Ты сказал — смешно. Ты сказал, я подыгрываю.

— Вырвалось,— ответил он.— Я разозлился.

— Ты ведь видишься с Мэттом? Ты наверняка встречаешься с ним, когда он приезжает к родителям. Что тебе известно, Чероки? Он...

Но она не знала, сможет ли произнести это слово, до того ей не хотелось знать правду. Однако он то пропадал куда-то надолго, то уезжал в Нью-Йорк, то отменял заранее составленные планы. Да и дома, в Лос-Анджелесе, он был так занят своей работой, что тоже отказывался провести с ней выходные. Она убеждала себя, что в сравнении с тем, как давно они вместе, это ничего не значит. И все же ее сомнения росли, и вот она столкнулась с ними лицом к лицу, и надо было либо убедиться в том, что они справедливы, либо отмести их раз и навсегда.

— У Мэтта есть другая женщина? — спросила она напрямик.

Он выдохнул и покачал головой. Однако не похоже было, чтобы это был ответ на ее вопрос. Скорее реакция на то, что она вообще его задала.

— Пятьдесят долларов и доска. Вот сколько я с него запросил. Я дал товару хорошую гарантию — не обижай ее, сказал я, и она тебе ни в чем не откажет,— так что он с радостью заплатил.

Чайна слышала его слова, но ее мозг еще некоторое время отказывался их понимать. Она вспомнила ту доску, которую много лет назад Чероки принес домой с победным кличем: «Мэтт подарил ее мне!» И вспомнила, что случилось потом: она — семнадцатилетняя, не гулявшая с мальчиками, не знавшая ни поцелуев, ни объятий, ни всего остального, и Мэттью Уайткомб — высокий, застенчивый, ловко управлявшийся с доской, но не знавший, как подойти к девушке,— который пришел к ним домой и, заикаясь, смущенно пригласил ее на свидание. Только это, конечно же, было не смущение — в тот первый раз он просто дрожал в предвкушении того, за что заплатил ее брату.

— Ты продал...

Она не смогла закончить фразу.

Чероки повернулся и посмотрел на нее.

— Ему нравится трахать тебя, Чайна. Вот и все. И больше ничего. Делу конец.

— Не верю.

Но рот у нее стал сухим: суше, чем была ее кожа на жаре под ветром из пустыни, суше, чем запекшаяся, растрескавшаяся земля, на которой увядали цветы и в которой прятались дождевые черви.

У себя за спиной она нашарила ржавую ручку старой сетчатой двери. Вошла в дом. Услышала, как за ней идет брат, тоскливо шаркая ногами.

— Я не собирался тебе рассказывать,— сказал он.— Прости меня. Я совсем не собирался тебе рассказывать.

— Уходи отсюда,— ответила она.— Просто уходи. Уходи.

— Ты же знаешь, что это правда? Ты не можешь этого не чувствовать, потому что понимаешь: между вами что-то не так, и уже давно.

— Ничего подобного я не чувствую.

— Чувствуешь. А знать наверняка — лучше. Теперь ты можешь его бросить.

Подойдя к ней сзади, он положил руку — осторожно, будто пробуя,— ей на плечи.

— Поедем со мной в Европу, Чайна,— сказал он тихо.— Лучше места, чтобы забыть, не придумаешь.

Она стряхнула его руку и повернулась к нему лицом.

— С тобой я даже через порог этого дома не переступлю.

5 ДЕКАБРЯ, 6.30
ОСТРОВ ГЕРНСИ, ЛА-МАНШ

Рут Бруар вздрогнула и проснулась. Что-то в доме было не так. Она лежала неподвижно и слушала тишину, как научилась делать много лет назад, ожидая повторения звука, чтобы понять, надежно ли ее укрытие или лучше спасаться бегством. Сейчас, напряженно вслушиваясь в тишину, она не могла понять, что ее нарушило. Точно не один из тех ночных звуков, к которым она привыкла,— скрип старого дома, дребезжание оконной рамы, шелест ветра, крик разбуженной чайки,— и поэтому ее сердце часто билось, пока она лежала, напрягая слух и зрение, вглядываясь в окружавшие ее предметы, испытывая каждый, сравнивая его положение ночью с тем, где он стоял при свете дня, когда никакие призраки или незваные гости не посмели бы нарушить покой старой усадьбы, где она жила.

Ничего не услышав, она приписала свое внезапное пробуждение сну, который не могла вспомнить. А расходившиеся нервы объяснила игрой воображения. И еще действием таблеток, сильнейшего обезболивающего средства, прописанного ей врачом вместо морфина, от которого она отказывалась, хотя именно в нем нуждалось ее тело.

Она застонала в кровати, чувствуя, как боль, зарождаясь у плеч, стекает по ее рукам. Врачи, подумала она, это современные воители. Они обучены сражаться с гнездящимся в теле врагом до последней корпускулы. Они запрограммированы на это, и она им благодарна. Но бывают случаи, когда пациент знает больше, чем хирург, и ее случай как раз был одним из таких. Шесть месяцев, думала она. До ее шестьдесят шестого дня рождения остались две недели, а шестьдесят седьмого она уже не увидит. Дьявол, который отнял у нее грудь, добрался после двадцатилетней передышки и до костей, вопреки всем ее надеждам.

Перекатившись со спины на бок, она остановила взгляд на красных цифрах электронных часов у изголовья кровати. Было гораздо позже, чем она ожидала. Это время года совсем ее запутало. Судя по темноте за окном, она решила, что сейчас два или три часа ночи, но оказалось, что уже половина седьмого, через час пора вставать.

Из соседней комнаты до нее донесся звук. Но не странный шум, рожденный сном или воображением. Скорее он напоминал шелест дерева о дерево, как будто кто-то открыл и снова закрыл сначала дверцу гардероба, а потом выдвинул и задвинул ящик комода. Что-то глухо стукнулось о пол, и Рут представила себе, как он в спешке нечаянно роняет кроссовки.

Он наверняка уже втиснулся в купальные плавки — крохотный треугольник лазурной лайкры, который она считала совершенно неподходящим для мужчины его возраста, — а сверху натянул спортивный костюм. В спальне ему осталось только надеть кроссовки, чтобы дойти до бухты, чем он в настоящий момент и занимался. Рут поняла это по скрипу кресла-качалки.

Она улыбалась, прислушиваясь к движениям брата. Ги был предсказуем, как смена времен года. Он сказал вчера вечером, что собирается искупаться поутру, и вот идет плавать, как делает каждое утро: сначала топает напрямую через парк к опоясывающей его общественной дорожке, по ней быстрым шагом спускается к пляжу, чтобы согреться, один на узкой тропе, глубоким зигзагом вгрызающейся в склоны поросших деревьями холмов. Упорство, с которым брат приводил в исполнение свои планы, добиваясь успеха, больше всего восхищало Рут.

Она слышала, как за ним закрылась дверь спальни. Ей было хорошо известно, что последует дальше: в темноте он на ощупь найдет дорогу к сушилке и вытащит из нее полотенце, которое возьмет с собой. Эта процедура займет у него десять секунд, после чего еще пять минут он потратит на поиски очков для плавания, которые вчера утром положил в коробку для ножей, или бросил на этажерку у себя в кабинете, или сунул машинально в буфет, притулившийся в уголке комнаты, где они завтракали. Завладев очками, он отправится на кухню заваривать чай и уже с ним — ведь он никогда не уходит без аппетитно дымящегося зеленого чая с гинкго, которым вознаграждает себя за купание в воде, слишком холодной для простых смертных,— выйдет из дома и зашагает через лужайку к каштанам. Пересечет подъездную аллею и выйдет к стене, обозначающей границу парка. Предсказуемость брата вызвала у Рут улыбку. И не только потому, что она больше всего любила его за это; но еще и потому, что именно его предсказуемость давно сообщила ее жизни чувство безопасности, которого она, по сути, должна была быть лишена.

Она следила за сменой цифр на электронных часах, пока минуты шли, а брат собирался. Вот он у сушилки, вот спускается по лестнице, вот шарит повсюду в поисках тех самых очков, шепотом кляня свою память, которая на пороге семидесятилетия подводит его все чаще. Вот он уже на кухне, может быть, даже воровато перекусывает перед купанием.

В тот самый миг, когда Ги, согласно своему утреннему ритуалу, должен был выходить из дома, Рут встала с кровати и накинула на плечи халат. Босиком она прошлепала к окну и отодвинула тяжелые портьеры. Она начала считать от двадцати назад и едва добралась до пяти, как внизу, на пороге дома, показался брат, точный, словно часы, и неизменный, словно соленый декабрьский ветер с Ла-Манша.

Одет он был как всегда: надвинутая на лоб красная вязаная шапочка прикрывала уши и густые седеющие волосы; темно-синий спортивный костюм с пятнами белой краски на локтях, манжетах и коленях, оставшимися с прошлого лета, когда Ги красил оранжерею; кроссовки на босу ногу — хотя этого она видеть не могла, просто знала своего брата и то, как он одевается. В руке — термос с чаем. На шее — полотенце. Очки, подумала она, наверное, лежат в кармане.

— Удачного купания,— сказала она в ледяное окно.

И добавила слова, которые всегда говорил ей он, слова, которые много лет назад прокричала им мать, когда уходящий из гавани рыбацкий баркас увозил их в кромешную тьму:

«Au revoir et adieu, mes chéris»*.

Внизу ее брат делал то же, что и всегда. Он пересекал лужайку, направляясь к деревьям и подъездной аллее за ними.

Но сегодня Рут увидела кое-что еще. Едва Ги поравнялся с вязами, какая-то тень выскользнула из-под ветвей и последовала за ним.

Впереди Ги Бруар видел свет, горевший в окнах коттеджа Даффи, уютного каменного домика, частично встроенного в ограду поместья. Когда-то дом служил местом, где капитан пиратского корабля, построивший Ле-Репозуар в начале восемнадцатого века, собирал с арендаторов ренту; а ныне под его островерхой крышей нашла приют супружеская чета, которая помогала Ги и его сестре в усадьбе: Кевин Даффи работал в саду, а его жена Валери — в доме.

Свет в коттедже означал, что Валери встала и готовит мужу завтрак. Это на нее похоже: таких жен, как Валери, нынче поискать.

Ги давно решил, что теперь таких жен больше не делают. Она была последней в своем роде старомодной женой, которая заботу о муже рассматривала как долг и привилегию. Если бы Ги с самого начала повезло жениться на такой женщине, он наверняка не бегал бы всю жизнь налево в надежде повстречать ее когда-нибудь.

Его собственные жены были одинаково нудными. Первая родила ему одного ребенка, вторая — двоих, обе жили в хороших домах, водили красивые машины, отдыхали в теп-

---

* До свидания и прощайте, дорогие мои *(фр.)*.

лых странах, детей отдавали сначала гувернанткам, потом в частные школы... Ничего не помогало.

«Ты вечно на работе. Тебя никогда нет дома. Свою паршивую работу ты любишь больше, чем меня».

Бесконечная вариация на одну и ту же смертельно надоевшую тему. Неудивительно, что его вечно тянуло поразвлечься на стороне.

Выйдя из-под сени голых вязов, Ги пошел по подъездной аллее в направлении дорожки. Кругом было еще тихо, но, когда он дошел до железных ворот и распахнул одну створку, первые певчие птахи зашевелились в зарослях ежевики, терновника и плюща, росших вдоль дороги и льнущих к испещренной пятнами лишайника каменной стене.

Было холодно. Декабрь. Чего и ждать от этого времени года? Зато в такую рань не было ветра, хотя редкие порывы зюйд-оста обещали испортить погоду к полудню и сделать купание невозможным. Правда, в декабре никто, кроме него, купаться и не собирался. Такое преимущество давала ему низкая чувствительность к холоду: в его распоряжении был весь пляж.

Ги Бруара это устраивало. Потому что, плавая, он размышлял, а тем для размышления ему всегда хватало.

Так было и в то утро. Справа от него поднималась стена усадьбы, слева — высокие живые изгороди окрестных полей. Едва видимая в рассеянном утреннем свете тропинка вела к повороту, за которым начинается крутой спуск в бухту. Он обдумывал то, чем занимался в последние несколько месяцев, отчасти по собственному желанию, тщательно взвешивая каждый шаг, отчасти в результате непредвиденного стечения обстоятельств. Его занятия привели к разочарованиям, смятению и предательствам в стане ближайших союзников. А поскольку он давно отвык посвящать кого бы то ни было в дела, которые принимал ближе всего к сердцу, никто из них не мог понять — уж не говоря о том, чтобы принять,— как это они могли так ошибиться в нем. Почти десять лет он приучал их смотреть на Ги Бруара как на постоянного благодетеля, отечески заботящегося об их будущем, расточительного ровно настолько, чтобы они могли считать это будущее обеспеченным. У него и в мыслях не было обманывать кого-нибудь. Напротив, он искренне намеревался исполнить самые заветные мечты всех и каждого.

Но это было еще до Рут: до того, как гримаса боли стала появляться на ее лице, когда она думала, что он не видит, и он узнал, что это обозначает. Он бы, конечно, не догадался, не заведи она привычку назначать свидания на утесах, называя это «возможностью прогуляться, братец». Кристаллы полевого шпата в хлопьевидном гнейсе на мысе Икарт вдохновляют ее на будущее рукоделие, говорила она. В Джербуре, докладывала она, вкрапления аспидного сланца в камне образуют прерывистую серую ленту, идя вдоль которой можно проследить, как время и природа превращали ил и осадочные породы в минералы. Она рассказывала, как делала карандашные наброски зарослей дрока и раскрашивала армерию и лихнис в белый и розовый цвета. Она рвала ромашки, раскладывала их на шершавых поверхностях гранитных валунов и рисовала. По пути она рвала колокольчики и ракитник, вереск и дрок, дикие нарциссы и лилии, в зависимости от времени года и настроения. Но почему-то цветы никогда не доживали до дома.

— Слишком долго пролежали в машине, пришлось выбросить,— говорила она.— Дикие цветы быстро вянут.

Так продолжалось месяц за месяцем. Но Рут никогда не была любительницей лазать по утесам. И доморощенным ботаником или геологом тоже. Неудивительно, что Ги начал что-то подозревать.

Сначала он по глупости подумал, что в жизни его сестры появился мужчина и она смущена этим и не хочет рассказывать. И только увидев ее машину у входа в клинику принцессы Елизаветы, он все понял. Это и то, как она морщилась от боли и надолго закрывалась в своей спальне, вынудило его признать правду, которой он так долго не хотел смотреть в глаза.

С той самой ночи, когда состоялся их запоздалый побег и они покинули французский берег на лодке, спрятавшись среди сетей, она была единственной надежной опорой в его жизни. Если бы не она, он не выжил бы, ради нее он рано повзрослел, ради нее строил планы и одержал наконец победу.

Но это? С этим он ничего не мог поделать. От того, что причиняло его сестре страдания сейчас, ни на какой лодке не уплывешь.

Поэтому все надежды, которые он не оправдал, все планы, которые он разрушил, и все разочарования, причиной которых он стал, бледнели перед перспективой потерять Рут.

Утреннее купание на время помогало ему забыть о всепоглощающей тревоге. Если бы не оно, мысли о сестре, а еще больше его абсолютная неспособность повлиять на то, что с ней происходило, свели бы его с ума.

Тропа, по которой он шел, была крутой и узкой, по ее обочинам здесь, в восточной части острова, стояли деревья. Суровые ветра из Франции редко долетали сюда, и поэтому деревья чувствовали себя привольно. Оголенные ветви сикоморов и каштанов, буков и ясеней, под которыми проходил Ги, сплетались над его головой в прозрачную арку, точно вытравленную на предутреннем небе цвета олова. Деревья росли на крутых склонах холмов, поддерживаемых каменными стенами. У их подножия струился, журча между камнями, ручей, который брал начало где-то в глубине острова и бежал к морю.

Тропа петляла мимо призрачной водяной мельницы и неуместного швейцарского шале, в котором располагался отель, закрытый в межсезонье. Она упиралась в микроскопическую автостоянку с крохотной, как сердце мизантропа, закусочной — ее окна были забиты досками, а на двери висел замок — и скользкий от водорослей гранитный пирс, по которому лошади с телегами подходили к самому vraic*, служившему на острове удобрением.

---

* Так на Нормандских островах называется органическое удобрение, получаемое из выброшенных на берег морских водорослей.

Воздух был тих, никем не потревоженные чайки еще не покинули своих ночных убежищ на вершинах утесов. Недвижная вода в бухте, словно пепельное зеркало, отражала светлеющие небеса. В этом укрытом со всех сторон месте не было волн, вода лишь чуть плескала о прибрежную гальку, и казалось, будто резкие запахи гниения и зарождающейся жизни, притаившиеся в водорослях, вырываются от ее прикосновения на свободу.

Возле спасательного круга, давным-давно болтавшегося на палке, вбитой кем-то в расщелину в скале, Ги расстелил свое полотенце и поставил термос на плоский камень. Сбросил кроссовки, спустил спортивные штаны. Сунул руку в карман куртки, где лежали очки.

Но его пальцы нащупали не только их. В кармане оказался еще один предмет, который он вытащил и положил на ладонь.

Предмет был завернут в белую льняную тряпочку. Развернув ее, Ги увидел круглый камень. В середине была дырочка, которая делала его похожим на колесо, да он и был колесом: enne rouelle dé faïtot. Колесом фей.

Ги улыбнулся амулету и связанным с ним воспоминаниям. Остров был овеян преданиями. В карманах местных жителей, а тем более их родителей, бабушек и дедушек, тоже родившихся и выросших здесь, нередко можно было найти такие обереги от ведьм и их приспешников. Над обычаем посмеивались, но расставаться с ним не торопились.

«Неплохо бы и тебе обзавестись таким. Защита необходима, Ги».

И все же силы камня — волшебного или нет — не хватило на то, чтобы обеспечить ему единственную защиту, в которой он был уверен. Неожиданности случаются со всеми, и нечего было удивляться, когда это случилось с ним.

Он снова завернул камешек в ткань и положил в карман. Сбросив куртку, снял вязаную шапочку и надел очки. Пересек узкую полоску пляжа и не мешкая вошел в воду.

Холод резанул его, точно нож. Ла-Манш и летом мало походил на тропическое море. А уж пасмурным утром в канун быстро приближавшейся зимы он был мрачен, опасен и холоден, как лед.

Но Ги об этом не думал. Он решительно шел вперед и, почувствовав достаточную глубину, оттолкнулся ногами от дна и поплыл. Плыл он быстро, огибая островки водорослей в воде.

Одолев ярдов сто, он добрался до похожего на жабу гранитного островка, который отмечал место, где вода бухты встречалась с водами Ла-Манша. Там он остановился, прямо у жабьего глаза — скопления гуано в углублении камня. Повернувшись лицом к пляжу, начал взбивать ногами воду — лучший способ подготовиться к приближающемуся лыжному сезону в Австрии. По привычке снял очки, чтобы оглядеться. Он лениво разглядывал далекие утесы и покрывавшую их густую растительность. Постепенно его взгляд спустился к неровной, усыпанной валунами дороге, ведущей к пляжу.

И замер.

На пляже кто-то был. Человек стоял в тени, но явно наблюдал за ним. Гранитный пирс частично скрывал человека в темной одежде, но белая полоска на шее привлекла внимание Ги. Он прищурился, желая лучше разглядеть незнакомца, но тот отделился от пирса и двинулся через пляж.

Невозможно было ошибиться в том, куда он направляется. Скользнув к сброшенной одежде, незнакомец встал рядом с ней на колени и поднял что-то: то ли штаны, то ли куртку, издалека было трудно понять.

Но Ги догадался, зачем он там шарит, и чертыхнулся. Он понял, что надо было выложить все из карманов, выходя из дома. Разумеется, ни один нормальный вор не заинтересовался бы маленьким круглым камешком, который обычно носил с собой Ги Бруар. Но ни один нормальный вор и не пошел бы ранним декабрьским утром на пляж в надежде поживиться чем-нибудь из карманов купальщиков. Тот, на берегу, точно знал, кто купался сейчас в бухте. И шарил в его одежде либо в поисках камня, либо для того, чтобы выманить его, Ги, на берег.

«Ну и черт с ним»,— подумал он.

Это был его час одиночества. Он ни с кем не будет его делить. Только одно волновало его сейчас: сестра и то, как она встретит свой конец.

Он опять поплыл. Дважды пересек бухту туда и обратно. Снова бросив взгляд на пляж, он с удовольствием отметил, что нарушитель его покоя скрылся.

Ги поплыл к берегу и добрался до него, запыхавшись, ведь сегодня он плавал вдвое дольше обычного. Спотыкаясь, вышел из воды и поспешил к полотенцу, весь покрывшись мурашками от холода.

Чай обещал быстрое спасение, и он налил себе из термоса. Напиток был крепкий, горький и, что важнее всего, горячий. Ги выпил целую чашку, прежде чем снять купальные плавки и налить следующую. Эту он выпил медленнее, энергично растираясь полотенцем, чтобы вернуть тепло конечностям. Потом надел штаны и взялся за куртку. Накинул ее на плечи и сел на скалу обсушить ноги. И только надев кроссовки, он сунул руку в карман. Камень по-прежнему был там.

Он задумался. Вытянув шею, оглядел утесы вокруг. Насколько можно было судить, кругом не было ни души.

Тогда он решил, что, наверное, ошибся. Быть может, это был не живой человек, а просто какое-то отражение его собственных мыслей. Воплощенное чувство вины, к примеру.

Он вынул камень из кармана. Развернул его и большим пальцем пощупал инициалы, вырезанные на нем.

Защита нужна всем, подумал он. Труднее всего понять, от кого или от чего.

Он выплеснул остаток чая на землю и налил еще чашку из термоса. До полного восхода солнца оставалось меньше часа. Сегодня он встретит его здесь.

15 ДЕКАБРЯ, 23.15
ЛОНДОН

19 ДЕКАБРЯ [illegible]
ЛОНДОН

1

Говорить можно было о погоде. И это [illegible], дождь шел целую неделю, останавливаясь не более чем на полчаса, — явление, достойное [illegible] декабря. А если учесть, что [illegible] норму по осадкам, затопив Сомерсет, [illegible], Восточную Англию, Кент и Норфолк, не говоря уже о [illegible], Шрусбери и Ипсуиче, то даже упоминать о [illegible] крыши [illegible] выставки черно-белой фотографии в одной из галерей Сохо на фоне таких событий было бы просто неприлично. В самом деле, как можно [illegible] о [illegible] жалкой кучке друзей и родственников, которые [illegible] всю жизнь, в момент, когда [illegible] остались без крыши над головой, [illegible] тысячами перевозили с места на место [illegible]. Не поговорить об этой природной [illegible] значило бы показать себя черствым и [illegible] человеком.

Так, по крайней мере, успокаивал себя Саймон Смит-Джеймс.

Разумеется, он видел логическую ошибку в своих рассуждениях. Но от своих мыслей все равно не отказывался. Услышав, как стекла в оконных рамах содрогнулись от порыва ветра, он схватился за звук, как утопающий за соломинку.

— Может быть, подождете, пока буря немного уляжется? — предложил он гостям. — В такую погоду садиться за руль — чистое самоубийство.

1

Говорить можно было о погоде. И это радовало. Дождь шел целую неделю, останавливаясь не более чем на полчаса,— явление, достойное замечания даже по стандартам хмурого декабря. А если учесть, что прошлый месяц перевыполнил норму по осадкам, затопив Сомерсет, Девон, Восточную Англию, Кент и Норфолк, не говоря уже о городах Йорке, Шрусбери и Ипсуиче, то даже упоминать о провальном открытии выставки черно-белой фотографии в одной из галерей Сохо на фоне таких событий было бы просто неприлично. В самом деле, как можно развлекаться разговорами о жалкой кучке друзей и родственников, которые представляли всю публику в момент открытия, когда за пределами Лондона люди оставались без крыши над головой, животных тысячами перевозили с места на место, собственность погибала. Не поговорить об этой природной катастрофе значило бы показать себя черствым и негуманным человеком.

Так, по крайней мере, успокаивал себя Саймон Сент-Джеймс.

Разумеется, он видел логическую ошибку в этих рассуждениях. Но от своих мыслей все равно не отказывался. Услышав, как стекла в оконных рамах содрогнулись от порыва ветра, он схватился за звук, как утопающий за соломинку.

— Может быть, подождете, пока буря немного уляжется? — предложил он гостям.— В такую погоду садиться за руль — чистое самоубийство.

Он слышал, как искренне прозвучал его голос. И понадеялся, что они отнесут это на счет его заботы об их благополучии, а не чистой воды трусости, как было на самом деле. И не важно, что Томас Линли и его жена живут всего в двух милях к северо-востоку от Челси. Никому не следует выходить из дому в такой ливень.

Но Линли и Хелен уже надели пальто. От входной двери Сент-Джеймсов их отделяли всего несколько шагов. Линли держал в руке черный зонт — совершенно сухой,— что лучше всяких слов говорило о том, как долго они просидели с Сент-Джеймсом и его женой у камелька в кабинете первого этажа. В то же время состояние самой Хелен, страдавшей на втором месяце беременности от тошноты, которую в этот полуночный час лишь с большой натяжкой можно было назвать утренней, требовало немедленного возвращения домой, невзирая ни на какую погоду.

«И все-таки надежда умирает последней»,— подумал Сент-Джеймс.

— Мы ведь еще не поговорили о деле Флеминга,— сказал он Линли, который был офицером Скотленд-Ярда, расследовавшим это убийство.— Прокуратура довольно быстро довела его до суда. Ты, наверное, доволен.

— Саймон, хватит,— тихо сказала Хелен Линли. Нежная улыбка смягчила ее слова.— Нельзя вечно уходить от разговора. Поговори с ней. Такое увиливание совсем не в твоем духе.

К сожалению, это было именно в его духе, и доведись жене Сент-Джеймса слышать сейчас Хелен Линли, она первая опровергла бы ее. Жизнь с Деборой изобиловала опасными подводными течениями. И Сент-Джеймс, точно неопытный гребец на незнакомой реке, всегда предпочитал обходить их стороной.

Он оглянулся через плечо на дверь кабинета. За ней горели свечи, в камине тлел огонь. Надо было сделать освещение поярче, запоздало сообразил он. При других обстоятельствах приглушенный свет мог показаться романтичным, но сейчас он скорее наводил на мысль о похоронах.

«Но никто ведь не умер,— напомнил он себе.— Это же не смерть. А всего лишь разочарование».

Весь последний год его жена работала над серией портретов. В разных концах Лондона она снимала разных людей: от рыбаков, в пять утра привозящих свой улов на рынок Биллингсгейт, до богатых кутил, в полночь съезжающихся в ночные клубы Мейфэра. Ее снимки запечатлели культурное, этническое, социальное и экономическое разнообразие метрополии, и она надеялась, что открытие выставки ее работ в небольшой, но очень приличной галерее на Литл-Ньюпорт-стрит привлечет достаточно посетителей и о ней напишут в каком-нибудь издании для коллекционеров, жаждущих вкладывать деньги в новых художников. По ее словам, ей просто хотелось, чтобы ее имя запало в сознание публики, как зерно падает в почву. Она вовсе не надеялась продать много работ сразу.

Погода, мерзкая погода на границе осени и зимы,— вот что ее подкосило. Дебору не особенно тревожила ноябрьская слякоть. В это время года погожие деньки редкость. Но когда осенние хляби плавно перетекли в декабрьский проливной дождь, Дебора заговорила о своих сомнениях вслух. Может, повременить с открытием до весны? Или даже до лета, когда люди много развлекаются и поздно ложатся спать?

Держаться прежних планов ей посоветовал Сент-Джеймс. Плохая погода, говорил он, никогда не держится дольше середины декабря. Дождь льет уже несколько недель, так что, хотя бы с чисто статистической точки зрения, должен вот-вот перестать.

Но переставать он как раз и не собирался. С неба лило ночь за ночью, день за днем, пока городские парки не превратились в болота, а из трещин в мостовой не полезла плесень. Деревья падали, потому что их корни не находили больше опоры в отсыревшей земле; в подвалах прибрежных домов можно было устраивать соревнования по гребле.

Если бы не Сент-Джеймсы, явившиеся на выставку в полном составе (мать, братья и сестра, все с чадами и домочадцами), единственными посетителями торжественного открытия стали бы отец Деборы, кучка близких друзей, чья преданность пересилила осторожность, да еще пятеро незнакомцев. Именно к ним устремлялись с надеждой все взоры, пока не стало ясно, что трое из них прятались на выставке от ненастья, а еще двое коротали время в ожидании столика в ресторане мистера Кинга.

Сент-Джеймс бодрился ради жены, как и владелец галереи, парень по имени Хобарт, чей английский выдавал уроженца низовий Темзы — можно было подумать, что буквы «т» нет в алфавите. Если верить ему, Деборе было «не о чем волновася. Высавка продлися еще месяц, а качесво супер. Погляди, сколько уже продано!» На что Дебора с присущей ей честностью ответила:

— А поглядите, сколько родственников привел сюда мой муж, мистер Хобарт. Будь у него побольше сестер и братьев, мы распродали бы все.

И она не ошиблась. Сент-Джеймсы были щедрыми людьми, всегда готовыми оказать поддержку. Но то, что они покупали ее работы, значило для Деборы гораздо меньше, чем если бы их купил кто-нибудь другой.

— У меня такое чувство, что они покупали только из жалости,— не выдержав, пожаловалась она в такси по дороге домой.

Вот почему присутствие Томаса Линли и его жены было так желательно Сент-Джеймсу именно сейчас. Когда они уйдут, ему придется защищать талант жены в ее собственных глазах, а он не чувствовал в себе достаточно сил для этого. Он знал, что она не поверит ни единому его слову, хотя он будет говорить совершенно искренне. Как многим художникам, ей требовалось признание посторонних. Он не посторонний, а значит, его мнение не имеет значения. Как и мнение отца, который только потрепал ее по плечу и философски заметил:

— Погода, Деб, ничего не попишешь,— и пошел спать.

Но Линли и Хелен — совсем другое дело. Поэтому когда Сент-Джеймс набрался смелости заговорить в присутствии

Деборы о Литл-Ньюпорт-стрит, их присутствие было для него столь необходимо.

Но его надеждам не суждено было сбыться. Он видел, что Хелен буквально падает от усталости, а Линли исполнен решимости во что бы то ни стало доставить ее домой.

— Будьте осторожнее на дороге,— сказал им Сент-Джеймс.

— Coraggio*, чудовище,— ответил Линли с улыбкой.

Сент-Джеймс следил за тем, как они под дождем шли по Чейни-роу к своей машине. Когда Линли благополучно сели в нее, он запер дверь и мысленно собрался с силами, готовясь к разговору, который ждал его в кабинете.

Не считая короткого замечания, оброненного Деборой в разговоре с мистером Хобартом, она удивительно стойко держалась до самого такси. Болтала со своими друзьями, восторженными возгласами приветствовала всех его родственников, водила Мела Докссона, своего старого учителя фотографии, от одной работы к другой, выслушивая и его похвалы, и резкую критику. И только те, кто знал ее всю жизнь, как Сент-Джеймс, видели за показной бодростью тусклый застывший взгляд и по тому, как часто она поглядывала в сторону двери, понимали, до чего важно было для нее мнение посторонних, которое при других обстоятельствах не значило бы ровно ничего.

Он нашел Дебору там же, где оставил, когда пошел провожать Линли,— у стены с коллекцией ее фотографий, развешанных им самим. Она внимательно разглядывала их, сжав за спиной руки.

— Год жизни пошел псу под хвост,— объявила она.— А ведь я могла бы устроиться на нормальную работу, начать наконец зарабатывать деньги. Снимала бы свадьбы. Первые балы. Крестины. Бар-мицвы. Дни рождения. Делала бы льстивые портреты мужчин среднего возраста и их трофейных жен. Еще что-нибудь.

---

* Смелее *(ит.)*.

— Туристов с портретами королевской семьи в руках? — предложил он.— На этом и правда можно заработать пару монет, если встать с фотоаппаратом напротив Букингемского дворца.

— Я серьезно, Саймон,— сказала она, и по ее тону он понял, что шутками тут не отделаешься.

Убедить ее в том, что одно-единственное разочарование — еще не конец жизни, так просто не удастся.

Сент-Джеймс встал рядом и тоже начал рассматривать фотографии. Она всегда разрешала ему отбирать из каждой новой коллекции те работы, которые нравились ему больше всех, и те, что висели здесь, были, на его непрофессиональный взгляд, превосходны: семь черно-белых этюдов, сделанных рано утром в Бермондси, где торговцы любым товаром, начиная от антиквариата и заканчивая краденым, расставляли чуть свет свои прилавки. Больше всего ему нравилось в ее снимках ощущение вечности, неизменности Лондона. Ему нравились лица и то, как на них падал свет уличных фонарей и ложились тени. Он считал свою жену не просто талантливым фотографом. Он полагал, что у нее редкий дар.

— Всякий, кто хочет сделать карьеру, начинает с самых низов. Назови мне любого фотографа, которым ты восхищаешься, и наверняка окажется, что и он начинал обычным ассистентом, парнишкой на побегушках, носил софиты, подавал светофильтры кому-то другому, а тот, в свою очередь, начинал точно так же. Как было бы хорошо, если бы можно было сделать несколько удачных кадров и почивать на лаврах, но, к сожалению, наш мир не таков.

— Мне не нужны лавры. Дело не в них.

— Тебе кажется, что ты буксуешь на месте. Один год и... сколько снимков?

— Десять тысяч триста двадцать два.

— А воз и ныне там. Да?

— С места не сдвинулась. Ни на шаг. Не знаю даже, стоит ли... все это... стоит ли вообще тратить на это время.

— То есть ты хочешь сказать, что опыт, который ты получила, для тебя не важен? Ты пытаешься убедить себя —

а заодно и меня, хотя я в это, заметь себе, не верю,— будто работа хороша только тогда, когда она дает результат, на который рассчитываешь.

— Дело не в этом.

— А в чем?

— Мне необходимо поверить, Саймон.

— Во что?

— Я не могу потратить еще год на баловство. Я не хочу быть претенциозной женушкой Саймона Сент-Джеймса, забавы ради расхаживающей по Лондону в рабочих штанах и армейских ботинках со своими фотоаппаратами. Я тоже хочу вносить свой вклад в нашу жизнь. Но как я могу это сделать, если я не верю?

— Может, начнешь с того, что поверишь в сам процесс? Посмотри на любого фотографа, чье творчество ты изучала, разве нет среди них того, кто...

— Да я не это имею в виду! — И она повернулась к нему лицом.— Меня не надо убеждать в том, что все начинают с низов и тяжким трудом прокладывают себе путь наверх. Я не настолько глупа, чтобы верить в то, что сегодня состоялась моя выставка, а завтра ко мне прибегут из Национальной портретной галереи за образцами моих работ. Я не дура, Саймон.

— Я этого и не говорю. Я просто объясняю, что провал одной-единственной выставки — которая, может, еще окажется очень удачной — ни о чем не говорит. Это просто опыт, Дебора. Не больше. И не меньше. Просто ты не так его интерпретируешь.

— А что, по-твоему, люди не должны интерпретировать свой опыт? Пережили и пошли дальше? Играли — не угадали ни одной буквы? Ты это хочешь сказать?

— Ты же знаешь, что нет. Вот сейчас ты расстроишься. А это вряд ли поможет нам обоим...

— Расстроюсь? Да я уже расстроилась. Я месяцами не вылезала с улицы. Месяцами сидела в темной комнате. Потратила кучу денег на пленку и бумагу. Я не могу продолжать в том же духе, если не поверю, что во всем этом есть смысл.

— Чем он определяется? Продажами? Успехом? Статьей в «Санди таймс мэгэзин»?

— Нет! Конечно нет. Я совсем не о том, и ты это знаешь.

Она проскочила мимо него к двери, бросив на ходу: «Да какая разница?» — и собиралась подняться наверх, оставив его ломать голову над природой мучивших ее демонов. Между ними всегда было так: натолкнувшись на его флегматичный нрав, она вспыхивала со всей страстью непредсказуемой натуры. Принципиальное несходство взглядов было одной из причин, почему им так хорошо вместе. К несчастью, по той же самой причине им бывало и плохо.

— Ну так объясни мне,— сказал он.— Объясни, Дебора.

Она остановилась на пороге. Разъяренная и целеустремленная, она была похожа на Медею: длинные волосы дождем рассыпались по плечам, глаза сверкали металлическим блеском в свете пламени.

— Мне нужно поверить в себя,— сказала она просто.

Голос ее прозвучал так, как будто сама речь требовала от нее отчаянных усилий, и он понял, как сильно ее злит его непонимание.

— Но ты и сама должна знать, что твои работы очень хороши,— сказал он.— Неужели можно поехать в Бермондси, сделать такие снимки,— он показал на стену,— и не знать, что они хороши? Больше, чем хороши. Господи, да они великолепны!

— Потому что знание рождается здесь,— ответила она. Ее голос сделался тише, а поза, такая суровая мгновение назад, утратила свою напряженность, и она как бы обвисла у него на глазах. При слове «здесь» она указала пальцем на голову, а потом положила ладонь под левую грудь и продолжила:

— А вера — здесь. И мне пока не удалось сократить дистанцию между ними. А если я и дальше не смогу... Как я вынесу то, что должна вынести, если хочу доказать сама себе, что чего-то стою?

«Так вот в чем дело»,— подумал он.

Больше она ничего не добавила, за что он в душе поблагодарил ее. Судьба отказала его жене в возможности реализовать себя через материнство. Поэтому она искала другой путь.

— Любимая...— начал он.

И не нашел больше слов. Но это одно, казалось, содержало в себе больше доброты, чем она могла вынести, потому что металл в ее взгляде расплавился и она вскинула руку, словно умоляя не подходить к ней и не заключать ее в объятия.

— Постоянно, чем бы я ни занималась, внутренний голос шепчет, что я обманываю себя.

— Разве не все художники обречены на это? И разве тем, кто добился успеха, не пришлось учиться не обращать внимания на сомнения?

— Этого я как раз и не умею. Ты играешь в картинки, говорят они мне. Ты просто притворяешься. Ты зря тратишь время.

— Как ты можешь думать, будто обманываешь себя, когда ты делаешь такие фотографии?

— Ты мой муж,— возразила она.— Что еще ты можешь сказать?

Сент-Джеймс знал, что ему нечего на это возразить. Как ее муж, он желал ей счастья. Они оба знали, что ни он, ни ее отец никогда не скажут ничего такого, что могло бы его разрушить. Он чувствовал, что проиграл, и она, наверное, прочитала это по его лицу, потому что сказала:

— Не попробуешь — не узнаешь. Ты сам все видел. Почти никто не пришел.

Все началось сначала.

— Это погода виновата.

— А мне кажется, не только.

Дальнейшие рассуждения на тему, кому что кажется, были столь же бесплодны, бесформенны и безосновательны, как логика идиота. Будучи настоящим ученым, Сент-Джеймс поинтересовался:

— Ну а на какой результат ты надеялась? Чего, по-твоему, следовало ждать от первого показа в Лондоне?

Она задумалась над этим вопросом, поглаживая пальцами белый дверной косяк, как будто ответ был записан на нем шрифтом Брайля.

— Не знаю,— призналась она.— Наверное, я слишком боюсь это узнать.

— Чего ты боишься?

— Я понимаю, что мои ожидания были сумбурны. Но знаю, что, даже если я — вторая Анни Лейбовиц, времени все равно потребуется много. Но что, если и все остальное во мне под стать моим ожиданиям? Что, если все остальное — тоже сплошной сумбур?

— Что — все?

— А вдруг надо мной просто пошутили? Вот какой вопрос задавала я себе весь вечер. Вдруг все вокруг просто потакают моим причудам? Твоя семья. Наши друзья. Мистер Хобарт. Что, если они принимают мои работы из милости? «Да, мадам, ваши работы очень милы, мы повесим их в нашей галерее, где они никому не помешают, особенно в декабре, когда люди не ходят на художественные выставки, а бегают по магазинам и запасаются подарками к Рождеству, и вообще, нужно же нам чем-то прикрывать свои стены целый месяц, когда никто не думает выставляться». Что, если в этом все дело?

— Ты оскорбляешь всех. Семью, друзей. Всех, Дебора. И меня тоже.

И тут слезы, которые она так долго сдерживала, наконец пролились. Она прижала кулак к губам, словно понимала, каким ребячеством была ее реакция на разочарование. И все же он знал, она ничего не могла с собой поделать. В конце концов, Дебора — это просто Дебора.

«Она ужасно чувствительная крошка, не правда ли, дорогой?» — заметила однажды его мать с таким выражением, как будто близость к Дебориным эмоциям была сродни приближению к очагу туберкулеза.

— Мне это необходимо, понимаешь? — всхлипнула Дебора.— И если мне не суждено здесь ничего добиться, то лучше мне это знать, ведь должна же я иметь хоть что-нибудь в жизни. Понимаешь?

Тут он все-таки подошел и обнял ее, понимая, что слезы лишь отчасти вызваны тягостным вечером на Литл-Ньюпорт-стрит. Ему хотелось сказать ей, что все это совсем не важно, но он не желал лгать. Ему хотелось взять все ее проблемы на себя, но хватало своих. Ему хотелось сделать их совместную жизнь проще, но он был не в силах. Поэтому он просто взял и прижал ее к себе.

— Мне ты не должна ничего доказывать,— произнес он в ее упругие медно-рыжие пряди.

— Проще сказать, чем сделать,— ответила она.

Он едва успел набрать в грудь воздуха, чтобы ответить, что нужно жить так, будто каждый день — последний, а не бросать на ветер слов о будущем, которое никому не ведомо, как дверной звонок громко и протяжно зазвонил, точно кто-то снаружи навалился на него всем телом.

Дебора отошла от него и вытерла щеки, глядя на дверь.

— Наверное, Томми и Хелен что-нибудь забыли... Они ничего не оставили?

И она огляделась вокруг.

— Нет, по-моему.

Звон продолжался, пока не разбудил домашнего пса. Когда они подходили к двери, из кухни на полной скорости вылетела Пич, гавкая, как подобает разъяренному охотнику на барсуков, которым она, собственно, и была. Дебора подхватила извивающуюся таксу на руки.

Сент-Джеймс открыл дверь.

— Вы решили...— начал он, но тут же осекся, не увидев ни Томаса Линли, ни его жены.

Вместо них на верхней ступеньке стоял, привалившись к железным перилам, человек в черной куртке, со слипшимися от дождя волосами, в насквозь промокших джинсах, которые прилипали к его ногам. Щурясь от света, он обратился к Сент-Джеймсу с вопросом:

— Здесь живет...

И замолчал, увидев Дебору, которая с таксой на руках стояла позади мужа.

— Слава богу,— сказал он.— Меня, наверное, раз десять заворачивали. Я сел в метро на вокзале Виктория, но не в ту сторону, и понял это, только когда... Потом промокла карта. Потом ее унесло ветром. А потом я потерял адрес. Но теперь все. Слава богу...

С этими словами он вышел на свет и сказал:

— Дебс. Вот это, блин, чудо. Я уже начал думать, что никогда тебя не найду.

Дебс. Дебора сделала шаг вперед, не веря своим ушам. Воспоминания о том времени и месте накрыли ее, как волна. И конечно, о людях. Она сказала:

— Саймон! Господи боже. Глазам своим не верю...

Но вместо того чтобы закончить мысль, она решила сначала убедиться в том, что все это реально, хотя и совершенно неожиданно. Протянув руку, она втащила незнакомца в дом.

— Чероки?

Первая ее мысль была о том, что брат ее старинной подруги просто не может стоять сейчас на крыльце дома. Убедившись, что это не обман зрения, что он и вправду здесь, она воскликнула:

— О господи, Саймон, это же Чероки Ривер!

Саймон пришел в некоторое замешательство. Он запер дверь, а Пич бросилась обнюхивать ботинки гостя. Видимо, они ей не понравилась, потому что она отпрянула и залаяла.

— Тише, Пич. Это друг,— утихомиривала собаку Дебора.

— Кто? — переспросил Саймон, взял на руки таксу и успокоил ее.

— Чероки Ривер,— повторила Дебора.— Ты ведь Чероки, правда? — спросила она у гостя.

Хотя она почти не сомневалась в том, что это он и есть, с их последней встречи прошло шесть лет, да и тогда, во времена их знакомства, они встречались всего раз пять или шесть. Не дожидаясь ответа, она продолжила:

— Пойдем в кабинет. Там огонь горит. Господи, да ты насквозь мокрый. Что у тебя с головой, порезался? Как ты сюда попал?

Она подвела его к оттоманке у огня и заставила снять куртку. Та когда-то была непромокаемой, но те времена давно прошли, и с куртки лились на пол реки воды. Дебора развесила ее у огня, и Пич тут же бросилась ее обнюхивать.

Саймон задумчиво повторил:

— Чероки Ривер?

— Брат Чайны,— уточнила Дебора.

Саймон посмотрел на гостя, которого начинала бить дрожь.

— Из Калифорнии?

— Да. Чайна. Из Санта-Барбары. Чероки, что, черт возьми... На, держи. Да садись же. Пожалуйста, садись к огню. Саймон, у нас одеяло есть? А полотенце?

— Сейчас принесу.

— Побыстрее! — поторопила Дебора, потому что освобожденный от куртки Чероки трясся, как человек, у которого вот-вот начнутся конвульсии.

Его кожа так побледнела, что приобрела какой-то синюшный оттенок, а зубы выбивали дробь и даже прорвали кожу на губе, так что кровь закапала на подбородок. И это не считая довольно неприятного пореза на виске, осмотрев который Дебора заметила:

— Тут нужен пластырь. Что с тобой стряслось, Чероки? Тебя что, ограбили? — И тут же добавила: — Не надо, не отвечай. Сначала я дам тебе чего-нибудь согреться.

Она метнулась к старому столику на колесиках, который стоял у окна, выходившего на Чейни-роу. Там она налила в стакан чистого бренди и вернулась с ним к Чероки.

Тот поднес стакан к губам, но его руки тряслись так сильно, что стакан просто стучал о зубы и большая часть бренди пролилась на черную футболку, которая была такой же мокрой, как и вся его одежда.

— Черт. Прости, Дебс.

То ли его голос, то ли состояние, то ли напиток, пролитый на футболку, снова возбудили подозрения Пич, которая оторвалась от изучения его куртки и залаяла.

Дебора шикнула на таксу, но та не успокоилась, пока хозяйка не выволокла ее из комнаты и не отправила на кухню.

— Воображает, что она доберман,— с кривой усмешкой сообщила Дебора, вернувшись в комнату.— Когда Пич рядом, смотри в оба.

Чероки усмехнулся. Но тут его страшно затрясло, и бренди, который он держал в руках, заплескался в стакане. Дебора опустилась на оттоманку рядом с ним и обняла его за плечи.

— Извини,— сказал он.— Я что-то совсем расклеился.

— Не надо извиняться. Пожалуйста.

— Я долго бродил под дождем. Налетел на сук там, у реки. Думал, кровь перестала течь.

— Пей бренди,— сказала Дебора. Она была рада, услышав, что он не попал в какую-нибудь историю на улице.— Потом я посмотрю твою голову.

— Там все так плохо?

— Просто порез. Но посмотреть все равно нужно. Вот, держи.— У нее в кармане был носовой платок, и она вынула его и стала вытирать им кровь с раны.— Ты нас удивил. Что ты делаешь в Лондоне?

Дверь кабинета распахнулась, и вошел Саймон. Он принес одеяло и полотенце. Дебора накинула одеяло на плечи Чероки, а полотенцем начала вытирать его волосы. Они стали короче, чем в те времена, когда Дебора жила с его сестрой в Санта-Барбаре. Но вились так же буйно, как прежде,— в этом они с Чайной были не похожи, да и в остальном тоже: у него было чувственное лицо, глаза с тяжелыми веками и пухлые губы, за которые женщины платят огромные деньги пластическим хирургам.

«Все гены сексапильности унаследовал он,— говорила о брате Чайна,— а мне оставил внешность средневекового монаха-аскета».

— Сначала я вам позвонил.— Чероки плотнее закутался в одеяло.— Это было часов в девять. Чайна дала мне ваш адрес и номер телефона. Я думал, они мне не понадобятся, но вылет из-за погоды отложили. А когда буря наконец немного утихла, идти в это чертово посольство было слишком поздно. Вот я и позвонил вам, но никого не было.

— В посольство? — Саймон взял у Чероки стакан и налил еще бренди взамен разлитого.— Что-то случилось?

Чероки взял стакан, кивнув в знак благодарности. Его руки уже не так дрожали. Он залпом выпил напиток.

— Тебе надо переодеться,— сказала Дебора.— И ванну принять тоже не помешает. Я сейчас пойду и все приготовлю, а пока ты будешь отмокать в ванной, мы бросим твою одежду в сушилку. Ладно?

— Э, нет. Я не могу. Это же... Поздно ведь.

— Об этом не беспокойся. Саймон, отведи его, пожалуйста, в комнату для гостей и дай что-нибудь переодеться. Не спорь, Чероки. Никакой проблемы тут нет.

Дебора поднялась наверх. Пока ее муж искал сухую одежду, чтобы дать гостю, она начала набирать ванну. Достала чистые полотенца, а когда появился Чероки в халате Саймона, с его пижамой, переброшенной через руку, промыла порез у него на виске. Он поморщился, когда ватка со спиртом коснулась его кожи. Твердой рукой она придержала его голову и сказала:

— Терпи.

— Пулю прикусить не даешь?

— Только когда оперирую. А это не считается.

Выбросив ватку, она взялась за пластырь.

— Чероки, откуда ты прилетел сегодня? Не из Лос-Анджелеса, точно. Ты ведь без... А багаж у тебя есть?

— Гернси,— ответил он.— Я прилетел с Гернси. Вылетел сегодня утром. Думал, до вечера все успею и к ночи вернусь, поэтому и оставил все вещи в отеле. А вышло так, что я большую часть дня проболтался в аэропорту, дожидаясь улучшения погоды.

Из всего сказанного Дебору заинтересовало только одно.

— Что успеешь?

И она прилепила полоску пластыря на порез.

— В смысле?

— Ты сказал «все успею». Что успеешь?

На мгновение Чероки отвел глаза. Всего мгновение, но его было достаточно, чтобы Дебора встревожилась. Он говорил, что сестра дала ему их лондонский адрес, и у Деборы сложилось такое впечатление, что она сделала это еще в Штатах, как бывает, когда кто-то собирается в Англию и ему дают адреса знакомых.

«Будешь на каникулах в Лондоне? Загляни к моим друзьям, они очень хорошие люди».

Но, подумав хорошенько, Дебора поняла, что такой сценарий попросту невозможен, ведь ее контакт с сестрой Чероки не возобновлялся последние пять лет.

Это навело ее на мысль о том, что если с самим Чероки ничего не стряслось, но тем не менее он примчался с Гернси в Лондон, вооруженный их адресом и твердым намерением как можно скорее попасть в американское посольство...

— Чероки, с Чайной что-то случилось? Ты поэтому здесь?

Он посмотрел на нее. Его лицо было бледно.

— Ее арестовали,— ответил он.

— Больше я у него ничего не спросила.

Дебора нашла мужа в полуподвальной кухне, где он, предусмотрительный, как всегда, ставил на плиту суп. В тостере сушился хлеб, а исполосованный шрамами кухонный стол, на котором ее отец за последние годы приготовил несколько тысяч обедов, был накрыт на одного.

— Я решила, пусть он сначала искупается... Мне показалось, что надо дать ему отдохнуть. Потом расскажет... Если, конечно, захочет...

Она нахмурилась, скользя ногтем большого пальца по краю столешницы. Торчащая щепка была воспринята ею как укол совести. Дебора пыталась убедить себя в том, что ей нечего стыдиться, все дружбы когда-то начинаются и кончаются, такова жизнь. И все же именно она первой перестала отвечать на письма, которые приходили из-за океана. Потому что Чайна Ривер относилась к той части жизни Деборы, которую ей очень хотелось забыть.

Саймон, стоя у плиты и мешая деревянной ложкой томатный суп, бросил на жену беглый взгляд. Видимо, он истолковал ее неразговорчивость как тревогу, потому что сказал:

— Все может оказаться совсем просто.

— Что значит «просто», когда речь идет об аресте?

— Я хочу сказать, ничего страшного. Какая-нибудь авария. Или похожее на кражу недоразумение в универсаме. Что-нибудь в этом роде.

— Зачем ему идти в американское посольство из-за кражи в магазине, Саймон? И вообще, она ведь не воровка.

— Ты в самом деле хорошо ее знаешь?

— Я хорошо ее знаю,— сказала Дебора. Но этого ей показалось мало, и она с нажимом повторила: — Я очень хорошо знаю Чайну Ривер.

— А ее брата? Этого Чероки? И что это за дурацкое имя?

— Так его назвали при рождении, по-моему.

— Родители из лета «Сержанта Пеппера»?

— Ммм. Их мать была радикальной... что-то вроде хиппи. Нет. Погоди. Она боролась за охрану окружающей среды. Вот. Это было еще до того, как я с ней познакомилась. Она сидела на деревьях.

Саймон посмотрел на нее искоса.

— Чтобы их не срубили,— объяснила Дебора просто.— И отец Чероки — у них разные отцы — тоже боролся за охрану окружающей среды. Или нет?

Она задумалась, пытаясь вспомнить.

— Он, кажется, привязывал себя к рельсам... где-то в пустыне.

— Вероятно, рельсы тоже нуждались в защите? Видит бог, они вымирают со страшной скоростью.

Дебора улыбнулась. Из тостера выскочили тосты. Она взялась намазывать бутерброды, а Пич выбралась из своей корзинки в надежде, что и ей немного перепадет.

— Я не слишком хорошо знаю Чероки. Не так хорошо, как Чайну. Когда я жила в Санта-Барбаре, то ездила на праздники к ним домой, там я с ним и познакомилась. Семейные праздники. Рождественские обеды. Новый год. Банковские праздники. Мы приезжали в этот... Ну, где жила ее мать. Город, как цвет...

— Цвет?

— Красный, зеленый, желтый. А, оранжевый. Ориндж. Ее мать жила в Ориндже. Она всегда готовила индейку с соевым творогом на праздники. Черные бобы. Бурый рис. Пирог из морских водорослей. Гадость кошмарная. Мы притворялись, что едим, а сами под каким-нибудь предлогом сматывались из дома и ехали искать какой-нибудь ресторанчик, где было открыто. Чероки знал несколько весьма сомнительных, но зато замечательно дешевых мест.

— Это его положительно характеризует.

— Тогда я с ним и встречалась. Всего раз десять, наверное. Правда, один раз он приезжал в Санта-Барбару и провел пару ночей на нашем диване. Их с Чайной тогдашние отношения можно назвать любовью-ненавистью. Он старший брат, но всегда вел себя как младший, а Чайну это бесило. И еще она пыталась его опекать, а это бесило его. А их мать... она, в общем-то, и не была им настоящей матерью, если ты понимаешь, о чем я.

— Слишком занята была деревьями?

— И не только. Она была, и в то же время ее не было. И это... как бы роднило нас с Чайной. То есть не только это. Фотография. И другие вещи. Но мы обе выросли без матери.

Дебора резала хлеб, а Пич сидела, с надеждой уткнувшись мокрым носом ей в лодыжку.

Саймон выключил газ и прислонился к плите, глядя на свою жену.

— Тяжелое было время,— сказал он негромко.

— Да. Но,— она моргнула, и на лице промелькнула улыбка,— мы, кажется, уцелели.

— Это верно,— подтвердил Саймон.

Пич оторвалась от ноги Деборы, подняла голову и навострила уши. На подоконнике над раковиной большой серый кот по кличке Аляска, до сих пор безучастно наблюдавший за тем, как дождь рисует на стекле дорожки, похожие на червячков, встал и с ленивой кошачьей грацией потянулся, не сводя глаз с лестницы у старого буфета, на котором проводил иногда целые дни. В следующий миг где-то наверху скрипнула дверь, и такса подала голос. Аляска соскочил с подоконника и удалился в поисках спокойствия в кладовую.

— Дебс? — позвал Чероки.

— Мы здесь, внизу,— крикнула она.— Приготовили тебе суп и бутерброды.

Чероки присоединился к ним. Вид у него стал куда лучше. Он был на пару дюймов ниже Саймона и шире в плечах, но халат и пижама сидели на нем превосходно, и дрожь прошла. При этом он был бос.

— Ой, что же я про тапочки не подумала,— сказала Дебора.

— Не надо. Я привык,— ответил Чероки.— Вы меня так хорошо приняли. Спасибо вам большое. Обоим. Кто угодно напугался бы, когда я так ввалился сегодня вечером. А вы молодцы, глазом не моргнули.

И он кивнул Саймону, который поставил на стол кастрюлю с супом и стал наливать его в миску.

— Ну что ты, для нас это почти праздник,— сказала Дебора.— Саймон даже открыл пакет с супом. Обычно мы довольствуемся консервами.

— Спасибо тебе большое,— ответил Саймон.

Чероки улыбнулся, но как-то машинально, словно человек, который едва держится на ногах под конец тяжелого дня.

— Ешь суп,— сказала Дебора.— Между прочим, ты у нас ночуешь.

— Нет. Я не могу...

— Не глупи. Твоя одежда в сушилке, скоро будет готова, но ты ведь не пойдешь среди ночи на улицу искать отель.

— Дебора права,— подтвердил Саймон.— Места у нас много. И мы рады компании.

Несмотря на усталость, Чероки благодарно просиял.

— Спасибо. Ну, я прямо как...— Он тряхнул головой.— Прямо как в детство попал. Знаете, как с ребятишками бывает? Заглядится на что-нибудь в универсаме или комиксами зачитается и не знает, что потерялся, а потом поднимет голову, а матери нет, тут он и забегает. Так же и я. То есть до того, как попал к вам.

— Зато теперь все в порядке,— уверила его Дебора.

— Мне не хотелось оставлять сообщение на автоответчике,— сказал Чероки,— когда я звонил. Не хотел, чтобы вы расстроились, когда вернетесь. Поэтому решил попытаться найти ваш дом. Но эта желтая линия в метро меня совсем задолбала, я еще понять не успел, что сделал не так, как уже оказался на Тауэр-Хилл.

— Кошмар,— шепнула Дебора.

— Не повезло,— добавил Саймон.

Ненадолго наступила тишина, прерываемая только шумом дождя. Капли шлепались на мостовую у черного хода и бесконечными струйками скользили по стеклу. Была полночь, на кухне сидели трое — не считая полной надежд собаки. И все же они были не одни. Там же присутствовал Вопрос. Он притаился меж ними, точно живое существо, которое сопит так, что его нельзя не услышать. Ни Дебора, ни ее муж не решались произнести его вслух. Но как оказалось, в этом не было необходимости.

Чероки зачерпнул ложкой суп. Поднес ко рту. И тут же медленно опустил, даже не отведав содержимого. С минуту он смотрел себе в тарелку, потом поднял взгляд сначала на Дебору, затем на ее мужа.

— Вот что случилось,— начал он.

Виноват во всем он один, сказал он им. Если бы не он, Чайна никогда не оказалась бы на Гернси.

Но ему нужны были деньги, и потому, когда подвернулось это предложение перевезти из Калифорнии на Гернси посылку, да еще за деньги, да плюс бесплатные авиабилеты... Короче, все как в сказке.

Он позвал Чайну с собой, потому что билетов было два и по условиям сделки посылку должны были везти двое: мужчина и женщина. Он подумал: «Почему бы и нет? И почему бы не позвать Чайн? Она же никогда не была в Европе. Даже из Калифорнии не выезжала».

Но ее пришлось уговаривать. Он потратил на это несколько дней, но тут она как раз бросила Мэтта (Дебс помнит друга Чайны? Киношника, с которым они знакомы целую вечность?) и решила, что ей надо развеяться. Тогда она позвонила ему и сказала, что согласна. И он все устроил. Они повезли посылку из Тастина, местечка южнее Лос-Анджелеса, в пригород Сент-Питер-Порта на Гернси.

— А что было в посылке?

Воображение Деборы уже нарисовало облаву на таможне, все как полагается, с собаками, и Чайну с Чероки, двух незадачливых наркокурьеров, от страха вжавшихся в стену, как лисы в поисках укрытия.

Ничего противозаконного, ответил Чероки. Его наняли, чтобы он перевез архитектурные чертежи из Тастина на Гернси. А юрист, который его нанял...

— Юрист? — переспросил Саймон.— Не архитектор?

Нет. Чероки нанял юрист, и это показалось Чайне подозрительным, подозрительнее даже, чем сама просьба отвезти за деньги пакет в Европу, да еще с оплаченным проездом. Именно поэтому Чайна настояла, чтобы пакет открыли в их присутствии, и только тогда согласилась лететь.

Посылка представляла собой порядочных размеров тубус, и Чайна, которая боялась, что он окажется битком набит наркотиками, оружием, взрывчаткой или другой контрабандой, за которую они немедленно угодят за решетку, совершенно успокоилась, когда его распечатали. Внутри, как им и обещали, действительно лежали чертежи какого-то здания, и Чайна вздохнула с облегчением. Чероки, надо признать, тоже. Сестра заразила его своей тревогой.

Итак, они направились с чертежами на Гернси, откуда планировали вылететь в Париж, а оттуда в Рим. Задерживаться там надолго они не собирались, ни у кого из них не было денег, и потому они решили провести в каждом городе по два дня. Но на Гернси их планы неожиданно переменились. Они рассчитывали на короткий обмен в аэропорту: они отдадут чертежи, получат обещанные деньги...

— О какой сумме идет речь? — спросил Саймон.

Пять тысяч долларов, ответил Чероки. Заметив недоверие на их лицах, он поспешно добавил, что да, деньги и правда огромные, поэтому Чайна и настояла на том, чтобы пакет распечатали в их присутствии, прежде чем они куда-нибудь с ним полетят, ежу ведь понятно, что никто не станет платить пять тысяч баксов да еще давать два бесплатных билета в Европу только за то, чтобы переслать из Лос-Анджелеса обычную посылку. Но потом оказалось, что в огромных деньгах как раз и было дело. У человека, который заказал чертежи, денег было больше, чем у Говарда Хьюза, и он, видно, привык сорить ими направо и налево.

Однако в аэропорту их не ждал ни чек на крупную сумму, ни чемодан с наличными, и вообще ничего, что хотя бы отдаленно соответствовало их ожиданиям. Вместо этого их встретил какой-то молчун, Кевин Не-помню-кто, который запихнул их в фургон и отвез в шикарное поместье в нескольких милях от аэропорта.

Такой поворот дела — несколько обескураживающий, надо признать,— здорово напугал Чайну. И в самом деле, они оказались в одной машине с совершенно незнакомым человеком, который не сказал с ними и пятнадцати слов. Жутковато было. Зато похоже на приключение, и Чероки, со своей стороны, был заинтригован.

Наконец они подъехали к потрясающему особняку, который стоял на участке земли бог знает во сколько акров величиной. Дом был очень старый, но полностью отреставрирован рированный, и стоило Чайне его увидеть, как она немедленно захотела его сфотографировать. Снимков там можно было сделать столько, что на целый номер «Архитектурного дайджеста» хватило бы.

Не сходя с места, Чайна решила, что обязательно снимет этот дом. И не только дом, но и поместье целиком, где было все, начиная с пруда для уток и заканчивая какими-то доисторическими штуковинами. Чайна понимала, что другой такой возможности может больше не выпасть на ее долю, и, хотя это означало снимать наудачу, она все же решила рискнуть и потратить время, силы и деньги, так ее вдохновило это место.

Чероки это вполне устраивало. Чайна сказала, что съемки займут дня два, и он решил тем временем полазать по острову, который тоже был классным местечком. Оставался один вопрос — согласится ли на это владелец поместья. Не всем ведь нравится, когда фотографии их домов появляются в журналах по всему свету. От посетителей потом не отобьешься.

Хозяином оказался человек по имени Ги Бруар, и ему идея понравилась. Он уговорил Чероки и Чайну заночевать у него и вообще провести в его доме столько дней, сколько потребуется для фотографирования.

«Мы с сестрой живем тут одни,— объяснил он нам,— поэтому рады любым гостям».

В доме гостил также сын хозяина, и Чероки даже показалось, что Ги Бруар надеялся свести их с Чайной. Но сын был нелюдимым типом, все время исчезал куда-то и приходил только поесть. Зато сестра хозяина была очень милой, и сам Бруар тоже. Поэтому Чероки и Чайна сразу почувствовали себя как дома.

Что до Чайны, то она тут же нашла общий язык с Ги. Оба интересовались архитектурой: она — потому, что фотографирование зданий было ее профессией, а он — потому, что собирался что-то строить. Он даже показывал ей будущую строительную площадку и возил по историческим местам. Чайна должна сфотографировать весь Гернси, говорил он ей. Материала хватит на целый фотоальбом, а не только на одну журнальную статью. Остров мал, но прямо-таки дышит историей, ведь все человеческие сообщества, когда-либо жившие на нем, оставляли по себе память в виде построек.

В четвертый, и последний, вечер, который они провели в доме Бруаров, состоялась давно запланированная вечеринка. А точнее, формальный прием, на который ждали несколько тысяч человек. Ни Чайна, ни Чероки не знали, в честь чего он затеян, пока ближе к полуночи Ги Бруар не собрал всех вместе и не объявил, что проект для его здания — а им оказался какой-то музей — наконец избран. Он назвал имя архитектора, чьи чертежи Чероки и Чайна доставили из Калифорнии, и все закричали, музыканты ударили в барабаны, пробки от шампанского полетели в воздух, и начался фейерверк. Откуда-то принесли мольберт с рисунком будущего музея, все разглядывали его, охали, ахали и пили шампанское часов до трех ночи.

На следующее утро ни Чероки, ни его сестра не удивились, не встретив в доме ни души. Около восьми тридцати они пробрались на кухню, пошарили там и нашли кофе, молоко и хлопья. Они решили, что ничего страшного не случится, если они сами приготовят себе завтрак, пока Бруары отсыпаются после вчерашнего. Поели, вызвали такси и поехали в аэропорт. Никого из поместья они больше не видели.

Они полетели в Париж и два дня осматривали достопримечательности, которые до этого были им знакомы только по картинкам. Потом прилетели за тем же самым в Рим, но в аэропорту Да Винчи их задержал Интерпол.

Их вернули на Гернси, где, по словам полицейских, им хотели задать несколько вопросов. Когда они спросили каких, им ответили, что «серьезное происшествие на острове требует их немедленного возвращения туда».

Как выяснилось, их ждали в полицейском управлении Сент-Питер-Порта. Там их посадили в две одиночные камеры: Чероки на двадцать четыре неприятных часа, Чайну —

на трое кошмарных суток, которые закончились тем, что она предстала перед судьей и тот отправил ее в камеру предварительного заключения, где она находится и сейчас.

— За что? — спросила Дебора. Наклонившись через стол, она взяла Чероки за руку.— Чероки, в чем ее обвиняют?

— В убийстве.

Он поднял свободную руку и закрыл ладонью глаза.

— Они там совсем с ума посходили. Чайну обвиняют в убийстве Ги Бруара.

2

Дебора откинула покрывало с кровати и взбила подушки. Она отчетливо осознавала свою никчемность. Где-то на Гернси томится в тюремной камере Чайна, а она суетится в комнате для гостей и — господи помилуй! — взбивает подушки, не зная, чем еще помочь. С одной стороны, ей хотелось немедленно сесть в самолет и лететь на Гернси. С другой стороны, не меньше ей хотелось проникнуть в душу Чероки и унять его тревогу. С третьей стороны, сейчас бы составлять планы, писать списки, раздавать указания, короче, действовать, чтобы Риверы поняли, что они не одиноки в мире. Наконец, с четвертой стороны, хорошо бы, чтобы всем этим занялся кто-то другой, так как в своих силах она сомневалась. Поэтому она бестолково взбивала подушки и стелила постель.

Потом, просто чтобы заговорить с братом Чайны, который неловко мялся у комода, она повернулась к нему.

— Если ночью тебе что-нибудь понадобится, мы этажом ниже.

Чероки кивнул. Вид у него был унылый и одинокий.

— Она этого не делала,— сказал он.— Ты можешь себе представить, чтобы Чайна обидела хоть муху?

— Нет, не могу.

— Когда мы были детьми, я спасал ее от пауков. Стоило ей заметить паука где-нибудь на стенке, как она тут же забиралась с ногами на кровать и кричала, чтобы я пришел и снял его, а когда я его уносил, она просила: «Не делай ему больно, слышишь?»

— И со мной она всегда была нежной.

— Господи, зачем я только настаивал, просил, чтобы она поехала со мной. Теперь надо что-то делать, а я не знаю что.

Его пальцы теребили воротник халата Саймона. Это напомнило Деборе о том, что из них двоих Чайна всегда казалась старшей.

«Чероки, Чероки, ну что мне с тобой делать? — спрашивала она его, бывало, по телефону. — Когда же ты повзрослеешь?»

«Вот сейчас», — подумала Дебора.

Ситуация требовала взрослого подхода, но Дебора не была уверена, способен ли на это Чероки.

И она сказала единственную фразу, которую могла сказать тогда:

— Надо поспать. Утром что-нибудь придумаем.

И вышла из комнаты.

У нее было тяжело на сердце. В самое трудное время ее жизни Чайна Ривер была ее лучшей подругой. Дебора многим была ей обязана и плохо отплатила. И надо же было, чтобы Чайна попала в такую беду, да еще и осталась с ней один на один... Дебора хорошо понимала, почему Чероки так волнуется за сестру.

Саймона она застала в спальне, где он сидел на стуле с прямой спинкой, на который садился всегда, когда снимал на ночь свой протез. Когда она вошла, он как раз расстегивал застежки-липучки, на которых держался протез, брюки сползли до лодыжек, костыли лежали на полу. Как всегда за этим занятием, он напомнил Деборе беззащитного ребенка, и ей пришлось собрать всю свою волю в кулак, чтобы не броситься ему на помощь. Его физический недостаток, с ее точки зрения, уравнивал их. Она жалела его, потому что знала, как он страдает, но, со своей стороны, давно смирилась с тем, что если бы не несчастный случай, произошедший с ним в двадцать с лишним лет, она никогда не заполучила бы его в мужья. Он женился бы гораздо раньше, когда она была еще несмышленой девочкой-подростком, и никогда не стал бы частью ее жизни. Но время, проведенное им в больнице, период выздоровления и долгие годы депрессии способствовали их любви.

Он терпеть не мог, когда его заставали за этим занятием. Поэтому она направилась прямо к туалетному столику и начала снимать те немногие украшения, которые были на ней, ожидая, когда протез ударится о пол. Услышав этот звук и стон, с которым муж встал со стула, она обернулась. Он стоял, опираясь на пристегнутые к запястьям костыли, и смотрел на нее с нежностью.

— Спасибо,— сказал он.

— Извини. Неужели это так заметно?

— Нет. Но ты всегда так добра ко мне. А я, кажется, ни разу даже не поблагодарил тебя как следует. Вот в чем минус счастливого брака: любимого человека начинаешь принимать как должное.

— Значит, ты принимаешь меня как должное?

— Не нарочно.— Он наблюдал за ней, склонив голову набок.— Хотя, по правде говоря, ты не часто даешь мне такую возможность.

Он подошел к ней, и она обняла его за талию. Он целовал ее сначала нежно, потом со страстью, прижимая к себе одной рукой, и продолжал целовать до тех пор, пока в них обоих не проснулось желание.

Тогда она подняла на него глаза.

— Как хорошо, что ты по-прежнему делаешь это со мной. Но еще лучше то, что я по-прежнему делаю это с тобой.

Он коснулся ее щеки.

— Хмм. Да. Хотя, учитывая все обстоятельства, сейчас, возможно, не время...

— Для чего?

— Для исследования некоторых интересных вариаций того, что ты называешь словом «это».

— А-а.— Она улыбнулась.— Вот ты о чем. Может быть, сейчас как раз самое время. Может быть, день за днем мы учимся понимать лишь одно — жизнь меняется очень быстро. Все, что представляется нам важным сейчас, через минуту может исчезнуть. Так что сейчас самое время.

— Исследовать?

— Но только вместе.

Чем они и занялись при свете одинокой лампы, от которой их тела стали словно золотыми, серо-голубые глаза Саймона потемнели, а обычно скрытые участки обнаженных тел, где кровь бьется особенно жарко, запылали румянцем.

После они лежали поверх сбившегося покрывала, которое не потрудились даже снять с кровати. Одежда Деборы лежала там, где ее бросил муж, а рубашка Саймона свисала с его руки, словно ленивая шлюшка.

— Хорошо, что ты не лег без меня,— сказала она, положив голову ему на грудь.— А то я думала, что ты уже спишь. Мне показалось, что будет неправильно привести его в гостевую комнату и сразу оставить одного. Но у тебя был такой усталый вид там, на кухне, что я решила, что ты сразу ляжешь. Хорошо, что ты дождался. Спасибо, Саймон.

Он привычным движением гладил ее по волосам, запуская свои пальцы в их упругую глубину до самой кожи. Он массировал корни ее волос, и все ее тело расслаблялось в ответ на эту ласку.

— С ним все хорошо? — спросил Саймон.— Может быть, нам следует позвонить куда-нибудь, просто так, на всякий случай?

— На какой случай?

— На случай, если он не добьется того, чего хочет, завтра в своем посольстве. Они наверняка уже связались с полицейским управлением на Гернси. И если они никого туда не послали...— Дебора почувствовала, как ее муж пожал плечами.— Тогда они, скорее всего, решили, что сделали достаточно.

Дебора приподнялась на его груди.

— Ты ведь не считаешь, что Чайна в самом деле совершила убийство, или я ошибаюсь?

— Нет, не ошибаешься.— С этими словами Саймон снова притянул ее к себе.— Я только подчеркивал, что сейчас она находится в руках полиции другого государства. А это означает соблюдение протокола и проведение установленных процедур, и, возможно, дальше этого посольство просто не пойдет. Чероки должен быть готов к такому повороту. И если все произойдет именно так, ему нужно будет на кого-то опереться. Возможно, именно за этим он к нам и пришел.

Последнюю фразу Саймон произнес совсем тихо. Дебора снова подняла голову, чтобы посмотреть на него.

— И что?

— Ничего.

— Ты не все сказал, Саймон. Я по твоему голосу слышу.

— Только одно. Кроме тебя, у него есть знакомые в Лондоне?

— Может быть, и нет.

— Понятно.

— Что понятно?

— Может быть, ты понадобишься ему, Дебора.

— Тебя это беспокоит?

— Не беспокоит. Нет. А другие члены семьи у них имеются?

— Только мать.

— Любительница сидеть на деревьях. Понятно. Что ж, может быть, следует позвонить ей. А отец? Ты, кажется, говорила, что отцы у них разные?

Дебора болезненно моргнула.

— Отец Чайны в тюрьме, любимый. По крайней мере, он был там, когда мы жили вместе.

Увидев, как он встревожился, подумав, видно, что яблоко от яблони недалеко падает, она поспешила добавить:

— Ничего серьезного. По крайней мере, он никого не убил. Чайна не любила об этом говорить, но я знаю, что дело было в наркотиках. Подпольная лаборатория, кажется. Что-то вроде этого. На улицах он героином не торговал.

— Это радует.

— Она на него не похожа, Саймон.

Он что-то буркнул в ответ, и она приняла его ворчание за нехотя данное согласие. Они еще полежали молча, довольные друг другом, ее голова на его груди, его пальцы в ее волосах. В такие мгновения, как это, Дебора по-особому любила своего мужа. Она чувствовала себя с ним на равных. Это ощущение возникало не только из тихой беседы, но и, что было еще важнее, по крайней мере для нее, из того, что ей предшествовало. Ибо тот факт, что ее тело способно дарить ему такое удовольствие, уравнивал их, а то, что она являлась свидетелем этого удовольствия, давало ей даже некоторое превосходство над мужем. По этой причине ее собственное удовольствие давно отошло на второй план, что наверняка ужаснуло бы ее эмансипированных современниц. Но тут уж ничего не поделаешь.

— Я неправильно реагировала,— пробормотала она.— Сегодня вечером. Прости меня, любимый. Я так тебя замучила.

Саймону не составило труда проследить ход ее мысли.

— Предвкушение — враг душевного покоя. В нем корень наших будущих разочарований, которые мы уготовляем себе сами.

— Я действительно все наперед расписала. Десятки людей с бокалами шампанского в руках благоговейно замирают перед моими снимками. «Бог мой, да ведь это гениально»,— произносят они наконец. «Подумать только, обыкновенный "Поларoид"... А вы знали, что они бывают черно-белыми? А какие огромные... Нет, это немедленно нужно купить. И не одну. Десять как минимум».

— «Они так и просятся в новую квартиру Канари-Уорф»,— подыграл ей Саймон.

— «Не говоря уже о коттедже в Котсуолде».

— «И доме под Батом».

Они рассмеялись. Потом замолчали. Дебора подняла голову, чтобы взглянуть на мужа.

— Все равно больно,— сказала она.— Не так сильно. Уже почти прошло. Но не совсем. Еще чувствуется.

— Конечно,— ответил он.— От обиды нет панацеи. У всех свои желания. И если они не исполняются, это не значит, что мы перестаем хотеть. Я это хорошо знаю. Поверь мне. Я знаю.

Она быстро отвела глаза, понимая, что его признание прошло куда более длительный путь, чем ее скороспелое однодневное разочарование. Она была благодарна ему за то, что он понял, за то, что понимал ее всегда, какими бы сверхрациональными, логичными, холодными и колкими комментариями ни награждал ее при этом. У нее защипало глаза, но ей не хотелось, чтобы он видел ее слезы. Почему она не может передать ему свое умение спокойно принимать несправедливость? Когда ей удалось справиться с собой настолько, чтобы голос вновь зазвучал решительно, она повернулась к мужу.

— Я собираюсь как следует разобраться в себе,— сказала она.— И может быть, пойду после этого совсем в другую сторону.

Он посмотрел на нее своим обычным взглядом, тем самым, немигающим, который приводил в трепет юристов, когда он давал показания в суде, и вызывал заикание у студентов. Но сейчас его смягчали улыбка и руки, снова потянувшиеся к ней.

— Прекрасно,— сказал Саймон, привлекая ее к себе.— Тогда я хотел бы внести несколько предложений немедленно.

Дебора встала еще до рассвета. Она долго лежала, глядя в потолок, прежде чем сон сморил ее, но всю ночь металась и ворочалась, преследуемая бессвязными кошмарами. Ей снилось, будто она снова в Санта-Барбаре, но не учится в Институте фотографии Брукса, как раньше, а работает шофером «скорой помощи» и должна доставить на операцию по трансплантации еще живое человеческое сердце, но сначала его надо было забрать из больницы, которую она никак не могла найти. Если она не доставит сердце вовремя, пациент, лежавший почему-то не в операционной, а в смотровой яме на автозаправке, рядом с которой жили когда-то они с Чайной, умрет в течение часа, тем более что из его груди уже вынули сердце, оставив на его месте зияющую дыру. А может быть, пациент был женщиной. Дебора не могла определить пол закутанной в покрывало фигуры, лежавшей на гидравлическом лифте над смотровой ямой.

В своем сне она в отчаянии колесила по засаженным пальмами улицам, но никак не могла найти нужный дом. Она совсем не помнила Санта-Барбару, и никто не останавливался, чтобы ей помочь. Проснувшись, она обнаружила, что сбросила во сне одеяло, потому что сильно вспотела, и теперь ее трясет от холода. Поглядев на часы, она выскользнула из постели и босиком прошлепала в ванную, где встала под душ, чтобы смыть ночной кошмар. Вернувшись в спальню, она обнаружила, что Саймон не спит. Он окликнул ее в темноте и спросил:

— Который час? Что ты делаешь?

— Сон видела плохой.

— Что, коллекционеры трясли перед тобой чековыми книжками?

— Нет, фотографиями Анни Лейбовиц*.

— А-а. Понятно. Могло быть хуже.

— Правда? Как это?

— Это могли быть работы Карша**.

Она засмеялась и сказала ему, чтобы он спал дальше. Было рано, отец еще не вставал, а она сама не собиралась приносить Саймону чай в постель, как это делал он.

— Папа тебя совсем разбаловал, между прочим,— проинформировала она мужа.

— Очень несущественная плата за то, что я освободил его от тебя.

---

* Лейбовиц Анни — знаменитый фотограф, работает для журналов «Роллинг стоун», «Вэнити фейр» и «Вог».

** Карш Юсуф (1908–2002) — один из великих мастеров портретной фотографии У. Черчилля, Э. Хемингуэя, Б. Шоу и других выдающихся людей XX века.

Она услышала, как зашелестело постельное белье, когда он переворачивался на другой бок. Глубоко вздохнув, он снова погрузился в сон. Она оставила его досыпать.

Внизу Дебора решила заварить себе чашку чая в кухне, где из своей корзинки за плитой выглянула Пич, а кот Аляска вылез из кладовой, в которой провел ночь на прохудившемся мешке с мукой, судя по белой пыли, снежком припорошившей его серую шубку. Оба кинулись по красному плиточному полу к хозяйке, которая стояла под окном у сушилки для посуды, дожидаясь, пока в электрическом чайнике закипит вода. Дебора слушала дождь, безостановочно шлепавший по плитам тротуара за кухонной дверью. Ночью непогода утихла лишь однажды, да и то ненадолго, часа в три, когда Дебора лежала без сна, прислушиваясь не только к порывам ветра и дождя, сотрясавшим крышу, но и к назойливым голосам у себя в мозгу, наперебой объяснявшим, что ей делать со своим сегодняшним днем, со своей карьерой, со своей жизнью и прежде всего с Чероки Ривером и для Чероки Ривера.

Аляска, подняв хвост, многозначительно терся о ноги Деборы, а она пристально смотрела на Пич. Та терпеть не могла выходить на улицу в дождь: стоило упасть хоть одной капле, и она тут же начинала проситься на руки,— а значит, сегодня ни о чем таком не могло быть и речи. Хотя пробежаться на задний двор, чтобы сделать там необходимые дела, все же придется. Но такса словно читала мысли хозяйки. Она торопливо забилась назад в свою корзинку, а Аляска замяукал.

— Даже не рассчитывай разлеживаться тут долго,— сказала Дебора собаке, которая скорбно смотрела на нее, опустив уголки глаз, как делала всегда, когда хотела придать себе особенно жалобный вид.— Если не выйдешь сейчас сама, пока я прошу, папа потащит тебя на прогулку к реке. Ты же знаешь.

Казалось, Пич готова рискнуть. Положив голову на лапы, она решительно закрыла глаза.

— Очень хорошо.

Она вытряхнула дневную порцию кошачьей еды в мисочку для Аляски, заботливо поставив ее подальше от Пич, которая, даром что притворяется спящей, тут же слизнет весь корм, стоит хозяйке повернуться к ней спиной. Заварив себе чаю, Дебора взяла чашку и в темноте ощупью двинулась наверх.

В кабинете было холодно. Она тихонько притворила за собой дверь и зажгла газовый камин. На одной из книжных полок хранилась папка, в которую Дебора складывала маленькие полароидные снимки — наброски того, что ей хотелось снять в будущем. Она принесла ее на стол, уселась в потертое кожаное кресло Саймона и начала перебирать фотографии.

Она думала о Доротее Ланж и задавалась вопросом, способна ли она превратить одно-единственное лицо в символ эпохи. В ее распоряжении нет пропыленной Америки 1930-х, чья безнадежность наложила отпечаток на облик всей нации. Чтобы уловить дух своего времени, ей придется придумать что-то новое, не похожее на знаменитую фотографию больной, изможденной женщины с детьми, символ отчаявшегося поколения. И ей казалось, что хотя бы половину работы — придумать, что снимать,— она осилит. Оставался вопрос: хочется ли ей провести еще год на улице, сделать десять-двенадцать тысяч снимков, пытаясь заглянуть за фасад вечно спешащего мира мобильных телефонов, зная, что истина не в них? Пусть даже она добьется своего, что хорошего это принесет ей в будущем? Пока ответа на этот вопрос она просто не знала.

Вздохнув, она положила снимки на стол. И снова, в который раз, задумалась над тем, не был ли выбор Чайны более верным. Коммерческая фотография кормила, одевала, давала крышу над головой. И при этом вовсе не обязательно была бездушным бизнесом. Хотя самой Деборе повезло, на ней не лежала обязанность кормить, одевать и давать кров кому бы то ни было, именно по этой причине она так жаждала приносить хоть какую-то пользу. Если уж ее вклад в экономическое положение семьи не имеет значения, то почему бы ей не попытаться внести свой вклад в жизнь общества в целом?

Но разве коммерческая фотография может в этом помочь, спрашивала себя Дебора. И к какой ее отрасли лучше обратиться? Снимки Чайны отражают, по крайней мере, ее интерес к архитектуре. Вообще-то она с самого начала хотела фотографировать именно здания, а делать это профессионально вовсе не означает продаться, как это было бы с самой Деборой, избери она более легкий путь и уйди в коммерцию. И даже если она решит продаться, что, черт возьми, она будет снимать? Дни рождения у малышни? Рок-звезд на выходе из тюрьмы? Тюрьма... О господи.

Дебора застонала. Уткнув голову в ладони, она закрыла глаза. Какое значение имеет все это по сравнению с тем, что случилось с Чайной? С той самой Чайной, которая заботилась о ней там, в Санта-Барбаре, когда ее забота была ей необходима.

«Я видела вас вместе, Дебс. Расскажи ему все как есть, и он примчится к тебе следующим же рейсом. И наверняка сделает тебе предложение. В душе он уже его сделал».

«Нет, я так не хочу,— ответила ей Дебора.— Как угодно, только не так».

И тогда Чайна сделала все, что требовалось сделать. Отвезла ее в нужную клинику. А когда все кончилось, осталась возле ее кровати, так что Дебора, открыв глаза, увидела Чайну, которая просто сидела рядом и ждала. А потом сказала: «Привет, девочка» — с такой добротой, что Дебора подумала: сколько бы она ни прожила еще на свете, никогда больше не будет у нее такой подруги.

Та дружба призывала ее к действию. Она не могла допустить, чтобы Чайна хоть на какое-то время подумала, будто все ее покинули. Но вопрос «что делать?» оставался, ведь...

Где-то за дверью скрипнула половица. Дебора подняла голову. Скрип повторился. Она встала, пересекла комнату и распахнула дверь.

В рассеянном свете фонаря, все еще горевшего на улице в этот ранний час, Чероки Ривер стоял у обогревателя и снимал с него свой пиджак, который Дебора повесила накануне сушить. Его намерения показались ей очевидными.

— Ты что, уходишь? — недоверчиво спросила Дебора.

Чероки стремительно обернулся.

— Господи, как ты меня напугала! Откуда ты взялась?

Дебора кивнула на открытую дверь кабинета, где на столе горела лампа, а на высоком потолке плясали отблески газового пламени в камине.

— Я рано встала. Смотрела свои старые фотографии. А ты что делаешь? Куда-то собрался?

Он переступил с ноги на ногу, характерным жестом провел рукой по волосам и показал на лестницу и верхний этаж.

— Не спалось,— сказал он.— Я нигде не смогу спать, пока не отправлю на Гернси кого-нибудь, кто сможет помочь. Вот я и подумал, может, посольство...

— Который сейчас час?

Дебора взглянула на свое запястье и обнаружила, что забыла надеть часы. На часы в кабинете она тоже не глядела, но по темноте за окном, которая от непрекращающегося дождя казалась только гуще, поняла, что было вряд ли намного больше шести.

— Посольство еще не открылось.

— Я подумал, там, наверное, очередь. Мне надо быть первым.

— Ты и будешь, даже если задержишься выпить чаю. Или кофе, как захочешь. И что-нибудь поешь.

— Нет. Ты и так достаточно сделала. Пустила меня переночевать. И не просто пустила, а пригласила! Да еще супом накормила, и все остальное тоже! Ты меня очень сильно выручила.

— Рада это слышать. Но сейчас ты все равно никуда не пойдешь. Смысла нет. Я сама отвезу тебя в посольство чуть позже, и ты будешь первым в очереди, если тебе так этого хочется.

— Но я не хочу, чтобы ты...

— А тебе и не надо хотеть,— твердо сказала Дебора.— Я не предлагаю. Я настаиваю. Так что оставь свой пиджак в покое и пойдем.

Казалось, Чероки на мгновение задумался: он посмотрел на дверь, через стеклянные панели которой сочился свет. С улицы доносился непрерывный стук дождя, и, словно в довершение неприятностей, поджидавших его за дверью, откуда-то с Темзы налетел мощный порыв ветра, от которого, словно от удара боксерского кулака, затрещали ветки сикомора рядом с домом.

Нехотя он сдался:

— Ну хорошо. Спасибо.

Дебора повела его вниз, на кухню. Пич выглянула из корзинки и заворчала. Аляска, уже занявший свой дневной наблюдательный пост на подоконнике, оглянулся, моргнул и продолжал рассматривать рисунки, которые оставлял на окне дождь.

— Ведите себя как следует,— предупредила их Дебора и усадила Чероки за стол, где его внимание сразу привлекли многочисленные шрамы от кухонных ножей и круги от раскаленных сковородок.

Дебора снова поставила согреть воды и достала из старинного буфета чайник для заварки.

— Я сделаю тебе завтрак. Когда ты в последний раз ел нормально? — Она посмотрела на него.— До вчерашнего вечера, разумеется?

— Ну вот, суп.

Дебора неодобрительно фыркнула.

— Если ты будешь падать от голода, Чайне это не поможет.

Она достала яйца и бекон из холодильника, помидоры — из корзины рядом с раковиной, а из бумажного пакета, который вместе со всякой хозяйственной всячиной хранил в углу у двери ее отец, вынула грибы.

Чероки встал, подошел к окну над раковиной и протянул руку к Аляске. Кот понюхал его пальцы и, царственным движением склонив голову, позволил почесать себя за ушами. Оглянувшись через плечо, Дебора увидела, что Чероки внимательно разглядывает кухню, словно хочет запомнить каждую мелочь. Она проследила за его взглядом, надеясь увидеть давно примелькавшиеся предметы по-новому. Аккуратные пучки сушеных трав, развешанные по кухне отцом; кастрюли и сковородки, которые сверкали со стен медными донышками, словно маня протянуть за ними руку; старые истертые плитки пола и буфет в углу, хранивший в своих недрах все, что угодно: от блюд для сервировки стола до фотографий племянниц и племянников Саймона.

— Классный у вас дом, Дебс,— сказал Чероки тихо.

Для Деборы это был просто дом, в котором она жила с детства, сначала как дочь овдовевшего дворецкого, незаменимого помощника и правой руки Саймона, потом, очень недолго, как любовница Саймона и, наконец, как его законная жена. Она хорошо знала все сквозняки этого жилища, его проблемы с водопроводом и злилась на нехватку розеток. Для нее это был просто дом. Она сказала:

— Он старый, в нем дует из всех щелей, и вообще с ним ужасно много хлопот.

— Да? А по мне, это настоящий особняк.

— Правда? — Вилкой она положила на сковородку девять ломтиков бекона и поставила жариться под решетку.— Вообще-то он принадлежит всем Сент-Джеймсам. Но когда Саймон поселился в нем, дом был в ужасном состоянии. В стенах жили мыши, по кухне шастали лисы. Саймон с моим отцом два года потратили на то, чтобы сделать его обитаемым. Наверное, братья мужа или его сестра могли бы поселиться с нами здесь, это ведь и их дом, а не только наш. Но они этого не сделают. Они же знают, что все здесь сделано Саймоном и отцом.

— Так у Саймона есть братья и сестры?

— Два брата в Саутгемптоне... Там у них семейный бизнес... Контора по перевозке грузов морем... А сестра здесь, в Лондоне. Раньше она была моделью, а теперь собирается работать на каком-то канале, который никто не смотрит, брать интервью у звезд, о которых все давно забыли.

Дебора усмехнулась.

— Тот еще характер, наша Сидни. Так ее зовут. Их мать сходит с ума оттого, что дочка никак не хочет остепениться. Мужчин меняет как перчатки. Каждый раз знакомит нас с новым парнем, который всегда оказывается мужчиной ее мечты.

— Здорово иметь такую большую семью,— восхитился Чероки.

Тоска в его голосе заставила Дебору отвернуться от плиты.

— Хочешь позвонить своим? — спросила она.— То есть маме. Телефон вон там, на буфете. Или поднимись в кабинет, там тебя никто не потревожит. Сейчас...

Она поглядела на настенные часы и посчитала время.

— Сейчас в Калифорнии четверть одиннадцатого вчерашнего вечера.

— Не могу.— Чероки вернулся к столу и плюхнулся на стул.— Я обещал Чайне.

— Но она имеет право...

— Чайна или ма? — перебил Чероки.— Они же... Ну, ма ведь никогда не была нам настоящей матерью, в смысле, такой, как другие матери, вот Чайна и не хочет, чтобы она узнала. Наверное, потому что... Ну, знаешь... Любая мать тут же села бы в ближайший самолет и прилетела, а наша... Вдруг надо будет спасать подвергающийся опасности вид? Лучше уж пусть не знает. По крайней мере, Чайна так думает.

— А ее отец? Он все еще...

Дебора замешкалась. Эта тема всегда была щекотливой.

— Сидит? О да. На том же месте. Так что звонить некому.

На лестнице раздались шаги. Прислушиваясь к осторожной неровной поступи, Дебора расставляла на столе тарелки.

— Это наверняка Саймон,— сказала она.

Сегодня он встал раньше обычного, опередил даже ее отца, Джозефа Коттера, которому это, конечно, не понравится. Он был рядом с Саймоном все время, пока тот поправлялся после автокатастрофы, сделавшей его калекой, и не любил, когда подопечный не давал возможности лишний раз о нем позаботиться.

— Хорошо, что я на троих нажарила,— сказала Дебора, когда ее муж присоединился к ним.

Саймон перевел взгляд с плиты на стол, где лежали ножи и вилки.

— Надеюсь, сердце твоего отца не разобьется, когда он увидит все это,— улыбнулся он.

— Очень смешно.

Саймон поцеловал жену, кивнул Чероки.

— Сегодня у тебя совсем другой вид. Как голова?

Чероки пощупал полоску пластыря у корней волос.

— Лучше. Медсестра была что надо.

— Она знает, что делает,— кивнул Саймон.

Дебора вылила яйца на сковородку и ловко их размешала.

— По крайней мере, он хорошо обсох,— заметила она.— Я обещала отвезти его в американское посольство, когда мы поедим.

— Ага. Понятно.— Саймон поглядел на Чероки.— Гернсийская полиция не уведомила посольство о случившемся? Это необычно.

— Да нет. Уведомила,— сказал Чероки.— Но те никого не прислали. Только спросили по телефону, есть ли у нее адвокат, чтобы представлять ее в суде. А когда я сказал «да», они ответили: «Вот и хорошо, замечательно, защитой она обеспечена, позвоните нам, как только что-нибудь будет нужно». Я им сказал: «Вы мне нужны. Нужны здесь, на острове». Я объяснил, что нас даже не было там, когда все случилось. Но они сказали, что у полиции наверняка есть улики и они не будут вмешиваться, пока дело не зайдет далеко. Прямо так и сказали: «Пока дело не зайдет далеко». Хороши шутки.

И он резко отодвинулся от стола.

— Мне нужно, чтобы кто-нибудь из посольства приехал туда. Все это дело — форменная подстава, и если я ничего не сделаю, ее будут судить и вынесут приговор еще до конца месяца.

— А посольство может что-нибудь сделать? — Дебора поставила завтрак на стол.— Саймон, как по-твоему?

Ее муж задумался. Ему не часто приходилось иметь дело с посольствами, обычно к нему обращались из прокуратуры или адвокаты, выступающие в суде и нуждающиеся в показаниях независимых экспертов в противовес свидетельствам экспертов-криминалистов. Однако у него было достаточно опыта, чтобы предсказать, какое предложение сделают Чероки Риверу в посольстве на Гросвенор-сквер.

— Соблюдение процедуры,— сказал он,— вот главная задача посольства. Они проследят за тем, чтобы дело Чайны разбиралось в соответствии с законами нашей страны.

— И это все, что они могут? — ужаснулся Чероки.

— Почти все, к сожалению,— печально сказал Саймон, но бодро продолжил: — Полагаю, они удостоверятся в том, что Чайна получила хорошую защиту. Проверят личность адвоката, убедятся, что он не вчерашний выпускник. Позаботятся о том, чтобы любой человек в Штатах по желанию Чайны узнал о том, что с ней произошло. Будут вовремя пересылать ей всю ее корреспонденцию и регулярно отправлять своего человека навещать ее. В общем, сделают все, что можно.

Понаблюдав за Чероки, он доброжелательно добавил:

— Но вообще-то говорить еще рано.

— Нас даже на острове не было, когда это стряслось,— повторил Чероки как бы в оцепенении.— Когда все случилось. Я сто раз им это говорил, а они мне не верят. Но ведь в аэропорту должны быть какие-то записи? Разве время нашего отбытия не записано у них в каком-нибудь журнале? Журналы-то они ведут.

— Разумеется,— ответил Саймон.— Если дата и время смерти входят в противоречие с временем вашего вылета, то это очень быстро обнаружится.

И он поиграл с ножом, постукивая его лезвием о тарелку.

— В чем дело? Саймон, что такое? — спросила Дебора.

Он посмотрел на Чероки, потом поверх его головы перевел взгляд на окно, где Аляска то мыл мордочку, то прижимал лапку к окну, словно надеясь таким образом остановить текущие по нему капли. Осторожно подбирая слова, Саймон продолжил:

— Тебе надо успокоиться и трезво взвесить то, что произошло. Мы ведь не в третьем мире. И у нас не тоталитарное государство. Вряд ли полиция Гернси станет кого-нибудь арестовывать без серьезных на то оснований. Поэтому,— тут он отложил нож в сторону,— положение дел таково: у них есть доказательства, которые убеждают их в том, что они задержали именно того, кто им нужен.

Он снова перевел взгляд на Чероки и стал изучать его лицо в присущей ему бесстрастной манере ученого, словно ища свидетельств того, что собеседник в состоянии справиться с его финальным выводом.

— Надо приготовиться.

Чероки бессознательно ухватился за край стола.

— К чему?

— К тому, что могла натворить твоя сестра. Без твоего ведома.

3

— Ополоски, Фрэнк. Вот как мы их называли. А ты и не знал об этом, а? Ты ведь не знал, как плохо на этом острове было тогда со жратвой... Не люблю я вспоминать то время. Чертова немчура... Что они тут творили...

Фрэнк Узли нежно просунул руки под мышки отца, пока тот продолжал болтать. Приподняв его с пластикового стула в ванной, он помог ему встать на потрепанный коврик, прикрывавший холодный линолеум. Утром он включил батарею на всю мощь, но ему по-прежнему казалось, что в ванной жутко холодно. Поэтому, придерживая отца одной рукой, чтобы тот не упал, другую он протянул к батарее, снял с нее большое полотенце и встряхнул. Полотенцем он укрыл плечи отца, иссохшие, как и все его старческое тело. Плоть девяностолетнего Грэма Узли висела на его костях, словно вязкое дрожжевое тесто.

— В те дни в чайник бросали что угодно,— продолжал Грэм, опираясь своим тощим плечом на несколько округлившееся плечо Фрэнка.— Резаный пастернак и тот еще найти надо было. Сначала его, конечно, сушили. А еще листья ромашки, липовый цвет и лимонные корки. И соду сыпали, чтобы заваривалось крепче. Вот это и называлось ополосками. Чаем-то это не назовешь.

Он хохотнул, и его худые плечи заходили вверх-вниз. Хохот перешел в кашель. Кашель — в борьбу за глоток воздуха. Фрэнк схватил отца за плечи, чтобы не дать ему упасть.

— Держись, папа.— И он еще крепче вцепился в плечи старика, хотя боялся, что в один прекрасный день его кости просто не выдержат и сломаются у него в руках, точно лапки чернозобика.— Вот так. Давай-ка тебя на горшок посадим.

— Я не хочу писать, мальчик,— запротестовал Грэм, пытаясь перестать сотрясаться.— Да что с тобой такое? Умом ты тронулся или как? Я же писал перед самой ванной.

— Все правильно. Я знаю. Просто я хочу, чтобы ты сел.

— С ногами у меня все в порядке. Стою не хуже других. Частенько приходилось этим заниматься при немчуре-то. Делали вид, будто стояли за мясом, и все. И никаких новостей никто не передавал, нет, сэр. И никакого радиоприемника в навозной куче мы и знать не знали, нет, сынок. И вообще, если ты делал вид, что для тебя сказать «хайль» грязноносому фюреру так же просто, как «храни Бог короля», то тебя и не трогали. Делай что хочешь. Только осторожно.

— Я помню, пап,— терпеливо сказал Фрэнк.— Ты мне все это рассказывал.

Не обращая внимания на протесты отца, он посадил его на стульчак и начал вытирать. В то же время озабоченно прислушивался к дыханию старика, дожидаясь, когда оно выровняется. Сердечная недостаточность, так сказал врач.

От этого есть лекарства, которые мы ему пропишем. Но, по правде говоря, в его преклонные годы это лишь вопрос времени. Он и так прожил долгую жизнь, дай бог всякому.

Услышав новость впервые, Фрэнк подумал: «Нет. Только не сейчас. Пусть он доживет». Но он был готов к уходу старика. Раньше он считал, что ему сильно повезло: сам он уже шестой десяток разменял, а его отец еще жив, и Фрэнк надеялся, что тот протянет еще полтора года, но теперь с грустью, опутавшей его со всех сторон, точно сеть, он думал, что отец умирает и это, пожалуй, к лучшему.

— Неужели? — Грэм скорчил гримасу, точно роясь в памяти.— Неужели я это тебе рассказывал, сынок? И когда я только успел?

«Да раз двести или триста»,— подумал Фрэнк.

Рассказы отца о Второй мировой он слушал с самого детства, и большинство из них помнил наизусть. Целых пять лет немцы оккупировали Гернси, куда пришли еще до того, как провалились их планы захватить Британские острова целиком, и лишения, которые терпело население острова все это время, не говоря уже о героических попытках островитян противостоять захватчикам, давно составляли главную тему разговоров Грэма. Всю жизнь Фрэнк, можно сказать, питался молоком его воспоминаний, подобно тому как младенцы питаются материнским молоком.

— Никогда не забывай об этом, Фрэнки. Что бы ни случилось с тобой в жизни, помни.

Он и не забывал, и, в отличие от многих ребятишек, которым давно надоело бы слушать одни и те же байки каждое поминальное воскресенье, Фрэнк Узли ловил каждое отцовское слово и жалел лишь о том, что не родился лет на десять пораньше, ведь тогда он стал бы пусть малолетним, но все же свидетелем того тревожного и героического времени.

В его время ничего подобного не происходило. Были Фолкленды, был Персидский залив — мелкие позорные стычки, разгоравшиеся из-за сущих пустяков, только на то и годные, чтобы пестовать шовинизм в людях,— и, конечно,

Северная Ирландия, где он служил в Белфасте, то и дело уклоняясь от огня снайперских винтовок и удивляясь, как это его занесло в самую гущу склоки религиозных фанатиков, чьи вожаки больше сотни лет пускают друг другу кровь. Во всем этом не было ни капли героизма, потому что не было ни одного настоящего врага, ради борьбы с которым стоило рисковать жизнью и умирать. Ничего похожего на Вторую мировую.

Убедившись, что отец твердо сидит на унитазе, он потянулся за его одеждой, аккуратной стопкой лежавшей на краю раковины. Фрэнк стирал белье сам, поэтому трусы и майка Грэма были не такими уж белыми, но зрение отца постоянно ухудшалось, и сын был уверен, что он ничего не заметит.

Он так привык одевать отца, что делал это машинально, в одной и той же последовательности натягивая на него вещь за вещью. Для сына это был ритуал, который когда-то успокаивал его, придавал единообразие дням, проведенным с Грэмом, обещал, хотя и напрасно, что эти дни продлятся вечно. Но сейчас он настороженно смотрел на отца, опасаясь, уж не предвещает ли очередная задержка дыхания и восковая бледность кожи скорый конец их жизни вместе, жизни, которая длилась более пятидесяти лет. Два месяца назад эта мысль привела бы его в содрогание. Два месяца назад он жаждал лишь одного: чтобы ему хватило времени учредить Музей военного времени имени Грэма Узли и его отец торжественно перерезал бы ленточку на входе в день открытия. Но шестьдесят дней, прошедших с того момента, изменили все до неузнаваемости, и это было грустно, потому что коллекционирование любых предметов времен немецкой оккупации было тем цементом, который издавна скреплял отношения отца и сына. Для них это был и труд всей жизни, и общая страсть, дело, которым они занимались из любви к истории, веря в то, что нынешнее и все последующие поколения гернсийцев должны знать об испытаниях, выпавших на долю их предков.

Фрэнку не хотелось ставить отца в известность о том, что их планам, скорее всего, не суждено сбыться. Дни Грэма и без того сочтены, так зачем отнимать у него мечту, которая возникла, когда в их жизнь вошел Ги Бруар?

— Что у нас на сегодня? — спросил Грэм у сына, пока тот натягивал спортивные штаны на его тощий зад.— Пора уже подыскивать место для стройплощадки? Скоро, наверное, закладка, а, Фрэнки? Ты ведь там будешь, правда, мой мальчик? Сам положишь первый кирпич? Или Ги приберегает эту честь для себя?

Фрэнк избегал подобных вопросов, как и вообще любых разговоров о Ги Бруаре. Он так и не рассказал отцу о жуткой кончине их благодетеля, поскольку сомневался, выдержит ли хрупкое здоровье старика это известие. Кроме того, до оглашения завещания поделать все равно ничего было нельзя, так что какая разница, знает старик или нет.

Фрэнк ответил:

— Я думал взглянуть сегодня на обмундирование. Похоже, сырость добралась-таки до него.

Тут он, разумеется, солгал. Все десять комплектов обмундирования, от шинелей с черными воротниками рядовых вермахта до потертых комбинезонов солдат ПВО люфтваффе, лежали в воздухонепроницаемых чехлах, переложенные бумагой, не содержащей кислоты, и ждали того дня, когда смогут навечно занять свои места в стеклянных витринах.

— Не представляю, как это могло случиться, но проверить надо, а то сгниют.

— Верно, черт возьми,— согласился его отец.— Позаботься о них, Фрэнки. Ох уж эти тряпки. Сколько с ними возни.

— Да, отец,— ответил Фрэнк машинально.

Отец, похоже, ничего не заподозрил. Он позволил сыну расчесать свои жидкие волосенки и проводить его в гостиную. Там Фрэнк усадил старика в его любимое кресло и дал ему в руки пульт от телевизора. Он нисколько не беспокоился, что отец может настроиться на островной канал и услышать ту самую новость, которую он так тщательно от него скрывал. Грэм Узли никогда не смотрел ничего, кроме кулинарных шоу и мыльных опер. Из первых он выписывал рецепты — зачем, его сын так и не мог понять. Вторые смотрел разинув рот, а потом весь обед так увлеченно обсуждал проблемы несчастных героев, словно те были его соседями.

На самом деле никаких соседей у отца и сына Узли не было. Раньше, много лет назад, еще две семьи жили на их улочке в три дома, которая выросла рядом со старой мельницей, Мулен-де-Нио, словно ветка на древесном стволе. Но со временем Фрэнк и его отец ухитрились купить соседние дома, когда те были выставлены на продажу. В них хранилась громадная коллекция, которая должна была со временем перейти в музей.

Фрэнк взял ключи, пощупал батарею в гостиной, нашел, что старые трубы дают слишком мало тепла, включил электрокамин и, выйдя из дома, в котором они с отцом прожили последние сорок два года, направился к соседнему коттеджу. Все дома на улочке стояли в ряд, а тот, в котором жили Узли, был дальше всех от мельницы, чье дряхлое колесо стонало и скрипело по ночам, когда ветер гулял по узкой речной долине, известной под названием Тэлбот-Вэлли.

Старую деревянную дверь заело, когда Фрэнк навалился на нее всей своей тяжестью: каменные плиты у порога лежали неровно, но ни Фрэнку, ни его отцу за годы владения домом и в голову не пришло их переложить. Для них дом был прежде всего местом для хранения, и заедающая дверь представлялась им сущей мелочью в сравнении с прочими трудностями, которые ветшающее жилье подбрасывает всякому, кто пожелает использовать его как склад. Куда важнее было следить за тем, чтобы не протекала крыша, а окна не пропускали сквозняков. Покуда отопление работало и баланс влажности и сухости не нарушался, на проблемы с дверью вполне можно было закрыть глаза.

Но Ги Бруар так не считал. Именно с этой двери начался их разговор, когда он зашел к Узли впервые.

— Дерево разбухло. А это означает сырость. Как ты от нее бережешься? — спросил он.

— Да нет, это просто пол,— ответил Фрэнк.— А не сырость. Хотя ее здесь тоже хватает, к сожалению. Мы стараемся поддерживать температуру, но зимой... Я думаю, все из-за того, что ручей близко.

— Вам бы куда-нибудь повыше перебраться.

— На острове с этим сложно.

Ги не стал возражать. На Гернси нет серьезных возвышенностей, если не считать утесов в южной части острова, обрывающихся прямо в пролив. А близость моря с его соленым воздухом делала эти утесы не самым удачным местом для хранения коллекции, даже если бы они нашли пригодное для нее здание, что само по себе было маловероятно.

Ги не сразу предложил построить музей. Поначалу он просто не осознал истинных размеров коллекции Узли. В Тэлбот-Вэлли он попал после одного заседания общества любителей истории, которое закончилось посиделками с печеньем и кофе по случаю какой-то презентации, когда Фрэнк Узли вдруг пригласил его к себе. Встреча происходила над рыночной площадью Сент-Питер-Порта, в зале для ассамблей, давно узурпированном филиалом библиотеки Гий-Алле. Все пришли послушать лекцию о расследовании преступлений Германа Геринга, проведенном союзниками в 1945 году, которая оказалась сухим изложением фактов, почерпнутых из источника под названием «Сводный отчет о допросах». Уже через десять минут большинство собравшихся клевали носами, но Ги Бруар, казалось, ловил каждое слово докладчика. Это навело Фрэнка на мысль, что он может оказаться дельным союзником. Ведь сегодня не так уж много людей, которых по-настоящему волнуют события прошлого века. Вот почему, когда лекция закончилась, он подошел к этому человеку, не зная даже, кто он, и сильно удивился, услышав, что перед ним тот самый джентльмен, который приобрел заброшенный особняк Тибо между Сент-Мартином и Сент-Питер-Портом и дал ему новое рождение под именем Ле-Репозуар.

Не окажись Ги Бруар таким легким в общении человеком, Фрэнк, наверное, обменялся бы с ним парой любезностей и пошел своей дорогой. Но Ги проявил столько интереса к занятиям Фрэнка в часы досуга, что ему это, по правде говоря, даже польстило. Вот он и пригласил его в Мулен-де-Нио.

Ги, несомненно, думал, что приглашение Фрэнка — это простой энтузиазм дилетанта, распространяющийся на всякого, кто проявит хоть какое-то любопытство к сфере его интересов. Но, войдя в первую комнату, полную ящиков и коробок, набитых военным добром полувековой давности — пулями и медалями, огнестрельным оружием, штыками, ножами и сигнальным оборудованием,— он одобрительно присвистнул и погрузился в детальный осмотр.

Длился он не день и не два. И даже не неделю. Более двух месяцев Ги Бруар приходил в Мулен-де-Нио изучать содержимое двух коттеджей. И когда он наконец сказал: «Вашей коллекции нужен музей, Фрэнк», в сердце последнего зажглась надежда.

Он жил тогда как во сне. И до чего же странно было теперь размышлять о том, как этот сон превратился в кошмар.

Войдя в коттедж, Фрэнк сразу направился к металлическому каталогу, где он и его отец хранили все документы военного времени, которые попадали им в руки. Там были десятки удостоверений личности старого образца, продуктовые карточки, водительские права. Там были немецкие прокламации, грозившие смертной казнью всякому, кто отважится разводить почтовых голубей, а также по другим поводам, изданные с одной целью — вмешаться в жизнь островитян. Но самыми ценными предметами были с полдюжины экземпляров «ГСОС», подпольного ежедневного листка, распространение которого стоило жизни троим гернсийцам.

Именно их и вынул из шкафа Фрэнк. Подойдя с ними к прогнившему плетеному стулу, он сел и осторожно разложил листки на коленях. Это были одинарные странички, отпечатанные на бумаге не толще луковой шелухи, с таким количеством копий, какое только могла взять допотопная пишущая машинка. Хрупкость этих листков была такова, что казалось странным, как они пережили хотя бы месяц, не говоря уже о пятидесяти с лишним годах, и каждый из них представлял собой тончайшее свидетельство храбрости людей, не убоявшихся ни прокламаций, ни угроз нацистов.

Не будь история пожизненной страстью Фрэнка, не проведи он детство, а затем и одинокое отрочество с отцом, неустанно твердившим о бесценности любого свидетельства испытаний, которые выпали на долю народа Гернси, то он, возможно, решил бы, что для демонстрации героического сопротивления хватит и одного клочка военной паутины. Но страстному коллекционеру одного экземпляра всегда мало, а уж если его страсть — хранить память и открывать правду ради того, чтобы фраза «это не должно повториться» приобрела смысл, который переживет время, то для него предметов не может быть ни слишком мало, ни слишком много.

Что-то задребезжало снаружи, и Фрэнк подошел к запыленному окну. Он увидел велосипедиста, который со скрежетом затормозил, спешился и ставил велосипед на подножку. Косматая собачонка, его верный спутник, была при нем.

Это был юный Пол Филдер и его пес Табу.

При виде их Фрэнк нахмурился, удивляясь тому, что они забрались так далеко от Буэ, где непочтенное семейство Пола обитало в одном из тех угрюмых стандартных домов, за строительство которых в восточной части острова проголосовали приходские Дузаны, чтобы поселить там людей, чьи способности к размножению будут вечно превышать их доходы. Он, этот Пол Филдер, был особым проектом Ги Бруара и часто приходил с ним в Мулен-де-Нио, где часами просиживал на корточках у коробок с экспонатами вместе с двумя старшими мужчинами. Но он еще никогда не приезжал в Тэлбот-Вэлли один, и Фрэнк почувствовал, как при виде мальчика у него что-то неприятно сжалось в животе.

Пол двинулся к коттеджу Узли, поправляя грязный зеленый рюкзак, висевший у него на спине, точно горб. Фрэнк отошел от окна, чтобы мальчик его не увидел. Если Пол постучит в дверь, Грэм все равно не откроет. В это время он как завороженный смотрит первый дневной сериал, и для него не существует ничего, кроме телика. Не получив ответа, Пол уйдет. Вот на что надеялся Фрэнк.

Но дворняжка нарушила его планы. Пока Пол неуверенно ковылял к крайнему коттеджу, его пес развернулся и направился прямо к двери, за которой, точно туповатый взломщик, притаился Фрэнк. Табу начал обнюхивать порог. Потом залаял, и Пол повернул к нему.

Пока Табу скулил и скребся под дверью, Пол постучал. Стук был нерешительный и такой же несносный, как сам мальчишка.

Фрэнк положил копии «ГСОС» в папку и сунул ее назад, в ящик каталога. Заперев шкаф, он промокнул ладони о брюки и распахнул дверь.

— Пол! — сердечно приветствовал он мальчика и с притворным удивлением посмотрел на велосипед у него за спиной.— Господи боже! Ты что, на велике сюда прикатил?

Конечно, по прямой от Буэ до Тэлбот-Вэлли было совсем недалеко. На Гернси по прямой куда угодно рукой подать. Однако узкие дороги-серпантины делали любой путь гораздо длиннее. Мальчик еще никогда не приезжал сюда сам, и Фрэнк не побился бы об заклад, что Пол вообще знает дорогу в Тэлбот-Вэлли. Он был туповат.

Пол глядел на него снизу вверх и моргал. В свои шестнадцать лет он был низкоросл и походил скорее на девочку, чем на мальчика. Во времена Елизаветы Первой, когда женоподобные юноши были в большой цене, он взял бы сцену штурмом. Но при Елизавете Второй дело обстояло совершенно иначе. Фрэнк, впервые увидев Пола, сразу подумал, что жизнь у него, наверное, не сахар, особенно в школе, где персиковый цвет лица, волнистые рыжие волосы и шелковистые ресницы цвета спелой ржи отнюдь не гарантировали защиту от хулиганов.

Пол никак не отреагировал на показное радушие Фрэнка. Его светло-серые глаза наполнились слезами, которые он смахнул и размазал по лицу рукавом заношенной фланелевой рубахи. Он был без куртки, что в такую погоду граничило с безумием, а его запястья торчали из манжет, будто круглые скобки, завершающие длинные, как молодые саженцы, руки. Он хотел что-то сказать, но только придушенно всхлипнул. Табу воспользовался моментом и шмыгнул в коттедж.

Делать было нечего, пришлось пригласить и мальчишку. Фрэнк усадил его на плетеный стул и пошел закрыть дверь, чтобы преградить дорогу декабрьскому холоду. Но, вернувшись, увидел, что мальчик снова на ногах. Скинув рюкзак, точно ношу, которую он надеялся переложить на чужие плечи, он нагнулся над стопкой картонных коробок, то ли обнимая их, то ли подставляя свою спину порке.

Всего понемногу, подумал Фрэнк. Для Пола Филдера эти коробки олицетворяли его связь с Ги Бруаром, они же будут напоминать ему о том, что Ги Бруар ушел навсегда.

Мальчик, несомненно, горюет из-за его смерти, и неважно, знает он или нет, какой ужасный конец постиг его друга. Пол вырос в многодетной семье, при родителях, которые только и умели, что бухать да трахаться, так что, когда Ги обратил на него внимание, мальчик просто расцвел. Правда, когда они с Ги приходили в Мулен-де-Нио, никаких признаков расцвета Фрэнк в нем не замечал, но ведь он и не знал этого угрюмого, молчаливого парнишку до их с Ги знакомства. В те времена, когда они все трое разбирали завалы в коттеджах, Пол больше смотрел и слушал, чем говорил, но в сравнении с полной и анормальной немотой, владевшей им прежде, это был огромный прогресс.

Худенькие плечи Пола вздрагивали, а шея с рыжеватыми завитками, как у ренессансных ангелов, казалась слишком тонкой для того, чтобы поддерживать его голову. Та и не держалась, а лежала на верхней коробке. Все тело мальчика сотрясалось. Он судорожно всхлипывал.

Фрэнк глубоко сочувствовал мальчику. Он подошел и неловко потрепал его по плечу, приговаривая:

— Ну будет, будет,— а сам думал, что ответит, если Пол вдруг поднимет голову и спросит: «Что будет?»

Но Пол ничего не спросил, а продолжал стоять, как раньше. Табу сидел у ног хозяина и смотрел на него.

Фрэнк хотел сказать, что он тоже глубоко скорбит о смерти Ги Бруара, но у него не повернулся язык, ведь он знал, что на всем острове так о нем горюет только Пол да еще родная сестра. Поэтому он оказался перед выбором: предложить Полу фальшивые слова утешения или дать возможность продолжать работу, которую они делали с Ги. Фрэнк знал, что на первое он не способен. Что до второго, то сама мысль об этом была ему невыносима. Оставалось одно: отправить подростка восвояси.

— Слушай, Пол, мне жаль, что ты так расстроен. Но разве тебе не надо в школу? Четверть ведь еще не кончилась, или как?

Пол поднял на Фрэнка заплаканное лицо. Из носа у него текло, и он промокнул его тыльной стороной ладони. Вид у него был такой жалкий и одновременно исполненный такой надежды, что Фрэнка вдруг осенило, зачем мальчишка пришел к нему.

Господи боже, да он же замену ищет, второго Ги Бруара, который проявит к нему интерес, даст ему повод для... для чего? Снов наяву? Работы над собой? Что наобещал этому жалкому сопляку Ги Бруар? Как бы там ни было, он, Фрэнк Узли, вечный холостяк, не сможет ему этого дать. У него самого девяностодвухлетний отец на руках. И свое бремя надежд, которые привели его к нынешней неразберихе.

Словно подтверждая опасения Фрэнка, Пол шмыгнул носом и перестал рыдать. Снова вытер рукавом нос и огляделся вокруг, как будто только сейчас понял, где оказался. Прикусив губу, он начал теребить край заношенной рубахи. Потом встал и прошел через всю комнату туда, где стояли друг на друге коробки, на крышках и боках которых черным фломастером было написано: «Рассортировать».

Фрэнк упал духом. Все оказалось так, как он и думал: мальчик пришел сюда, чтобы связать себя с ним и продолжать работу в доказательство этой связи. Так не пойдет.

Пол взял со стопки коробок верхнюю и осторожно поставил ее на пол, а Табу уселся рядом. Мальчик присел на корточки. Пес привычно положил лохматую голову на лапы и устремил на молчаливого хозяина преданный взгляд, а тот аккуратно открыл коробку, как это на его глазах сотни раз делали Ги и Фрэнк. Внутри вперемешку лежали военные медали, пряжки от ремней, сапоги, фуражки люфтваффе и вермахта и другие предметы вражеского обмундирования полувековой давности. Мальчик поступил с ними так же, как Фрэнк или Ги: расстелил на каменном полу полиэтиленовую пленку и принялся выкладывать на нее предметы, прежде чем записать их в служивший каталогом перекидной блокнот.

Он поднялся, чтобы достать блокнот из его хранилища, то есть того самого шкафа, откуда Фрэнк всего несколько минут назад доставал экземпляры «ГСОС». Фрэнк ухватился за эту возможность и крикнул:

— Эй! Послушайте, молодой человек!

Он метнулся через комнату, чтобы захлопнуть ящик под самым носом у мальчика. Он двигался так быстро и говорил так громко, что Табу вскочил на ноги и залаял.

Фрэнк не терял ни минуты.

— Какого черта ты делаешь? — напустился он на мальчика.— Я здесь, между прочим, работаю. А ты вламываешься и хозяйничаешь тут, как у себя дома. Здесь же бесценные экземпляры. Они хрупкие, стоит их разрушить, и они исчезнут навсегда. Это ты хоть понимаешь?

Глаза у Пола расширились. Он открыл рот, чтобы заговорить, но не издал ни звука. Табу продолжал лаять.

— И убери отсюда эту чертову шавку,— продолжал Фрэнк.— Ума у тебя не больше, чем у обезьяны, парень. Зачем ты притащил ее сюда, где она может... Да ты только посмотри на нее! Маленькая вредная тварь!

Табу ощетинился на его крик, и Фрэнк воспользовался этим тоже. Он закричал еще громче:

— Выведи ее отсюда, парень. А то я сам ее выброшу.

Пол съеживался, но не уходил, и Фрэнк закрутил головой, ища повода к дальнейшим действиям. Его взгляд упал на рюкзак мальчика, он подхватил его и замахнулся им на пса, который попятился, но лаять не перестал.

Пригрозив собаке, Фрэнк добился своего. Пол издал полузадушенный, невнятный крик и бросился к двери. Табу несся за ним по пятам. Пол задержался только для того, чтобы вырвать у Фрэнка из рук рюкзак. На бегу он перебросил его себе через плечо.

С бешено колотящимся сердцем Фрэнк стоял у окна и наблюдал за их уходом. Велосипед у мальчишки был древний, ехать на нем можно было лишь чуть быстрее, чем идти пешком. Но парень так приналег на педали, что вместе с собакой в рекордное время скрылся за поворотом, пронесясь под заросшим сорняками подвесным шлюзом.

Когда они убрались, Фрэнк обнаружил, что снова может дышать. До этого бешеные удары сердца отдавались у него в ушах, мешая слышать другие удары, в стену, которая соединяла коттедж с домом, где жили они с отцом.

Он кинулся домой выяснить, зачем отец его звал. Грэма он застал, когда тот с деревянным молотком в руке ковылял назад к своему креслу, с которого с трудом поднялся.

— Папа? У тебя все в порядке? Что случилось?

— В собственном доме человек может посидеть в тишине или нет? — напустился на него Грэм.— Что с тобой сегодня такое, парень? Из-за твоих воплей телика не слышно.

— Извини,— сказал отцу Фрэнк.— Там мальчишка пришел один. Без Ги. Ты его знаешь, Пол Филдер. Так не годится. Нечего ему тут в одиночку шастать. Я ему не то чтобы не доверяю, просто среди вещей есть довольно ценные... А его семья в стесненных обстоятельствах...

Он знал, что говорит слишком быстро, но поделать ничего не мог.

— Не хочу, чтобы он стащил тут что-нибудь на продажу. А он открыл коробку, залез в нее и даже «здрасте» не сказал...

Грэм взял пульт от телевизора и прибавил громкость, так что у Фрэнка зазвенело в ушах.

— Иди займись делом,— заявил он сыну.— Видишь, некогда мне.

Пол жал на педали как сумасшедший, Табу несся за ним. Пол не останавливался, чтобы перевести дух, отдохнуть или подумать, а стрелой летел прочь из Тэлбот-Вэлли в опасной близости от заросшей плющом стены, удерживавшей склон холма там, где в него была врезана дорога. Будь он в состоянии мыслить ясно, то остановился бы там, где от автомобильной стоянки вверх по холму уходила тропинка. Оставил бы там свой велосипед, а сам поднялся наверх и пошел пешком через поля, где паслись рыжевато-коричневые гернсийские коровы. В такое время года людей там нет, так что он мог бы спокойно поразмыслить над тем, как поступить дальше. Но все его мысли были лишь о спасении. Жизненный опыт подсказывал ему, что за криком неизменно следовала драка. А он предпочитал бегство побоям.

Вот почему он мчался через долину, а когда наконец задумался над тем, где он, то оказалось, что ноги принесли его в единственное на земле место, в котором он знал счастье и покой. Перед ним была железная решетка ворот Ле-Репозуара. Ворота стояли распахнутыми, точно здесь ждали его приезда, как раньше.

Он затормозил. Рядом часто дышал Табу. Чувство вины вдруг обожгло Пола, когда он подумал, как неколебимо предан ему маленький пес. Табу лаял, чтобы защитить хозяина от гнева мистера Узли. Он не испугался ярости чужого человека. Да еще и бежал за хозяином пол-острова без единой остановки. Недолго думая, Пол отпустил велосипед, отчего тот грохнулся на землю, и бросился рядом с песиком на колени, чтобы обнять его. В ответ Табу лизнул Пола в ухо, как будто тот не забыл о нем, спасаясь бегством. От этой мысли мальчик едва не зарыдал. За всю его жизнь никто не любил его так, как этот пес.

Никто, даже Ги Бруар. Что бы он там ни говорил. И что бы ни делал.

Но в тот момент Полу не хотелось думать о Ги Бруаре. Ему не хотелось вспоминать прошлое с мистером Бруаром и еще меньше хотелось размышлять о будущем без него.

Поэтому он поступал так, как единственно мог поступить в то время: делал вид, будто ничего не изменилось.

А значит, оказавшись у ворот Ле-Репозуара, надо было поднять велосипед и войти. Однако он не сел в седло, а повел велосипед по аллее под каштанами, а Табу радостно засеменил рядом. Вдалеке покрытая галькой подъездная аллея веером разворачивалась перед каменным особняком, который, казалось, подмигивал ему всеми своими окнами в это тусклое декабрьское утро.

В прежние времена он обогнул бы дом и вошел через оранжерею, задержавшись ненадолго на кухне, где Валери Даффи сказала бы ему с улыбкой: «Как приятно видеть тебя» — и наверняка предложила бы домашнюю булочку или пирожок и, прежде чем отпустить в кабинет, или на галерею, или куда-нибудь еще, спросила бы: «Ну-ка, садись, Пол, выкладывай, с чем пришел сегодня. Я должна узнать об этом прежде мистера Ги».

А еще она добавила бы: «Запей-ка вот этим» — и дала бы ему стакан молока, или чашку чаю, или кофе, а то и горячего шоколада, такого густого и крепкого, что слюнки начинали течь от одного запаха. И Табу тоже что-нибудь перепало бы.

Но в то утро в оранжерею Пол не пошел. Со смертью мистера Ги все переменилось. Он обогнул дом и направился к старым каменным конюшням, где мистер Ги хранил свои инструменты в рабочей комнате. Пока Табу услаждал свое обоняние восхитительными ароматами, которые в изобилии предлагали конюшни и мастерская, Пол подхватил пилу и ящик с инструментами, вскинул на плечо несколько досок и устало поплелся наружу. Он свистнул Табу, и дворняга радостно помчалась вперед, к пруду, который находился в северо-западном направлении, на некотором расстоянии от дома. Путь туда лежал мимо кухни, где работала Валери, которую он заметил, глянув на ходу в окно. Но когда она помахала ему рукой, он только втянул голову в плечи. И решительно двинулся вперед, шаркая ногами по гравию, чтобы послушать, как он хрустит. Ему давно нравилось слушать этот звук, особенно когда они шагали вдвоем: он и мистер Ги. Их шаги звучали одинаково, как у двух парней, которые вместе идут на работу, и это сходство почти убедило его в том, что возможно все, и даже вырасти таким, как Ги Бруар.

Не то чтобы он хотел скопировать жизнь мистера Бруара. У него были другие мечты. Но тот факт, что Ги Бруар вначале тоже был никем — малолетним беженцем из Франции — и сумел подняться до огромных высот на выбранной им жизненной стезе, убеждал Пола в том, что и он своего добьется. Все возможно для того, кто не боится труда.

А Пол не боялся с того самого дня, когда впервые увидел мистера Ги. Тощий двенадцатилетний парнишка в обносках старшего брата, которые скоро должны были перейти младшему, пожал руку джентльмену в джинсах и сказал только: «Белая какая», с боязливым восхищением взирая на незапятнанную белизну его футболки, которая выглядывала из треугольного выреза безукоризненного синего свитера.

И тут же так сильно залился краской, что чуть в обморок не упал.

«Дурак, дурак,— завопил его внутренний голос.— Тупой ты как пробка, и толку от тебя столько же, Поли».

Но мистер Ги сразу понял, что мальчик имел в виду. «Я тут ни при чем. Это все Валери. Стирка — ее забота. А она женщина исключительная. Настоящая хозяйка. К сожалению, не моя. Кевин к ней раньше посватался. Ты познакомишься с ними, когда придешь в Ле-Репозуар. То есть если захочешь, конечно. Что ты об этом думаешь? Испытаем друг друга, а?»

Пол не знал, как отвечать. Его учительница заранее усадила его в классе и объяснила ему суть новой программы: взрослые из общины делают что-то вместе с детьми,— но он плохо ее слушал, так его занимала золотая пломба у нее во рту. Она была близко к передним зубам и вспыхивала в свете потолочных ламп каждый раз, когда учительница начинала говорить. Ему очень хотелось увидеть, есть ли у нее еще такие пломбы. И он все время спрашивал себя, сколько же они стоят.

Поэтому когда мистер Ги заговорил про Ле-Репозуар, Кевина и Валери, а еще про свою маленькую сестренку Рут — Пол думал, что она и правда маленькая, пока не увидел ее впервые,— он просто слушал и кивал, потому что этого от него и ждали, а он всегда старался делать то, чего от него ожидали, ведь поступать иначе было страшно и непривычно. Так они с мистером Ги познакомились и стали дружить.

Их дружба заключалась в основном в том, что они вместе слонялись по усадьбе мистера Ги, ведь, кроме рыбалки, купания и прогулок по утесам, заняться на Гернси было все равно нечем. По крайней мере, до тех пор, пока они не задумали открыть музей.

Но теперь о нем нужно было забыть. Иначе придется снова пережить те мгновения, когда мистер Узли кричал на него. Вот почему сейчас он шел в направлении пруда, где они с мистером Ги начали строить зимний домик для уток.

Птиц осталось всего три: один селезень и две уточки. Остальные умерли. Однажды утром Пол застал мистера Ги, когда тот хоронил их изломанные и окровавленные тела — все, что осталось от птиц после нападения злой собаки. Или кого-то другого, тоже злого. Мистер Ги не позволил Полу смотреть на них. Он сказал: «Стой там, Пол, и Табу не подпускай». И пока Пол стоял и смотрел, он похоронил каждую бедную птицу в отдельной могилке, которые вырыл для них сам, и все время повторял: «Черт. О господи. Какая потеря».

Уток было двенадцать, еще шестнадцать утят, каждая птица в своей могилке, и каждая могилка помечена, обложена камнями и обозначена крестиком, а все утиное кладбище обнесено забором. «Мы отдаем должное тварям божьим,— сказал ему мистер Ги.— Не следует забывать, что мы и сами одни из них».

Табу тоже нужно было это объяснить, и Полу стоило немалого труда научить пса воздавать должное божьим уткам. Но мистер Ги говорил, что терпение всегда вознаграждается, и оказался прав. С тремя оставшимися утками Табу стал кроток, как агнец, а в то утро и вовсе не обращал на них никакого внимания, словно на пруду никого не было. Он пошел исследовать запахи в зарослях тростника у пешеходного мостика, перекинутого над водой. Пол же понес свою ношу на восточный берег пруда, где они работали с мистером Ги.

Злодей не только истребил уток, но и поломал их зимние домики. Их ремонтом Пол и его наставник занимались последние дни перед кончиной мистера Ги.

Со временем Пол начал понимать, что мистер Ги испытывал его то в одном, то в другом деле, пытаясь разглядеть, для какого поприща он предназначен в жизни. Он хотел объяснить наставнику, что плотничать, красить, класть плитку и кирпичи — дело, конечно, хорошее, но вряд ли поможет ему стать тем, кем он хочет, а именно — пилотом королевских ВВС. Но ему стыдно было в этом признаться. И поэтому он с радостью занимался любым делом, которое ему предлагали. В конце концов, чем больше времени проводил он в Ле-Репозуаре, тем меньше бывал дома, а это его вполне устраивало.

Он положил свою ношу недалеко от воды и скинул рюкзак. Проверил, не скрылся ли Табу из виду, открыл ящик и начал разглядывать инструменты, пытаясь вспомнить порядок действий, которому учил его мистер Ги, когда они что-нибудь строили. Доски они распилили. Это хорошо. С пилой он обращался неважно. Видимо, надо что-то к чему-то прибить. Вопрос только в том, что и к чему.

Под коробкой с гвоздями он увидел сложенный листок бумаги и вспомнил наброски, которые рисовал мистер Ги. Он вытащил листок, расстелил его на земле и присел над ним на корточки, разглядывая, что на нем написано.

Большая буква «А» в кружочке — это начало. «Б» в кружочке — продолжение. «В» — следующий этап, и так далее, до конца.

«Проще не придумаешь»,— подумал Пол и порылся в досках в поисках букв, соответствовавших плану.

Но тут возникла проблема. На кусках дерева никаких букв не обнаружилось. Вместо них там стояли числа, и, хотя на плане числа тоже были, некоторые из них оказались одинаковыми, и почти все с дробями, в которых Пол ничегошеньки не смыслил, он даже не мог понять, в каких отношениях состоят между собой верхняя и нижняя цифры. Он знал, что одну из них надо поделить на другую. То ли верхнюю на нижнюю, то ли наоборот, в зависимости от наименьшего общего знаменателя или еще чего-то в этом роде. Одного взгляда на цифры было достаточно, чтобы у него закружилась голова, и он вспомнил мучительные походы к доске, когда учитель требовал, чтобы он, ради всего святого, сократил дробь.

«Нет, нет. Числитель и знаменатель изменятся, если ты поделишь их правильно, глупый ты мальчик».

И все хохочут. Тупой как пробка. Поли Филдер. Коровьи мозги.

Пол глазел на цифры до тех пор, пока они совсем не расплылись у него перед глазами. Тогда он схватил бумажку и скомкал ее. Бестолочь, куриные мозги.

«Реви, реви, сучонок. Я знаю, чего ты разнюнился».

— А, вот ты где.

Пол обернулся на голос. Со стороны дома по тропинке шла к нему Валери Даффи, ее длинная шерстяная юбка цеплялась на ходу за листья папоротника. В руках она несла аккуратный сверток. Когда она подошла ближе, Пол разглядел, что это рубашка.

— Здравствуй, Пол,— сказала Валери нарочито добродушно.— А где же твой четвероногий дружок?

Тут Табу как раз выскочил из-за поворота и с радостным лаем помчался к ней.

— Вот ты где, Таб. Почему ты не зашел ко мне на кухню?

Вопрос был задан Табу, но Пол понимал, что на самом деле он адресован ему. Валери часто так делала. Ей нравилось обращаться с замечаниями к собаке.

— Похороны завтра утром, Таб, и как ни жаль, но собак в церковь не пускают. Хотя, если бы мистер Бруар мог сказать свое слово, ты был бы там, дорогуша. И утки тоже. Но я надеюсь, что наш Пол придет. Мистер Бруар наверняка хотел бы этого.

Пол поглядел на свою заскорузлую одежду и понял, что на похороны ни в коем случае не пойдет. Подходящего костюма у него не было, а если бы и был, то ведь ему все равно не сказали, что похороны завтра.

«Почему?» — подумал он.

Валери продолжала:

— Я позвонила вчера в Буэ и сказала о похоронах Билли, брату нашего Пола, Таб. А потом подумала: Билли ведь ни за что не передаст Полу мои слова. Могла бы и раньше сообразить, Билли есть Билли. Надо было мне звонить до тех пор, пока к телефону не подошел бы сам Пол, его мама или папа. Вот почему я рада, что ты привел к нам Пола, Табу, ведь теперь он знает.

Пол вытер руки о джинсы. Повесил голову и пошаркал ногой о песчаную землю на берегу пруда. Он думал о десятках, а может быть, и сотнях людей, которые придут на похороны мистера Ги, и радовался, что ему ничего не передали. Он и так чувствовал себя очень плохо из-за смерти своего старшего друга. А если придется идти со своим горем в люди, то он этого просто не вынесет. Он знал, что все они будут на него глазеть, ломать голову над тем, кто он такой, и перешептываться: «Это же молодой Пол Филдер, особый друг мистера Бруара». И переглядываться при этом. Он так и видел эти взгляды — брови приподняты, глаза широко раскрыты, сразу понятно, что люди чего-то недоговаривают.

Он поднял голову, чтобы посмотреть, не такое ли выражение лица и у Валери. Но ничего подобного не увидел, и его плечи сразу обмякли. Он держал их в напряжении с самого бегства из Мулен-де-Нио, и они уже начали болеть. Ему показалось, что тиски, сжимавшие его ключицы, вдруг разжались.

— Мы выходим завтра в половине двенадцатого,— сказала Валери, обращаясь на этот раз к самому Полу.— Ты можешь поехать со мной и Кевом, милый. А насчет одежды не беспокойся. Я принесла тебе рубашку, видишь? И не вздумай ее возвращать. Кев говорит, у него таких еще две, третья ни к чему. Что до брюк...

Она задумчиво смерила его взглядом. Пола даже в жар бросило.

— Кевовы не подойдут. Ты в них утонешь. Но вот мистера Бруара... И не бойся, если тебе придется надеть что-нибудь из его вещей, милый. Он и сам охотно с тобой поделился бы. Ведь он тебя так любил. Ну, ты знаешь. Что бы он ни говорил и ни делал, он так... так любил...

И она запнулась на полуслове.

Пол чувствовал, как ее скорбь присасывается к нему, словно пиявка, вытягивая из него то, что ему больше всего хотелось задушить. Он перевел взгляд с нее на трех оставшихся уток и подумал, как они будут жить теперь без мистера Бруара, кто соберет их вместе, кто наметит цель и скажет, что делать дальше.

Он слышал, как Валери сморкается, и повернулся к ней спиной. Она улыбнулась ему кривой улыбкой.

— В общем, мы все хотим, чтобы ты пришел. Но если ты предпочитаешь не приходить, мы возражать не будем. Похороны не всем подходят, и иногда лучший способ помянуть умерших — продолжать жить самим. А рубашку все равно возьми. Она твоя.

Она оглянулась, словно в поисках чистого местечка, куда бы ее положить.

— А, вот сюда,— сказала она, увидев рюкзак, который Пол положил на землю.

И сделала к нему шаг.

Вскрикнув, Пол вырвал рубашку из ее рук. И отшвырнул прочь. Табу отрывисто тявкнул.

— Но, Пол,— сказала Валери удивленно,— я не хотела. Это же не старая рубашка, милый. Она совсем...

Пол схватил рюкзак. Поглядел налево и направо. Единственный путь к отступлению был там, откуда он пришел, а отступать было необходимо.

И он бросился по тропинке назад, а Табу помчался за ним, отчаянно лая. Пол не смог подавить всхлип, вырвавшийся у него, когда он выбежал с ведущей к пруду дорожки на лужайку, за которой раскинулся дом. Он вдруг понял, как он устал бежать. Ему показалось, что всю свою жизнь он только и делает, что бежит.

4

Рут Бруар наблюдала за бегством мальчика. Она была в кабинете Ги, разбирала пришедшие вчерашней почтой карточки с соболезнованиями, за которые нашла в себе силы взяться только сейчас, как вдруг услышала собачий лай, а потом увидела мальчика — он выскочил из-за беседки, отмечавшей начало дорожки к пруду, и помчался по лужайке прямо под ее окном. Через минуту показалась Валери с рубашкой в руках: отвергнутый дар матери, чьи собственные сыновья оперились и вылетели из родительского гнезда куда раньше, чем она ждала и надеялась.

«Надо было ей завести побольше детей»,— подумала Рут, глядя, как Валери медленно шагает по тропинке к дому.

Есть женщины, которые рождаются с неутолимой жаждой материнства, и Валери Даффи давно казалась ей одной из них.

Рут наблюдала за Валери, пока та не вошла в кухонную дверь, находившуюся как раз под кабинетом, занятым Рут сразу после завтрака. Это было единственное место, где она еще ощущала близость брата и где все вокруг, словно вопреки его ужасной кончине, говорило о том, что Ги Бруар прожил хорошую жизнь. Свидетельства тому окружали ее со всех сторон: они висели на стенах и стояли на книжных полках, заполняли изящный алтарь старинной работы в центре комнаты. Дипломы, фотографии, награды, рисунки и документы. Отдельно лежали письма и рекомендации для тех, кто достоин был стать объектом знаменитой щедрости Бруара. И наконец, самое видное место занимал последний перл в короне достижений ее брата — точная копия того здания, которое он пообещал острову, ставшему для них домом. По словам Ги, здание будет памятником страданиям островитян. Памятником, воздвигнутым человеком, который сам познал страдания.

«По крайней мере, таково было его намерение»,— подумала Рут.

Когда Ги не вернулся домой после утреннего купания, она забеспокоилась не сразу, несмотря на то что он всегда был пунктуален и неизменен в своих привычках. Спустившись по лестнице и не найдя его в утренней комнате, где он, полностью одетый, обычно слушал новости в ожидании завтрака, она просто решила, что он заглянул в коттедж Даффи выпить кофе с Кевином и Валери. Такое тоже иногда случалось. Он им симпатизировал. Вот почему Рут, недолго думая, взяла свой кофе, грейпфрут и пошла в утреннюю комнату, откуда стала звонить в каменный коттедж на границе владений.

Трубку взяла Валери. Нет, сказала она, мистер Бруар у них не был. Она не видела его с раннего утра, когда он проходил мимо них к морю. Что-то случилось? Он еще не вернулся? Ну, может быть, он где-нибудь в поместье... Возле скульптур, например. Он говорил Кеву, что хочет их передвинуть. Помните ту большую человеческую голову в тропическом саду? Может быть, он решает, куда ее поставить, ведь Валери доподлинно знала, что эту скульптуру мистер Бруар хотел передвинуть. Нет, Кев не с ним, мисс Бруар. Кев тут, на кухне.

Сначала Рут не паниковала. Она просто поднялась в ванную брата, куда он наверняка зашел бы переодеться и где оставил бы свои купальные плавки и спортивный костюм. Но ни того ни другого на месте не оказалось. И мокрого полотенца, верного признака его возвращения, тоже не было.

Вот тогда она ощутила тревогу, как будто кто-то щипцами оттянул кожу у нее на груди, под сердцем. Она вспомнила о том, что видела из своего окна утром, наблюдая, как брат направляется к бухте,— тень, которая выскользнула из-под деревьев неподалеку от дома Даффи и последовала за Ги.

Тогда она подошла к телефону и снова набрала номер Даффи. Кевин согласился сходить в бухту.

Вернулся он бегом, но не к ней. И только когда машина «скорой помощи» появилась на другом конце подъездной аллеи, он пришел в дом.

Так начался кошмар. Часы шли, но облегчения не приносили. Сначала она решила, что у Ги был сердечный приступ, но, когда ей не позволили поехать с ним в больницу в одной машине, сказав, что пусть лучше Кевин Даффи везет ее следом, и унесли Ги раньше, чем она успела на него взглянуть, она поняла, что случилось непоправимое.

Она надеялась, что это был удар. Тогда, по крайней мере, он будет жить. Наконец к ней пришли сказать, что он умер, и только тогда она узнала, как это случилось. С тех пор одна и та же картина непрестанно вставала перед ней: Ги страдает, он в агонии, а рядом никого.

Как бы ей хотелось, чтобы смерть брата была случайной. Но нет, его убили, и это лишало ее присутствия духа, превращало жизнь в поиск ответа на вопрос «за что?». И еще «кто?». Но это была опасная территория.

Жизнь научила Ги самому получать то, что хочется. Никто так просто ему ничего не преподносил. Но не раз и не два он брал то, что ему не принадлежало. В результате страдали другие люди. Его жены, дети, коллеги... В общем, другие.

«Если ты будешь продолжать в том же духе, то просто погубишь кого-нибудь,— говорила она ему.— А этого я тебе не позволю».

Но он только посмеивался над ней и нежно целовал в лоб. Директриса мадемуазель Бруар, называл он ее.

«А если я не послушаюсь, ты будешь бить меня линейкой по ладоням?»

Боль вернулась. В затылок словно вбивали ледяной клин, пока исходящий от него ужасный холод не начинал обжигать, точно пламя. Он протягивал вниз щупальца — посланников болезни, и они ползли, по-змеиному извиваясь. В поисках облегчения она покинула комнату.

В доме она была не одна, но чувствовала себя абсолютно одинокой и, если бы не дьявольский рак, сжимавший ее в своих тисках, смеялась бы во весь голос. В шестьдесят шесть лет оказаться до срока вырванной из утробы братской любви. Кто бы мог подумать, что все закончится именно так, когда в ту давно минувшую ночь ее мать прошептала:

— Promets-moi de ne pas pleurer. Sois forte pour Guy*.

Ей хотелось продолжать верить в мать, как она верила в нее все шестьдесят лет. Но правда была в том, с чем приходилось иметь дело сейчас. Она не могла больше быть сильной.

Маргарет Чемберлен уже через каких-то пять минут в обществе сына начинала сыпать указаниями: «Выпрями спину, ради бога; смотри людям в глаза, когда разговариваешь с ними, Адриан; ради всего святого, перестань швырять мой багаж; осторожнее, не сбей велосипедиста, дорогой; и, пожалуйста, не забывай включать поворотник, милый».

Однако она вовремя остановила эту лавину распоряжений. Он был самым любимым из четырех ее сыновей, но он же неизменно доводил ее до белого каления,— по мнению Маргарет, это объяснялось тем, что отцы у ее детей были разные, а поскольку своего Адриан только что потерял, то она решила смотреть на некоторые неприятные привычки сына сквозь пальцы. Пока.

Он встречал ее в закутке, который в аэропорту Гернси сходил за зал прибытия. Она прошла в дверь, толкая перед собой тележку, нагруженную ее чемоданами, и увидела сына у стойки аренды автомобилей, где тот ожидал ее появления, а не болтал с хорошенькой рыжеволосой девицей за прилавком, как сделал бы всякий нормальный мужик на его месте. Он же притворялся, будто изучает какую-то карту, и упускал очередную возможность, которую жизнь совала ему прямо под нос.

---

* Обещай мне, что не будешь плакать. Будь сильной ради Ги *(фр.)*.

Маргарет вздохнула.

— Адриан,— позвала она, а когда тот не ответил, окликнула громче: — Адриан.

Со второго раза он ее услышал и оторвался от своей карты. Подкрался к стойке и положил карту на место. Рыженькая спросила, чем она может помочь сэру, но тот не ответил. И даже не посмотрел на нее. Девушка повторила. Но он только поднял воротник куртки и вместо ответа повернулся к ней спиной.

— Машина на улице,— сказал он матери вместо «здравствуй» и скинул ее чемоданы с тележки.

— Может, спросишь хотя бы, как дорогая мамочка долетела? — предложила Маргарет.— И разве нельзя довезти чемоданы в тележке прямо до машины? Так ведь легче.

Но он уже шагал прочь, неся по чемодану в каждой руке. Делать было нечего, оставалось только идти за ним. Маргарет послала извиняющуюся улыбку в направлении стойки, на случай если рыженькая наблюдала за тем, как встретил ее сын. И пошла следом.

Аэропорт представлял собой одиночное строение, расположенное сбоку от единственной посадочной полосы в окружении непаханых полей. Автостоянка при нем была меньше, чем при железнодорожной станции у ее дома в Англии, так что найти Адриана не составило никакой проблемы. Когда Маргарет поравнялась с ним, он запихивал чемоданы на заднее сиденье «рейнджровера», автомобиля, хуже которого для местных дорог-паутинок и выдумать ничего было нельзя, как она убедилась вскоре.

Сама она никогда не бывала на этом острове. Они с Ги развелись задолго до того, как тот оставил свой бизнес в «Шато Бруар» и поселился здесь. Но Адриан не однажды гостил у отца на острове, и почему он разъезжал по нему на каком-то фургоне для перевозки мебели, когда тут явно требовалась «мини», было выше ее понимания. Как и многие другие поступки сына. К примеру, его разрыв с единственной женщиной, с которой он ухитрился вступить в отношения за все тридцать семь лет своей жизни.

«С чего бы это вдруг?» — до сих пор удивлялась Маргарет.

«У нас были разные цели»,— пытался убедить он ее, чему она ни на секунду не поверила, потому что из приватной доверительной беседы с самой молодой женщиной доподлинно знала: Кармел Фицджеральд хотела замуж, а из другой приватной и доверительной беседы с собственным сыном также доподлинно знала: Адриан считал, что ему повезло найти молодую, в меру привлекательную женщину, готовую не колеблясь связать свою жизнь с человеком практически среднего возраста, который всю жизнь просидел у матери под юбкой.

Кроме тех трех кошмарных месяцев, которые он провел в одиночку, когда пытался поступить в университет... Но чем меньше она будет вспоминать об этом, тем лучше. Так что же между ними произошло?

Маргарет знала, что спрашивать об этом нельзя. По крайней мере, сейчас, накануне похорон Ги. Но она все равно собиралась задать этот вопрос, и скоро.

Она сказала:

— Как справляется бедная тетя Рут, дорогой?

Адриан притормозил у дряхлого отеля.

— Я ее не видел.

— Почему? Она что, не выходит из своей комнаты?

Он смотрел вперед, на светофор, сосредоточенно ожидая, когда загорится желтый.

— То есть я ее видел, но не совсем. Я не знаю, как она справляется. Она мне не говорила.

А спросить он, разумеется, не догадался. И с матерью поговорить нормально, а не загадками ему тоже в голову не приходит.

— Это ведь не она его нашла, правда? — спросила Маргарет.

— Нет, это Кевин Даффи. Садовник.

— Она, наверное, в шоке. Они ведь не расставались... Вообще никогда.

— Не знаю, зачем ты сюда приехала, мама.

— Ги был моим мужем, дорогой.

— Первым из четырех,— не преминул напомнить Адриан.

Вот зануда, право. Маргарет прекрасно знала сама, сколько раз она выходила замуж.

— Я думал, что на похороны приходят только к действующим мужьям.

— Как это вульгарно с твоей стороны, Адриан.

— Неужели? Ну уж нет, вульгарности мы не потерпим.

Маргарет повернулась, чтобы видеть его лицо.

— Почему ты так себя ведешь?

— Как?

— Ги был моим мужем. Когда-то я любила его. Благодаря ему у меня есть ты. И если в память об этом я должна пойти на его похороны, я это сделаю.

Улыбка Адриана показывала, что он ей не верит, и ей захотелось дать ему пощечину. Сын слишком хорошо ее знал.

— Ты всегда воображала, будто умеешь лгать,— сказал он.— Что, тетя Рут боялась, как бы я тут без тебя... как бы это сказать? Не наделал глупостей? Не совершил преступления? Или попросту не взбесился? А может, она считает, что я уже это сделал?

— Адриан! Как ты мог подумать... даже в шутку...

— Я не шучу, мама.

Маргарет отвернулась к окну, не желая больше выслушивать бредни сына. Светофор мигнул, и Адриан на полной скорости пронесся через перекресток.

Вдоль дороги, по которой они ехали, сомкнутым строем стояли дома. Под хмурым небом послевоенные оштукатуренные коттеджи соседствовали с разрушающимися викторианскими домами-террасами, что лепились порой к какому-нибудь отелю, закрытому на зиму. Населенные территории вдоль южной стороны дороги уступили место голым полям с фермерскими домами из камня, а на границе каждого участка виднелись деревянные белые лари, куда в другое время года фермеры выкладывали молодой картофель и тепличные цветы на продажу.

— Твоя тетя позвонила мне, как и всем остальным,— сказала наконец Маргарет.— Честно говоря, меня удивило, что ты не сделал этого сам.

— Никто не приедет,— ответил Адриан, меняя тему разговора,— привычка, которая ее всегда в нем раздражала.— Даже Джоанна с девочками. Впрочем, Джоанну я понимаю: скольких любовниц отец сменил, пока был женат на ней? Но девочки-то могли бы и приехать. Они его, конечно, терпеть не могут, но я думал, что жадность не даст им усидеть на месте и они явятся. Завещание, вот о чем я говорю. Наверняка им хочется узнать, сколько им причитается. Куча денег, если, конечно, отец раскаялся в том, как обошелся с их мамочкой.

— Пожалуйста, не говори так об отце, Адриан. Как его единственный сын и наследник, чьи дети будут носить фамилию Бруар, я думаю, ты мог бы...

— Никаких детей не будет.— Теперь он говорил настойчиво и громко, как будто хотел заглушить мать.— И все же я думал, что Джоанна появится, хотя бы ради того, чтобы вогнать кол старику в сердце.

Адриан ухмыльнулся, но больше себе, чем ей. Тем не менее от этой ухмылки Маргарет стало холодно. Слишком живо она напоминала ей те тяжелые времена, когда Адриан делал вид, будто все в порядке, тогда как на самом деле в душе у него назревала гражданская война.

Ей не хотелось спрашивать, но еще больше не хотелось оставаться в неведении. Поэтому она подняла с пола свою сумочку, открыла ее и, притворяясь, будто ищет мятную пастилку, небрежно бросила:

— Я слышала, морской воздух очень полезен для здоровья. Как тебе здесь спится? Кошмары не мучают?

Он стрельнул на нее глазами.

— Зря ты настояла, чтобы я поехал на его чертову вечеринку, мам.

— Я настояла? — Маргарет коснулась пальцами груди.

— «Ты должен поехать, дорогой».— Он передразнивал ее так точно, что даже жутко делалось.— «Ты так давно его не видел. По-моему, с прошлого сентября вы с ним даже по телефону не разговаривали. Или я ошибаюсь? Вот видишь. Отец будет очень разочарован, если ты не приедешь. А нам ведь этого не нужно, Ги Бруар не снесет разочарования». Только это не было нужно ему. Я не был нужен ему. Это ты хотела, чтобы я поехал. Он так мне и сказал.

— Адриан, нет. Это же... Я надеюсь... Ты... ты же не поссорился с ним, а?

— Ты рассчитывала, что он размякнет, если я появлюсь в миг его торжества, и передумает насчет денег, правда? — спросил Адриан.— Покажу свою морду на его дурацкой вечеринке, а он будет так счастлив меня видеть, что подкинет деньжат на бизнес. Ты ведь за этим меня сюда посылала?

— Понятия не имею, о чем ты говоришь.

— Уж не хочешь ли ты сказать, будто он не говорил тебе о том, что отказался дать мне денег на бизнес? В сентябре прошлого года? Наш небольшой... спор. «Ты не выказываешь никаких способностей к бизнесу. Мне очень жаль, мой мальчик, но я не люблю выбрасывать деньги на ветер». И это при том, что он их возами раздает направо и налево.

— Твой отец так сказал? «Не выказываешь способностей»?

— Среди всего прочего. «Идея неплоха,— сказал он.— Доступ через Интернет всегда можно усовершенствовать, а в остальном похоже, что так действительно можно добиться толку. Но с твоим послужным списком, Адриан... точнее, с его отсутствием, что приводит нас к необходимости вникнуть в причины его отсутствия».

Маргарет чувствовала, как бешенство медленно заливает кислой волной ее желудок.

— Вот как? Да как он смел!

— «Так что придвинь-ка стул, сынок. Гм. Да. У тебя были проблемы, так? Помнишь тот случай в саду у директора школы, когда тебе было двенадцать? А что ты натворил в университете, когда тебе было девятнадцать? В тех, кто так себя ведет, деньги обычно не вкладывают, мой мальчик».

— Он так тебе сказал? И все это припомнил? Дорогой мой, мне так жаль,— скроила соответствующую мину Маргарет.— Я вот-вот заплачу. И ты все равно поехал к нему после этого? Ты не отказался его видеть? Почему?

— Очевидно, потому, что я идиот.

— Не говори так.

— Я думал, что надо попробовать еще раз. Я думал, что если все устрою, то мы с Кармел могли бы... не знаю... попробовать начать все сначала. Мне показалось, что увидеть его, смириться со всеми гадостями, которыми он меня будет поливать, стоило ради Кармел, ради нашего с ней будущего.

Делая эти признания, он намеренно не сводил глаз с дороги, и Маргарет чувствовала, как ее сердце разрывается от боли за сына, несмотря на все его замашки, которые порой просто сводили ее с ума; ведь ему так трудно пришлось в жизни, куда труднее, чем его сводным братьям, думала она. И во многом это была ее вина. Если бы она позволяла ему чаще видеться с отцом, чего Ги хотел, требовал, добивался изо всех сил... Разумеется, это было невозможно. Но если бы она все-таки рискнула и позволила им видеться чаще, может, сейчас с Адрианом не было бы так трудно. И она не чувствовала бы вины.

— Значит, ты опять говорил с ним о деньгах? В этот визит, дорогой? — спросила она.— Просил его помочь тебе с новым делом?

— Не успел. Никак не мог застать его одного, мисс Бюст так и увивалась вокруг нас, видно, боялась, как бы я не оттяпал долю наличности, которую она хотела заграбастать сама.

— Мисс... кто?

— Его последняя пассия. Ты ее увидишь.

— Вряд ли это ее настоящее имя...

Адриан фыркнул.

— А жаль. Так вот, она все время отиралась рядом с ним, заглядывала ему в лицо, чтобы он, не дай бог, не забыл о ней. Все время его отвлекала. Мы так и не поговорили. А потом стало поздно.

Маргарет не задала этого вопроса по телефону, потому что голос у Рут был по-настоящему страдальческий. И сына сразу при встрече она спросить тоже не могла, надо было сперва оценить его настроение. Но теперь он сам дал повод, и она немедленно им воспользовалась.

— Как именно умер твой отец?

Они въезжали в лесистую часть острова, где высокая каменная стена, густо заросшая плющом, тянулась вдоль западной стороны дороги, а вдоль восточной поднимались рощи каштанов, сикоморов и вязов. Между ними местами мелькал пролив, стальной в сумрачном зимнем свете. Маргарет не понимала, какая нужда купаться в нем в такую погоду.

Адриан не сразу ответил на ее вопрос. Он подождал, пока они проедут какую-то ферму, и сбросил скорость, когда они приблизились к просвету в стене, оказавшемуся открытыми железными воротами. На вделанной в стену табличке значилось название поместья Ле-Репозуар, и машина, свернув, покатила по подъездной аллее. Она вела к величественному дому, четырехэтажной громаде из серого камня, увенчанной неким подобием площадки с перильцами, идеей предыдущего владельца, очарованного Новой Англией. Сразу под этой площадкой виднелись мансардные окна, украшавшие идеально гармоничный фасад. Ги, подумала Маргарет, неплохо обеспечил себя на старости лет. Но ничего удивительного в этом не было.

Ближе к дому подъездная аллея выныривала из-под деревьев, чьи кроны образовывали над ней подобие тоннеля, и огибала лужайку, в центре которой стояла впечатляющая бронзовая скульптура юноши и девушки, купающихся с дельфинами. Адриан проехал вокруг лужайки и остановил машину прямо у ступеней, которые вели к белой входной двери. Она была закрыта и еще не успела открыться, когда Адриан ответил на вопрос матери.

— Он задохнулся до смерти,— сказал он.— Внизу, в бухте.

Маргарет это озадачило. Рут сказала, что ее брат не вернулся домой после утреннего купания, что его подстерегли и убили на пляже. Но если человек задохнулся, то при чем тут убийцы? Вот если его задушили, тогда другое дело, но Адриан сказал именно «задохнулся».

— Задохнулся? — повторила Маргарет.— Но Рут сказала мне, что твоего отца убили.

На миг у Маргарет даже мелькнула безумная мысль, а не солгала ли ей бывшая невестка, чтобы заманить ее на остров.

— А это и было убийство,— сказал Адриан.— Тем, что нашли у отца в горле, никто случайно не поперхнется, да и нарочно тоже.

5

— Вот уж не думал, что окажусь когда-нибудь в таком месте.

Чероки Ривер задержался, чтобы посмотреть на вращающуюся вывеску Нью-Скотленд-Ярда. С нее он перевел взгляд на само здание с его защитными бункерами, охранниками в униформе и присущей ему тяжеловесной важностью.

— Я не уверена, что нам здесь помогут,— откровенно призналась Дебора.— Но по-моему, попробовать стоит.

На часах было почти половина одиннадцатого. Когда они отправлялись в американское посольство, на улице лило как из ведра, теперь же в воздухе висела настойчивая морось, от которой они укрылись под одним из огромных черных зонтов Саймона.

Их совместное путешествие началось довольно обнадеживающе. Несмотря на отчаянное положение сестры, Чероки не изменила та типично американская уверенность, которую Дебора, живя в Калифорнии, наблюдала почти во всех ее обитателях. Он был гражданином Соединенных Штатов, пришедшим в посольство своей страны по делу. Как всякий налогоплательщик, он полагал, что стоит ему войти в посольство и выложить факты, кто-нибудь сразу же позвонит куда надо и Чайну немедленно освободят.

Сначала ей казалось, что вера Чероки во всемогущество посла обоснованна. Как только они установили, куда им следовало обращаться — в отдел особых консульских услуг, вход в который оказался не через осененную государственным флагом массивную дверь на Гросвенор-сквер, а за углом, с тихой Брук-стрит,— и Чероки назвал там свое имя, в недра посольства позвонили и ответ пришел изумительно быстро. Даже Чероки не ожидал, что глава отдела особых услуг будет приветствовать его лично. То есть он, конечно, надеялся, что кто-нибудь из подчиненных проведет их к ней, но что она сама выйдет и поздоровается с ним прямо там, у входа,— такого он не ждал. Но именно это и произошло. Консул по особым делам Рейчел Фрайштат — «обращайтесь ко мне "мисс"» — вошла в огромную комнату ожидания, пожала ему руку двумя руками, с намерением вселить уверенность, и провела Дебору и Чероки в свой кабинет, где предложила им кофе с печеньем и настояла, чтобы они сели поближе к электрическому камину и обсушились.

Оказалось, что Рейчел Фрайштат уже все известно. После ареста Чайны не прошло и суток, как ей позвонили из полиции Гернси. Такова, объяснила она, была норма, соглашение между нациями, подписавшими Гаагский договор. Она даже говорила с самой Чайной по телефону и спросила, не желает ли та, чтобы кто-нибудь из посольства приехал на остров для оказания ей помощи.

— Она ответила, что не нуждается в этом,— сообщила консул по особым поручениям Деборе и Чероки.— В противном случае мы бы немедленно кого-нибудь послали.

— Но она нуждается,— возмутился Чероки.— Ее там подставили. И она это знает. Почему она отказалась?

Он провел рукой по шевелюре и пробормотал:

— Не понимаю.

Рейчел Фрайштат сочувственно кивнула, но по ее лицу было заметно, что заявление на тему «ее подставили» она слышит не впервые. Она сказала:

— Мы ограничены в выборе средств, мистер Ривер. Вашей сестре это известно. Мы связались с ее адвокатом — ее защитником, как там говорят,— и он заверил нас, что присутствовал на каждом ее допросе. Мы также готовы позвонить в Соединенные Штаты и оповестить, кого ваша сестра сочтет нужным, хотя она особо оговорила, что сейчас никому звонить не надо. А если история просочится в американскую прессу, все контакты с ней мы тоже возьмем на себя. Газеты на Гернси уже пишут об этом, но их изолированность и недостаток средств связывают им руки: они могут лишь публиковать материал, который дает им полиция.

— Вот именно,— опять встрял Чероки.— Полиция как раз и старается повесить это дело на нее.

Тогда мисс Фрайштат пригубила свой кофе. Поверх чашки она смотрела на Чероки. Дебора поняла, что она готовится сообщить плохую новость и не торопится, обдумывая, как это лучше сделать.

— К сожалению, тут американское посольство ничем помочь не может,— сказала она наконец.— Даже если это так, мы все равно не можем вмешаться. Если вы считаете, что вашу сестру ни за что ни про что вот-вот упрячут за решетку, то вам необходима помощь. Но искать ее вам следует не у нас, а у них.

— Что это значит? — спросил Чероки.

— Может быть, частный сыщик? — предположила мисс Фрайштат.

Так и не получив того, на что надеялись, они покинули посольство. В течение следующего часа они сделали открытие, что найти на Гернси частного сыщика не легче, чем в Сахаре мороженое. Убедившись в этом окончательно, они пересекли весь город и оказались на Виктория-стрит, у здания Нью-Скотленд-Ярда — башни из стекла и бетона, выросшей в самом сердце Вестминстера.

Встряхнув свой зонт над специальным резиновым ковриком, они поспешили внутрь. Дебора оставила Чероки глазеть на вечный огонь, а сама пошла к стойке дежурного, где и передала свою просьбу.

— Исполняющий обязанности суперинтенданта инспектор Линли. Нам не назначено, но если он свободен, нельзя ли нам его увидеть? Меня зовут Дебора Сент-Джеймс.

За стойкой были двое охранников в форме, и оба так смотрели на них с Чероки, словно подозревали, что под одеждой у них полно взрывчатки. Один из них стал куда-то звонить, а другой занялся посылкой, доставленной «Федерал-экспресс».

Дебора ждала у стойки, пока тот полицейский, который звонил по телефону, не сказал ей:

— Подождите пару минут.

Тогда она вернулась к Чероки, и он спросил:

— Думаешь, от этого будет толк?

— Как знать,— ответила она.— Но делать-то что-то надо.

Не прошло и пяти минут, как Томми сам спустился им навстречу, и Дебора сочла, что это хороший знак.

— Деб, привет. Какой сюрприз,— сказал он, поцеловал ее в щеку и стал ждать, когда его представят Чероки.

Раньше они никогда не встречались. Несмотря на то что Томми не раз приезжал к Деборе в Калифорнию, их с Чероки пути как-то не пересекались. Хотя Томми, разумеется, о нем слышал. Он слышал его имя и уж конечно не забыл его, настолько странно оно звучало для английского уха.

Поэтому когда Дебора сказала: «Это Чероки Ривер», он тут же продолжил: «Брат Чайны» — и с характерной для него непринужденностью протянул для приветствия руку.

— Показываешь ему город? — спросил он у Деборы.— Или друзей, которые работают в сомнительных местах?

— Не угадал,— ответила она.— Мы можем с тобой поговорить? Без посторонних? У тебя есть время? Мы... мы вроде как бы по делу.

Томми приподнял бровь.

— Понятно,— сказал он, и не успели они оглянуться, как уже ехали с ним в лифте куда-то наверх, в его кабинет.

Как исполняющий обязанности суперинтенданта, он работал не на обычном месте, а во временном кабинете, который занимал, пока его начальник поправлялся после покушения на его жизнь, имевшего место в прошлом месяце.

— Как здоровье суперинтенданта? — спросила Дебора, заметив, что Томми по своему добросердечию не тронул ни одной фотографии, принадлежавшей хозяину кабинета, Малькольму Уэбберли.

Линли покачал головой.

— Неважно.

— Ужас какой.

— Вот именно.

Он пригласил их садиться и сел сам, подавшись вперед и положив локти на колени. Всем своим видом он словно спрашивал: «Чем я могу вам помочь?», и это напомнило Деборе о том, какой он занятой человек.

Она начала объяснять, зачем они пришли, а Чероки время от времени дополнял ее рассказ необходимыми, на его взгляд, подробностями. Томми слушал их, как, по наблюдениям Деборы, умел слушать только он: не сводя карих глаз с того, кто в данный момент говорил, не обращая внимания ни на что, в том числе шум из соседних кабинетов.

— Насколько близко ваша сестра успела узнать мистера Бруара, пока вы были у него в гостях? — спросил Томми, когда Чероки закончил свою историю.

— Они провели вместе какое-то время. Поладили они быстро, потому что оба зациклились на домах. Но больше ничего не было, насколько я знаю. Он был с ней приветлив. Но и со мной тоже. Кажется, он вообще прилично относился к людям.

— Может быть, и нет,— заметил Томми.

— Ну, может быть. Да, наверное. Раз кто-то его убил.

— Как именно он умер?

— Задохнулся до смерти. Адвокат выяснил это, как только Чайне предъявили обвинение. Кстати, это единственное, что ему удалось выяснить.

— Вы хотите сказать, что его задушили?

— Нет. Задохнулся. Он поперхнулся камнем.

— Камнем? Господи, каким еще камнем? С пляжа, что ли?

— Это все, что нам пока известно. Просто был какой-то камень, и он им подавился. Или, точнее, этим камнем его заставила подавиться моя сестра, раз уж ее арестовали за его убийство.

— Так что видишь, Томми,— добавила Дебора,— смысла тут никакого нет.

— Потому что как Чайна могла заставить его подавиться этим камнем? — спросил Чероки.— Как вообще кто-нибудь мог заставить его им подавиться? Как это сделали? Открыли ему рот и запихнули в глотку камень?

— Это вопрос, который требует ответа,— согласился Линли.

— Это мог быть несчастный случай,— не унимался Чероки.— Он сам мог положить в рот камень по какой-то причине.

— Значит, есть какие-то улики, подтверждающие обратное,— сказал Томми,— иначе полиция никого бы не арестовала. Тот, кто запихивал камень ему в рот, мог оцарапать ему горло и даже язык. Тогда как если он проглотил его по ошибке... Да. Я понимаю, почему они сразу решили, что это было убийство.

— Но почему именно Чайна? — спросила Дебора.

— Наверное, есть еще улики, Деб.

— Моя сестра никого не убивала!

С этими словами Чероки встал. Он беспокойно подошел к окну, потом резко обернулся.

— Ты можешь что-нибудь сделать? — спросила Дебора у Томми.— В посольстве намекнули, чтобы мы наняли кого-нибудь, но я подумала, может, ты мог бы... Может быть, ты позвонишь им? В полицию? И объяснишь? Ведь ясно же, что они недооценивают факты, которые есть у них на руках. Надо, чтобы кто-нибудь им это объяснил.

Томми задумчиво сложил ладони домиком.

— Тут не все так просто, Деб. Они проходят обучение здесь, это верно, гернсийская полиция, я имею в виду. И имеют право попросить у нас помощи, это тоже верно. Но вот насчет того, чтобы начинать дело с нашего конца... Если ты на это надеешься, то так у нас просто не делают.

— Но...— Дебора протянула руку, поняла, что как будто умоляет (жалкое зрелище), и снова уронила руку на колени.— А что, если там просто узнают, что здесь кто-то проявляет к этому делу интерес?

Томми внимательно поглядел ей в лицо и улыбнулся.

— А ты не меняешься, правда? — спросил он нежно.— Ладно. Подождите. Посмотрим, что у меня получится.

На то, чтобы узнать нужный номер на Гернси и выяснить, кто занимается расследованием этого дела, ушло несколько минут. Убийство было настолько необычным на острове происшествием, что Линли стоило только произнести само слово, как его тут же соединили со старшим следователем.

Но звонок ничего не дал. Нью-Скотленд-Ярд, очевидно, не имел в Сент-Питер-Порте никакого веса, и, когда Томми представился и объяснил, зачем звонит, предложив любую помощь столичной полиции, ему ответили — как он доложил Деборе и Чероки, положив трубку,— что «в проливе все под контролем, сэр». И кстати, если какая-нибудь помощь все-таки понадобится, то полиция Гернси обратится с запросом к полицейским силам графств Корнуолл или Девон, как обычно.

— Это и нас касается, ведь арестована иностранка,— сказал Томми.

Да, поворот событий интересный, но полиция Гернси и тут в состоянии справиться собственными силами.

— Извините,— сказал он Деборе и Чероки, закончив разговор.

— И что же нам, черт возьми, теперь делать? — спросил Чероки скорее у себя самого, чем у остальных.

— Вам нужно найти человека, который не откажется поговорить с замешанными в этом деле,— сказал Томми в ответ.— Если бы кто-нибудь из моих людей ехал туда в отпуск, вы бы могли попросить их оказать вам такую услугу. Вы можете и сами этим заняться, но было бы лучше, если бы вам кто-нибудь помогал.

— А что нужно делать? — спросила Дебора.

— Задавать вопросы, чтобы узнать, нет ли свидетеля, которого пропустили. Надо выяснить, были ли у этого Бруара враги: сколько, кто такие, где живут, где находились в момент убийства. И еще вам нужен кто-нибудь для оценки качества добытой информации. Поверьте мне, полиция пользуется услугами таких людей постоянно. Кроме того, вам нужно проверить, не упущены ли какие-нибудь улики.

— На Гернси таких людей нет,— сказал Чероки.— Мы узнавали. Дебс и я. Сначала узнали, а потом пошли к вам.

— Тогда поищите в другом месте.

Томми послал Деборе взгляд, значение которого она хорошо поняла.

Человек, в котором они нуждались, у них был.

Но ей не хотелось просить мужа о помощи. И не только из-за его вечной занятости, но и потому, что Деборе казалось, будто всю ее жизнь Саймон только и делал, что спасал ее. Сначала в школе, когда над ней издевались одноклассники, а «ее» мистер Сент-Джеймс, тогда девятнадцатилетний молодой человек с обостренным чувством справедливости, застращал мучителей так, что им небо с овчинку показалось; и позже, когда она стала его женой, от которой требовалось только одно — быть счастливой. Она просто не могла взвалить на него еще и эту ношу.

Так что придется им с Чероки взяться за дело самим. В этом был ее долг перед Чайной и, что еще важнее, перед самой собой.

Когда Дебора и Чероки приехали в Олд-Бейли, на одну чашу весов правосудия впервые за последние несколько недель пролился солнечный свет, жидкий, как чай с жасмином. У них не было при себе ни рюкзака, ни сумки, поэтому получить разрешение на вход оказалось проще простого. Несколько вопросов привели их в нужное место — зал заседаний номер три.

На верхней галерее для посетителей почти никого не было, не считая троих припозднившихся туристов в прозрачных плащах-дождевиках и какой-то женщины, взволнованно комкавшей платочек. Под ними, точно декорация из исторического фильма, раскинулся зал суда. Вот судья в красной мантии, круглые очки в тонкой оправе придают ему строгий вид, кудрявый парик из овечьей шерсти спускается на плечи; он сидит на зеленом кожаном стуле, одном из пяти, которые стоят в дальнем конце зала на помосте, отделяющем судью от простых смертных. Вон те, в черных мантиях,— адвокаты и прокуроры, занимают переднюю скамью и стол, стоящий под прямым углом к судейскому. За ними расположились их помощники, младшие члены палат и адвокаты, не имеющие права выступать в суде. Напротив них места присяжных, а между присяжными и адвокатами, точно рефери, сидит судейский клерк. Прямо под галереей — скамья подсудимых, где как раз находился обвиняемый в сопровождении офицера полиции. Напротив него было место свидетелей, куда устремили свои взгляды Дебора и Чероки.

Прокурор как раз заканчивал перекрестный допрос свидетеля защиты, эксперта мистера Олкорта-Сент-Джеймса. Он то и дело заглядывал в какой-то многостраничный документ, называл Саймона сэром и обращался к нему «мистер Олкорт-Сент-Джеймс, будьте любезны», что подчеркивало его недоверие ко всякому, чье мнение не совпадало с мнением полиции, а значит, и прокуратуры.

— Вы, кажется, хотите сказать, что в заключении, выданном лабораторией доктора Френча, есть изъян, мистер Олкорт-Сент-Джеймс,— говорил прокурор, пока Дебора и Чероки пробирались на свои места в галерее.

— Вовсе нет,— ответил Саймон.— Я хочу обратить ваше внимание лишь на то, что количество осадка, обнаруженное на коже обвиняемого, вполне совместимо с его профессией садовника.

— В таком случае является ли, по-вашему, простым совпадением тот факт, что на коже мистера Кейси,— кивок в сторону человека на скамье подсудимых, чью шею Дебора и Чероки могли изучать со своего места на галерее,— были обнаружены следы того же самого вещества, которым отравили Констанцию Гарибальди?

— Поскольку «Алдрин» используется для уничтожения насекомых, а преступление было совершено в разгар сезона, когда сады изобилуют упомянутыми вредителями, то я вынужден повторить, что следы «Алдрина» на коже обвиняемого легко объяснить его родом занятий.

— И это невзирая на его длительную ссору с миссис Гарибальди?

— Совершенно верно. Невзирая.

Допрос продолжался еще несколько минут, и все это время королевский прокурор заглядывал в свои записи, а однажды даже проконсультировался с коллегой, сидевшим за спинами барристеров. Наконец он произнес:

— Спасибо, сэр.

И Саймон, в чьих показаниях защита больше не нуждалась, покинул свидетельское место. Едва начав спускаться, он бросил взгляд на галерею для посетителей и заметил там Дебору и Чероки.

Встретившись с ними в коридоре за дверью зала заседаний, он спросил:

— Ну что, как дела? Помогли американцы?

Дебора рассказала ему все, что они услышали в посольстве от Рейчел Фрайштат. И добавила:

— Томми тоже ничего не мог сделать, Саймон. Юрисдикция. И вообще, полицейские Гернси предпочитают обращаться в Корнуолл и Девон, когда им что-нибудь нужно. Метрополию они не любят. Не знаю, как тебе, Чероки, а мне показалось, будто они даже ощетинились слегка, стоило Томми только намекнуть, что он хочет помочь.

Саймон кивнул и задумчиво потянул себя за подбородок. Вокруг них шла повседневная жизнь суда по уголовным делам: спешили куда-то чиновники с папками документов, голова к голове прогуливались барристеры, на ходу обсуждая шаги, которые они намеревались предпринять для защиты своих клиентов.

Дебора наблюдала за мужем. Она понимала, что он занят поиском выхода из тупика, в который попал Чероки, и была благодарна ему за это. Ведь он мог бы просто сказать: «Ну что ж, так, значит, тому и быть. Возвращайся на остров и жди, чем дело кончится». Но это было не в его привычках. Однако ей не хотелось, чтобы он думал, будто они явились в Олд-Бейли исключительно для того, чтобы повесить на него свои проблемы. Наоборот, они пришли сказать, что уезжают на Гернси, как только Дебора заскочит домой и соберет кое-какие вещи.

Так она ему и сказала. Думала, он обрадуется. И ошиблась.

Услышав о намерениях жены, Сент-Джеймс мгновенно пришел к выводу: то, что она затевает, чистое безумие. Но говорить ей об этом напрямую было нельзя. Ведь она действовала из лучших побуждений и к тому же искренне волновалась за свою калифорнийскую подругу. Кроме того, с присутствием постороннего надо было считаться.

Сент-Джеймс с радостью разделил с Чероки Ривером еду и кров. Это было наименьшее, что он мог сделать для брата женщины, которая была лучшей подругой его жены, когда та жила в Америке. Однако это не означает, что Деборе можно играть в детективов с человеком, которого она почти не знает. Такие игры чреваты серьезными неприятностями с полицией. Или, не дай бог, встречей с истинным убийцей.

Однако Сент-Джеймс вовсе не собирался ставить Деборе палки в колеса, он только хотел немного поумерить ее пыл. Поэтому он отвел ее и Чероки в тихий уголок, где они сели, и сказал:

— А что ты собираешься там делать?

— Томми предложил...

— Что он предложил, я знаю. Но ты же убедилась, что частных детективов на Гернси нет и нанять там никого не удастся.

— Верно. Вот поэтому...

— Значит, пока ты не найдешь кого-нибудь в Лондоне, ехать на Гернси абсолютно незачем. Разве только для того, чтобы поддержать Чайну. Вполне понятное стремление.

Дебора поджала губы. Он читал ее мысли. И рассуждал как разумный, здравомыслящий человек, истинный ученый, хотя ситуация требовала совсем иного — сочувствия. И не только сочувствия, но содействия, причем немедленного, каким бы неуклюжим оно ни было.

— Я не собираюсь нанимать частного сыщика, Саймон,— ответила она сухо.— По крайней мере, не сразу. Мы с Чероки... мы поговорим с адвокатом Чайны. Узнаем, какие улики собрали полицейские. Мы будем разговаривать с каждым, кто не откажется общаться с нами. Мы ведь не из полиции, а потому люди не побоятся сказать нам все, что знают, и, если кому-то что-то известно... если полиция что-то пропустила... мы откроем истину.

— Чайна не виновата,— добавил Чероки.— А истина... она там. Где-то. Чайна нуждается...

— Это означает, что виновен кто-то другой,— перебил его Сент-Джеймс.— А это делает наше предприятие до крайности деликатным и опасным.

«И я запрещаю тебе ехать»,— хотелось добавить ему, но он сдержался.

Они ведь не в восемнадцатом веке. И Дебора вполне независимая женщина. Ну, не финансово, конечно. Поэтому он мог бы просто не дать ей денег. Однако ему хотелось верить, что он выше подобных махинаций. Кроме того, он был твердо убежден в том, что разумные доводы эффективнее запугивания.

— А как ты найдешь тех, с кем нужно поговорить?

— Полагаю, что на Гернси существуют телефонные справочники,— ответила Дебора.

— Я имел в виду, как ты узнаешь, с кем говорить? — уточнил Сент-Джеймс.

— Чероки мне подскажет. Чайна тоже. Они ведь были в доме Бруара. Встречались с другими людьми. Они назовут мне имена.

— Но зачем им разговаривать с Чероки? Или с тобой, особенно когда они узнают, что ты связана с Чайной?

— Они не узнают.

— Думаешь, полиция им не скажет? А потом, когда ты — и Чероки тоже — поговорите с ними, справитесь с этой частью задачи, что вы будете делать с остальным?

— С чем — остальным?

— С уликами. Как ты планируешь их оценивать? И как ты узнаешь, что нашла что-то важное, если найдешь что-то?

— Как я ненавижу, когда ты...— Дебора повернулась к Чероки: — Ты бы не мог оставить нас на минуту?

Чероки перевел взгляд с нее на Сент-Джеймса и сказал:

— Я создаю тебе проблемы. Ты и так столько сделала. Возила меня в посольство. В Скотленд-Ярд. Дай я просто уеду и...

Дебора решительно перебила его.

— Оставь нас на минуту. Пожалуйста.

Чероки, похоже, собирался сказать что-то еще, но передумал. Он отошел к доске объявлений и стал изучать расписание судебных заседаний.

Дебора яростно набросилась на Саймона.

— Зачем ты это делаешь?

— Я только хотел, чтобы ты поняла...

— Думаешь, что я такая дура, сама ни в чем разобраться не в состоянии?

— Ты не права, Дебора.

— Не в состоянии поговорить с парой-тройкой людей, которые, может быть, скажут мне что-то такое, чего не сказали полиции? Такое, от чего все изменится. И Чайна выйдет на свободу.

— Дебора, я не хочу, чтобы ты думала...

— Это моя подруга,— яростным шепотом продолжала она.— И я помогу ей, Саймон. Она была со мной там. В Калифорнии. Единственный человек...

Дебора осеклась. Она посмотрела на потолок и помотала головой, словно надеясь стряхнуть не только владевшие ею эмоции, но и воспоминание.

Сент-Джеймс понимал, что она имеет в виду. Он и в самом деле легко читал ее мысли. Чайна была задушевной подругой Деборы и единственной, кому она доверяла в те годы, когда он сам ее бросил. Без сомнения, она была рядом и тогда, когда Дебора влюбилась в Томми Линли, и, возможно, вместе с ней оплакивала последствия этой любви.

Он все это понимал, но заговорить об этом было все равно что прилюдно раздеться и продемонстрировать всем свое увечье. Поэтому он сказал:

— Дорогая, послушай. Я знаю, что ты хочешь помочь.

— Неужели? — с горечью спросила она.

— Ну конечно. Но если ты начнешь носиться взад и вперед по Гернси, никакого толку от этого не будет. У тебя ведь нет соответствующего опыта, да и...

— Спасибо тебе большое.

— Полиция вряд ли будет тебе помогать. А без их помощи, Дебора, ничего у тебя не получится. Пока они не поделятся с тобой всем, что знают, ты никак не установишь, виновна Чайна на самом деле или нет.

— Неужели ты думаешь, что она убийца? Господи боже!

— Я пока ничего такого не думаю. Мой интерес в этом деле куда меньше твоего. А тебе именно такой человек и нужен — незаинтересованный.

Едва эти слова слетели с его уст, как он понял, что попался. Она ни о чем таком его не просила и уж точно не попросит теперь, после их разговора. Но он видел, что другого выхода нет.

Она нуждалась в его помощи, а он привык помогать ей, и неважно, просила она его об этом или нет.

6

Сбежав от Валери Даффи, Пол Филдер отправился в свое тайное убежище. Инструменты он бросил на берегу пруда. Он знал, что поступил нехорошо, ведь мистер Ги объяснял ему, что настоящее мастерство начинается с заботы об инструментах, но Пол обещал себе вернуться за ними позже, когда его не увидит Валери. Он зайдет с другой стороны дома, дальней от кухни, соберет инструменты и отнесет в конюшню. А если никакой опасности не будет, то даже поработает немного над домиком для уток. И навестит утиное кладбище, проверит, на месте ли оградки из ракушек и камней. Вот только сделать это придется до того, как на инструменты наткнется Кевин Даффи. Если он обнаружит их в сырой траве, среди камышей и всякой всячины, то будет недоволен.

Поэтому, убегая от Валери, Пол уехал не особенно далеко. Промчавшись вдоль фасада здания, он свернул в рощу, тянувшуюся к востоку от подъездной аллеи. Там выбрал неровную, усыпанную палой листвой тропу в зарослях рододендронов и папоротников и ехал по ней до второй развилки. У поворота прислонил свой старый велик к замшелому стволу сикомора, поваленного когда-то ветром и оставленного догнивать в роще, на радость всяким диким тварям, которые устроили себе в нем дом. Дальше ехать на велосипеде не было никакой возможности, такой ухабистой становилась тропа, и потому Пол поправил висевший на спине рюкзак и пустился вперед на своих двоих, а Табу весело семенил за ним, радуясь, что можно погулять, а не сидеть, как обычно, на привязи у древнего менгира на краю школьного двора, где он коротал день, поджидая хозяина, в компании миски с водой да горстки сухого корма.

Место, куда Пол держал путь, показал ему мистер Ги.

«По-моему, мы с тобой уже достаточно близко знакомы,— сказал он, приведя Пола сюда,— настало время делиться секретами. Если ты хочешь, если ты готов, то я покажу тебе способ скрепить нашу дружбу, мой принц».

Так он стал называть Пола — «мой принц». Не сразу, конечно, а позже, когда они лучше узнали друг друга и между ними установилось что-то вроде родственных отношений. Конечно, родственниками в полном смысле они не были, да Пол никогда и не надеялся, что они смогут ими стать. Зато они были настоящими товарищами, и когда мистер Ги впервые назвал его «мой принц», Пол был уверен, что он тоже это чувствовал.

Поэтому тогда он согласно кивнул. Он был готов скрепить свою дружбу с этим важным человеком, который вошел в его жизнь. Он не вполне понимал, что это значит — «скрепить дружбу», но рядом с мистером Ги его сердце всегда переполнялось восторгом, и слова мистера Ги, наверное, означали, что и его сердце тоже было переполнено. Поэтому, что бы это ни значило, плохо ему не будет. Пол был в этом уверен.

Место духов — так мистер Ги называл их особое место. Это был земляной купол, похожий на поросшую густой травой перевернутую чашу, опоясанную утоптанной тропой.

Место духов лежало за рощей, на огороженном каменной стеной лугу, где когда-то паслись послушные гернсийские коровы. Нынче луг зарос сорняками, колючками и папоротником, потому что мистер Ги не держал коров, которые подъедали бы траву, а теплицы, пришедшие на смену коровам, сломали и вывезли на тележках, как только мистер Ги вступил во владение поместьем.

Пол забрался на стену и спрыгнул на тропинку под ней. Табу последовал за ним. Тропинка вела через заросли к кургану, и Пол с собакой шли до тех пор, пока не оказались у его юго-западного склона. Здесь, как объяснял мистер Ги, дольше всего задерживались солнечный свет и тепло, что было важно для древних людей.

Обогнув холм, они увидели деревянную дверь куда более позднего происхождения. Дверь висела на каменных наличниках под каменной притолокой, за́пертая на навесной кодовый замок.

— На поиски входа я потратил несколько месяцев,— рассказывал ему мистер Ги.— Я знал, что это такое. Догадаться было несложно. Откуда иначе круглому холму взяться посреди луга? Но вот найти вход... Вот это была задача так задача, Пол. Здесь было полно всяких обломков да еще кустов, колючек и всякой всячины, так что древняя притолока совсем заросла. Даже когда я нащупал под землей первые камни, еще несколько месяцев ушло на то, чтобы разобраться, где вход, а где внутренние опоры кургана... Несколько месяцев, мой принц. Я потратил на это несколько месяцев. Но по-моему, оно того стоило. Теперь у меня есть свое собственное убежище, и поверь мне, Пол, всякому человеку на земле нужно иметь свое убежище.

Узнав, что мистер Ги хочет поделиться с ним секретом своего убежища, Пол от удивления моргнул. От счастья у него в горле встал ком. Он улыбнулся как идиот. Потом ухмыльнулся, как клоун в цирке. Но мистер Ги все понял. Он сказал:

— Девяносто три — двадцать семь — пятнадцать. Запомнишь? Так можно войти. Этот код знают только самые близкие друзья.

Тогда Пол тщательно запечатлел эти цифры в своей памяти. Настала пора ими воспользоваться. Он сунул замок в карман и толкнул дверь. Она была невысокая, всего фута четыре, так что Полу пришлось обеими руками прижать к груди рюкзак, чтобы протиснуться. Нырнув под притолоку, он заполз внутрь.

Табу семенил впереди него, но вдруг замер, понюхал воздух и заворчал. Внутри было темно, полоска слабого декабрьского света, падавшая сквозь открытую дверь, почти не рассеивала мрак, и, хотя убежище стояло запертым, Пол заколебался, когда пес выразил нежелание входить. Мальчик знал, что на острове живут духи: призраки мертвых, помощники ведьм и феи, которые прячутся в деревьях и ручьях. Поэтому, хотя он не боялся обнаружить внутри кого-нибудь живого, там легко могло оказаться нечто.

Зато Табу встреча с выходцем с того света нисколько не пугала. Он рванулся вперед, обнюхал каменные плиты пола, скрылся во внутренней нише, а оттуда метнулся в самый центр кургана, где под земляным куполом человек мог выпрямиться во весь рост. Наконец он вернулся к Полу, который по-прежнему стоял в дверях, не зная, входить ему или нет. Пес завилял хвостом.

Пол нагнулся и прижался к кудлатой собачьей шерсти щекой. Табу лизнул его в щеку и припал на передние лапы. Отступив на три шага назад, он тявкнул, думая, что они пришли сюда поиграть, но Пол почесал его за ухом, осторожно закрыл дверь, и они оба оказались погребенными в темноте этого тихого места.

Место было ему хорошо знакомо, и он, одной рукой прижимая к себе рюкзак, а другой ощупывая сырую каменную стену, медленно двинулся к центру. Курган, как объяснял ему мистер Ги, имел когда-то огромное значение, в него, как в церковь, древние люди приносили своих мертвых, отправляя их в последний путь. Он назывался дольменом, и в нем даже сохранился алтарь — Полу казалось, что он больше похож на старый истертый камень в четыре дюйма высотой,— и вторая камера, где в древности совершались религиозные обряды, какие — можно было только гадать.

В тот первый раз, когда Пол пришел в убежище, он смотрел, слушал и дрожал. А когда мистер Ги зажег свечи, которые хранил в небольшом углублении сбоку от алтаря, и увидел, что Пола бьет дрожь, то кое-что сделал.

Он отвел его во вторую камеру, по форме напоминавшую две ладони, сложенные вместе, куда можно было попасть, лишь протиснувшись позади камня, что стоял вертикально, точно статуя в церкви, и хранил следы каких-то изображений на лицевой части. Там у мистера Ги была раскладушка. А еще там были подушки и одеяла. И свечи. И маленькая деревянная шкатулка.

— Я иногда прихожу сюда подумать, — объяснил мистер Ги.— Помедитировать в одиночестве. А ты умеешь медитировать, Пол? Знаешь, как заставить мозг отключиться от всего? Знаешь, как очистить сознание, словно грифельную доску? Чтобы был только ты, Бог и никого между вами? А? Нет? Ну что ж, можем потренироваться прямо здесь, ты и я. Вот. Держи-ка одеяло. Сейчас я тебе все покажу.

«Тайные убежища,— думал Пол.— Особые места для встреч с особыми друзьями. Или места, где можно побыть одному. Когда это нужно. Вот как сейчас».

Но Пол еще никогда не приходил сюда один. Это был самый первый раз.

Осторожно пробравшись в центр дольмена, он стал нащупывать алтарь. Вслепую, как крот, он водил руками по его плоской поверхности, пока не нашарил рядом с ним углубление, где лежали свечи. Еще там хранилась жестянка из-под удивительно вкусных мятных конфет, полная спичек, надежно укрытых от сырости.

Пол пошарил и достал ее. Он поставил рюкзак и зажег первую свечу, прикрепив ее воском к алтарному камню.

Стало чуть светлее, и тревога, которую внушало ему одиночество в этом темном сыром месте, немного улеглась. Он окинул взглядом древние гранитные стены, свод потолка, корявый, в рытвинах, пол.

— Просто невероятно, как древние люди ухитрялись строить такие штуки,— говорил мистер Ги.— Нам кажется, будто мы со своими мобильниками, компьютерами и прочей ерундой обогнали каменный век во всем, Пол. Быстрая информация под стать быстрому всему остальному. Но взгляни на это место, мой принц, просто взгляни на него. Что мы построили за последние сто лет такого, что простоит еще сто тысяч лет, а? Ничего, так-то. Вот, взгляни на этот камень, Пол...

Что он и сделал, пока мистер Ги, положив ему на плечо свою теплую руку, пальцами другой исследовал отметины, оставленные его бесчисленными предшественниками на камне, сторожившем вход в альков, где стояла теперь походная кровать с одеялами. Именно туда, к этой второй камере, и направлялся Пол со своим рюкзаком. Со свечой в руке он протиснулся мимо камня-часового, Табу за ним. Рюкзак он положил на пол, а свечу поставил у изголовья кровати на деревянную шкатулку, закапанную воском от десятков предыдущих свечей. С кровати он взял одеяло для Табу, свернул его в подходящий для собаки коврик и постелил на холодный каменный пол. Песик благодарно запрыгнул на него, покружился, чтобы сделать своим, и со вздохом лег.

Положив голову на лапы, он устремил на хозяина любящий взгляд.

«Этот пес думает, что я хочу тебе вреда, мой принц».

Но нет. Просто у Табу была такая привычка. Он знал, какую важную роль в жизни своего хозяина он играет — ведь до появления мистера Ги он был его единственным другом и товарищем,— и хотел, чтобы хозяин тоже знал, что он это понимает. Но поскольку говорить он не умел, то неотрывно смотрел на мальчика изо дня в день, наблюдая каждый его шаг и каждое движение.

Точно так же Пол смотрел на мистера Ги, когда они бывали вместе. И в отличие от других людей, того нисколько не смущал пристальный, немигающий взгляд.

— Тебе интересно, да? — спрашивал он, если Пол присутствовал, когда он брился.

И никогда не подшучивал над тем, что Пол, несмотря на возраст, еще не нуждался в бритве.

— Как мне подстричься, подлиннее или покороче? — спрашивал он у Пола, когда тот сопровождал его в Сент-Питер-Порт к парикмахеру.

— Поосторожнее с ножницами, Хэл. Видишь, со мной человек, он за каждым твоим движением следит.

Тут он подмигивал Полу и показывал знак «друзья до гроба»: скрещенные пальцы правой руки прижаты к ладони левой.

Так оно и случилось.

Пол чувствовал, как подступают слезы, и не удерживал их. Он ведь был не дома. И не в школе. Тут никто не мог помешать ему горевать. И он плакал вволю, пока у него не заболел живот и не защипало глаза. А верный Табу смотрел на него при свете свечи с любовью и пониманием, как всегда.

Выплакавшись, Пол решил никогда не забывать то хорошее, что пришло в его жизнь с мистером Ги: все, что тот его научил ценить и во что верить.

— Наше предназначение не в том, чтобы просто прожить жизнь от рождения до смерти,— не уставал повторять ему друг.— Наше предназначение в том, чтобы очистить прошлое и исцелить будущее.

Частью очищения прошлого должен был стать музей. Именно ради этого они проводили долгие часы в компании мистера Узли и его старого отца. Они с мистером Ги объясняли ему ценность предметов, которые он раньше отшвырнул бы в сторону не глядя: пряжку от ремня, найденную у форта Дойл, где она много лет пролежала под землей, среди сорной травы, пока мощный шторм не вымыл землю из-под большого камня; бесполезный фонарь с гаражной распродажи; ржавые медали; пуговицы; грязное блюдо.

— Этот остров — настоящее кладбище,— говорил мистер Ги.— И мы хотим на нем кое-что откопать. Ты с нами?

Ответ легко было угадать. Он был с теми, с кем был мистер Ги.

Так он вместе с мистером Ги и мистером Узли с головой погрузился в музейную работу. И даже по острову ходил, приглядываясь, не попадется ли что-нибудь для пополнения обширной коллекции.

Наконец он кое-что нашел. На своем велике он поехал в Ла-Конгрей на юго-западе острова, где нацисты выстроили одну из самых безобразных наблюдательных башен. Она торчала из земли, словно футуристическая скульптура, изображающая окаменевший взрыв, а в узкие прорези бойниц высовывались когда-то орудия ПВО, которые сбивали любой приближавшийся к берегу самолет. Правда, он проехал столько миль не в поисках чего-нибудь, имеющего отношение к пяти годам немецкой оккупации. Ему просто хотелось взглянуть на последнюю машину, свалившуюся с утеса.

В Ла-Конгрее находились редкие на острове утесы, на которые можно было заехать прямо на машине. В других местах машину надо было оставлять на стоянке и лезть наверх пешком, а здесь можно было подъехать к самому краю. Удачное место для самоубийц, которые хотели, чтобы их смерть выглядела как несчастный случай. Проехав насквозь рю де ла Тригаль по направлению к проливу, достаточно было резко свернуть вправо, нажать на газ и буквально пролететь последние пятьдесят футов до края обрыва, поросшего травой и невысокими кустиками дрока. Последнее нажатие на педаль газа, и земля уходит из-под капота, машина на миг повисает в воздухе и рушится вниз, на камни, где кувыркается до тех пор, пока не разобьется о гранитные валуны, рухнет в воду или вспыхнет, точно факел.

Машину, на которую ездил посмотреть Пол, постиг именно такой конец. От нее не осталось почти ничего, только куски искореженного металла да одно обгоревшее сиденье, и Пол, который проехал много миль лицом к ветру, был порядком разочарован. Будь там что-нибудь еще, он мог бы с риском для жизни спуститься вниз и покопаться в обломках. Но поскольку на месте аварии ничего больше не было, то он решил осмотреть территорию башни.

Там произошел камнепад, и, судя по виду камней и состоянию земли, которую точно перепахали, было это совсем недавно. На обнажившемся после оползня новом слое камня не росли ни армерия, ни лихнис. А на скатившихся к воде валунах не было нароста гуано, хотя окружающие их куски гнейса так и пестрели им.

Место было очень опасное, и Пол, как урожденный островитянин, прекрасно это знал. Но от мистера Ги он слышал, что когда земля раскрывается перед человеком, наружу выходят тайны. Поэтому он решил поразведать, нет ли там чего интересного.

Оставив Табу на вершине утеса, он стал спускаться вдоль шрама, прорезанного оползнем. Каждый раз, прежде чем передвинуть ногу, он убеждался, что ставит ее на прочный кусок гранита. И так, словно краб, который ищет расселину, где можно укрыться, он медленно пересек весь утес.

Она попалась ему ровно посередине, покрытая полувековой коркой земли, гальки и засохшей грязи, так что сначала он принял ее просто за продолговатый камень. Но, тронув ее ногой, заметил какой-то металлический блеск, словно внутри камня было что-то другое. Он подобрал находку.

Но обследовать камень, вися на середине утеса, не было возможности, поэтому он прижал его подбородком к груди и полез наверх. Там, при активном участии Табу, который оживленно обнюхивал предмет, Пол сначала перочинным ножом, а потом и голыми руками освободил от земли то, что она полвека держала в плену.

Кто знает, как она там оказалась? Немцы не стали прибирать за собой, когда поняли, что война проиграна и вторжения в Англию не будет. Смирившись с этой мыслью, они, как и другие неудачливые завоеватели до них, побросали на острове все, что мешало бегству.

Поэтому не было ничего удивительного, что возле сторожевой башни, где когда-то жили немецкие солдаты, продолжали находить принадлежавшие им предметы. И хотя находку Пола личной вещью назвать было нельзя, фашисты наверняка нашли бы ей применение, если бы союзники, партизаны или борцы Сопротивления совершили удачную высадку прямо у подножия их башни.

В полумраке убежища, которое открыл для него мистер Ги, Пол протянул руку за рюкзаком. Сначала, гордясь своей первой самостоятельной находкой, он хотел вручить ее мистеру Узли в Мулен-де-Нио. Но после того, что произошло сегодня утром, это стало невозможно, поэтому ничего больше ему не оставалось, кроме как спрятать ее здесь, где она будет в безопасности.

Табу поднял голову и следил за тем, как Пол расстегивал пряжки рюкзака. Мальчик сунул руку внутрь и вытащил оттуда свое сокровище, завернутое в старое полотенце. Как все заядлые кладоискатели, Пол развернул полотенце и окинул сокровище восхищенным взглядом, прежде чем вверить его надежному месту.

«Эта граната, может, и не опасна совсем»,— подумал Пол.

Погода долго испытывала ее на прочность, прежде чем граната оказалась под землей, и вполне вероятно, что чека, которая приводила в действие взрыватель, давно заржавела намертво. И все же глупо таскать ее повсюду в рюкзаке. Он и без мистера Ги или кого-нибудь еще понимал, что простая осторожность требует припрятать ее надежно, чтобы никто случайно на нее не набрел. По крайней мере, до тех пор, пока он не решит, что с ней делать дальше.

Во второй камере дольмена, где они с Табу прятались сейчас, был тайник. Его тоже показал ему мистер Ги — естественную расщелину между камнями, из которых была сложена внешняя стена.

— Сначала ее, конечно, не было,— говорил мистер Ги.— Но время, погода и подвижки грунта сделали свое дело. Создания рук человеческих бессильны перед природой.

Тайник был прямо рядом с кроватью, и непосвященному могло показаться, что это просто небольшое отверстие в камнях. Но, просунув в него руку поглубже, можно было обнаружить вторую щель позади ближнего к кровати камня — в ней и следовало хранить вещи, слишком ценные для того, чтобы выставлять их на всеобщее обозрение.

— Я показал тебе тайник, Пол, а это кое-что значит. Больше, чем можно сказать словами. Больше, чем можно даже подумать.

Пол помнил, что в тайнике достаточно места для граната. Он уже просовывал туда руку раньше, вместе с мистером Ги, который ободряюще шептал ему на ухо:

— Не бойся, мой принц, сейчас там пусто, я бы не стал так глупо подшучивать над тобой.

Так он узнал, что там есть пространство размером с два кулака, сложенных вместе,— для граната более чем достаточно. И глубины тайника тоже вполне хватало. Пол так и не смог нащупать дно, как ни вытягивал руку.

Он отодвинул кровать в сторону и поставил ящик со стоящей на нем свечой на середину алькова. Табу заскулил от такой перемены в своем окружении, но Пол ласково потрепал его по голове и тронул за мокрый нос.

«Все в порядке,— говорил собаке его жест.— Здесь мы с тобой в безопасности. Никто не знает об этом месте, только ты и я».

Бережно держа гранату в руке, он лег на холодный каменный пол. Просунул руку в узкую щель. Дюймах в шести от начала она становилась шире, и хотя заглянуть внутрь он не мог, но знал, как нащупать второй тайник, так что без труда мог бы положить туда гранату.

Но затруднение все-таки возникло. На глубине четырех дюймов в щели оказалось что-то еще. Костяшки его пальцев уперлись во что-то твердое, неподвижное и совершенно неожиданное.

Пол испуганно отдернул руку, но сообразил, что нечто внутри явно не живое, а стало быть, и бояться нечего. Осторожно опустив гранату на кровать, он поднес свечу ближе к щели.

Но светить внутрь щели и одновременно заглядывать в нее оказалось очень трудно. Поэтому он снова растянулся на полу и просунул в тайник сначала ладонь, а потом и всю руку.

Его пальцы нащупали предмет, плотный, но податливый. Не жесткий. Гладкий. Цилиндрической формы. Он ухватился за него и потянул.

— Это особое место, место секретов, Пол, и теперь оно само наш секрет. Твой и мой. Ты умеешь хранить секреты, Пол?

Да. Он умел. Еще как. Потому что, еще не достав предмет, он уже знал, что именно мистер Ги спрятал внутри дольмена.

В конце концов, весь остров был одним большим хранилищем секретов, а дольмен был еще одним тайником среди ландшафта тайн, умолчаний и забвения. Поэтому Пола нисколько не удивляло, что где-то в недрах земли, которая все еще давала богатый урожай медалей, пуль и клинков более чем полувековой давности, покоится что-то еще более древнее, из пиратских времен, а то и старше. А то, что он вытаскивает сейчас из расщелины,— ключ к этой давно похороненной тайне.

Он нашел последний подарок мистера Ги, который и без того дал ему так много.

— Enne rouelle dé faïtot,— ответила Рут Бруар на вопрос Маргарет Чемберлен.— Колесо фей. Такими пользуются для амбаров, Маргарет.

Маргарет решила, что Рут, как всегда, морочит ей голову,— она так и не полюбила сестру своего бывшего супруга, хотя и прожила бок о бок с ней все время, пока они были женаты. Вечно она так и липла к Ги. Детям одних родителей не подобает выказывать такие чувства друг к другу. Это отдает... Впрочем, Маргарет не хотелось даже думать о том, чем именно это отдает. Разумеется, она понимала, что эти конкретные брат и сестра — евреи, как и она сама, но евреи, бежавшие во Вторую мировую с континента, чем отчасти оправдывались странности их поведения, как она всегда считала,— потеряли всех родственников до единого в нацистских лагерях и с раннего детства вынуждены были стать буквально всем друг для друга. Но то, что Рут за столько лет так и не устроила свою жизнь, делало ее в глазах Маргарет не просто подозрительной или старомодной, но и неполноценной женщиной, прожившей какую-то ненастоящую жизнь, да еще и в тени брата в придачу.

Маргарет поняла, что потребуется терпение.

— Для амбаров? — переспросила она.— Я что-то не совсем понимаю, дорогая. Камень ведь должен быть совсем маленьким. Иначе как бы он уместился у Ги во рту?

Она заметила, что при этом вопросе ее золовка вздрогнула, словно от боли, как будто он разбудил ее самые мрачные фантазии о том, как брат встретил свой конец: один на пустынном берегу, в агонии царапая себе горло. Что ж, ничего не поделаешь. Маргарет нужна была информация, и она намеревалась ее получить.

— А зачем они нужны в амбарах, Рут?

Рут подняла голову от рукоделия, которым занималась, когда Маргарет обнаружила ее в утренней комнате. Огромный кусок холста был натянут на деревянную раму, стоявшую на подставке, а перед ней, совсем крошечная в своих черных брюках и не по размеру большом кардигане, вероятно принадлежавшем когда-то Ги, сидела Рут. Очки в круглой оправе сползли на кончик носа, и она маленькой, почти детской ручкой вернула их назад.

— В амбарах они не нужны,— ответила она.— Их вешают на связки ключей от амбаров. По крайней мере, раньше так было. Сейчас на Гернси осталось мало амбаров. А раньше этими камнями отпугивали помощников ведьм. Они нужны для защиты, Маргарет.

— А, амулеты, значит.

— Да.

— Понятно,— сказала Маргарет.

А про себя подумала: «Чудной народ эти островитяне. Амулеты от ведьм. Мумбо-юмбо от фей. Призраки на вершинах утесов. Черти на прогулке».

Она никогда не думала, что ее бывший муж может купиться на такую чертовщину.

— Тебе показали камень? Ты его узнала? Он принадлежал Ги? Я только потому спрашиваю, что на него не похоже, чтобы он носил амулеты и все такое. По крайней мере, на того Ги, которого знала я, это совсем не похоже. Он что, надеялся на удачу в каком-то предприятии?

Она не добавила «с женщиной», но они обе знали, что именно это она имела в виду. Помимо бизнеса, в котором Ги Бруар и так был удачлив, как Мидас, его интересовало только одно: преследование и покорение особ противоположного пола, о чем Маргарет ничего не знала до тех пор, пока по чистой случайности не нашла в его чемодане пару женских трусиков, игриво засунутых туда одной эдинбургской стюардессой, которую он обхаживал тогда на стороне. Вообще-то Маргарет искала чековую книжку, но, обнаружив эти трусы, поняла, что их браку пришел конец. Следующие два года супруги общались только через поверенных, причем Маргарет выколачивала из мужа такие условия развода, которые обеспечили бы ее на всю жизнь.

— В последнее время его интересовало только одно предприятие — музей военного времени.

Рут снова склонилась над рамой с рукоделием и проворно задвигала иглой, вышивая набросанный рисунок.

— И талисман носил не поэтому. Он ему вообще не был нужен. Все и так шло хорошо, насколько я знаю.

И она снова подняла голову, а игла в ее руке застыла перед новым броском.

— Он что-нибудь говорил тебе о музее, Маргарет? Адриан тебе что-нибудь рассказывал?

Маргарет не хотелось обсуждать Адриана ни с золовкой, ни с кем-нибудь еще, поэтому она сказала:

— Да. Да. Музей. Конечно. Я все об этом знаю.

Рут улыбнулась, улыбка вышла искренней и нежной.

— Он ужасно гордился тем, что может сделать острову такой подарок. Вечный. Полный замечательного смысла.

«Лучше бы он сделал такой свою жизнь»,— подумала Маргарет.

Уж она-то приехала сюда не для того, чтобы выслушивать панегирики Ги Бруару, покровителю всех и вся. Ей надо было убедиться лишь в том, что он не забыл назначить себя еще и покровителем своего единственного сына.

— И что будет теперь? С его планами?

— Все будет зависеть от завещания, я думаю,— сказала Рут.

Голос у нее был неуверенный.

«Слишком неуверенный»,— подумала Маргарет.

— Завещания Ги, я хочу сказать. Хотя о чьем еще завещании может идти речь? Я даже не встречалась еще с его адвокатом.

— Почему, дорогая? — спросила Маргарет.

— Потому что разговор о завещании все сделает постоянным. Неизменным. Я стараюсь этого избежать.

— Если хочешь, я поговорю с его поверенным... то есть адвокатом. Если нужно сделать какие-то распоряжения, я с радостью окажу тебе такую услугу, дорогая.

— Спасибо, Маргарет. Очень мило, что ты предложила, но я должна справиться сама. Я должна... и я справлюсь. Скоро. Когда... когда придет время.

— Да,— пробормотала Маргарет.— Конечно.

Она понаблюдала за тем, как ее золовка еще пару раз воткнула иглу в холст, а потом оставила ее на месте, показывая, что в работе наступил перерыв. Она очень старалась, чтобы в ее голосе прозвучало сочувствие, хотя на самом деле просто умирала от желания узнать, как распорядился своим громадным состоянием ее бывший муж. И особенно ее интересовало, упомянут ли в его завещании Адриан. Хотя при жизни он отказывал сыну в деньгах, которые были тому нужны, чтобы открыть свое дело, смерть отца должна была дать ему желанный капитал. А уж тогда и Кармел Фицджеральд вернется к нему. И Адриан превратится в нормального женатого мужчину, живущего нормальной жизнью, без мелких досадных инцидентов.

Рут подошла к маленькому бюро и взяла оттуда изящную рамку. В ней была заключена половинка медальона, на который она глядела, не отрывая глаз. Маргарет видела, что это все тот же пресловутый подарок маман, полученный перед прощанием в доке.

«Je vais conserver l'autre moitié, mes chéris. Nous le reconstituerons lorsque nous nous retrouverons»*.

«Да, да,— крутилось на языке у Маргарет,— знаю я, что ты скучаешь, но у нас, черт возьми, дело неоконченное».

— Лучше раньше, чем позже, дорогая моя,— сказала Маргарет мягко.— Ты должна с ним поговорить. Ведь это важно.

Рут поставила рамку, но продолжала глядеть на нее.

— Говори, не говори — ничего от этого не изменится,— вздохнула она.

— Зато кое-что прояснится.

— Если только эта ясность кому-нибудь нужна.

— Разве ты не хочешь знать, как он... ну, каковы были его желания? Тебе просто необходимо это знать. С таким наследством кто предостережен, тот вооружен, Рут. Увере-

---

* «Я сохраню вторую половинку, дорогие. Мы снова соединим их, когда встретимся» *(фр.)*.

на, его адвокат со мной согласился бы. Кстати, он тебе звонил? Адвокат? Он ведь наверняка уже знает...

— О да. Он знает.

«Ну и что?» — мысленно поторопила ее Маргарет. А вслух ласково сказала:

— Понимаю. Да. Всему свое время, дорогая. Как только ты будешь готова.

«Скорей бы уж»,— добавила она про себя. Она не собиралась торчать на этом треклятом острове дольше, чем нужно.

Рут Бруар знала про свою невестку все. Появление Маргарет в Ле-Репозуаре не имело никакого отношения ни к их неудачному браку с Ги, ни к сожалению или грусти по поводу того, как они расстались, ни даже к уважению, которое она могла бы счесть необходимым продемонстрировать после его ужасной кончины. Даже тот факт, что она до сих пор не выказала ни малейшего любопытства относительно того, кто же убил ее бывшего мужа, выдавал истинное направление ее мыслей. В ее представлении у Ги денег куры не клевали, и она вознамерилась во что бы то ни стало урвать свою долю его богатства. Если не для себя, то хотя бы для Адриана.

Ги называл ее мстительной сукой.

— Представляешь, Рут, она наняла целую ораву докторов, которые готовы под присягой подтвердить, будто он настолько неуравновешен, что не может находиться нигде, кроме как у своей чертовой мамаши под юбкой. А ведь это она и портит мальчишку. В прошлый раз, когда я его видел, он был весь в крапивнице. В крапивнице, подумать только! В его-то возрасте! Господи, да она совсем спятила.

Так продолжалось год за годом, каникулярные визиты под каким-то предлогом сокращались или отменялись вовсе, пока Ги не осталась единственная возможность видеть своего сына — в присутствии его бдительной мамочки.

— Она стоит над нами, как охранник, черт ее побери,— кипятился Ги.— Знает, наверное, что, не будь ее рядом, я бы посоветовал сыну перерезать поводок, а если понадобится, то и перегрызть. С мальчишкой все в порядке, два-три года в приличной школе сделали бы из него человека. Причем я говорю не о таких школах, где обливают холодной водой по утрам и дерут задницу за каждую провинность. Я говорю о нормальной современной школе, где детей учат знать себе цену, а он никогда этому не научится, если она будет держать его при себе, как комнатную собачонку.

Но Ги не суждено было победить в этом споре. Так возник сегодняшний бедняга Адриан — бездарный, бесхарактерный, не имеющий опоры в жизни. Впрочем, один талант у него все же был: он неизменно терпел неудачу во всем, за что бы ни брался, начиная со спорта и заканчивая отношениями с женщинами. И этим он был целиком и полностью обязан своей матери. Чтобы это понять, не нужно быть дипломированным психологом. Но Маргарет никогда этого не признает, а то вдруг придется взять на себя какую-то часть ответственности за его проблемы. А этого, видит бог, она никогда не сделает.

В этом была вся Маргарет. Обвинить ее в чем бы то ни было не удавалось никому, и никому не удавалось добиться от нее помощи. Ее девиз был: «Каждый за себя, а не можешь — и черт с тобой».

Бедняжка Адриан, не повезло ему с матерью. Она, конечно, хотела ему только добра, но на пути к этой цели умудрилась натворить столько гадостей, что от ее добра уже ничего не осталось.

Рут наблюдала за Маргарет, пока та притворялась, будто рассматривает единственное наследство, оставшееся ей от матери,— медальон, которому не суждено было стать целым. Маргарет была крупной блондинкой с высоко зачесанными волосами, темные очки — это в декабре-то? странно, право! — сидели на ее макушке. Рут не могла представить, что ее брат был когда-то женат на этой женщине, впрочем, она и раньше не могла этого представить. Она так и не научилась видеть в Ги и Маргарет супругов — не из-за секса, который, в конце концов, является частью человеческой природы и, как таковой, может приспосабливать друг к другу совершенно разные физические типы, а в эмоциональном смысле, в том, с чего все начинается, что ей, никогда не имевшей возможности испытать свою теорию на деле, представлялось плодородной почвой, единственно пригодной для роста будущего и семьи.

Как выяснилось позднее, Рут была абсолютно права: Ги и Маргарет совершенно не подходили друг другу. И если бы в один из редких приступов оптимизма они не ухитрились произвести на свет Адриана, то после развода так и пошли бы каждый своим путем: она — счастливая богатством, добытым на развалинах брака, а он тем, что так дешево заплатил за самую серьезную ошибку в своей жизни. Но появление Адриана как части их семейного уравнения исключило саму возможность полного исчезновения Маргарет из их жизни. Потому что Ги любил своего сына, хотя и бесился, глядя на него, а это означало, что Маргарет следовало принимать как неизбежность. До смерти одного из них — Ги или Маргарет.

Но именно об этом Рут не хотела ни думать, ни говорить, хотя и понимала, что вечно избегать этой темы ей не удастся.

Словно читая ее мысли, Маргарет поставила рамку с медальоном на стол и сказала:

— Рут, дорогая, я не смогла вытянуть из Адриана и десяти слов о том, что случилось. Боюсь показаться кровожадной, но мне все-таки хотелось бы понять. У Ги, каким я его знала, никогда не было никаких врагов. Были, конечно, женщины, которым не нравилось, когда их бросают. Но даже если он проделал свой обычный...

Рут перебила:

— Маргарет, пожалуйста.

— Погоди,— заторопилась та.— Мы больше не можем притворяться, дорогая. Сейчас не время. Мы обе знаем, каким он был. Но я хочу сказать, что даже брошенная женщина редко... чтобы отомстить... Ну, ты понимаешь, что я хочу сказать. Так кто? Может быть, женщина была замужем и муж узнал? Хотя Ги обычно избегал подобных типов.

Маргарет играла с одной из трех тяжелых золотых цепей, висевших у нее на шее, той, что с подвеской. Это была огромная жемчужина неправильной формы, похожая на молочного цвета нарост, который лежал у нее между грудей, словно капля картофельного пюре.

— Ничего подобного...

Рут удивилась, почему ей так больно об этом говорить. Ведь она действительно хорошо знала своего брата. Она знала, каким он был: множество достоинств и всего один недостаток, вредная и даже опасная черта.

— Никакого романа не было. Он никого не бросал.

— Но разве арестовали не женщину, дорогая?

— Да, женщину.

— И они с Ги не были...

— Конечно нет. Она пробыла здесь всего несколько дней. Это не имело никакого отношения к... Ни к чему не имело отношения.

Маргарет склонила голову, и Рут сразу поняла, о чем она думает. Нескольких часов Ги Бруару всегда было достаточно, чтобы добиться от женщины всего. И Маргарет собиралась произвести разведку на эту тему. Хитрое выражение ее лица говорило о том, что она ищет способ завести разговор так, чтобы ее расспросы не производили впечатления праздного любопытства или злорадства, а больше походили на сочувствие к Рут, потерявшей брата, которого она любила больше собственной жизни. Но к огромному облегчению Рут, этот разговор так и не состоялся. В открытую дверь утренней комнаты робко постучали, и трепещущий голос произнес:

— Рути? Я... не помешала?

Обернувшись, Рут с Маргарет увидели на пороге женщину, а рядом с ней неуклюжую девочку-подростка, высокую и еще не привыкшую к своему росту.

— Анаис,— сказала Рут.— Я и не слышала, как ты вошла.

— Мы открыли дверь своим ключом.

Анаис вытянула руку, на ладони лежал ключ — крохотное металлическое свидетельство того, какое место занимала эта женщина в жизни Ги.

— Надеюсь, это было... О Рут, я не могу поверить... до сих пор... не могу.

И она принялась плакать.

Девочка за ее спиной сконфуженно отвела глаза и вытерла ладони о брюки. Рут пересекла комнату и заключила Анаис Эббот в объятия.

— Оставь этот ключ у себя. Ги этого хотел.

Пока Анаис всхлипывала у нее на плече, Рут протянула руку ее шестнадцатилетней дочери. Джемайма коротко улыбнулась — они с Рут всегда хорошо ладили,— но ближе не подошла. Поглядела через плечо Рут на Маргарет, потом перевела взгляд на мать и тихо, но с болью в голосе сказала:

— Мамочка.

Джемайма никогда не любила выставлять напоказ свои чувства. Все время, что они были знакомы с Рут, девочка не раз испытывала неловкость за мать, склонную к подобным демонстрациям.

Маргарет многозначительно кашлянула. Анаис высвободилась из объятий Рут и выудила пакетик с бумажными платочками из кармана своего брючного костюма. Она была в черном с ног до головы, шляпа-колокол прикрывала ее тщательно ухоженные светлые волосы.

Рут представила женщин друг другу. Это была нелегкая задача: бывшая жена, нынешняя любовница и ее дочь. Анаис и Маргарет негромко обменялись вежливыми фразами и немедленно оценили друг друга.

Трудно было найти двух столь непохожих женщин. Ги всегда любил блондинок, но больше между ними не было ничего общего, кроме, пожалуй, происхождения, потому что, по правде говоря, Ги всегда притягивала вульгарность. Сколько бы они ни учились, как бы ни наряжались, как бы ни старались себя держать и правильно произносить слова, от Анаис все равно время от времени разило Мерсисайдом, а в Маргарет проскальзывала уборщица-мать, причем именно в те мгновения, когда ей меньше всего этого хотелось.

Во всем остальном они разнились, как день и ночь: Маргарет — высокая, внушительная, расфуфыренная и властная; Анаис — маленькая, точно птичка, худая до самоистязания, согласно нынешней одиозной моде (не считая стопроцентно искусственных и чрезмерно роскошных грудей), и всегда одетая как женщина, которая в жизни не надела ни одной тряпки, не посоветовавшись предварительно с зеркалом.

Маргарет, разумеется, приехала на Гернси не для того, чтобы встречаться с любовницами бывшего мужа, а уж тем более утешать или развлекать их. Поэтому, с достоинством произнеся абсолютно фальшивое «очень приятно», она сказала Рут:

— Мы поговорим позже, дорогая.

Потом прижала невестку к груди, расцеловала в обе щеки и добавила:

— Рут, милая моя.

Словно хотела столь нехарактерным для нее и даже немного пугающим поведением дать Анаис Эббот понять, что одна из них имеет положение в этой семье, тогда как другая, разумеется, нет. С этим она и ушла, а за ней потянулся шлейф «Шанели № 5».

«Слишком рано для такого аромата»,— подумала Рут.

Но Маргарет ничего подобного, разумеется, не заподозрила.

— Я должна была пойти с ним,— прошептала Анаис, едва за Маргарет закрылась дверь.— Я и собиралась, Рути. С тех самых пор, как это случилось, я не перестаю думать, что если бы я осталась на ночь здесь, то утром пошла бы в бухту с ним. Просто посмотреть. Мне всегда доставляло такую радость смотреть на него... и... О боже, о боже, ну почему это должно было случиться?

«Со мной»,— не добавила она.

Но Рут не была глупой. Она не зря прожила жизнь, наблюдая за тем, как ее брат заводит связи с женщинами и сам же их разрушает. Поэтому она всегда хорошо понимала, в какой именно стадии постоянной игры в соблазнение, разочарование и расставание он находился. К тому времени как Ги умер, с Анаис Эббот было почти покончено. И даже если она этого не понимала, то наверняка так или иначе чувствовала.

Рут сказала:

— Тише. Давай сядем. Попросить Валери принести кофе? Джемайма, хочешь чего-нибудь, милая?

Джемайма робко ответила:

— А у вас найдется что-нибудь для Бисквита? Он там, снаружи. Мы его не покормили сегодня утром, и...

— Утеночек, дорогуша,— вмешалась ее мать, в устах которой детское имя дочери звучало как упрек.

Этими двумя словами было сказано все: маленькие девочки возятся с маленькими собачками. А молодые девушки интересуются молодыми людьми.

— Ничего с твоим псом не случится. С ним, по правде говоря, и дома ничего не случилось бы. Я ведь тебе говорила. Не можем же мы требовать, чтобы Рут...

— Извини.

Джемайма, похоже, говорила резче, чем сама считала возможным в присутствии Рут, потому что тут же склонила голову и начала теребить рукой шов на своих аккуратных шерстяных брючках. Бедняжка, она и одевалась не как положено нормальному подростку. Летний курс в лондонской школе моделей плюс неусыпная бдительность ее матери, не говоря уже о ее набегах на гардероб девочки, позаботились об этом. Девочка словно сошла с картинки из журнала «Вог». Но, несмотря на то что ее учили, как наносить макияж, укладывать волосы и ходить по подиуму, Джемайма осталась прежней Джемаймой, Утеночком для своего семейства и Гадким Утенком для всего остального мира, где она и впрямь чувствовала себя неловко, как утка, которой не дают плавать.

Рут очень ей сочувствовала. Она тут же откликнулась:

— Тот славный маленький песик? Ему, наверное, грустно там без тебя, Джемайма. Хочешь, приведи его в дом.

— Чепуха,— сказала Анаис.— Ему и там хорошо. Он, может, и глухой, но с глазами и носом у него все в порядке. Он прекрасно знает, где он. Оставь его на месте.

— Да? Ну хорошо. Но от кусочка говяжьего фарша он не откажется? Или остатков картофельного пирога от вчерашнего обеда? Джемайма, сбегай на кухню, попроси у Валери немного запеканки. Можешь разогреть ее в микроволновке.

Джемайма вскинула голову, и от выражения ее лица у Рут потеплело на сердце даже больше, чем она ожидала. Девочка с надеждой спросила:

— Можно? — и бросила взгляд на мать.

Анаис хватало ума не плевать против ветра. Поэтому она ответила:

— Рути, как это мило с твоей стороны. Мы совсем не хотели тебя беспокоить.

— А вы и не беспокоите,— сказала Рут.— Ступай, Джемайма. А мы, старушки, тут поболтаем.

Рут не думала, что слово «старушки» прозвучит обидно, но после ухода Джемаймы поняла, что ее собеседница все же обиделась. Анаис, которая утверждала, что ей сорок шесть лет, годилась Рут в дочери. И выглядела соответственно. Еще бы, ведь она так старалась. Ибо она лучше многих женщин знала, что пожилых мужчин влечет к хорошеньким и молоденьким, так же как хорошеньких и молоденьких зачастую привлекают источники доходов для поддержания молодости и красоты. Очень удобно, а возраст ни тем ни другим не помеха. Внешность и средства решали все. А любые разговоры о возрасте рассматривались как faux pas*. Но Рут даже не попыталась загладить свою ошибку. Господи помилуй, она только что потеряла брата. Ей простительно.

Анаис подошла к раме с рукоделием. Вгляделась в рисунок последней панели и спросила:

— Которая это по счету?

— Двадцать вторая, по-моему.

---

* Ложный шаг *(фр.)*.

— И сколько до конца?

— Столько, сколько потребуется, чтобы рассказать всю историю.

— Всю? Даже про Ги?

Глаза у Анаис были красные, но больше она не плакала. Вместо этого она попыталась использовать последний вопрос, чтобы подвести разговор к цели своего визита в Ле-Репозуар.

— Все так переменилось, Рут. Я о тебе беспокоюсь. За тобой есть кому ухаживать?

Сначала Рут подумала, что она спрашивает ее о раке и о том, как она встретит свой близкий конец.

— Думаю, я справлюсь, — ответила она, однако следующая фраза Анаис тут же лишила ее всяких иллюзий относительно того, будто ей предлагают кров, заботу или просто поддержку на оставшиеся месяцы.

— Ты уже читала завещание, Рути? — И, словно понимая в глубине души всю вульгарность своего вопроса, добавила: — Ты убедилась, что получишь достаточно?

Рут ответила любовнице своего брата так же, как перед этим ответила его жене. Она ухитрилась передать информацию с достоинством, несмотря на свое желание сказать, что есть люди, которые на законных основаниях могут проявлять интерес к наследству Ги, а есть и те, которые таких оснований не имеют.

— А...

В голосе Анаис Эббот прозвучало разочарование. Покуда завещание не прочитано, нет никакой возможности узнать, когда и как она сможет расплатиться за все те многочисленные операции по поддержанию молодости, которыми занималась с тех пор, как повстречала Ги. А еще это означало, что волки подошли шагов на десять ближе к двери чрезмерно великолепного жилища в северной оконечности острова, в бухте Ле-Гранд-Авр, где Анаис обитала со своими детьми. Рут всегда подозревала, что Анаис Эббот живет не по средствам. Даже если ее покойный муж действительно был финансистом — хотя кто знает, что скрывалось за фразой «мой муж был финансистом»,— акции в сегодняшнем мире вещь ненадежная, купленные вчера, сегодня они уже ничего не стоят, и деньги уходят меж пальцев, как вода в песок. Конечно, он вполне мог быть чародеем из мира финансов, который заставлял деньги множиться, как хлебы перед голодными; или брокером, способным пять фунтов превратить в пять миллионов при наличии времени, веры в себя и ресурсов. Но с другой стороны, он мог быть и простым клерком у Барклая, который так ловко застраховал свою жизнь, что после его смерти вдова смогла занять в обществе более высокое положение, чем тот, к которому она и ее муж принадлежали по рождению. Как бы там ни было, и доступ в высшее общество, и жизнь в нем требовали большого количества наличности: платить нужно было за все — за дом, одежду, машину, отдых, еду. Так что вполне понятно, почему Анаис Эббот оказалась на финансовой мели. Она вложила немалые средства в свой роман с Ги. Для того чтобы эти вложения окупились, Ги должен был остаться в живых и сделать ей предложение.

Несмотря на легкое отвращение, которое Рут питала к Анаис Эббот, считая, что та все время действовала только из корыстных побуждений, она понимала, что отчасти ее можно извинить. Ги действительно ввел ее в заблуждение, дав понять, что союз между ними возможен. Законный союз. Рука об руку перед священником или пять минут смущения и улыбок в мэрии. Вполне естественно, что Анаис строила некие предположения, ведь Ги проявлял щедрость. Рут знала, что это он отослал Джемайму в Лондон, и почти не сомневалась, что именно благодаря его участию — финансовому или какому-то иному — груди Анаис торчали теперь, точно две крепкие симметричные дыни-канталупы, на грудной клетке такого размера, которая естественным образом никак не могла бы их вместить. Но было ли за это уплачено? Или счета только ожидались? Вот в чем был вопрос. В следующую минуту Рут получила на него ответ.

— Я скучаю по нему, Рут. Он был... Ты ведь знаешь, что я его любила, правда? Ты знаешь, как сильно я его любила?

Рут кивнула. Живший в ее позвоночнике рак начинал требовать внимания. Кивок — единственное, на что она была способна, когда приходила боль и нельзя было ей поддаться.

— Он был для меня всем, Рут. Моей опорой. Моей сутью.

Анаис склонила голову. Несколько мягких локонов выбились из-под шляпы и лежали на ее шее, точно след от поцелуев мужчины.

— Он так умел управляться со всем... Все, что он предлагал... и делал... Ты знаешь, что это была его идея отправить Джемайму в Лондон в школу моделей? Чтобы придать ей уверенности, говорил он. Как это было на него похоже. Всегда такой любящий и щедрый.

Рут снова кивнула, задыхаясь от «ласк» своей болезни. Она сжала губы и подавила стон.

— Он ни в чем нам не отказывал, Рут,— продолжала Анаис.— Машина... Ее содержание... Бассейн... Он всегда был рядом. Давал. Помогал. Такой замечательный человек. Мне никогда больше не встретить никого, кто хотя бы отдаленно... Он был так добр ко мне. И как я теперь без него? У меня такое чувство, как будто я все потеряла. Он говорил тебе, что заплатил за школьную форму для детей на этот год? Нет, конечно. Ведь он был такой добрый и всегда думал о гордости тех, кому помогал. Он даже... Рут, этот прекрасный, добрый человек даже назначил мне месячное содержание. «Ты так много значишь для меня, я и не думал, что найду женщину, которая будет столько для меня значить, поэтому я хочу, чтобы ты получала больше, чем можешь дать сама». Я говорила ему спасибо много-много раз, Рут. Но у меня никогда не было возможности отблагодарить его по-настоящему. И все же я хочу, чтобы ты знала о его добрых делах, Рут. О добре, которое он делал мне. Чтобы помочь мне, Рут.

Ее просьба не могла быть яснее, напиши она ее хоть на уилтонском ковре у них под ногами. Рут спросила себя, есть ли предел безвкусице, до которой способны дойти корыстные плакальщики Ги.

— Спасибо тебе на добром слове, Анаис,— решила наконец ответить она.— Знать, что тебе известно, что он был сама доброта...

«А это правда, правда!» — хотелось закричать ей.

— Ты очень добра, что пришла сюда сегодня рассказать мне об этом. Я так тебе признательна. Ты очень добра.

Анаис открыла рот, чтобы заговорить. И даже набрала полную грудь воздуха, прежде чем осознала, что сказать-то и нечего. Открыто попросить денег она не могла, боясь прослыть корыстной и черствой. И даже если это ничего для нее не значило, вряд ли она собиралась в скором времени расстаться с претензией на независимое положение вдовы, для которой серьезные близкие отношения с мужчиной ценнее, чем выгода, от них получаемая. Слишком долго она притворялась.

Поэтому Анаис Эббот и Рут продолжали молча сидеть в комнате. Да и что они могли сказать друг другу?

7

В течение дня в Лондоне распогодилось, и Сент-Джеймсы с Чероки Ривером смогли улететь на Гернси. Прилетели они к вечеру, покружили в небе над аэропортом, откуда в меркнущем свете хорошо было видно, как разматывались во всех направлениях серые ниточки дорог, петляя меж голых полей от одной каменной деревушки к другой. Стекла бессчетных теплиц отражали последние отблески солнца, а голые деревья в долинах и на склонах холмов обозначали места, куда не проникала свирепая мощь ветров и бурь. С воздуха островной пейзаж производил впечатление разнообразия: высокие утесы южного и восточного берегов постепенно уступали место спокойным бухтам на севере и западе.

Зимой остров кажется безлюдным. Туристы наводняют хитросплетение здешних дорог поздней весной и летом, направляясь к пляжам, гаваням и утесам, обследуют церквушки, замки и форты. Гуляют, купаются, катаются на лодках и велосипедах. На улицах тогда не протолкнуться, в отелях нет свободных мест. Но в декабре остров населяют лишь три категории людей: собственно островитяне, привязанные к этим местам привычкой, традицией и любовью; налоговые изгнанники, твердо намеренные уберечь как можно больше своих денег от собственных правительств; и банкиры, которые работают в Сент-Питер-Порте, а на выходные летают домой, в Англию.

Именно в Сент-Питер-Порт и направились Сент-Джеймсы с Чероки Ривером. Это был самый крупный город острова, его столица. Там же располагалась штаб-квартира полиции Гернси и офис адвоката Чайны.

В тот день Чероки не закрывал рта от самого Лондона. Он перескакивал с одной темы на другую, словно смертельно боялся паузы в разговоре, так что Сент-Джеймс невольно подумал, уж не предназначен ли заградительный огонь беседы для того, чтобы удержать их от размышлений о бесплодности предприятия, в которое они ввязались. Если Чайну Ривер арестовали и предъявили ей обвинение, значит, существуют улики, позволяющие судить ее за это преступление. И если эти улики не только косвенные, то тогда он не сможет сделать ничего или почти ничего, чтобы истолковать их как-то иначе, чем это сделали полицейские эксперты.

Но пока Чероки болтал, ему стало казаться, что он пытается не столько отвлечь их от мыслей о цели путешествия, сколько привязать себя к ним. Сент-Джеймс играл роль наблюдателя, пятого колеса в телеге, несущейся в неизвестность. Поездка ему определенно не нравилась.

В основном Чероки рассказывал о сестре. Чайн, как он ее называл, наконец-то освоила доску для серфинга. Дебс в курсе? Ее бойфренд Мэтт — Дебс ведь знакома с Мэттом? наверняка! — так вот, Мэтт все-таки вытащил ее на воду... То есть по-настоящему далеко, а то ведь она всегда до смерти боялась акул. Он показал ей азы и заставил упражняться, а в тот день, когда она впервые встала... Тут ей все и открылось. Она постигла суть. Открыла для себя дзен-буддизм серфинга. Чероки всегда хотел, чтобы она приехала покататься к нему в Хантингтон, особенно в феврале-марте, когда волны становятся особенно упрямыми, но она никогда не соглашалась, потому что вернуться в Ориндж для нее все равно что вернуться к ма, а Чайна и ма... У них разногласия. Просто они очень разные. Ма всегда что-нибудь не так делает. Как в прошлый раз, когда Чайна приезжала на уик-энд,— года два назад,— а у ма в доме не оказалось ни одного чистого стакана. Конечно, Чайна вполне могла сама помыть себе стакан, но ма следовало сделать это раньше, потому что, если к чьему-то приезду стаканы вымыты, это что-то значит. Например, «я тебя люблю», или «добро пожаловать», или «я рада, что ты приехала». Как бы там ни было, Чероки всегда старался держаться от них подальше, когда они начинали свои разборки. Вообще-то они обе очень хорошие, ма и Чайн. Просто очень разные. Но все равно, когда Чайна приезжает в каньон — Дебс знает, что Чероки живет в каньоне? Каньон Моджеска? Внутренний? Дом с бревенчатым фасадом? — не важно, короче, когда Чайна приезжает, Чероки обязательно расставляет чистые стаканы повсюду. Не то чтобы их было у него очень много, но те, что есть, стоят во всех углах. Чайне нужны чистые стаканы — Чероки их ей обеспечит. Странно все-таки, как мало некоторым нужно, чтобы завестись.

Всю дорогу до Гернси Дебора рассеянно слушала болтовню Чероки. Тот разрывался между воспоминаниями, откровениями и объяснениями, и через час Сент-Джеймсу стало казаться, что он не только и не столько волнуется из-за проблем сестры, сколько оправдывается перед ними. Если бы он не настоял, чтобы она поехала с ним, ничего такого с ней бы не случилось. Так что ответственность частично лежит и на нем.

«Случается же с людьми такое дерьмо»,— говорил он, и они понимали, что это дерьмо не случилось бы именно с его сестрой, если бы Чероки не уговорил ее ехать.

Но без нее он не смог бы поехать сам. А ему так хотелось заработать деньги и открыть наконец дело, которому он без отвращения посвятил бы ближайшие двадцать — двадцать пять лет. Он хотел купить рыбацкий баркас. В этом, вкратце, и было все дело. Чайна Ривер угодила за решетку из-за того, что ее идиоту братцу вздумалось купить рыбацкий баркас.

— Но ты же не мог знать, что все так получится,— воспротивилась Дебора.

— Да. Но мне от этого не легче. Я должен ее оттуда вытащить, Дебс.

И, искренне улыбнувшись Деборе и Сент-Джеймсу, добавил:

— Спасибо вам обоим за помощь. Я ваш вечный должник.

Сент-Джеймсу очень хотелось возразить, что его сестра еще в тюрьме, и даже если ее отпустят под залог, то это, вполне возможно, лишь отсрочит приговор. Но он просто сказал:

— Мы сделаем все, что сможем.

— Спасибо. Вы классные,— ответил Чероки.

А Дебора добавила:

— Чероки, мы же твои друзья.

Тут эмоции, кажется, взяли над ним верх. Он даже в лице на миг переменился. Потом кивнул и сжал кулак в странном, типично американском жесте, годящемся для выражения всего, чего угодно, от благодарности до политического согласия.

Хотя он вполне мог иметь в виду и что-нибудь еще.

Сент-Джеймс не удержался от этой мысли. В сущности, она преследовала его с тех самых пор, как он взглянул на галерею для посетителей в зале заседаний номер три и увидел там свою жену с этим американцем. Они сидели плечом к плечу, Дебора что-то шептала ему на ухо, а он слушал, склонив голову. Что-то разладилось в мире. Сент-Джеймс ощутил это интуитивно. Именно это ощущение вывихнутого времени не позволило ему поддержать декларацию дружбы, только что провозглашенную его женой. Он промолчал, никак не отреагировав на безмолвное «почему?» Деборы. Хотя знал, что отношений между ними это не улучшит. Дебора все еще дулась на него за тот разговор в Олд-Бейли.

По прибытии в город они зарегистрировались в «Эннс-плейс», бывшем правительственном здании, давно переделанном в отель. Там они решили разделиться: Чероки с Деборой направятся в тюрьму поговорить с Чайной, которую держали в камере предварительного заключения, а Сент-Джеймс — в полицию, чтобы отыскать офицера, занимающегося делом об убийстве.

Чувство неловкости не покидало его. Он отлично понимал, что он тут всем чужой и суется в полицейское расследование, хотя никто его об этом не просит. В Англии, случись ему вот так обратиться в полицию за информацией, он, по крайней мере, мог бы сослаться на пару-тройку дел, чтобы отрекомендовать себя.

«Помните дело о похищении Боуэнов? — шепнул бы он кому надо, будь они в Англии.— А прошлогоднее дело об удушении в Кембридже?»

Имея возможность объяснить, кто он такой, и найти общий с полицией источник информации, он обнаружил, что в Англии может задавать полицейским какие угодно вопросы и те охотно выкладывают перед ним все свои карты, нимало не смущаясь тем, что он, скорее всего, попытается узнать больше. Здесь все было по-другому. Чтобы заручиться если не поддержкой полицейских, то, по крайней мере, их молчаливым снисхождением к его присутствию среди людей, связанных с расследованием убийства, недостаточно просто напомнить им дела, которые он расследовал, или уголовные процессы, в которых участвовал в качестве эксперта. Все это ставило его в невыгодное положение, когда для получения доступа в братство сыскарей, работающих над делом об убийстве, ему придется положиться на свое самое слабое качество — умение устанавливать контакты с людьми.

Он прошел вдоль отеля до поворота на Госпиталь-лейн, где располагалось полицейское управление. По дороге он обдумывал проблему человеческих взаимоотношений. Возможно, именно его неумение налаживать контакты и создает пропасть между ним и другими людьми: он, ученый, кабинетная крыса, вечно чего-то ищет, думает, просчитывает, взвешивает, наблюдает, в то время как другие просто живут... Может, именно поэтому ему так неловко в присутствии Чероки Ривера?

— О, я вспомнила, как мы ходили кататься на досках! — воскликнула Дебора, и выражение ее лица изменилось, как только общее воспоминание пришло ей на ум.— Мы ходили втроем... Помнишь? Где мы тогда были?

Чероки принял задумчивый вид.

— Помню. Мы были на Сил-Бич, Дебс. Он проще, чем Хантингтон. Волны не такие большие.

— Да-да. Сил-Бич. Ты заставил меня взять доску и плюхаться с ней вдоль берега, а я все визжала, что боюсь удариться о пирс.

— До которого,— заметил он,— было как до луны пешком. Да ты бы все равно не продержалась на доске так долго, чтобы удариться обо что-нибудь, разве что уснула бы на ней.

Они рассмеялись, без всяких усилий выковав новое звено в цепи общих событий, которая соединяла прошлое с настоящим.

«Так оно и бывает между людьми, у которых есть что-то общее,— подумал Сент-Джеймс.— Так и бывает».

Он перешел через улицу и оказался у штаб-квартиры полиции острова Гернси. Внушительных размеров стена, сложенная из тесаных камней, испещренных прожилками полевого шпата, окружала здание, два крыла которого, одно короткое, другое подлиннее, украшали четыре ряда окон, а на крыше развевался гернсийский флаг. Войдя в приемную, Сент-Джеймс представился и вручил дежурному констеблю свою визитку. Не будет ли офицер любезен направить его к главному следователю по делу об убийстве Ги Бруара? Или, если это невозможно, к главе пресс-службы департамента?

Дежурный изучал визитку, а выражение его лица ясно указывало на неизбежность некоторого количества звонков через пролив с целью выяснения личности этого специалиста по судебной медицине, который только что свалился им на голову. Но это даже к лучшему, ведь звонки пойдут в столицу, в прокуратуру, или даже в университет, где Сент-Джеймс читал лекции, а значит, все пути перед ним будут открыты.

Процедура заняла минут двадцать, заставив Сент-Джеймса торчать в приемной и раз пять перечитать все содержимое доски объявлений. Однако время было потрачено с толком, потому что главный инспектор детектив Луи Ле Галле сам вышел к Сент-Джеймсу и лично проводил его в общую комнату, просторное помещение с коваными потолочными балками. Раньше это была часовня, а теперь оборудование различных отделов полиции чередовалось с картотекой, компьютерными столами, досками объявлений и полками с посудой.

Разумеется, детективу Ле Галле очень хотелось знать, почему столичный специалист по судебно-медицинской экспертизе интересуется делом об убийстве на острове Гернси, тем более что оно уже благополучно закрыто.

— Убийцу мы поймали,— сказал он, скрестив на груди руки и опустившись всем своим весом, внушительным для человека столь небольшого роста, на край стола.

Вид у него был скорее любопытный, чем настороженный.

Сент-Джеймс решил рассказать все как есть. Брат обвиняемой, которого, вполне естественно, потрясло случившееся с его сестрой, обратился в американское посольство, надеясь, что его представители за нее вступятся, но, когда эти надежды не оправдались, он обратился за помощью к Сент-Джеймсу.

— Американцы сделали все, что положено,— возразил Ле Галле.— Не знаю, чего он еще ожидал. Кстати, он и сам был под подозрением. Хотя и остальные тоже. Все, кто был на той вечеринке у Ги Бруара. Накануне убийства. Он пригласил половину острова. И если это нельзя назвать осложняющим обстоятельством, то тогда их просто не существует, можете мне поверить.

Ле Галле продолжал говорить, не давая Сент-Джеймсу вставить и слова, как будто знал, что тот немедленно воспользуется его обмолвкой насчет половины острова. Он рассказал, что его люди допросили всех, кто присутствовал на празднике, предшествовавшем убийству, но ни тогда, ни позже никаких обстоятельств, могущих поколебать изначальное предположение следствия, выявлено не было. Любой, кто ускользнул бы из Ле-Репозуара рано утром так, как это сделали Риверы, вызвал бы подозрение.

— А у других гостей было алиби на время убийства? — спросил Сент-Джеймс.

Ле Галле вовсе не имел это в виду. Однако когда все улики были собраны, выяснилось, что то, чем занимались в момент смерти Бруара все остальные, не имело никакого отношения к убийству.

Улики против Чайны Ривер были очень серьезны, и Ле Галле, казалось, доставляло удовольствие их перечислять. Четверо офицеров выехали на место преступления и прочесали там все, а команда патологоанатомов обследовала тело. Эта Ривер оставила на месте преступления след: отпечаток подошвы, правда, частично перекрытый стеблем морской травы, но зато в бороздках на подошвах ее ботинок были найдены песчинки, полностью совпадающие с образцами крупного песка с пляжа, и те же самые ботинки совпадали с найденным следом.

— Она могла побывать там и в другое время,— сказал Сент-Джеймс.

— Могла. Верно. Я знаю эту историю. Бруар позволял им бродить где вздумается, когда не водил их сам. Но вот чего он точно не делал, так это не запутывал ее волос в молнии своей спортивной куртки. Да и о ее одежку он вряд ли голову вытирал.

— Какую одежку?

— Черную такую штуку вроде одеяла. С одной пуговицей у горла и без рукавов.

— Плащ?

— А его волосы на нем были, причем именно в таком месте, где и оказались бы, если бы она обхватила его сзади и держала. Глупая корова не догадалась даже щеткой по нему пройтись.

— Способ убийства... немного необычный, как вы считаете? Как это можно поперхнуться камнем? Если он не проглотил его сам по какой-то случайности...— начал Сент-Джеймс.

— Вот это, черт возьми, вряд ли,— перебил Ле Галле.

— ...то его насильно засунул ему в горло кто-то другой. Но как? И когда? Они боролись? Где следы борьбы? На пляже? На его теле? На теле этой Ривер, когда вы ее арестовали?

Тот покачал головой.

— Никакой борьбы. Да в ней и нужды не было. Поэтому мы с самого начала искали женщину.

Подойдя к другому столу, он взял с него пластиковый контейнер и вытряхнул его содержимое себе в ладонь. Пошарил пальцем и со словами: «Ага. Вот этот подойдет» — вытащил полупустой пакетик «Поло». Выковырнув один леденец, он показал его Сент-Джеймсу.

— Камень, о котором мы говорим, примерно такой. В середине дырочка, чтобы носить на связке ключей. По бокам какая-нибудь резьба. А теперь смотрите.

Он бросил леденец себе в рот, прижал языком к щеке и сказал:

— С французским поцелуем передаются не только микробы, приятель.

Сент-Джеймс понимал, но все еще сомневался. Теория следователя не казалась ему вполне убедительной.

— Но просто сунуть ему камень в рот недостаточно,— упорствовал он.— Да, я понимаю, что, когда они целовались, сделать это не составило для нее труда. Но ведь надо было еще пропихнуть камень ему в горло. Как это у нее получилось?

— Ей помогла неожиданность,— возразил Ле Галле.— Она застала его врасплох с этим камнем. Не прекращая поцелуя, она поместила ладонь ему на затылок, чтобы его голова заняла нужное положение. Свободную руку положила ему на щеку, и, когда он отшатнулся, внезапно почувствовав во рту камень, она обхватила его локтевым сгибом за шею, запрокинула ему голову, а свободную руку переместила на горло. А там был камень. И он готов.

— Не хочу вас обидеть, но, по-моему, все это очень сомнительно,— сказал Сент-Джеймс.— Вряд ли ваши прокуроры всерьез надеются убедить... У вас тут присяжные есть?

— Какая разница. В камень все равно никто не поверит,— сказал Ле Галле.— Это просто теория. В суде она, может, и не прозвучит.

— Почему нет?

Ле Галле еле заметно улыбнулся.

— Потому что у нас есть свидетель, мистер Сент-Джеймс,— сказал он.— А один свидетель стоит сотни экспертов с тысячами заумных теорий, если вы понимаете, о чем я.

В тюрьме, где Чайну держали в блоке предварительного заключения, Чероки и Дебора узнали, что в последние двадцать четыре часа события развивались очень динамично. Адвокату Чайны удалось вытащить ее из тюрьмы под залог, и он поселил ее где-то в другом месте. Разумеется, тюремная администрация знала, где именно, но делиться этой информацией не спешила.

Поэтому Деборе и Чероки пришлось еще раз проделать весь путь из государственной тюрьмы в Сент-Питер-Порт, а когда у того места, где с Вейл-роуд открывался вид на Белль-Грев-Бей, они увидели телефонную будку, Чероки выскочил из машины, чтобы позвонить адвокату. Наблюдая за ним через стекло, Дебора видела, как он возбужденно стучал кулаком о стенку будки. Не умея читать по губам, Дебора все же разобрала одну фразу: «Нет, мужик, это ты меня послушай». Разговор длился всего три или четыре минуты, так что успокоиться Чероки не успел, зато успел узнать, где находится его сестра.

— Она в какой-то квартире в Сент-Питер-Порте,— доложил Чероки, снова забравшись в машину и рывком тронувшись с места.— Сезонная квартира. «Очень удачно, что она там» — вот как он выразился. Что он хотел этим сказать, понятия не имею.

— Это квартира, которую сдают туристам,— сказала Дебора.— Вероятно, до весны она стоит пустая.

— Да без разницы,— отозвался он.— Мог бы хоть записку мне черкануть, что ли. Я же не посторонний. Я спросил его, почему он не дал мне знать, что собирается вытащить ее под залог, а он сказал... Знаешь, что он сказал? «Мисс Ривер не изъявляла желания сообщать кому-нибудь о своем местопребывании». Можно подумать, это она от меня прячется.

Они снова повернули к Сент-Питер-Порту и отправились на поиски квартиры, что оказалось сродни небольшому подвигу, несмотря на адрес, который у них имелся. Город был настоящим лабиринтом улиц с односторонним движением: узкие переулки взбегали от бухты по склону холма вверх и пронизывали всю столицу, которая возникла задолго до того, как человек придумал автомобиль. Дебора и Чероки миновали несколько георгианских домов и улиц, застроенных викторианскими домами, когда наконец натолкнулись на дом королевы Маргарет, расположенный на самой высокой точке Клифтон-стрит, на ее пересечении с Сомарез-стрит. Оттуда открывался вид, за который любой турист отдаст большие деньги и весной, и летом: внизу раскинулся порт, на узкой косе за ним вырисовывался замок Корнет, некогда хранивший остров от набегов, а в погожие дни, когда хмурые декабрьские тучи не застилали горизонт, вдалеке виднелся французский берег.

Однако в тот день темнеть начало рано, и воды пролива колыхались внизу пепельно-серой жижей. В гавани, где не было ни одного прогулочного суденышка, горели огни, а замок вдали казался нагромождением полосатых детских кубиков.

Труднее всего оказалось найти в доме королевы Маргарет человека, который указал бы им квартиру Чайны. Только в спальне-гостиной на задворках пустующего здания они обнаружили небритого и дурно пахнущего субъекта. Похоже, он выполнял обязанности консьержа, когда отрывался от своего постоянного занятия — игры за двух партнеров сразу во что-то вроде шахмат, только вместо фигур и клеток здесь были черные блестящие камешки, которые нужно загнать в похожие на чашечки углубления на узком деревянном подносе.

Когда Чероки и Дебора возникли на пороге его комнаты, он сказал:

— Погодите... Я только... Черт. Опять он меня съел.

Под «ним» подразумевался, видимо, его оппонент, то есть он сам, только с другой стороны доски. Одним неуловимым движением очистив свою сторону доски от камешков, он поинтересовался:

— Чем могу служить?

Когда они объяснили, что пришли к его единственной жиличке — ибо было ясно как день, что остальные квартиры в доме королевы Маргарет на данный момент стоят пустые,— он сделал вид, будто не понимает, о ком речь. И только когда Чероки велел ему позвонить адвокату Чайны, он слегка расслабился и позволил себе намек на то, что женщина, обвиняемая в убийстве, действительно находится в доме. После этого ему не осталось ничего, кроме как подковылять к телефону и нажать несколько кнопок. Когда на том конце подняли трубку, он сказал:

— Тут один говорит, что он ваш брат...— И, бросив взгляд на Дебору, добавил: — С ним какая-то рыжая.

Послушав пять секунд, он сказал:

— Ладно,— и выдал требуемую информацию.

Та, кого они ищут, находится в квартире «Б» в восточном крыле здания.

Это оказалось недалеко. Чайна встретила их у двери со словами:

— Ты приехала,— и шагнула прямо в объятия Деборы.

Дебора обхватила ее руками.

— Конечно, я приехала,— сказала она.— Жаль только, я с самого начала не знала, что ты в Европе. Почему ты мне не сообщила? Почему не позвонила? Ой, я так рада тебя видеть.

Она моргнула, ощутив, как защипало глаза, и удивилась такому наплыву чувств, показавшему ей, как сильно она скучала по своей подруге все эти годы, пока они не виделись.

— Жаль только, что все так вышло.

На лице Чайны промелькнула улыбка.

Она казалась еще тоньше, чем запомнилось Деборе, а ее великолепные, песочного цвета волосы, подстриженные по последней моде, обрамляли крохотное личико заблудившегося ребенка. На ней была одежда, от которой ее вегетарианку мать немедленно хватил бы удар. Черные кожаные штаны, такой же жилет и черные кожаные сапожки, закрывающие лодыжки. По контрасту с ними ее кожа казалась еще бледнее.

— Саймон тоже приехал,— сказала Дебора.— Мы во всем разберемся. Ни о чем не волнуйся.

Чайна бросила взгляд на брата, который закрыл за ними дверь. Он стоял в нише, заменявшей в квартире кухню, и переминался с ноги на ногу так, словно ему хотелось оказаться где-нибудь на другом краю вселенной,— типичная реакция мужчины в присутствии двух расчувствовавшихся женщин. Она сказала ему:

— Я тебя не затем посылала, чтобы ты привез их сюда. Я дала тебе их адрес, чтобы ты мог спросить у них совета, если понадобится. Но... я рада, что ты привез их, Чероки. Спасибо.

Чероки кивнул.

— Может, вам двоим надо... Я могу и погулять пойти, если что. Чайн, а у тебя еда есть? Вот что, пойду-ка я магазин поищу.

И, не дожидаясь ответа сестры, вышел из квартиры.

— Типичный мужик,— сказала Чайна, когда он ушел.— Слез не выносит.

— А мы ведь до них еще даже не дошли.

Чайна усмехнулась, и у Деборы полегчало на сердце. Она и вообразить не могла, каково это: оказаться в чужой стране, где тебя считают убийцей. Поэтому больше всего ей хотелось помочь подруге забыть о грозящей опасности. С другой стороны, ей хотелось убедить Чайну в том, что между ними все по-прежнему.

Поэтому она сказала:

— Я по тебе скучала. Надо было чаще мне писать.

— Да и ты тоже могла бы хоть иногда мне писать,— ответила Чайна.— Я тоже по тебе скучала.

И она повела Дебору в кухонную нишу.

— Я тут как раз чай завариваю. Поверить не могу, до чего я рада тебя видеть.

— Нет, дай лучше я заварю,— запротестовала Дебора.— Я не хочу, чтобы мы с тобой опять начинали с того, что ты будешь заботиться обо мне. Нам надо поменяться ролями. И не спорь.

С этими словами она усадила подругу на стул у восточного окна. На нем лежали ручка и блокнот. Вверху страницы большими печатными буквами была написана дата, а под ней несколько абзацев, написанных знакомым размашистым почерком Чайны.

Чайна сказала:

— Тогда у тебя было тяжелое время. Для меня было важно помочь тебе, чем я могла.

— Я была просто жалкой размазней,— ответила Дебора.— Не знаю, как ты со мной справлялась.

— Ты оказалась далеко от дома, в большой беде, и пыталась решить, что делать дальше. А я была твоей подругой. Мне не надо было с тобой справляться. Мне надо было только о тебе заботиться. А это, по правде говоря, было совсем не сложно.

Дебору бросило в жар — реакция, которая имела два различных источника. Отчасти дело было в давно забытом удовольствии чисто женской дружбы. С другой стороны, речь шла о том периоде ее прошлого, который ей было очень трудно вспоминать. Чайна Ривер была частью того времени, она буквально вынянчила тогда Дебору.

— Я так...— Дебора запнулась.— Какое слово тут подойдет, даже не знаю. Рада тебя видеть? Но, видит бог, звучит ужасно эгоистично, правда? Ты в беде, а я этому рада? Маленькая эгоистичная треска.

— Ну, не знаю.— Чайна ответила задумчиво, но потом ее созерцательный настрой сменился улыбкой.— Я хочу сказать, разве треска бывает эгоистичной?

— А ты что, не знаешь? Сделает морду тяпкой и якает: я, я, я.

И они рассмеялись. Дебора вошла в маленькую кухню. Налила воды в чайник и воткнула вилку в розетку. Нашла чашки, чай, сахар и молоко. В одном из двух кухонных шкафчиков даже обнаружилась упаковка с чем-то под названием «Гернси гош». Отогнув обертку, Дебора увидела похожий на кирпич кусок кекса — то ли хлебец с изюмом, то ли фруктовый пирог. Сойдет.

Пока Дебора собирала на стол, Чайна молчала. Наконец очень тихо шепнула:

— Я тоже по тебе скучала.

Дебора и не услышала бы, если бы в глубине души не ждала именно этих слов.

Она сжала плечо подруги. Завершила ритуал заваривания чая. Она знала, что чаепитие вряд ли надолго отвлечет Чайну от ее проблем, но для Деборы держать чашку, уютно обхватив ее ладонью, и чувствовать льющееся в руку тепло всегда было сродни волшебству, как будто жидкость, дымящаяся внутри, была настояна на водах реки забвения, а не на листьях азиатского растения.

Чайна, похоже, угадала намерения Деборы, потому что взяла чашку и сказала:

— Англичане и их чай.

— Мы и от кофе не отказываемся.

— Но только не в такое время, как сейчас.

Чайна держала свою чашку в точности так, как и хотела Дебора, уютно обхватив ее всей ладонью. Она бросила взгляд в окно, где городские огни уже складывались в мигающую желто-черную палитру по мере того, как дневной свет уступал место ночи.

— Никак не могу привыкнуть к тому, что здесь так рано темнеет.

— Все дело во времени года.

— Я так привыкла к солнцу.

Чайна пригубила напиток и поставила кружку на стол. Вилкой отковырнула кусочек гернсийской булки, но есть не стала.

— Хотя, похоже, пора начинать привыкать. К отсутствию солнца, я имею в виду. И к жизни взаперти.

— Этого не будет.

— Я этого не делала.— Чайна подняла голову и посмотрела на Дебору в упор.— Я не убивала этого человека, Дебора.

Дебора почувствовала, как внутри у нее все содрогнулось при мысли, что Чайна могла поверить, будто ее нужно в этом убеждать.

— Господи боже мой, ну конечно ты этого не делала. Думаешь, я приехала сюда убедиться лично? И Саймон тоже.

— Но у них есть улики, понимаешь? — сказала Чайна.— Мой волос. Мои туфли. Следы. У меня такое чувство, как будто я во сне пытаюсь закричать, но никто меня не слышит, потому что я во сне. Замкнутый круг. Понимаешь?

— Как бы я хотела тебя из него вытащить! И вытащу, если смогу.

— Он был на его одежде,— продолжала Чайна.— Волос. Мой волос. На его одежде, когда они его нашли. И я не знаю, как он туда попал. Пытаюсь что-нибудь вспомнить, но не могу.

Кивком она указала на блокнот.

— Я записала все события день за днем, по порядку. Может быть, он приобнял меня как-нибудь? Но зачем ему меня обнимать и почему я ничего не помню об этом? Юрист говорит, мне лучше сказать, будто между нами что-то было. Не секс, конечно. Зачем заходить так далеко. Сказать, якобы он за мной бегал. То есть надеялся на секс. Якобы между нами было что-то такое, что могло привести к сексу. Прикосновения. Что-нибудь в этом роде. Но ничего такого не было, и я не хочу лгать. Не то чтобы я находила ложь зазорной. Поверь мне, будь в этом хоть малейший прок, я соврала бы что угодно. Но кто в это поверит? Люди видели нас вместе, и он меня даже пальцем ни разу не тронул. Ну, может, коснулся когда-нибудь руки, но не более того. И если в суде я встану и скажу, что мой волос оказался у него на одежде, потому что он — что? Обнимал меня? Целовал? Ласкал? Что еще? Это будет мое слово против слова любого, кто встанет и скажет, что он в мою сторону даже не глядел. Конечно, мы можем выставить в качестве свидетеля защиты Чероки, но я не собираюсь заставлять брата лгать.

— Он горит желанием помочь.

Чайна решительно помотала головой.

— Он и так всю жизнь только и делает, что врет. Помнишь, как он заделался ярмарочным менялой? И вкручивал людям поддельные индейские артефакты? Наконечники для стрел, осколки керамики, орудия труда и прочую ерунду? Даже я почти поверила, что они натуральные.

— Ты же не хочешь сказать, что Чероки...

— Нет-нет. Я просто говорю, что мне следовало дважды, нет, десять раз подумать, прежде чем соглашаться ехать с ним сюда. Ему все казалось просто, без подвохов, слишком хорошо, чтобы быть правдой, но все же правда... Но я должна была знать, что тут нечто большее, чем просто доставка каких-то чертежей на другую сторону океана. Конечно, не Чероки затеял все это, скорее кто-то другой.

— Чтобы сделать тебя козлом отпущения,— закончила Дебора.

— Другого объяснения я не нахожу.

— Это значит, что все случившееся было спланировано заранее. В том числе и приглашение американца, на которого следовало свалить вину.

— Двух американцев,— сказала Чайна.— Чтобы, если один почему-либо не сможет сыграть роль подозреваемого, другой бы уж наверняка подошел. Вот такая мышеловка, и мы в нее попались. Двое тупых калифорнийцев, которые отродясь не бывали в Европе, а всем ведь известно, как они этого хотят. Парочка наивных олухов, которые понятия не имели бы, что делать, случись им попасть здесь в такую переделку. А самое смешное в том, что я даже ехать не хотела. Я знала — что-то тут нечисто. Но за всю жизнь так и не научилась говорить своему брату «нет».

— Он ужасно переживает из-за того, что случилось.

— Он всегда ужасно переживает,— ответила Чайна.— И тогда я чувствую себя виноватой. Надо дать ему шанс, говорю я себе. Он сделал бы для меня то же самое.

— По-моему, он думал, что оказывает тебе услугу. Из-за Мэтта. Дает тебе передышку. Он, кстати, все мне рассказал. Про вас двоих. И вашу ссору. Мне очень жаль. Мне нравился Мэтт.

Повернув свою чашку вполоборота, Чайна так долго и пристально смотрела на нее, словно хотела вовсе избежать разговора о прекращении своих многолетних отношений с Мэттом Уайткомбом. Но когда Дебора уже собиралась сменить тему, она заговорила.

— Сначала было трудно. Но тринадцать лет ждать, пока мужчина созреет, это чересчур. И потом, мне кажется, подсознательно я всегда знала, что у нас ничего не выйдет. Просто раньше я не могла собраться с духом и сказать, что между нами все кончено. Я боялась остаться совсем одна, вот и цеплялась за него. С кем я буду встречать Новый год? Кто пришлет мне валентинку? Куда я пойду Четвертого июля? Подумать только, какое количество людей не решаются прекратить отношения из страха, что им не с кем будет встречать праздники!

Чайна подняла вилку с куском гернсийского пирога и, содрогнувшись, отодвинула ее подальше.

— Не могу это есть. Извини.— И продолжила: — Но сейчас на моей повестке дня проблемы поважнее Мэттью Уайткомба. Как случилось, что я потратила молодость на попытки превратить классный секс в семейную жизнь — с домом, деревянной изгородью и детьми? Будет над чем подумать на старости лет. А теперь... Странно, как все получается. Не окажись я на этом острове, где мне грозит срок, сидела бы сейчас дома и думала, как это я сваляла такого дурака с Мэттом.

— В смысле?

— Он же все время трусил; это было видно с самого начала, только я не хотела замечать. Стоило мне только намекнуть, что хорошо бы нам проводить вместе не только каникулы и выходные, и он тут же находил причину этого не делать. То неожиданная командировка. То работа дома накопилась. То надо отдохнуть и подумать. За эти тринадцать лет мы с ним столько раз разбегались, что наши отношения стали напоминать повторяющийся кошмар. В сущности, наши отношения перешли в стадию разговоров об отношениях, если ты понимаешь, о чем я. Мы часами говорили о наших проблемах, о том, почему он хочет одного, а я — совсем другого, почему он пятится назад, а я мчусь вперед, почему он задыхается, а я чувствую себя брошенной. Господи, ну почему мужчины такие нерешительные?

Чайна взяла ложечку и помешала чай, скорее чтобы унять собственное беспокойство, а не потому, что в этом действительно была какая-то нужда. Потом глянула на Дебору.

— Хотя ты не тот человек, которому следует задавать такие вопросы. О мужчинах и решительности. Ты никогда не сталкивалась с такой проблемой, Дебс.

Дебора не успела напомнить ей, что за три года ее пребывания в Америке Саймон ни разу даже не позвонил. Ей помешал отрывистый стук в дверь, возвещавший появление Чероки. На его плече болталась туристическая сумка.

Поставив ее на пол, он объявил:

— Я съехал из отеля, Чайн. Ни за что больше не оставлю тебя здесь одну.

— Здесь нет второй кровати.

— На полу посплю. Сейчас тебе, как никогда, нужны близкие, а это значит — я.

Судя по его тону, дело было решенное. Туристическая сумка свидетельствовала о том, что спорить бесполезно.

Чайна вздохнула. Вид у нее был несчастный.

Контору адвоката Чайны Сент-Джеймс обнаружил на Нью-стрит, в двух шагах от здания Королевского суда. Инспектор Ле Галле позвонил, чтобы предупредить юриста о посетителе, поэтому, когда тот назвал секретарю свое имя, долго ждать ему не пришлось: уже через пять минут его провели в кабинет адвоката.

Роджер Холберри указал ему на одно из трех кресел, окружавших небольшой стол для совещаний. Оба сели, и Сент-Джеймс изложил ему все факты, которыми поделился с ним Ле Галле. Он не сомневался, что Холберри все это известно. Но Сент-Джеймса интересовало то, что инспектор от него утаил, а узнать это можно было лишь одним путем: расстелить перед адвокатом одеяло фактов, чтобы тот, заметив открывшиеся в нем прорехи, сам захотел их залатать.

Похоже, Холберри был только рад помочь. Ле Галле, сообщил он, не стал скрывать от него верительные грамоты гостя при телефонном разговоре. Как любой нормальный солдат, он не очень обрадовался подкреплению со стороны противника, но, как честный человек, не собирался вставлять им палки в колеса в их попытках оправдать Чайну Ривер.

— Он ясно дал понять, что не верит, будто вы сможете ей помочь,— сказал Холберри.— Собранные им улики неоспоримы. По крайней мере, ему так кажется.

— Что говорят судмедэксперты?

— Они только поскребли тело снаружи. Под ногтями в том числе. Анализа внутренних органов не было.

— А как же токсикологический тест? Анализ тканей? Осмотр внутренних органов?

— Слишком рано. Мы посылаем все это на экспертизу в Великобританию, а там очередь. Но с орудием убийства все ясно. Ле Галле наверняка вам все рассказал.

— Камень. Да.— Сент-Джеймс рассказал адвокату о своих сомнениях относительно того, что женщина может запихнуть камень в горло кому-либо, кроме ребенка.— А поскольку никаких следов борьбы найдено не было... Что обнаружено под ногтями?

— Ничего. Кроме небольшого количества песка.

— А на остальном теле? Синяки, царапины, ушибы? Еще что-нибудь?

— Ничего,— ответил Холберри.— Но Ле Галле знает, что у него почти ничего нет. Поэтому он и вешает все на свидетеля. Сестра Бруара что-то видела. Что — один бог знает. Нам он этого еще не сказал, Ле Галле то есть.

— Может, она сама это и сделала?

— Возможно. Но маловероятно. Все, кто их знал, говорят о ее преданности жертве. Они были вместе — жили вместе, я хочу сказать,— почти всю жизнь. Она даже работала на него, когда он только начинал.

— Что?

— «Шато Бруар»,— пояснил Холберри.— Вместе они сделали кучу денег, а когда он ушел на покой, приехали на Гернси.

«Шато Бруар»,— подумал Сент-Джеймс.

Он слышал об этой группе: ей принадлежала сеть маленьких, но первоклассных отелей, расположенных в специально оборудованных усадьбах по всей Великобритании. Никакого показного шика, только историческое окружение, памятники искусства, прекрасная кухня и покой. Такие места любят те, кто ищет уединения и анонимности, они незаменимы для актеров, стремящихся хотя бы на несколько дней ускользнуть от пристального взора фотокамер, или политических деятелей, устраивающих свои амурные дела. Осмотрительность — главное достоинство делового человека, а компания «Шато Бруар» служила воплощением этого качества.

— Вы говорили, что она, возможно, покрывает кого-то,— сказал Сент-Джеймс.— Кого?

— Ну, для начала, племянника. Адриана.

Холберри рассказал, что тридцатисемилетний сын Ги Бруара тоже гостил в доме накануне убийства. Кроме того, добавил он, есть еще Даффи — Кевин и Валери, которые живут в Ле-Репозуаре с тех самых пор, как там обосновался Ги Бруар.

— Ради любого из них Рут Бруар могла солгать,— подчеркнул Холберри.— Все знают, что тем, кого она любит, она способна простить все. Это же, кстати, можно сказать и о Даффи. Эту пару, Ги и Рут Бруар, на острове любили. Он сделал здешним людям немало добра. Раздавал деньги, словно бумажные платки в холодную погоду, а она много лет входила в благотворительную организацию «Самаритяне».

— Значит, люди без явных врагов,— отметил Сент-Джеймс.

— Злейшие враги защиты,— заметил Холберри.— Но и на этом фронте еще не все потеряно.

Голос у Холберри был довольный. Сент-Джеймсу стало интересно.

— Вы что-то нашли?

— И довольно много,— сказал Холберри.— Правда, может оказаться, что все это сплошная ерунда, но проверить все-таки стоит, тем более что полиция, скажу вам по секрету, ни под кого серьезно не копала, кроме этих самых Риверов.

И он рассказал о том, что у Ги Бруара были близкие отношения с шестнадцатилетним мальчиком, неким Полом Филдером, который жил не в самом, по-видимому, благополучном районе острова, известном под названием Буэ. Бруар познакомился с Полом благодаря местной программе, по которой взрослые должны были на общественных началах заниматься с подростками из неблагополучных семей. Гернсийская ассоциация взрослых, подростков и учителей выбрала Ги Бруара в наставники к Полу, и тот его почти усыновил, что не слишком радовало родителей мальчика, не говоря уже о родном сыне Бруара. В общем, накал страстей был вполне возможен, в том числе и самой низменной страсти из всех: зависти и всего, что ей сопутствует.

— Затем есть еще факт вечеринки, предшествовавшей кончине Бруара,— продолжал Холберри.

О ней было объявлено за много недель, и убийца, который приготовился напасть на Бруара, когда тот будет не в лучшей форме после праздника, затянувшегося до глубокой ночи, имел возможность распланировать все как по нотам и успеть найти козла отпущения. Разве трудно в разгар вечеринки прокрасться наверх и оставить волосы на плаще и песок в подошве туфли, а еще лучше спуститься с этой туфлей на пляж и оставить там пару отпечатков, которые назавтра найдет полиция? Да, между вечеринкой и смертью определенно существует связь, недвусмысленно утверждал адвокат Холберри, а может быть, и связи.

— Надо еще покопаться в истории с архитектором музея,— сказал Холберри.— Все было неожиданно и запутанно, а когда что-то неожиданное и запутанное случается, это провоцирует людей на разные поступки.

— Но ведь архитектора на празднике не было, не так ли? — спросил Сент-Джеймс.— У меня сложилось впечатление, что он в Америке.

— Это другой. А я говорю о первом архитекторе этого проекта, человеке по имени Бертран Дебьер. Он местный и, как многие другие, верил, что именно его проект будет выбран для музея. А почему бы и нет? Бруар заказал модель, которую несколько недель кряду показывал всем желающим, и она была выполнена самим Дебьером по его собственному проекту. Поэтому когда он, то есть Бруар, назначил дату вечеринки, чтобы объявить имя выбранного им архитектора...— Холберри пожал плечами.— Вряд ли можно винить Дебьера в том, что он прочил на это место себя.

— Он мстителен?

— Трудно сказать. С одной стороны, полиция Гернси должна была бы копнуть под него поглубже, но он же гернсиец. Вот они его и не тронули.

— А американцы агрессивны от природы? — спросил Сент-Джеймс.— В школах стреляют, смертную казнь не отменяют, оружие продают и тому подобное?

— Дело не столько в этом, сколько в самом характере преступления.

Холберри глянул на дверь, которая, скрипнув, приоткрылась. В комнату скользнула секретарша, всем видом давая понять, что она собирается домой: в одной руке — стопка бумаг, в другой — ручка, пальто под мышкой, а через плечо переброшена сумка. Холберри взял у нее документы и начал подписывать, не переставая при этом говорить.

— Преднамеренного убийства на нашем острове давно уже не бывало. Никто и не помнит, когда такое случалось в последний раз. Во всяком случае, в полиции таких старожилов не нашлось, а это что-то да значит. Бывают, конечно, преступления на почве страсти. Несчастные случаи, самоубийства тоже встречаются. Но убийство, спланированное заранее? Нет, такого несколько десятков лет не видали.

Закончив с подписями, он вернул письма секретарше и попрощался с ней. Потом встал, подошел к своему письменному столу и начал перебирать бумаги, складывая некоторые из них к себе в дипломат.

— При таком положении дел полицейские, к сожалению, склонны считать, что гернсийцы просто неспособны на преднамеренное убийство.

— А вы подозреваете кого-нибудь, кроме архитектора? — спросил Сент-Джеймс.— Я хочу сказать, других гернсийцев, у которых могла быть причина желать Ги Бруару смерти?

Задумавшись над этим вопросом, Холберри отложил свои бумаги. В приемной открылась и снова закрылась дверь: ушла секретарша.

— Я полагаю,— начал Холберри осторожно,— что в части отношений между Ги Бруаром и жителями этого острова мы только прикоснулись к поверхности. Он был как Дед Мороз: одна благотворительная организация, другая благотворительная организация, крыло для больницы, что еще изволите? Обращайтесь к мистеру Бруару. Он покровительствовал людям искусства: художникам, скульпторам, стеклодувам, кузнецам; он же платил за учебу многих здешних детишек в английских университетах. Таким он был. Многие считали это его благодарностью общине, которая спасла его когда-то от смерти. Но я бы не удивился, узнав, что есть люди, у которых иное мнение на сей счет.

— Деньги за услуги?

— Что-то вроде.— Холберри защелкнул крышку дипломата.— Обычно, расставаясь с деньгами, люди рассчитывают получить что-то взамен, разве не так? Думаю, что если мы походим по острову и выясним, куда уходили деньги Бруара, то узнаем, чего он ждал взамен.

8

Фрэнк Узли договорился с одной фермершей с рю де Рокетт, что та заедет приглядеть за его отцом. Вообще-то он не хотел отлучаться из Мулен-де-Нио больше чем на три часа, но сколько продлятся похороны и поминальная церемония, он не знал. Он и представить себе не мог, чтобы кто-нибудь делал за него обычные дневные дела. Но оставлять отца одного было рискованно. Поэтому он сел на телефон и обзванивал всех до тех пор, пока не нашел сердобольную душу, которая пообещала ему, что заедет пару раз на велосипеде, «привезет старичку чего-нибудь вкусненького. Папа ведь любит сладенькое?».

Фрэнк заверил ее, что у отца все есть. Но если она и вправду хочет сделать ему приятное, то пусть привезет любую стряпню с яблоками.

«Фуджи, брейберн, пиппин?» — поинтересовалась добрая женщина.

По правде говоря, ему это безразлично.

Все равно испечет что-нибудь похожее на старые простыни и выдаст их за штрудель. Его отец в свое время и хуже едал, и ничего, живет и другим об этом рассказывает. Фрэнку стало казаться, что чем ближе подходила к отцу смерть, тем больше он говорил о далеком прошлом. Несколько лет тому назад Фрэнк только радовался бы, поскольку Грэм Узли, несмотря на свой интерес к войне вообще и оккупации Гернси в частности, удивительно мало распространялся о героизме, проявленном им самим в то страшное время. В юности Фрэнк пытался его расспрашивать, но тот лишь отмахивался от всех вопросов со словами: «Дело не во мне одном, дело во всех нас», и Фрэнк научился ценить тот факт, что его отец не нуждался в самоутверждении через героические воспоминания, в которых главная роль отводилась бы ему самому. Но в последнее время, словно зная, что жить ему уже недолго, и желая оставить единственному сыну память в наследство, Грэм начал вспоминать подробности.

Но, раз начав, он, похоже, не мог остановиться.

В то утро Грэм произнес целый монолог о фургоне-детекторе — устройстве, используемом нацистами для выслеживания последних коротковолновых радиоприемников, с помощью которых островитяне узнавали новости от тех, кого заклеймили врагами, то есть французов и англичан.

— Последнего поставили к стенке в форте Георга,— сообщил Грэм.— Бедняга был родом из Люксембурга, да. Говорили, будто его засек фургон-детектор, но на самом деле на него донес стукач. Были у нас и такие, разрази их, шпионы да перебежчики. Коллаборационисты, Фрэнк. Послали парня на расстрел и глазом поганым не моргнули, разрази Господь их души.

После этого началась кампания «V for Victory», и двадцать вторая буква английского алфавита стала возникать повсюду — ее рисовали мелом, краской и даже выводили в свежем цементе, к постоянному раздражению оккупантов.

И наконец появился «ГСОС» — «Гернси, свободный от страха» — личный вклад Грэма Узли в борьбу за освобождение острова. Именно этому подпольному листку он был обязан своей годичной отсидкой. Он и еще трое островитян ухитрялись выпускать его двадцать девять месяцев подряд, прежде чем в дверь его дома постучали гестаповцы.

— Меня заложили,— говорил сыну Грэм.— Как и тех, с передатчиками. Так что не забывай никогда, Фрэнк: те, у кого трусость в крови, боятся пореза. И так всегда в трудные времена. Люди начинают показывать друг на друга пальцами, стоит им почуять выгоду для себя. Но они у нас еще попляшут. Справедливости приходится ждать долго, но она всегда торжествует.

Когда Фрэнк оставил отца, тот все еще кипятился по этому поводу, разговаривая с телевизором, перед которым устраивался в предвкушении дневного сериала. Фрэнк предупредил старика, что в течение часа к нему заглянет миссис Петит, проверить, как он справляется, в то время как он сам будет заниматься неотложными делами в Сент-Питер-Порте. Про похороны он ничего не сказал, так как отец еще не знал о смерти Ги Бруара.

К счастью, отец не поинтересовался, что за дела его ждут. С экрана телевизора полилась слезливая мелодия, и миг спустя Грэм с головой погрузился в какую-то любовную историю, действующими лицами которой были две женщины, один мужчина, некий терьер и чья-то коварная свекровь. С этим Фрэнк его и оставил.

Поскольку из-за ничтожной численности еврейского населения на острове не было синагоги и вопреки тому факту, что Ги Бруар не принадлежал ни к какой христианской конфессии, его похороны состоялись в городской церкви Сент-Питер-Порта, что у самой гавани. В соответствии с важным положением, которое занимал покойный, а также с учетом того, какой любовью он пользовался у островитян, было решено, что церковь Святого Мартина, в чьем приходе находился Ле-Репозуар, не подойдет для похорон, так как не сможет вместить всех убитых горем плакальщиков. Судить о том, насколько дорог сердцу каждого гернсийца стал Ги Бруар за десять лет своей жизни на острове, можно было хотя бы по тому, что в его похоронах принимали участие ни много ни мало, а семь служителей Господа.

Фрэнк как раз успел к началу, что было настоящим чудом, учитывая ситуацию с парковкой в городе. Однако полиция отвела всю стоянку на пирсе Альберта в распоряжение посетителей похорон, и Фрэнк, которому удалось втиснуть свою машину на свободное местечко только на самой северной оконечности пирса, вынужден был обратно идти пешком, почему и проскользнул в церковь, опередив только гроб и близких родственников покойного.

Он сразу увидел, что роль главного плакальщика отвел себе Адриан Бруар. Как старший и единственный сын Ги Бруара, он имел на это полное право. Однако все друзья Ги хорошо знали, что отец и сын не общались по крайней мере месяца три, а их общение, предшествовавшее этому отчуждению, вполне справедливо можно было назвать столкновением характеров. Наверняка это мать расстаралась, чтобы сын занял позицию сразу за гробом, сделал вывод Фрэнк. А чтобы не сбежал, и сама встала рядом. Бедная крошка Рут стояла третьей, а сразу за ней расположилась Анаис Эббот с детьми, сумевшая каким-то образом втереться ради такого случая в семейство. Единственные, кого Рут наверняка сама попросила пойти с ней на похороны брата, были Кевин и Валери Даффи, но место, на которое их сослали, — сразу за Эбботами — лишало их возможности оказать Рут поддержку. Фрэнк надеялся, что ее хотя бы отчасти утешает то, сколько людей пришли выразить свое соболезнование ей и отдать дань памяти ее брату, другу и благодетелю многих.

Сам Фрэнк всю жизнь сторонился дружбы. Ему хватало отношений с отцом. Они были неразлучны с того самого дня, когда на глазах Фрэнка его мать тонула в водохранилище, а Грэм спас ее и привел в чувство. Фрэнк всю жизнь мучился угрызениями совести из-за того, что не был достаточно проворен в первом и сведущ во втором. К сорока годам Грэм Узли познал много горя и скорби, и Фрэнк еще в детстве твердо решил, что вырастет и положит им конец. Заботе об отце он посвятил всю жизнь, и когда вдруг появился Ги Бруар и возможность настоящей мужской дружбы впервые замаячила перед Фрэнком, он ощутил себя Адамом с яблоком древа познания в руках. Изголодавшись, он впился в него зубами, даже не вспомнив о том, что для вечного проклятия довольно и одного укуса.

Похороны тянулись целую вечность. Сначала Адриан Бруар, запинаясь, читал отпечатанный на трех больших листах панегирик отцу, за ним выступали священники каждый со своей речью. Плакальщики пели соответствующие псалмы, а спрятанная где-то наверху солистка, точно оперная дива, поднимала свой голос в театральном прощании.

Потом все кончилось, по крайней мере первая часть. За ней последовали собственно погребение и поминки, и то и другое в Ле-Репозуаре.

Внушительная процессия двинулась к усадьбе. Она заняла всю набережную, от пирса Альберта до гавани Виктории. Медленно обогнув Ле-Валь-де-Терр под могучими, по-зимнему голыми деревьями, она втянулась в стремнину между каменными стенами, подпиравшими крутые склоны холмов. Оттуда она выплеснулась на ведущее прочь из города шоссе, которое, словно ударом ножа, отсекало богатый район Форт-Джордж с его просторными современными особняками, живыми изгородями и электрическими воротами от обычных кварталов на западе: улиц и проспектов, еще в девятнадцатом веке густо застроенных георгианскими домами, жилищами эпохи регентства и зданиями времен королевы Виктории, которые заметно подурнели от времени.

На самой границе между Сент-Питер-Портом и приходом Святого Мартина кортеж повернул на восток. Машины покатили под деревьями по узкой дороге, которая скоро превратилась в еще более узкую тропу. С одной стороны вдоль нее шла высокая каменная стена. С другой поднималась земляная насыпь, на которой росла живая изгородь, взъерошенная и словно нахохлившаяся от декабрьского холода.

Внезапно в стене показался проем, а в нем — металлические ворота. Они были распахнуты и пропустили катафалк на широкие просторы поместья. За ним последовали плакальщики, а с ними Фрэнк. Оставив свою машину на краю подъездной аллеи, он вместе со всеми пошел в направлении дома.

Не прошел он и десяти шагов, как его одиночество было нарушено. Чей-то голос рядом с ним произнес:

— Это все меняет.

Он поднял голову и увидел Бертрана Дебьера.

У архитектора был такой вид, как будто последнее время он горстями ел таблетки для похудения. Он и всегда был слишком худым для своего высоченного роста, а с последней вечеринки в Ле-Репозуаре потерял, кажется, еще килограммов десять. Белки его глаз подернулись пурпурной сеточкой сосудов, а скулы, и всегда выпиравшие, теперь торчали из-под кожи так, словно у него были там два куриных яйца, которые стремились наружу.

— Нобби,— сказал Фрэнк и кивнул в знак приветствия.

Прозвище вырвалось у него само собой. Много лет назад Дебьер был учеником Фрэнка в средней школе, а у того никогда не было привычки церемониться с теми, кого он когда-то учил.

— Я не заметил тебя в церкви.

На прозвище Дебьер не отреагировал. Поскольку близкие друзья иначе его не звали, он, вероятно, и внимания не обратил. Он спросил:

— Ты согласен?

— С чем?

— С оригинальной идеей. С моей идеей. Придется нам к ней вернуться. Ги не стало, и мы не можем ожидать, что Рут возглавит проект. Она наверняка ничего в подобных вещах не смыслит и вряд ли захочет вникать. А ты как думаешь?

— А, ты о музее,— понял Фрэнк.

— Я за то, чтобы продолжать. Ги этого хотел. Но что касается проекта, его придется изменить. Я говорил ему об этом, но ты, наверное, уже в курсе? Вы ведь были неразлейвода, ты и Ги, так что он, наверное, рассказывал тебе о том, как я его подкараулил. Ну, в ту ночь. Мы были одни. После фейерверка. Я присмотрелся к рисунку и заметил — как и любой, кто хоть немного разбирается в архитектуре, заметил бы на моем месте,— что этот тип из Калифорнии всюду напортачил. А чего еще можно ожидать от человека, который проектирует вслепую, не видя места? Сплошная отсебятина, вот что я думаю. Я бы ничего подобного не сделал, так я и сказал Ги. И знаешь, я его почти убедил.

Нобби говорил горячо, не отставая от процессии, которая направлялась к западному крылу дома, Фрэнк посмотрел на него. Он ничего не ответил, хотя знал, что Нобби только этого и ждет. Его выдавала едва заметно поблескивающая верхняя губа.

Архитектор продолжал:

— Сплошные окна, Фрэнк. Как будто нам надо, чтобы из окон открывался вид на церковь Святого Спасителя или что-нибудь в этом роде. Вот если бы он сначала приехал и посмотрел местность, то не сделал бы ничего подобного. А зимой как отапливать помещение с такими высоченными окнами? Да тут на одном отоплении в трубу вылетишь, особенно если не закрывать музей на зиму, когда туристов нет. Я надеюсь, ты не хочешь, чтобы его открывали только в сезон? Если его строят не столько для туристов, сколько для острова, то надо, чтобы он был открыт и зимой, а не только в разгар сезона, когда кругом такие толпы, что никто из местных в него даже не сунется. Согласен?

Фрэнк понял, что придется ответить, так как молчать в данной ситуации было бы странно, поэтому он сказал:

— Смотри, Нобби, не суйся вперед батьки в пекло. Сейчас не время спешить.

— Но ты на моей стороне или нет? — спросил Нобби.— Ф-Фрэнк, ты ведь н-на моей стороне?

Неожиданно начавшееся заикание служило мерилом его волнения. То же было с ним в школе: когда его вызывали к доске, он так волновался, что не мог отвечать. Из-за этого Нобби всегда казался более ранимым, чем другие мальчики, что, с одной стороны, подкупало, а с другой — обрекало его говорить правду любой ценой, лишая возможности скрывать свои истинные чувства, как делали остальные.

Фрэнк ответил:

— Это не тот случай, когда надо говорить о врагах и союзниках, Нобби. Все эти дела,— и он кивнул на дом, словно имея в виду события, которые там произошли, решение, которое там было принято, и мечты, которые оно разрушило,— ко мне не имеют никакого отношения. Я никак не мог на них повлиять. По крайней мере, не в той степени, как тебе хотелось бы.

— Н-но он выбрал меня. Фрэнк, ты же знаешь, что он выбрал м-меня. Мой проект. Мой план. И с-с-слушай, я д-д-должен получить этот за-за-за-заказ.

Последнее слово он еле выговорил. Все его лицо блестело от усилий. Голос стал громким, и несколько плакальщиков с любопытством покосились на них по дороге к могиле.

Фрэнк вышел из процессии и потянул Нобби за собой. Гроб как раз несли мимо оранжереи в сад скульптур на северо-западной стороне дома. Фрэнк подумал, что место для могилы выбрано удачно: Ги будет покоиться в окружении работ художников, которым он покровительствовал при жизни.

Не снимая руки с плеча Нобби, Фрэнк повел его вокруг оранжереи, подальше от глаз тех, кто направлялся на похороны.

— Еще рано об этом говорить,— сказал он своему бывшему ученику.— Если в его завещании никаких отчислений не окажется, тогда...

— И-имени архитектора в завещании не будет,— сказал Нобби.— В этом можешь быть уверен.

Он вытер лицо носовым платком и, казалось, почерпнул из него новые силы для контроля над речью.

— Будь у Ги достаточно времени, чтобы обдумать все как следует, он вернулся бы к гернсийскому плану, поверь мне, Фрэнк. Ты же знаешь, как предан он был нашему острову. Он просто не мог выбрать архитектора со стороны, это даже смешно. Со временем он сам это понял бы. Поэтому нам надо просто сесть и придумать внятную причину, почему мы должны поменять архитектора, а ведь это несложно, правда? Мне хватит десяти минут, чтобы посмотреть чертежи этого парня и сказать, чего он не учел. И окна еще не самый главный из всех его недочетов. Этот американец просто не понял сути, Фрэнк.

— Но Ги уже сделал выбор,— заметил Фрэнк.— Изменив его волю, мы нанесем оскорбление его памяти, Нобби. Подожди, ничего не говори. Послушай меня. Я знаю, что ты разочарован. Я знаю, что выбор Ги тебе не нравится. Но он его сделал, он имел на это право, и мы обязаны с ним смириться.

— Ги умер,— сказал Нобби, вколачивая каждый слог кулаком в ладонь.— Поэтому, независимо от того, что он решил, мы можем построить такой музей, какой считаем нужным. Такой, как нам подсказывает здравый смысл и чувство удобства. Это ведь твой проект, Фрэнк. И всегда был твоим. Все экспонаты у тебя. А Ги просто хотел построить для них дом.

Он был очень убедителен, несмотря на странный вид и манеру говорить. При других обстоятельствах Фрэнк, весьма возможно, разделил бы его точку зрения. Но обстоятельства сложились именно так, и надо было твердо стоять на своем. Иначе он сильно пожалеет.

И он сказал:

— Я не могу помочь тебе, Нобби. Мне очень жаль.

— Но ведь ты можешь поговорить с Рут. Тебя она послушает.

— Может быть, и так, но я просто не представляю, что я ей скажу.

— Я тебя подготовлю. Придумаю тебе слова.

— Раз ты знаешь, что сказать, то и поговори с ней сам.

— Но меня она не послушает. По крайней мере, не так, как тебя.

Фрэнк протянул к нему руки ладонями кверху и сказал:

— Мне жаль, Нобби. Мне очень жаль. Что я еще могу сказать?

Расставшись с последней надеждой, Нобби стал похож на спущенный воздушный шар.

— Например, что ты попытаешься все изменить, настолько тебе жаль. Но наверное, я слишком много жду от тебя, Фрэнк.

«Скорее мало»,— подумал Фрэнк.

Останься все по-прежнему, они не стояли бы сейчас здесь.

Сент-Джеймс видел, как от процессии, двигавшейся к могиле, отделились двое мужчин. Он заметил, какой напряженный был у них разговор, и решил обязательно выяснить, кто они такие. Но позже.

Дебора шагала рядом с ним. Ее молчание показывало, что она все еще дуется из-за разговора за завтраком — бессмысленного спора, лишь один участник которого понимал, о чем идет речь. И это, к сожалению, был не он. Его замечание насчет того, что она мудро поступила, взяв на завтрак только грибы с томатами-гриль, побудило ее пересмотреть всю их совместную жизнь в целом. По крайней мере, к такому выводу он пришел, выслушав, как жена обвиняет его в том, что «ты вертишь мной, как захочешь, Саймон, словно я и шага сама сделать не могу. Я от этого устала. Я взрослая, и обращайся со мной, пожалуйста, как со взрослой».

Он, моргая, смотрел то на нее, то на меню и диву давался, как это разговор о протеине довел их до обвинений в бессердечном диктате.

— О чем ты говоришь, Дебора? — глупо спросил он.

И то, что он не понял ее логики, как раз и привело к катастрофе.

Хотя катастрофа существовала только в его воображении. С ее точки зрения, это был момент, когда давно подозреваемые, но доселе неосязаемые истины об их браке вдруг явились ее взору. Он надеялся, что по дороге на похороны или во время погребения она поделится с ним своими прозрениями. Но ничего подобного не случилось, и ему оставалось только надеяться, что по прошествии нескольких часов все между ними утрясется само собой.

— Это, наверное, сын,— шепнула она ему.

Они стояли за спинами плакальщиков, на склоне небольшой земляной насыпи у стены. Стена окружала сад, отделяя его от остального поместья. Здесь между аккуратно подстриженными клумбами и кустами прихотливо вились тропинки, огибая деревья, расположенные так, чтобы летом тени от их крон падали где на бетонную скамью, а где на мелкий пруд. Тут и там были видны современные скульптуры: гранитная фигура свернулась в позе эмбриона; позеленевший медный эльф замер под листьями пальмы; три бронзовые девы волочили шлейфы из водорослей; мраморная морская нимфа выходила из пруда. В их окружении, на пять ступеней выше уровня сада, раскинулась терраса. Вдоль ее дальнего края была устроена увитая виноградом пергола*, скрывавшая в своей тени одну-единственную скамью. Здесь, на террасе, и приготовили могилу, возможно, с прицелом на то, что будущие поколения, созерцая красоты сада, отдадут должное и месту последнего упокоения его создателя.

Сент-Джеймс увидел, что гроб опустили и прощальные молитвы произнесли. Светловолосая женщина в неуместных здесь солнечных очках — как будто похороны проходили где-нибудь в Голливуде — побуждала стоявшего рядом с ней мужчину выйти вперед. Сначала она что-то ему шептала, а когда это не помогло, буквально вытолкнула его к могиле. Рядом была куча земли, из нее торчала лопата, траурная лента обвивала черенок. Сент-Джеймс согласился с Деборой: наверняка это был сын покойного, Адриан Бруар, единственный, не считая тетки и двоих Риверов, кто ночевал в доме накануне убийства.

Бруар едва заметно оскалился. Отмахнувшись от матери, он подошел к куче земли. В абсолютной тишине, которая наступила вокруг могилы, он зачерпнул лопатой земли и бросил ее на гроб. Глухой стук, с которым она ударилась о крышку, походил на стук захлопнувшейся двери.

Следом за Адрианом Бруаром землю на гроб бросила пожилая женщина в очках, маленькая, словно птичка, и такая сухонькая, что со спины ее можно было принять за мальчика. Она торжественно передала лопату матери Адриана, которая тоже добавила в могилу земли. И уже хотела вернуть лопату на холмик рядом с могилой, как вдруг к ней подошла еще одна женщина и буквально вырвала инструмент у нее из рук.

Наблюдатели зашептались, и Сент-Джеймс внимательно пригляделся к ней. Правда, лица он не видел, так как его прикрывала шляпа размером с небольшой зонтик, зато поразительную фигуру в обтягивающем угольно-черном костюме разглядел хорошо. Проделав положенную церемонию

---

* Крытая аллея из вьющихся растений, украшенная колоннами или решетками.

с лопатой, она передала ее угловатой девочке-подростку, сутулящейся и слишком тонконогой для своих платформ. Девочка склонилась над могилой, потом попыталась передать лопатку стоявшему рядом мальчику примерно одного с ней возраста, чей рост, цвет волос и черты лица выдавали в нем ее брата. Но он, вместо того чтобы сыграть свою роль в ритуале, повернулся и пошел прочь, растолкав тех, кто стоял за ними. Все снова зашептались.

— Что это с ним такое? — спросила Дебора тихо.

— Не знаю, но разузнать стоит,— ответил Сент-Джеймс.

Поведение подростка открывало перед ними определенную перспективу.

— Тебе не трудно будет его расспросить, Дебора? Или ты предпочитаешь вернуться к Чайне?

Он еще не встречался с этой подругой Деборы и не очень-то стремился, хотя причина такого нежелания оставалась непонятной ему самому. Но, зная о неизбежности встречи, он убеждал себя в том, что не хочет идти к ней с пустыми руками, когда настанет время представиться. Однако ограничивать Дебору в контактах с подругой он не собирался. Сегодня его жена еще не воспользовалась предоставленной ей свободой, и американка со своим братом, несомненно, уже гадали, чего удалось добиться этим лондонским друзьям.

Чероки звонил им рано утром, так ему не терпелось узнать, что выведал у полиции Сент-Джеймс. Пока он излагал ему то немногое, что удалось узнать, американец на том конце провода сохранял нарочито бодрый тон, из чего становилось понятно — сестра рядом. В конце разговора Чероки прозрачно намекнул, что собирается на похороны. Он был непоколебим в своем желании участвовать в «действии», как он выражался, и лишь после тактичного указания Сент-Джеймса на то, что его появление на церемонии может вызвать нежелательный ажиотаж, который поможет настоящему убийце отвлечь от себя внимание, неохотно пообещал держаться от похорон подальше. Но он будет ждать сообщений о том, что им удастся разведать, предупредил он. И Чайна тоже.

— Можешь пойти к ней, если хочешь,— сказал Сент-Джеймс жене.— А я здесь еще поразнюхаю. Кто-нибудь довезет меня потом до города. Проблем быть не должно.

— Я приехала на Гернси не затем, чтобы сидеть рядом с Чайной и держать ее за руку,— ответила Дебора.

— Я знаю. Вот почему...

Она перебила его, не дав закончить.

— Я узнаю, что он может рассказать, Саймон.

Сент-Джеймс смотрел ей вслед, когда она уходила за мальчиком. Он подивился, почему разговоры с женщинами, с его женой в особенности, так часто превращаются в поиски какого-то скрытого смысла там, где речь идет совершенно о другом. И еще он подумал, не помешает ли его неумение налаживать контакт с женщинами распутать это дело здесь, на Гернси, так как похоже было, что обстоятельства смерти Ги Бруара связаны с женщиной, и не с одной.

Когда Маргарет Чемберлен увидела калеку, который в конце поминок подошел к Рут, она поняла, что к собранию, присутствовавшему на службе и на похоронах, он не имел никакого отношения. Прежде всего, в отличие от остальных, у могилы он не подошел к Рут и не сказал ей ни слова. Кроме того, во время поминок он все расхаживал из одной комнаты в другую с таким видом, как будто что-то обдумывал. Сначала Маргарет, несмотря на его хромоту и протез, заподозрила в нем взломщика, но позже, когда он все же представился Рут и даже вручил ей визитку, она поняла, что ошиблась. Он был не взломщик, а скорее совсем наоборот, и это «наоборот» имело непосредственное отношение к смерти Ги. А если не к смерти, то хотя бы к завещанию, с которым они наконец познакомятся, как только последний из плакальщиков уйдет.

Рут не хотела встречаться с поверенным Ги раньше. Словно знала, что их ждут плохие новости, и хотела уберечь от них всех.

«Всех или кого-то одного»,— подумала Маргарет проницательно.

Вопрос только — кого.

Если речь об Адриане, если именно его разочарование Рут надеется отсрочить, то дорого за это заплатит. Она лично затаскает золовку по судам, а понадобится, то и перекопает все грязное белье, если только Ги вздумал обездолить единственного сына. О, конечно, у Рут не будет недостатка в оправданиях, почему отец Адриана так поступил с ним. Но пусть только попробуют обвинить Маргарет в том, что она разрушила отношения отца и сына, пусть только попытаются представить дело так, будто это она виновна в потере, выпавшей на долю Адриана... Чертям в аду станет жарко, когда она в суде представит истинные причины, по которым держала сына подальше от отца. И у каждой причины найдется имя и титул, правда, не такой, который искупает в глазах публики любые проступки: стюардесса Даниэль, циркачка Стефани, собачий парикмахер Мэри-Энн, горничная из отеля Люси.

Они были причиной тому, что Маргарет не позволяла отцу видеться с сыном.

«Какой пример показал бы он мальчику? — спросила бы она у всякого, кто потребовал бы у нее ответа.— Разве мать не обязана заботиться о том, чтобы у впечатлительного мальчика восьми, десяти, пятнадцати лет был достойный объект для подражания? А если его родной отец вел такой образ жизни, который исключал длительные визиты сына, то разве в этом виноват сын? И разве справедливо, что теперь он должен быть лишен причитающегося ему по праву кровного родства из-за любовниц, которых его отец не переставал собирать до самой смерти?»

Нет. Она имела полное право ограничивать их общение, обрекая их лишь на краткие визиты или прерывая их раньше времени. В конце концов, Адриан был чувствительным ребенком. И она, как мать, обязана была защитить его, противопоставив свою любовь отцовскому разврату.

Она наблюдала, как ее сын маячил на краю каменного холла, с двух сторон подогреваемого жарким пламенем каминов, между которыми проходила основная часть поминок. Он пытался протиснуться ближе к двери, собираясь то ли улизнуть совсем, то ли пробраться в столовую, где ломился от закусок огромный стол из красного дерева. Маргарет нахмурилась. Так не годится. Он должен общаться с людьми. Не красться вдоль стенки, как таракан, а вести себя, как подобает наследнику богатейшего человека в истории Нормандских островов. Как, спрашивается, он собирается переменить свою жизнь, ограниченную тесным мирком материнского дома в Сент-Олбансе, если все время будет шнырять по углам?

Маргарет проложила себе путь между еще не разошедшимися гостями и поймала сына, как раз когда он собирался нырнуть в проход, ведущий в столовую. Продев руку ему под локоть, она, не обращая внимания на его попытки освободиться, с улыбкой сказала:

— Вот ты где, милый. Я так и думала, что обязательно найду того, кто покажет мне людей, с которыми я не знакома. Хотя всех я все равно не запомню. Но есть ведь и важные персоны, которых полезно знать на будущее.

— Какое будущее?

Адриан попытался отцепить ее пальцы, но она поймала его руку и стиснула, продолжая улыбаться, точно он не хотел от нее убежать.

— Твое, разумеется. Мы должны позаботиться о том, чтобы оно было обеспеченным.

— Должны, мама? И как ты предлагаешь этого добиться?

— Словечко здесь, словечко там,— ответила она беззаботно.— Ты даже представить не можешь, какого влияния можно достичь через знакомство с нужными людьми. Вон тот сердитый джентльмен, к примеру. Кто он?

Вместо ответа Адриан двинулся от матери прочь. Однако, воспользовавшись преимуществом роста — и веса тоже,— она удержала его на месте.

— Дорогой,— сказала она весело.— Вон тот джентльмен с заплатками на локтях, похожий на раскормленного Хитклифа*,— кто он?

---

* Хитклиф — герой романа Эмили Бронте «Грозовой перевал».

Адриан окинул мужчину беглым взглядом.

— Один из отцовских художников. Они тут кишмя кишат. Сбежались, чтобы подлизаться к Рут, на случай если большая часть добра досталась ей.

— Почему же они к тебе не подлизываются? Вот странно,— сказала Маргарет.

Он наградил ее взглядом, задумываться о значении которого ей не хотелось.

— Поверь мне. Таких дураков нет.

— В каком смысле?

— В том смысле, что все прекрасно знают, кому папа оставил свои деньги. Знают, что он бы не...

— Дорогой мой, это не имеет совершенно никакого значения. Кому бы он хотел их оставить и у кого они окажутся в конце концов — это две абсолютно разные вещи. И поэтому мудро поступает тот, кто понимает это и действует соответственно.

— Мудро поступает и та, да, мама?

Тон у него был озлобленный. Маргарет не могла понять, чем она это заслужила.

— Ну, если мы говорим о последнем увлечении твоего отца этой миссис Эббот, то, по-моему, я могу с уверенностью...

— Ты, черт возьми, прекрасно знаешь, что мы говорим не о ней.

— ...сказать, что склонность твоего отца к женщинам помоложе...

— Да, мама, в этом-то все и дело. Да ты хоть раз сама себя послушай!

Маргарет в смущении остановилась. Задумалась о последних словах, которыми они обменялись.

— А что я говорила? О чем?

— О папе. О его женщинах. О его молодых женщинах. Просто подумай, ладно? Уверен, ты обо всем догадаешься.

— Дорогой, о чем я догадаюсь? Я, честное слово, не знаю...

— «Возьми ее с собой к отцу, дорогой, чтобы она своими глазами все увидела,— процитировал Адриан отрывисто.— От такого ни одна женщина не откажется». А все потому, что она начала задумываться, и ты сразу это заметила, да?

Видит бог, ты этого, может быть, даже ожидала. Ты подумала, что если она увидит, какие деньжищи маячат на горизонте, при условии что она разыграет свои карты правильно, то она решит остаться со мной. Как будто я в ней нуждался. Как будто я сейчас в ней нуждаюсь.

Маргарет вдруг стало холодно.

— Ты хочешь сказать...— начала она, прекрасно зная, что именно он имеет в виду.

Она оглянулась. Ее улыбка застыла, словно посмертная маска. Она вывела сына за собой в холл. Протащила через весь коридор, мимо столовой, втолкнула в комнату дворецкого и заперла дверь. Ей не нравилось то направление, какое принимал их разговор. Ей не хотелось даже думать о том направлении, какое принимал их разговор. Еще меньше ей нравилось значение, какое приобретал этот разговор в свете недавних происшествий. Но остановить вал событий, который сама же она и привела в движение, было ей не под силу, поэтому она заговорила:

— Что ты хочешь мне сказать, Адриан?

Она стояла спиной к двери, чтобы не дать ему сбежать. Правда, в комнате была вторая дверь, но она вела в столовую, и Маргарет была почему-то уверена, что туда он не пойдет. Доносившийся из-за двери шум голосов говорил им обоим, что столовая занята. Кроме того, у него начался тик, глаза съехались к переносице, а это предвещало наступление такого состояния, в котором он не захочет показываться посторонним. Он не сразу ответил, и Маргарет повторила вопрос, только более нежным голосом, потому что, несмотря на раздражение, видела, как он страдает:

— Что произошло, Адриан?

— Ты знаешь,— ответил он тускло.— Зная его, ты обо всем догадаешься.

Маргарет стиснула его голову в своих ладонях. Она сказала:

— Нет. Я не верю...— И еще крепче сжала руки.— Ты его сын. Это должно было его остановить. Именно поэтому. Ты его сын.

— Как будто это имело для него значение,— сказал Адриан и вывернулся из ее тисков.— Ты тоже была его женой. И это его никогда не останавливало.

— Но Ги и Кармел? Кармел Фицджеральд? Кармел, которая двух слов не могла связать и вряд ли отличила бы остроумие от...

Тут Маргарет осеклась. И отвела глаза.

— Вот именно. В самый раз для меня,— сказал Адриан.— К умным людям она не привыкла, так что охмурить ее было легче легкого.

— Я не это имела в виду. Я о другом думала. Она милая девочка. Вы вместе...

— Какая разница, о чем ты думала. Это правда. И он это видел. Она была легкой добычей. Он это видел и не мог не сделать первый шаг. Он ведь никогда не оставлял ни одного невспаханного клочка земли, особенно прямо у себя под носом, только руку протяни, ведь так, мама...

Тут голос у него сорвался.

Звон тарелок и лязг ножей в столовой означал, что поставщики провизии начали убирать со стола и поминки заканчивались. Маргарет поглядела на дверь за спиной сына; она знала, что через считаные минуты сюда кто-нибудь войдет. А ей непереносима была мысль о том, что ее сына увидят вот таким: лицо лоснится от пота, обкусанные губы дрожат. В одно мгновение он превратился в ребенка, а она — в мать, какой была все его детство: раздираемой между желанием приказать ему взять себя в руки, пока кто-нибудь не увидел, как он распускает нюни, и прижать его к материнской груди, клянясь отомстить его обидчикам.

Однако именно мысль об отмщении заставила ее вернуться к настоящему и увидеть в Адриане мужчину, а не маленького мальчика. И тогда холодок, коснувшийся ее шеи, превратился в лед у нее в крови, пока она обдумывала месть, которую свершит тут, на Гернси.

Ручка двери за спиной Адриана громыхнула, дверь распахнулась и толкнула его. Седовласая женщина просунула внутрь голову, увидела окаменевшее лицо Маргарет, ойкнула, извинилась и спряталась. Ее вторжение послужило для них сигналом. Маргарет поспешила вытолкнуть сына из комнаты.

Она повела его наверх, в свою спальню, радуясь, что Рут отвела ей комнату в западном крыле дома, подальше от себя и от Ги. Там они с сыном смогут побыть наедине, а именно это им сейчас и было нужно.

Посадив Адриана на табурет перед туалетным столиком, она вытащила из чемодана бутылку виски. О том, что Рут скупа на выпивку, знали все, и Маргарет поблагодарила за это Бога, ведь иначе ей не пришло бы в голову взять запас. Плеснув в стакан неразбавленного виски на два пальца, она выпила залпом, налила еще и передала стакан сыну.

— Я не буду...

— Будешь. Это успокаивает нервы.

Она подождала, пока он выполнит ее приказ, а он, осушив стакан, оставил его у себя в ладонях, словно не знал, что с ним делать. Тогда она спросила:

— А ты уверен, Адриан? Ему нравилось флиртовать. Ты же знаешь. Может, между ними ничего такого и не было. Ты видел их вместе? Видел...

Ей не хотелось расспрашивать о пикантных подробностях, но нужны были факты.

— Мне и не надо было их видеть. Она изменилась по отношению ко мне после этого. Я догадался.

— Ты говорил с ним? Обвинял его?

— Разумеется. За кого ты меня принимаешь?

— И что он сказал?

— Он все отрицал. Но я заставил его...

— Заставил?

У нее перехватило дыхание.

— Я солгал. Сказал ему, что она призналась. Тогда и он тоже сознался.

— А потом?

— Ничего. Мы вернулись в Англию, Кармел и я. Остальное ты знаешь.

— Боже мой, так зачем ты сюда вернулся? — спросила она у него.— Он поимел твою невесту прямо у тебя под носом. Почему ты...

— Потому что меня заставили это сделать, если ты помнишь,— ответил Адриан.— Что ты мне говорила? Что он будет рад меня видеть?

— Но если бы я знала, я бы никогда даже не предложила, и уж тем более не настаивала бы... Адриан, ради бога. Почему же ты не сказал мне, что случилось?

— Потому что хотел этим воспользоваться,— ответил он.— Если разумные доводы не помогут уговорить его дать мне взаймы, то, может быть, чувство вины поможет. Только я забыл, что отец был неуязвим для вины. Он был неуязвим для всего.

Тут он улыбнулся. И в этот самый миг кровь застыла у Маргарет в жилах. Ее сын добавил:

— Почти для всего, как выяснилось.

9

Дебора Сент-Джеймс шла за подростком, сохраняя расстояние. Ей не очень-то удавались разговоры с незнакомцами, но она не собиралась выходить из игры, не разузнав, в чем тут дело. Она понимала: ее нежелание сдаваться только подтверждало, что Саймон не зря беспокоился и не хотел отпускать ее одну на Гернси заниматься делами Чайны,— Чероки он, видимо, не принимал в расчет. Именно поэтому она была вдвойне настроена на то, чтобы не дать своей природной сдержанности помешать ей достигнуть цели.

Мальчик не знал, что за ним кто-то идет. Похоже, он шел куда глаза глядят. Выбравшись из толпы в саду скульптур, он зашагал через овальную лужайку, которая раскинулась у богато украшенной оранжереи по ту сторону дома. У края лужайки он вдруг подпрыгнул и отломил тонкую молодую ветку от каштана, росшего между двумя высокими рододендронами, подле группы из трех надворных построек. Не доходя до них, он резко повернул на восток, где вдалеке между ветвями деревьев Дебора разглядела каменную стену, за которой начинались луга и поля. Но вместо того чтобы направиться туда и наверняка оставить позади и похороны, и все с ними связанное, он потащился по усыпанной галькой аллее назад к дому. По пути он сбивал сорванной им веткой листья с кустарников, буйно разросшихся вдоль аллеи. За ними к востоку от дома были другие садики, содержавшиеся в безукоризненном порядке, но он туда не пошел, а потопал прямо сквозь деревья, росшие позади кустарников, и еще ускорил шаг, очевидно услышав, как кто-то подошел к одной из машин, припаркованных рядом.

Дебора тут же потеряла его из виду. Под деревьями было темно, а он был с ног до головы в темно-коричневом, так что разглядеть его было трудно. Но она все равно спешила вперед в том направлении, которое он выбрал, и догнала его на тропе, спускавшейся к лугу. Посередине луга, за рощицей молодых кленов и декоративной деревянной изгородью, которая блестела от масла, призванного сохранить ее первоначальный цвет, палитру черных и красных оттенков, виднелась черепичная крыша строения, похожего на японский чайный домик. Она поняла, что видит еще один сад на территории поместья.

Мальчик пересек изящный деревянный мостик, изогнувшийся над впадинкой в земле. Отбросив свою ветку, он прошел по камням-ступенькам и шагнул к фестончатым воротам. Толкнув створку, скрылся внутри. Ворота бесшумно закрылись.

Дебора торопливо последовала за ним, пробежала по мостику, перекинутому над канавкой, в которой серые камни были размещены с глубочайшим вниманием к растительности вокруг них. Подойдя к воротам, она увидела то, что было скрыто от нее раньше,— бронзовую дощечку, вделанную в дерево.

«À la mémoire de Miriam et Benjamin Brouard, assassinés par les Nazis à Auschwitz. Nous n'oublierons jamais»*.

Пробежав эти слова глазами, Дебора поняла, что стоит у входа в сад памяти.

---

* «В память о Мириам и Бенжамене Бруар, погибших в концентрационном лагере Освенцим. Мы никогда не забудем» *(фр.)*.

Она толкнула створку ворот и шагнула в мир, не похожий на то, что она видела повсюду в Ле-Репозуаре. Буйная зелень и пышно растущие деревья здесь были укрощены. Строгий порядок царил повсюду, значительная часть листвы срезана, кустарникам приданы геометрические формы. Они радовали глаз и словно перетекали друг в друга таким образом, что взгляд невольно следовал за ними вдоль всего периметра сада, пока не упирался еще в один мост, который гляделся в длинный извилистый пруд, поросший кувшинками. На его противоположном берегу стоял тот домик, который Дебора видела из-за изгороди. У него были пергаментные двери, на манер японских частных домов, и одна из этих дверей была отодвинута в сторону.

По тропинке Дебора обошла сад по периметру и ступила на мост. В воде она увидела больших ярких карпов, а впереди — открытый чайный дом. Сквозь дверь хорошо был виден устланный традиционными циновками пол в небольшой комнате, меблированной низким столом из черного дерева с шестью подушками вокруг.

Просторная терраса окружала домик, приподнятая на высоту двух ступеней над аккуратной гравиевой дорожкой, которая огибала сад. Дебора, нисколько не прячась, поднялась по ним. Пусть лучше мальчик думает, что ее пригласили на похороны и ей захотелось пройтись, решила она, чем считает, что она преследовала его с целью навязать разговор, к которому он, может быть, не был расположен.

Он стоял на коленях перед шкафчиком из тикового дерева, встроенным в дальнюю стену чайного домика. Шкафчик был открыт, и мальчик вытягивал из него какой-то тяжелый пакет. Он извлек его наружу, открыл и пошарил внутри. Достал оттуда пластиковый мешочек. Потом повернулся и увидел Дебору, которая наблюдала за ним. Он даже не вздрогнул при виде незнакомки. Наоборот, смотрел открыто и без малейшей боязни. Затем встал и прошел мимо нее на крыльцо, а оттуда к пруду.

Когда он проходил мимо, она заметила в его пластиковом пакете какие-то маленькие круглые штучки. Он подошел к пруду, сел на гладкий серый камень и начал бросать эти штучки рыбам. В воде тут же началось радужное мельтешение.

Дебора спросила:

— Не против, если я посмотрю?

Мальчик покачал головой. Лет ему, как она заметила, было около семнадцати, лицо усыпано прыщами, ставшими еще краснее, когда она подошла к нему. С минуту она смотрела на рыб, которые, повинуясь инстинкту, открывали и закрывали рты, хватая с поверхности воды все, что двигалось. Счастливые, подумала она, живут себе тут в тиши и безопасности и не знают, что в воде может плавать не только еда, но и наживка.

Она сказала:

— Не очень-то я люблю похороны. Наверное, потому, что с детства на них нагляделась. Моя мама умерла, когда мне было семь лет, с тех пор стоит мне попасть на похороны, как тут же все вспоминается.

Мальчик ничего не ответил, но процесс кормления рыб едва заметно замедлился. Дебора, ободренная этим, продолжила:

— Но вот что странно: когда все случилось, я почти ничего не чувствовала. Кто-то скажет, что я просто ничего не понимала тогда, но нет, я все поняла. Я хорошо знала, что происходит, когда кто-то умирает. Это значит, что человека не стало и я никогда больше его не увижу. Он ушел к Богу или к ангелам, в общем, в такое место, куда я еще долго-долго не попаду. Так что я все знала. Только не осознавала, что это значит. Осознание пришло намного позже, когда некому стало давать мне то, что дают дочерям матери.

Он по-прежнему молчал. Но рыб кормить перестал и смотрел на воду, пока те собирали остатки. Они напомнили Деборе людей, которые спокойно стоят в очереди в ожидании автобуса, но стоит ему появиться, как очередь тут же ощетинивается локтями, коленями и зонтами, и все это пихается и рвется вперед.

— Ее нет уже больше двадцати лет, а я все продолжаю думать, как бы мы с ней жили, если бы она не умерла. Мой папа так больше и не женился, поэтому другой семьи у него нет, но иногда мне кажется, что было бы здорово стать частью чего-то большего, чем просто он и я. А еще я думаю о том, как все сложилось бы, если бы у моих мамы и папы были еще дети. Ей было всего тридцать два, когда она умерла; конечно, мне, семилетней, она казалась старухой, но теперь я понимаю, что у нее впереди были еще многие годы активной жизни и она могла бы родить других детей. Жаль, что этого не случилось.

Тут мальчик посмотрел на нее. Она отбросила с лица волосы.

— Извини. Я заболталась? Со мной такое бывает.

— Хотите попробовать?

Он протянул ей пластиковый контейнер.

— Здорово. Да. Спасибо.

И запустила руку внутрь. Подвинулась ближе к краю валуна и посыпала корм в воду. Рыбы тут же подплыли к ней, расталкивая друг друга от жадности.

— Такое впечатление, будто вода кипит. Их тут, наверное, сотни.

— Сто двадцать три.

Мальчик говорил тихо, Деборе пришлось напрячь слух, чтобы его услышать, а его взгляд снова был обращен к воде.

— Он все время подпускает новых рыб, потому что за ними охотятся птицы. Здоровые такие. Иногда прилетают чайки, но им не хватает скорости и сил. А рыбы умные. Они прячутся. Вот почему камни положены так, чтобы их края нависали над водой: рыбы прячутся под ними от птиц.

— Надо же, как много всего надо учесть,— сказала Дебора.— А вообще отличное место здесь, правда? Я гуляла по парку, хотела уйти подальше от похорон, как вдруг увидела крышу чайного домика и изгородь и подумала, что здесь, наверное, спокойно. Тихо, понимаешь? И я пришла.

— Не врите.

Он поставил контейнер с кормом между ними, словно провел невидимую черту.

— Я вас видел.

— Видел?

— Вы шли за мной. Я видел вас у конюшен.

— А-а.

Мысленно Дебора побранила себя за неосторожность, выдавшую ее с головой, а еще больше за беспечность, которая подтверждала правоту ее мужа. Ну и что, пусть себе твердит, что она якобы не в своей тарелке,— это не так, и она ему это докажет.

— Я видела, что произошло у могилы,— созналась она.— Когда тебе передали лопату. Мне показалось... Я ведь тоже потеряла близкого человека, правда, очень давно, вот я и подумала, что, может быть, тебе нужно... Очень самонадеянно с моей стороны, я знаю. Но терять близких всегда больно. А когда с кем-нибудь поговоришь, становится легче.

Он схватил контейнер и одним махом высыпал половину его содержимого в воду, которая буквально вскипела у них перед глазами.

— Я ни о ком не хочу говорить. И особенно о нем.

Дебора тут же насторожилась.

— Разве мистер Бруар был... Он, конечно, слишком стар, чтобы годиться тебе в отцы, но, раз ты был среди членов семьи... Может, он приходился тебе дедушкой?

И она стала ждать продолжения. Она верила, что оно обязательно последует, стоит лишь проявить немного терпения: парня буквально разъедало что-то изнутри. Чтобы помочь ему разговориться, она добавила:

— Да, кстати, меня зовут Дебора Сент-Джеймс. Я приехала из Лондона.

— На похороны?

— Да. Я и правда говорила, что не люблю похорон. Ну а кто их любит?

Он фыркнул.

— Моя мать. Она там как рыба в воде. Опыт большой.

Деборе хватило ума промолчать. Она ждала, когда мальчик сам пояснит свои слова, что он и сделал, хотя и косвенным образом.

Он сказал ей, что его зовут Стивен Эббот, и добавил:

— Мне тоже было семь. Он заблудился в белизне. Знаете, что это?

Дебора покачала головой.

— Это когда опускается облако. Или поднимается туман. Или еще что-нибудь. И так и так плохо. Потому что не видно ни склона, ни лыжни, ничего, и не знаешь, как выбраться. Кругом одна белизна: белое небо и белый снег. Так можно заблудиться. А иногда...— Тут он отвернул от нее лицо.— Иногда и умереть.

— Твой отец? — сказала она.— Мне очень жаль, Стивен. Как ужасно вот так потерять того, кого любишь.

— Она сказала, что он найдет дорогу вниз. Говорила, он же эксперт. Он знает, что надо делать. Лыжники-эксперты всегда находят дорогу. Но время шло, началась метель, настоящая вьюга, а он был слишком далеко от того места, где ему полагалось быть. Его нашли только через два дня: он сломал ногу, когда пытался выйти пешком. Спасатели сказали... спасатели сказали, что, доберись они до него на шесть часов раньше...— Он ударил кулаком прямо в остатки корма. Мелкие комочки так и брызнули из контейнера на камень.— Он мог бы жить. Но она этого не хотела.

— Почему?

— Потому что тогда она не смогла бы путаться со своими дружками.

— А-а.

Дебора сразу поняла связь. Ребенок теряет любимого отца, а потом видит, как мать начинает метаться от мужчины к мужчине, отчаянно пытаясь то ли забыть, то ли возместить невосполнимую потерю. Но Дебора понимала, что с его точки зрения это могло значить лишь одно: мать никогда не любила отца.

Она сказала:

— А мистер Бруар тоже был ее другом? Поэтому твоя мама была сегодня утром с его родными? Это ведь была твоя мама? Та женщина, которая хотела, чтобы ты взял лопату?

— Да,— ответил он.— Кто же еще.

Стивен стал смахивать рассыпанные кусочки корма в пруд. Один за другим они скрывались в воде, словно иллюзии разочарованного ребенка.

— Глупая корова,— бормотал он.— Глупая старая корова.

— Хотеть, чтобы ты принял участие в...

— Она считает себя такой умной,— перебил он.— Думает, что она неотразимая любовница... Стоит ей только приподнять юбку, и все мужчины у ее ног. До сих пор такого, правда, не случалось, но если долго пытаться, то в один прекрасный день, может, и получится.

Схватив контейнер, Стивен вскочил на ноги. Зашагал обратно к чайному домику и скрылся внутри. Дебора пошла за ним.

Стоя на пороге, она сказала:

— Иногда, когда женщина сильно по кому-то скучает, она так себя ведет. Со стороны она может показаться неумной. Даже бесчувственной. Или коварной. Но если заглянуть глубже и попытаться понять причину...

— Она начала сразу после его смерти, понятно?

Стивен засунул мешок с рыбьим кормом обратно в шкаф. И захлопнул дверцу.

— Первым был лыжный инструктор, но тогда я еще не понимал, что происходит. Я только потом разобрался, когда мы оказались в Палм-Бич, а до этого мы уже пожили в Милане и Париже, и с нами всегда был какой-нибудь мужчина, понимаете, всегда. Вот поэтому мы здесь, понятно? Потому что последнего, который был в Лондоне, она так и не окрутила, а ей пора. Кончатся деньги, что она тогда будет делать?

Тут бедняга заплакал, унизительные всхлипы рвались из его груди, сотрясая все тело. Сердце Деборы преисполнилось сочувствием, она вошла в домик и подошла к мальчику.

— Сядь, Стивен. Пожалуйста, сядь.

Он ответил:

— Я ее ненавижу, ненавижу. Сука вонючая. Она так глупа, что даже не понимает...— Слезы не дали ему продолжить.

Дебора заставила его опуститься на одну из подушек. Упав на колени, он склонил голову, всем телом содрогаясь от рыданий.

Дебора не трогала его, хотя ей очень хотелось. Семнадцать лет, крайняя степень отчаяния. Она знала, что это такое: солнце потухло, ночи не будет конца, безнадежность окутала, как саван.

— Ты думаешь, что ненавидишь ее, потому что твое чувство очень сильно,— сказала она.— Но это не ненависть. Это что-то совсем другое. Изнанка любви, наверное. Ненависть уничтожает. Но то... то, что ты сейчас чувствуешь... Оно никому не причинит вреда. Значит, это не ненависть. Правда.

— Но вы же ее видели! — прокричал он.— Видели, на что она похожа!

— Обыкновенная женщина, Стивен.

— Нет! Совсем нет. Вы же видели, что она сделала!

Тут Дебора насторожилась.

— А что она сделала?

— Она состарилась. И ничего не может с этим поделать. И не видит... А я не могу ей сказать. Как я ей скажу?

— Что сказать?

— Слишком поздно. Для всего. Он ее не любил. Он ее даже больше не хотел. Как она ни старалась, изменить ничего не могла. Ничего не помогало. Секс не помогал точно. Пластическая операция тоже. Ничего. Она его потеряла, но по глупости не могла этого понять. Но ведь она должна была заметить. Ну почему она не заметила? Зачем старалась выглядеть лучше, чем есть на самом деле? Чтобы он снова ее захотел?

Дебора слушала его очень внимательно. Вспомнила все, что он говорил раньше. Смысл его слов был ясен: Ги Бруар бросил его мать. Логически можно было предположить, что он сделал это ради другой женщины. Но в реальности могло оказаться, что он оставил ее не ради кого-то, а ради чего-то. Если он по какой-то причине перестал нуждаться в миссис Эббот, то необходимо выяснить, в чем он нуждался.

Пол Филдер прибыл в Ле-Репозуар потный, грязный и запыхавшийся, с рюкзаком, криво висящим на плечах. Он знал, что опоздал, но все равно изо всех сил жал на педали, от самого Буэ гоня свой велосипед по приморской дороге к городской церкви с такой скоростью, словно все всадники Апокалипсиса мчались за ним по пятам. А вдруг, думал он, похороны мистера Бруара задержали по какой-нибудь причине. Если бы это произошло, то он еще мог успеть хотя бы к концу.

Но, не увидев ни одного автомобиля ни на эспланаде, ни на автостоянке вдоль пирса, он понял, что проделка Билли удалась. Старший брат не дал Полу сходить на похороны единственного друга.

Пол знал, что это Билли испортил велосипед. Едва он вышел из дома и увидел, что заднее колесо прорезано ножом, а цепь снята и валяется в грязи, он сразу понял, что к этому приложил свои мерзкие руки его брат. Придушенно вскрикнув, он метнулся обратно в дом, где его брат сидел у стола на кухне и ел гренки, запивая их чаем. В пепельнице рядом с ним лежала непотушенная сигарета, другая, забытая, дымилась на сушилке у раковины. Годовалая сестренка просыпала из мешка муку на пол и играла с ней, но Билли делал вид, будто смотрит ток-шоу по телику, а на самом деле ждал, когда брат ворвется в дом и набросится на него с обвинениями, и предвкушал свару.

Пол понял это, как только вошел. Билли выдала ухмылка.

Было время, когда он побежал бы жаловаться родителям. Было и такое время, когда он бросился бы на брата с кулаками, невзирая на разницу в росте и весе. Но те времена давно прошли. Старый мясной рынок, комплекс горделивых, украшенных колоннадами зданий на рыночной площади Сент-Питер-Порта, закрылся навсегда, лишив его семью постоянного источника доходов. Теперь его мать работала кассиршей у Бута на Хай-стрит, а отец — в бригаде дорожных рабочих, где дни тянулись долго, а труд был убийственным. Так что их все равно не было дома, а если бы и были, Пол не стал бы обременять их своими проблемами. А в одиночку ему с Билли не справиться, это даже он понимает, хоть и не семи пядей во лбу. Билли только того и надо, чтобы на него с кулаками полезли. Он уже не первый месяц этого добивается, прямо из кожи вон лезет. Просто у него кулаки чешутся, а о кого их почесать, значения не имеет.

Но Пол едва взглянул на него, проходя мимо. Он подошел к шкафчику под раковиной, открыл его и вытащил оттуда видавший виды отцовский ящик с инструментами.

Билли пошел за ним на улицу, не обратив внимания на сестренку, которая осталась сидеть на полу в кухне, играя просыпанной мукой. Еще двое отпрысков семьи Филдер бесились наверху. Вообще-то Билли положено было собирать их в школу. Но он не часто делал то, что ему было положено. Вместо этого он дни напролет просиживал на заросшем сорняками заднем дворе, где подкидывал пенсовые монетки, стараясь попасть ими в пивные банки, которые опустошал с утра до ночи.

— О-о-о,— с притворной озабоченностью протянул Билли, едва увидев катастрофу, постигшую велосипед Пола.— Поли, что это тут стряслось? Кто-то, кажись, твой велик испортил?

Не обращая на него внимания, Пол сел на землю. Начал он с замены колеса. Табу, стоявший на страже рядом с велосипедом, подозрительно принюхался, и в горле у него что-то заворчало. Пол прервался и подвел Табу к ближайшему фонарю. Привязав пса, Пол показал ему на землю, чтобы тот лег. Табу с нескрываемой неохотой повиновался. Пес ни на грош не доверял его брату и предпочитал быть поближе к хозяину, Пол знал это.

— Тебе куда-то надо, да? — спросил Билли.— А тут с великом такая беда. Плохо. Что творят люди!

Полу не хотелось плакать, потому что он знал: его слезы подскажут брату еще сотни возможностей поиздеваться над ним. Правда, Билли предпочел бы выбить из него пыль в обычной потасовке, а слезы — это так, мелочи, хотя все же лучше, чем ничего, но Пол не хотел доставлять ему даже такого удовольствия. Он давно усвоил, что у его брата нет сердца, а тем более совести. Билли жил только для того, чтобы отравлять существование другим. И это был его единственный вклад в жизнь семьи.

Поэтому Пол не обращал на него внимания, что совсем не понравилось Билли. Он прочно обосновался на выбранной им позиции, прислонившись к стене дома, и закурил новую сигарету.

«Чтоб твои легкие сгнили!» — подумал Пол.

Но вслух не сказал ничего. Просто продолжал латать старую потрепанную шину кусочками резины, которые наклеивал на рваный порез, стягивая его края.

— Дай-ка я угадаю, куда это мой маленький братец нынче с утра навострился,— задумчиво произнес Билли, сося свой бычок.— Может, в Бутс, навестить мамочку? Или отнести папочке обед в его дорожную бригаду? Хмм. Вряд ли. Слишком уж он вырядился. А кстати, откуда он взял эту рубашку? Уж не из моего ли шкафа? Ну, если так, держись. У меня просто так не поворуешь. Может, взглянуть поближе? Чтобы знать наверняка.

Пол и глазом не моргнул. Билли, как он знал, был молодец среди овец. Ему хватало храбрости напасть, только когда он был уверен, что жертва боится.

«Как наши родители»,— с горечью подумал Пол.

Боятся вышвырнуть Билли из дома, где он живет бесплатным квартирантом, а то как бы не натворил что-нибудь.

Когда-то Пол, как и все в их семье, только смотрел, как брат таскает и без того небогатые семейные пожитки на гаражные распродажи, чтобы купить себе пива и сигарет. Но это было до того, как в его жизни появился мистер Ги. Он всегда умел разглядеть, что творилось у Пола на сердце, и умел говорить обо всем спокойно, без нравоучений, не требуя и не ожидая взамен ничего, кроме дружбы.

«Думай только о том, что по-настоящему важно, мой принц. А остальное? Да пусть себе идет своим чередом, даже если это не то, о чем ты мечтаешь».

Вот почему теперь он спокойно чинил велосипед, не обращая внимания на брата, который дразнил его, провоцируя то ли кинуться на него с кулаками, то ли разреветься. Пол не слушал и думал о своем. Ему надо залатать колесо и вычистить цепь. Это непросто, но он справится.

Можно было поехать в город на автобусе, но он вспомнил об этом лишь тогда, когда починил велосипед и был уже на полпути к церкви. Корить себя за тупость было поздно. Ему так отчаянно хотелось попрощаться с мистером Ги, что единственная мысль, которая посетила его, когда мимо прогромыхал автобус номер пять, шедший по северному маршруту, была о том, как здорово было бы броситься ему наперерез на своем велике и сразу положить всему конец.

Тут он наконец заплакал, исключительно от усталости и отчаяния. Он плакал о настоящем, в котором препятствия вставали перед ним на каждом шагу, к чему бы он ни стремился, и о будущем, которое казалось ему пустым и холодным.

Несмотря на то что у церкви ни одной машины не было, он все-таки поддернул рюкзак повыше и вошел внутрь. Но сначала поднял на руки Табу. Он взял пса с собой, хотя и знал, что если их там застукают, то у него будут проблемы. Но ему было плевать. Мистер Ги и Табу были друзьями, да и вообще, не оставлять же пса одного на площади, где он будет сидеть, не понимая, что происходит. И они вошли в церковь, где в воздухе все еще витал запах свечей и цветов, а справа от кафедры стояла хоругвь с надписью «Requiescat in pace». И никаких больше признаков того, что в церкви Сент-Питер-Порта только сейчас закончилась заупокойная служба. Пол дошел по центральному проходу до середины, представляя себе, как будто он на похоронах, повернулся и вышел наружу. Сел на велик и поехал к Ле-Репозуару.

Утром он надел свою самую лучшую одежду, жалея, что убежал от Валери Даффи, когда та предлагала ему рубашку Кевина. На нем были брюки с пятнами от отбеливателя, и фланелевая рубаха, в которой когда-то работал в холодные дни на рынке его отец, на ногах — единственная пара стоптанных туфель. Вокруг шеи он затянул вязаный галстук, тоже отцовский. А сверху нацепил красную материну куртку. В общем, вид у него был самый что ни на есть жалкий, и он это знал, но делать было нечего.

Когда он добрался до поместья Бруаров, каждая деталь его туалета была либо покрыта грязью, либо пропитана потом. Поэтому он оставил велик за пышным кустом камелий сразу у входа и пошел к дому не по дорожке, а под деревьями, которые росли вдоль восточной стороны подъездной аллеи, а Табу семенил за ним.

Пол увидел, как впереди начали небольшими группами выходить из дома люди, и остановился поглядеть, в чем дело, как вдруг ему навстречу выехал катафалк, на котором привезли гроб с телом мистера Ги, проехал мимо и скрылся за воротами на дороге, ведущей в город. Проследив за ним взглядом, Пол понял, что опоздал и на погребение. Везде опоздал.

Он почувствовал, как все его тело напряглось, словно что-то пыталось вырваться из него с такой же силой, с какой он пытался это что-то в себе удержать. Сбросив с плеч рюкзак, он прижал его к груди, точно убеждая себя в том, что все, связывавшее его и мистера Ги, не было перечеркнуто в одно мгновение, но, напротив, приобрело дополнительный смысл и святость благодаря сообщению, которое оставил ему мистер Ги.

«Это, мой принц, особое место, место для нас двоих. Ты умеешь хранить секреты, Пол?»

«Еще как умею»,— клятвенно заверил его Пол тогда.

Куда лучше, чем слышать насмешки брата и притворяться, будто не слышишь. Лучше, чем переносить испепеляющую боль этой потери, делая вид, будто ничего не случилось. Лучше всего на свете.

Рут Бруар привела Сент-Джеймса наверх, в кабинет брата. Он, как оказалось, располагался в северо-западном углу дома и выходил окнами на овальную лужайку и оранжерею с одной стороны и стоящие полукругом постройки, по виду — старые конюшни, с другой. Позади того и другого простирались земли поместья: многочисленные сады, луга, поля и леса. Сент-Джеймс заметил, что скульптурная тематика, беря начало в огороженном саду, где похоронили убитого владельца, продолжалась и за его пределами. Тут и там из-за деревьев и необузданной зелени выглядывала какая-нибудь геометрическая фигура из мрамора, гранита, дерева или бронзы.

— Ваш брат покровительствовал художникам.

Сент-Джеймс повернулся спиной к окну, в которое смотрел, пока Рут Бруар бесшумно закрывала за ними дверь.

— Мой брат,— ответила она,— покровительствовал всем на свете.

«Вид у нее нездоровый»,— решил про себя Сент-Джеймс. Все ее движения были точно рассчитаны, голос звучал опустошенно. Она подошла к креслу и медленно в него опустилась. Глаза за стеклами очков прищурились, точно она хотела зажмуриться от боли и только твердое решение сохранить лицо неподвижным, как маска, удержало ее от этого.

В центре комнаты стоял ореховый стол, на нем — детальный макет здания в оправе пейзажа, состоявшего из фрагмента шоссе перед домом и сада за ним, включая миниатюрные деревья и кустарники, которые будут там расти. Макет был так тщательно сделан, что имел не только окна и двери, но и бордюр вдоль фасада, который впоследствии предполагалось, наверное, вырезать из камня, а пока он был приклеен к нему рукой опытного мастера. «Музей военной истории Грэма Узли», значилось на нем.

— Грэм Узли.— Сент-Джеймс сделал от макета шаг назад.

Здание было тяжелым и приземистым, словно бункер, и только входная арка живописно взмывала вверх, напоминая творения Ле Корбюзье.

— Да,— тихо сказала Рут.— Он гернсиец. Довольно старый. Ему за девяносто. В годы оккупации стал местным героем.

Больше она ничего не добавила, явно ожидая его реплики. Прочитав имя и род занятий Сент-Джеймса на его визитке, она немедленно согласилась с ним поговорить. Но очевидно, хотела сначала узнать, что ему нужно, и только потом предлагать какую-то информацию.

— Это проект местного архитектора? — спросил Сент-Джеймс.— Как я понял, он сделал для вашего брата макет.

— Да,— ответила ему Рут.— Этот макет сделал человек из Сент-Питер-Порта, но Ги в конце концов остановил свой выбор на другом.

— Интересно, почему? У этого вид вполне подходящий, разве нет?

— Понятия не имею. Брат мне не говорил.

— Архитектор, наверное, расстроился. Похоже, он очень старался.

Сент-Джеймс снова склонился над макетом.

Рут Бруар поерзала на сиденье, словно ища более удобное положение для спины, поправила очки и сложила свои маленькие ручки на коленях.

— Мистер Сент-Джеймс,— начала она,— чем я могу быть вам полезна? Вы сказали, что пришли поговорить о смерти Ги. Поскольку ваше занятие судебная медицина... У вас есть новости? Поэтому вы здесь? Мне сообщили, что его органы будут исследованы?

Она запнулась, словно ей трудно было говорить о брате по частям, а не в целом. Нагнув голову, она через минуту продолжила:

— Мне сказали, что органы и ткани моего брата будут подвергнуты исследованию. И другие части тела тоже. В Англии, как мне сказали. Поскольку вы из Лондона, то, может быть, вы привезли информацию? Хотя, если бы что-то нашли, что-то неожиданное, мистер Ле Галле сам сообщил бы мне об этом лично, не правда ли?

— Ему известно, что я здесь, но он меня не присылал,— ответил Сент-Джеймс.

Потом осторожно объяснил ей, что именно привело его на остров. И закончил:

— Адвокат мисс Ривер сообщил мне, что вы именно тот свидетель, на чьих показаниях строит свое дело инспектор Ле Галле. Я пришел спросить вас о том, что вы видели.

Она отвела глаза.

— Мисс Ривер,— сказала она.

— Она и ее брат гостили здесь несколько дней перед убийством, как я понял.

— И она попросила вас помочь ей избежать обвинения в том, что случилось с Ги?

— Я ее еще не видел,— ответил Сент-Джеймс.— И не говорил с ней.

— Тогда почему?

— Она и моя жена давние подруги.

— И ваша жена не верит, что ее давняя подруга могла убить моего брата?

— Весь вопрос в мотиве,— ответил Сент-Джеймс.— Насколько хорошо мисс Ривер успела узнать вашего брата? Может быть, они познакомились еще до ее визита сюда? Ее брат ничем этого не подтверждает, но он мог и не знать. А вы?

— Если она когда-нибудь бывала в Англии, то не исключено. Она могла встретить Ги. Но только там. Ги никогда не был в Америке. Это я знаю точно.

— Знаете?

— Он, конечно, мог поехать и не сказать мне, но я не понимаю зачем. Или когда. Если он туда и ездил, то давным-давно. С тех пор как мы здесь, на Гернси, он туда не выезжал. Он бы сказал мне. За те девять лет, что он ушел от дел, он почти никуда не уезжал и всегда сообщал мне, где его можно найти. Это было его достоинством. Точнее, это было одним из многих его достоинств.

— И ни у кого не могло быть ни малейшего повода его убить? Ни у кого, кроме Чайны Ривер, которая, похоже, убила его просто так?

— Мне это тоже непонятно.

Сент-Джеймс отошел от макета и сел в кресло напротив Рут Бруар, так что между ними оказался круглый столик. На нем стояла фотография, и он взял ее, чтобы рассмотреть поближе: большая еврейская семья собралась за обеденным столом, мужчины в ермолках сидят, женщины стоят за ними с раскрытыми книжечками в руках. С ними двое детей, маленькая девочка и мальчик. Девочка в очках, на мальчике полосатые подтяжки. Во главе группы патриарх, готовый разломить большую мацу. Позади него, на буфете, серебряный подсвечник с семью зажженными свечами, продолговатые тени от которых падают на картину на стене, а рядом с патриархом стоит женщина — судя по тому, как она продела свою руку ему под локоть и склонила голову на его плечо, это его жена.

— Это ваша семья? — спросил он у Рут Бруар.

— Мы жили в Париже,— ответила она.— До Освенцима.

— Я понимаю.

— Нет, вряд ли. Такое никто не может понять.

Сент-Джеймс согласился:

— Вы правы.

Его согласие отчасти удовлетворило Рут Бруар, как, может быть, и осторожность, с которой он вернул фотографию на место. Она посмотрела на макет в середине комнаты и без всякой злобы заговорила:

— Я могу рассказать вам лишь о том, что сама видела в то утро, мистер Сент-Джеймс. И о том, что я сама делала. Я подошла к окну в моей спальне и смотрела, как Ги выходил из дома. Когда он поравнялся с деревьями и вышел на аллею, она пошла за ним. Я ее видела.

— Вы уверены, что это была именно Чайна Ривер?

— Сначала я сомневалась,— ответила она.— Пойдемте. Я вам покажу.

И она повела его назад по темному коридору, стены которого были увешаны старыми гравюрами с изображениями дома. Не доходя до лестницы, отворила какую-то дверь и впустила Сент-Джеймса в комнату, судя по всему — свою спальню: в ней стояла простая, но хорошая старинная мебель и висел огромный вышитый гобелен. На нем были изображены несколько сюжетов, которые складывались в одну историю, как на гобеленах в докнижные времена. Это была история спасения: бегство в ночи от приближающейся чужеземной армии, дорога к морю, плавание по бурным волнам, прибытие на незнакомый берег. Только два персонажа переходили из одной сцены в другую: маленькая девочка и мальчик.

Рут Бруар шагнула в неглубокую оконную нишу и отодвинула прозрачные панели, закрывавшие стекло.

— Подойдите,— позвала она Сент-Джеймса.— Взгляните.

Сент-Джеймс подошел и увидел, что окно выходило на фасад. Под ним делала круг подъездная аллея, огибая участок земли, засаженный травой и кустарниками. За ними спускалась к удаленному коттеджу лужайка. Деревья плотно обступали его со всех сторон, и живой стеной стояли вдоль аллеи.

Брат вышел из дома через главный вход, по своему обыкновению, рассказала Рут Бруар Сент-Джеймсу. На ее глазах он пересек лужайку и пошел через рощу к коттеджу. Чайна Ривер вышла из-под тех деревьев и пошла за ним. Ее было хорошо видно. Она была в черном. На ней был плащ с поднятым капюшоном, но Рут сразу поняла, что это она.

— Как? — поинтересовался Сент-Джеймс.

Ему было ясно, что воспользоваться плащом Чайны мог кто угодно. По самой своей природе он подходил как мужчине, так и женщине. И разве поднятый капюшон не навел мисс Бруар на мысль о том, что...

— Я полагалась не только на свое зрение, мистер Сент-Джеймс,— ответила ему Рут Бруар.— Мне показалось странным, что она шла за ним по пятам так рано утром, без всякой видимой причины. Меня это встревожило. Я подумала, что могла ошибиться, и пошла в ее комнату проверить. Ее там не оказалось.

— Возможно, она была где-то в доме?

— Я смотрела. В ванной. В кухне. В кабинете у Ги. В гостиной. В галерее наверху. Ее не было нигде в доме, мистер Сент-Джеймс, потому что в тот момент она шла по пятам за моим братом.

— А вы были в очках, когда увидели ее внизу, среди деревьев?

— Вот поэтому я и обыскала дом,— сказала Рут.— Потому что когда я подошла к окну в первый раз, очков на мне не было. Мне показалось, что это она,— у меня хорошая память на рост и фигуру,— но я хотела убедиться.

— Почему? Вы в чем-то ее подозревали? Или кого-то другого?

Рут вернула прозрачные занавески на место. Ладонями разгладила тонкую ткань. При этом она говорила:

— Кого-то другого? Нет. Нет. Конечно нет.

То, что она словно обращалась к этим занавескам, заставило Сент-Джеймса задать следующий вопрос.

— Кто еще был тогда в доме, мисс Бруар?

— Ее брат. Я. И Адриан, сын Ги.

— А какие у него были отношения с отцом?

— Хорошие. Замечательные. Они редко встречались. Его мать давным-давно позаботилась об этом. Но они очень любили друг друга, хотя и мало виделись. Разумеется, у них были свои разногласия. А у кого их нет? Но в них не было ничего серьезного, в этих разногласиях. Ничего такого, что нельзя было бы преодолеть.

— Вы в этом уверены?

— Конечно уверена. Адриан... Он хороший мальчик, просто у него была тяжелая жизнь. Его родители ссорились, когда разводились, каждый тянул ребенка в свою сторону. Он-то любил обоих, но его заставили выбирать. После такого люди перестают друг друга понимать. Становятся как чужие. И это нечестно.

Почувствовав дрожь в своем голосе, она сделала глубокий вдох, словно пытаясь унять ее.

— Они любили друг друга так, как могут любить только отец и сын, не имеющие ни малейшего понятия о том, что за человек каждый из них.

— А до чего, по-вашему, может довести такая любовь?

— Не до убийства. Уверяю вас.

— Вы любите вашего племянника,— подытожил Сент-Джеймс.

— Кровные родственники значат для меня больше, чем для многих других людей,— ответила она,— по вполне понятным причинам.

Сент-Джеймс кивнул. Он понимал, что это правда. Понимал он и многое другое, о чем не было смысла говорить с ней сейчас.

Он сказал:

— Я хотел бы взглянуть, каким путем ваш брат шел в бухту в то утро, мисс Бруар.

Она ответила:

— Вы найдете тропу к востоку от коттеджа смотрителя. Я позвоню Даффи и предупрежу их о том, что разрешила вам туда прийти.

— Эта бухта — частная собственность?

— Нет, бухта никому не принадлежит. Но если вы появитесь там, Кевин станет интересоваться, что вас туда привело. Он очень заботится о нас. И его жена тоже.

«Плохо заботится»,— подумал Сент-Джеймс.

10

Сент-Джеймс повстречался с Деборой, когда та выходила из-под каштанов, стоявших вдоль дорожки. Очень коротко она рассказала ему о том, что случилось в японском саду, жестом показав, что это было к юго-востоку отсюда, в роще. Похоже, ее утреннее раздражение прошло, и Сент-Джеймс порадовался этому, еще раз вспомнив, что сказал ему будущий тесть, когда он решил — в качестве старомодной формальности, как он надеялся,— просить ее руки.

— Деб — рыжая, и это не случайно, парень,— сказал ему тогда Джозеф Коттер.— Она тебе задаст такого жару, какого ты никогда не видывал, но не успеешь и глазом моргнуть, как тут же отойдет.

Как он убедился, с парнем она поработала неплохо. Несмотря на свою сдержанность, она умела жалеть людей, и это давало ей преимущество над Сент-Джеймсом. Это качество помогало ей и в профессии: люди позировали куда охотнее, когда знали, что человек с камерой разделяет их ценности и взгляды на жизнь,— точно так же, как его невозмутимость и аналитический склад ума помогали ему в его профессии. Успех Деборы в разговоре со Стивеном Эбботом лишь подчеркивал тот факт, что в этом деле помимо технических навыков и опыта лабораторной работы нужны были и другие способности.

— Значит, та женщина в огромной шляпе, которая выхватила лопату,— заключила Дебора,— она, похоже, подружка, а не член семьи. Но, судя по всему, надеялась им стать.

— «Вы же видели, что она сделала»,— пробормотал Сент-Джеймс.— Что, по-твоему, означает эта фраза, дорогая?

— Что она сделала, чтобы казаться привлекательнее, я думаю,— ответила Дебора.— Я действительно заметила... впрочем, трудно не заметить, правда? К тому же здесь это не так часто встретишь, в отличие от Америки, где большая грудь что-то вроде... вроде национальной идеи фикс, по-моему.

— То есть это все, что она «сделала»? — спросил Сент-Джеймс.— А не устранила, предположим, своего любовника, когда тот увлекся другой женщиной?

— Зачем это ей, если она надеялась выйти за него замуж?

— Может быть, ей надо было от него избавиться.

— Почему?

— Одержимость. Ревность. Ненависть, утолить которую можно лишь одним путем. Или еще проще: он ей что-то завещал, она об этом узнала и поспешила убрать его, пока он не переписал завещание в пользу кого-то другого.

— Но ты не принимаешь во внимание проблему, с которой мы столкнулись,— заметила Дебора.— Как женщина сумела протолкнуть камень в глотку Ги Бруара? Любая женщина.

— Придется вернуться к идее поцелуя, предложенной инспектором Ле Галле,— сказал Сент-Джеймс,— какой бы нереалистичной она нам ни казалась.

— Только не Чайна,— заявила Дебора уверенно.

От Сент-Джеймса не укрылась решимость, прозвучавшая в голосе жены.

— Значит, ты настаиваешь.

— Она рассказала мне, что недавно порвала с Мэттом. Они встречались много лет, с тех пор как ей исполнилось семнадцать. Я никак не могу себе представить, чтобы она связалась с другим мужчиной так скоро.

Этот разговор, как было прекрасно известно Сент-Джеймсу, заводил их в неизведанные дебри, где Дебора и Чайна Ривер обитали вдвоем. Не так уж много лет прошло с той поры, когда Дебора, расставшись с ним, завела нового любовника. И хотя они никогда не обсуждали степень ее увлечения Томми Линли, это вовсе не значило, что она не жалела о происшедшем и не каялась внутренне перед самой собой.

— Но разве это не делает ее еще более уязвимой? Разве она не могла слегка пофлиртовать с ним, просто чтобы чуть-чуть приподнять себе настроение, и разве Бруар не мог счесть это за что-то более серьезное? — предположил Сент-Джеймс.

— Вообще-то она не такая.

— Но допустим...

— Хорошо. Допустим. Но она все равно не убивала его, Саймон. Тебе придется признать, что мотива у нее нет.

С этим он согласился. Но все равно считал, что так же вредно безоговорочно верить в чью-либо невиновность, как и в вину. Поэтому, рассказав обо всем, что узнал от Рут Бруар, он осторожно закончил:

— Она действительно искала Чайну по всему дому. Но той нигде не было.

— Так утверждает Рут Бруар,— справедливо заметила Дебора.— Она, может, и лжет.

— Может, и так. Риверы не были единственными гостями в доме. Адриан Бруар тоже был там.

— Зачем ему убивать своего отца?

— Не стоит сбрасывать его со счетов.

— Она его кровная родственница,— сказала Дебора.— Учитывая ее историю — вся семья погибла во время холокоста,— кажется вероятным, что для защиты кого-то из родных она пойдет на все, ты так не думаешь?

— Может быть.

Они шагали по подъездной аллее в направлении дорожки, опоясывавшей парк, откуда Сент-Джеймс свернул в рощу, к тропе, которая, как сказала Рут Бруар, приведет их в бухту, где купался ее брат. По пути они миновали каменный коттедж, заприметенный им ранее,— теперь он увидел, что два его окна выходили на тропу. Здесь живет семья смотрителя, и Даффи, заключил он, вполне могут добавить что-нибудь к тому, что сообщила ему Рут Бруар.

Под деревьями было прохладно и сыро. То ли земля там была такая плодородная, то ли человек постарался, но заросли были впечатляющие, и благодаря им эта часть поместья отличалась от всего остального. Пышно разрослись обступившие тропу рододендроны. Под ними раскинули свои листья папоротники, которых там было с полдюжины разных видов. Почва пружинила под ногами благодаря опавшим листьям, которые никто не убирал, а голые ветви каштанов, переплетавшиеся над их головами, говорили о том, какой зеленый тоннель образуют они летом. Кроме шороха их шагов, других звуков слышно не было.

Но тишина скоро была нарушена. Только Сент-Джеймс протянул руку, чтобы помочь жене переступить через лужу, как вдруг нечесаная собачонка выпрыгнула на них из-за кустов и затявкала.

— Господи! — Дебора вздрогнула и рассмеялась.— Ой, какой миленький, правда? Привет, песик. Мы тебя не обидим.

И она протянула к нему руку. Но тут из-за тех же кустов выскочил паренек в красной куртке и сгреб песика в охапку.

— Извини,— улыбнулся Сент-Джеймс.— Кажется, мы напугали твою собаку.

Мальчик ничего не сказал. Он лишь переводил взгляд с Деборы на Сент-Джеймса и обратно, а его собачонка продолжала лаять, точно защищая хозяина.

— Мисс Бруар сказала, что эта дорога ведет к бухте,— снова заговорил Сент-Джеймс.— Мы в ту сторону повернули?

Мальчик по-прежнему не отвечал. Вид у него был потрепанный, жирные волосы висели сосульками, лицо в пятнах. В руки, державшие собачонку, въелась грязь, на черных брюках в районе колена расплылось жирное пятно. Он сделал несколько шагов назад.

— Мы, наверное, и тебя тоже напугали? — спросила Дебора.— Мы не думали, что кто-то будет...

Она умолкла, не закончив фразы, потому что мальчик вдруг развернулся и бросился бежать туда, откуда пришел. На спине у него болтался потрепанный рюкзак, который колотил его при каждом шаге, как мешок с картошкой.

— Кто же это такой? — пробормотала Дебора.

Ответ Сент-Джеймса удивил его самого.

— Придется и в этом разобраться.

Калитка в стене довольно далеко от подъездной аллеи вывела их на тропу. Там они обнаружили, что поток машин, в которых люди приехали на похороны, уже схлынул, поэтому ничто не загораживало им обзор и они с легкостью нашли спуск в бухту, оказавшийся в сотне ярдов от входа в поместье.

Спуск представлял собой что-то среднее между автомобильной колеей и тропинкой: шире первой, но явно у́же второй, он многократно пересекал сам себя, петляя по крутому склону. Стена из дикого камня и роща обступали его с двух сторон, по камням у подножия стены лепетал ручей. Поблизости не было ни домов, ни коттеджей, лишь один закрытый на зиму отель приютился в складке холма среди деревьев, но и его окна были закрыты ставнями.

Далеко внизу открывался вид на Ла-Манш, испещренный бликами неяркого солнца, с трудом пробившегося через пелену облаков. Увидев море, Сент-Джеймс и его жена тут же услышали и чаек. Птицы кружили над вершинами гранитных утесов, которые подковой выгнулись вдоль берега, образовав ту самую бухту. На них в первозданном изобилии рос дрок и английская камнеломка, а там, где слой почвы был толще, спутанные заросли узловатых ветвей отмечали места летнего буйства терновника и ежевики.

Внизу тропы, словно отпечаток пальца на пейзаже, примостилась небольшая автостоянка. Машин на ней не было, да и откуда им взяться в такое время года. Идеальное место для купания или любого другого занятия вдали от чужих глаз.

Автостоянку защищал от приливов каменный мол, одна сторона которого покато опускалась к воде. На ней на каждом шагу лежали спутанные пряди мертвых и умирающих водорослей, и в другое время года над ними висели бы тучи комаров и мух. Но в декабре они не привлекали ни ползучих, ни летучих тварей, и Сент-Джеймс с Деборой спокойно прошли между ними к пляжу. Небольшие волны ритмично всхлипывали на линии прилива, словно у камней и песка был собственный пульс.

— Ветра нет,— заметил Сент-Джеймс, разглядывая вход в бухту на некотором расстоянии от места, где они стояли.— Вот почему здесь так удобно купаться.

— Зато холодно ужасно,— сказала Дебора.— Понять не могу, как он это делал. Да еще в декабре. Удивительно, правда?

— Некоторые люди любят крайности,— сказал Сент-Джеймс.— Давай оглядимся тут.

— А что именно мы ищем?

— Все, что могла проглядеть полиция.

Найти место убийства оказалось несложно: все признаки места преступления были налицо — желтая полицейская лента, пара пустых коробочек от фотопленки и капля гипса там, где кто-то делал слепок отпечатка подошвы. Начав оттуда, Дебора и Сент-Джеймс бок о бок пошли по все расширяющейся окружности.

Продвижение было медленным. Не отрывая глаз от земли, они описывали все более и более широкие круги, переворачивая крупные камни, которые попадались им на пути, аккуратно убирая в сторону водоросли, разравнивая песок кончиками пальцев. За час они обследовали пляж целиком, обнаружив крышку от баночки с детским питанием, полинявшую ленточку, пустую бутылку из-под воды «Эвиан» и восемьдесят семь пенсов мелочью.

Когда они вернулись к молу, Сент-Джеймс предложил разделиться и пойти с разных концов навстречу друг другу. Встретившись, они продолжат идти каждый в свою сторону и таким образом обследуют весь мол дважды.

Тут приходилось двигаться очень осторожно, потому что камни у мола попадались чаще, а почва была изрыта трещинами, в которые могло что-нибудь завалиться. Но хотя они ползли со скоростью улитки, к месту встречи оба пришли с пустыми руками.

— Похоже, дело безнадежное,— заметила Дебора.

— Похоже, что так,— согласился ее муж.— Но шансов с самого начала было не много.

Он на миг прислонился к стене, скрестив на груди руки и устремив взгляд на пролив. В это мгновение он размышлял о лжи: той, которую люди говорят, и той, в которую верят. Он знал, что люди в обоих случаях могут быть одни и те же. Когда часто повторяешь что-то, сам начинаешь в это верить.

— Ты беспокоишься, да? — сказала Дебора.— Если мы ничего не найдем...

Он обхватил ее одной рукой и поцеловал в голову.

— Давай продолжим.

И ни словом не обмолвился о том, что было для него совершенно очевидно: любая находка, сделанная ими сейчас на этом берегу, только усугубит дело, так что будет лучше, если они не найдут вообще ничего.

Они продолжали ползти вдоль стены, точно крабы, причем Сент-Джеймсу слегка мешал поддерживающий протез на его ноге, из-за которого передвигаться между крупными камнями ему было труднее, чем его жене. Возможно, именно поэтому крик восторга, отмечавший находку чего-то ранее незамеченного, издала именно Дебора, когда их поиски уже шли к концу.

— Нашла! — закричала она.— Саймон, посмотри.

Он обернулся и увидел, что она добралась до дальнего конца мола, покато спускавшегося к воде. Ее рука показывала на угол между спуском и основной частью мола, и, когда Сент-Джеймс двинулся к жене, она присела на корточки, чтобы лучше рассмотреть свою находку.

— Что это? — спросил он, поравнявшись с ней.

— Что-то металлическое,— сказала она.— Я не хотела его трогать.

— Глубоко?

— Меньше фута, по-моему,— ответила она.— Если хочешь, я...

— Вот.

Он дал ей носовой платок.

Чтобы достать предмет, ей пришлось опустить ногу в неровную дыру, что она и сделала с энтузиазмом. Забравшись достаточно далеко внутрь, она ухватила и вытащила то, что увидела сверху.

Это оказалось кольцо. Дебора положила его на ладонь, подстелив под него свернутый носовой платок, и протянула руку Сент-Джеймсу, чтобы он посмотрел.

Крупное мужское кольцо, на вид бронзовое. Печатка на нем тоже подходила скорее мужчине. Она изображала череп со скрещенными костями. Над черепом стояли цифры 39–40, а внизу были выгравированы четыре слова по-немецки. Прищурившись, Сент-Джеймс разобрал: Die Festung im Westung.

— Что-то военное,— произнесла Дебора, внимательно вглядываясь в находку.— Но оно не могло пролежать здесь столько лет.

— Нет. Его состояние не настолько плохое.

— Тогда как...

Сент-Джеймс завернул кольцо в платок, но оставил его на ладони у Деборы.

— Это надо проверить,— сказал он.— Ле Галле наверняка захочет снять с него отпечатки. Много он, конечно, не найдет, но и некоторое количество может помочь.

— Как они могли его не заметить? — спросила Дебора, и Сент-Джеймс понял, что она не ждет ответа.

Тем не менее он сказал:

— Главный инспектор Ле Галле считает вполне достаточными показания пожилой женщины, которая глядела в окно, не надев очки. Думаю, я не ошибусь, если скажу, что он не очень-то стремится найти то, что может их опровергнуть.

Дебора посмотрела на маленький белый узелок у себя на ладони и перевела взгляд на мужа.

— Это может оказаться уликой,— сказала она.— Поважнее волоса, который они нашли, и отпечатка подошвы, который у них есть, и даже показаний свидетельницы, которая, возможно, говорит неправду. От этой улики может зависеть все, правда, Саймон?

— Вполне возможно,— ответил он.

Маргарет Чемберлен поздравила себя с тем, что настояла на оглашении завещания сразу после поминок. Еще раньше она сказала:

— Позвони поверенному, Рут. Пусть придет после похорон.

И когда та ответила, что адвокат Ги и так будет присутствовать — еще один нудный островитянин, которого придется кормить на поминках,— она решила, что это будет как нельзя более кстати. Просто судьба. А чтобы невестка ее не опередила и не расстроила как-нибудь ее планы, Маргарет сама подошла к поверенному на поминках, когда тот запихивал в себя сэндвич с крабом. Мисс Бруар, сообщила она ему, желает ознакомиться с завещанием покойного, как только последний гость покинет дом. Документы у него с собой? Да. Хорошо. Существуют ли какие-либо затруднения, которые не дадут им услышать последнюю волю покойного, как только появится такая возможность? Нет? Прекрасно.

Поэтому теперь собрались все. Однако состав группы Маргарет не радовал.

По-видимому, Рут не только связалась с поверенным, как настаивала Маргарет. Она позаботилась и о том, чтобы послушать его собралась диковинная коллекция индивидуумов. Маргарет была уверена, это могло означать только одно: Рут была в курсе условий завещания, благоприятных для тех самых индивидуумов, но неблагоприятных для членов семьи. Иначе зачем ей было собирать абсолютно чужих людей по такому важному для семьи поводу? И как бы тепло она их ни встречала и как бы заботливо ни усаживала в гостиной, все равно, с точки зрения Маргарет, которая считала членами семьи лишь тех, кого связывали с покойным узы крови либо брака, они оставались чужими.

Среди них были Анаис Эббот с дочерью: первая все такая же размалеванная, как накануне, вторая — такая же угловатая и сутулая. Правда, одеты они были по-другому. Анаис умудрилась втиснуться в такой узкий черный костюм, что даже ее тощие ягодицы, облепленные юбкой, выглядели как два арбуза, а Джемайма напялила черное болеро, которое носила с грацией мусорщика. Угрюмый сынок, по-видимому, куда-то испарился, потому что, когда вся компания собралась в гостиной под очередным шедевром Рут на тему «Жизнь перемещенного человека», который был посвящен детству в чужой семье,— словно в послевоенные годы она была единственным ребенком в Европе, кому пришлось через это пройти,— Анаис, непрестанно заламывая руки, рассказывала всем, кто соглашался ее слушать, что «Стивен куда-то исчез... Он безутешен», и вновь и вновь наливала глаза слезами в знак вечной преданности покойному.

Кроме Эбботов пришли еще Даффи. Кевин — управляющий поместьем, садовник, смотритель Ле-Репозуара, в общем, мастер на все руки, по желанию Ги,— сторонился всех и стоял у окна, разглядывая сады внизу, по-видимому твердо придерживаясь одного принципа: отвечать односложным фырканьем всякому, кто бы к нему ни обратился. Его жена Валери сидела одна, крепко сжав руки на коленях. Смотрела она то на мужа, то на Рут, то на поверенного, который разбирал бумаги в своем портфеле. Вид у нее был совершенно ошарашенный.

А еще там был Фрэнк. Маргарет познакомили с ним сразу после похорон. Фрэнк Узли, сказали ей, вечный холостяк и добрый друг Ги. Более того, задушевный друг. У обоих обнаружилась настоящая страсть ко всему, что связано с войной, это их и подружило, и Маргарет сразу заподозрила неладное. Именно он, как она узнала, стоял за мрачным музейным проектом. Так что один бог знает, сколько миллионов Ги уплывет из-за него в чужие руки, то есть не к ее сыну. Особенно отвратительное впечатление произвели на Маргарет его плохо сидящий твидовый костюм и дешевые коронки на передних зубах. Кроме того, он страдал излишней полнотой, что также свидетельствовало против него. Отвисшее брюхо — признак жадности.

Вдобавок ко всему он разговаривал с Адрианом, у которого, разумеется, не хватало ума распознать соперника, стоя с ним нос к носу и дыша одним воздухом. Если дело повернется именно так, как начала опасаться Маргарет, то через каких-то тридцать минут они с этим коренастым субъектом окажутся на ножах, и вполне легально. Уж хотя бы это Адриан мог сообразить и, соответственно, держаться подальше.

Маргарет вздохнула. Наблюдая за сыном, она впервые заметила, до чего он похож на отца. А еще она обратила внимание на то, что он изо всех сил старается это сходство скрыть: стрижется почти наголо, чтобы не видеть своих кудрей, как у Ги, одевается неряшливо, бреется гладко, а не носит изящную бородку, как Ги. Только с глазами, совершенно отцовскими, он ничего не мог поделать. Глаза, что называется, с поволокой, томные, с тяжелыми веками. И с цветом лица, смуглее, чем у обычных англичан, сделать тоже было ничего нельзя.

Она направилась туда, где у камина стоял с другом своего отца ее сын. И продела руку ему под локоть.

— Садись со мной, милый, — попросила она сына. — Могу ли я похитить его у вас, мистер Узли?

Фрэнку Узли не было необходимости отвечать, поскольку Рут закрыла двери гостиной, давая понять, что все заинтересованные стороны в сборе. Маргарет повела Адриана к одному из диванов, окружавших стол, на котором поверенный Ги — худощавый мужчина по имени Доминик Форрест — разложил свои бумаги.

От внимания Маргарет не укрылось и то, что абсолютно все собравшиеся делали вид, будто понятия не имели, зачем они приглашены. Не исключая ее собственного сына, который вообще пришел на это сборище лишь после того, как она на него хорошенько надавила. Он сидел ссутулившись, со скучающим видом, как будто ему было все равно, что сделал со своими деньгами его отец.

Ну и пусть, зато это очень интересовало Маргарет. Поэтому когда Доминик Форрест надел очки и прочистил горло, она вся превратилась в слух. Он предупредил ее о том, что идея прочесть завещание при всех идет вразрез с правилами. Гораздо удобнее для всех упомянутых в завещании персон узнать о причитающейся им доле наследства в приватной обстановке, которая позволяет задавать любые вопросы, не посвящая в свое финансовое положение тех, кто не должен иметь к нему никакого законного интереса.

Что, как прекрасно знала Маргарет, было удобно прежде всего самому мистеру Форресту — поговорив со всеми наследниками лично, он прислал бы каждому отдельный счет. Гадкий человечишка.

Рут, словно птичка, примостилась на краешке стула эпохи королевы Анны неподалеку от Валери. Кевин Даффи остался стоять у окна, Фрэнк Узли не отходил от камина. Анаис Эббот с дочерью устроились на двухместном сиденье, где одна заламывала руки, а другая пыталась задвинуть свои жирафьи ноги в какой-нибудь уголок, где они никому не будут мешать.

Мистер Форрест сел и одним движением запястий встряхнул свои бумаги.

— Последняя воля и завещание мистера Бруара,— начал он,— была составлена, подписана и засвидетельствована второго октября сего года. Документ простой.

Маргарет не очень нравилось такое развитие событий. Она заранее приготовилась выслушать новость, которую нельзя было назвать хорошей. И как оказалось, поступила мудро, ибо мистер Форрест буквально в нескольких словах сообщил, что все состояние мистера Бруара заключалось в банковском счете и портфеле ценных бумаг. И счет, и ценные бумаги, согласно закону о наследовании государства Гернси,— что это еще такое? — делились на две равные доли. Первая доля, согласно все тому же закону, будет распределена поровну между тремя детьми мистера Бруара. Вторую долю наследуют некий Пол Филдер и некая Синтия Мулен, каждый по половине.

О Рут, возлюбленной сестре и неизменной компаньонке покойного, в завещании ни одного слова сказано не было. Но, учитывая, что в завещании не были даже упомянуты ни банковские вклады, ни государственные обязательства, ни закладные и произведения искусства, которые принадлежали мистеру Бруару, ни та недвижимость, которой он владел в Англии, Франции, Испании и на Сейшелах, не говоря уже о самом Ле-Репозуаре, нетрудно было догадаться, как Ги одним махом и обеспечил сестру, и выразил свои чувства к детям.

«Господь всемогущий,— подумала Маргарет.— Никак он отдал ей все еще при жизни?!»

Конец речи мистера Форреста был встречен молчанием, сначала ошеломленным, а затем — со стороны Маргарет, по крайней мере,— и озлобленным. Первая ее мысль была о том, что Рут подстроила все это нарочно, чтобы унизить ее. Рут никогда ее не любила. Никогда, никогда, никогда она не могла ее терпеть. А за те годы, что Маргарет не позволяла Ги видеться с сыном, в душе Рут, должно быть, созрела настоящая ненависть к ней. Так что этот миг должен был доставить ей двойное удовольствие: во-первых, наблюдать, как Маргарет ошарашит известие о том, что состояние Ги вовсе не так велико, как ей представлялось, а во-вторых, как она будет унижена, узнав, что и от этого урезанного состояния ее сын получит лишь часть, причем меньшую, чем какие-то неизвестные Филдер и Мулен.

Маргарет двинулась на свою золовку, готовая к бою. Но лицо Рут открыло ей истину, в которую она не хотела верить. Рут так побледнела, что даже губы у нее стали белыми как мел, а по выражению ее лица было видно, что завещание брата было для нее полной неожиданностью. Однако еще более красноречивым становилось выражение ее лица в сочетании с тем фактом, что она пригласила на чтение завещания стольких людей. Все это привело Маргарет к неизбежному выводу: Рут не только знала о существовании какого-то другого завещания, но и была в курсе его содержания.

Иначе зачем ей приглашать последнюю любовницу Ги? Или Фрэнка Узли? Или этих Даффи? Этому могло быть только одно объяснение: Рут пригласила их потому, что была твердо уверена — ее брат оставил каждому из них наследство.

Наследство, слабо подумала Маргарет. Адрианово наследство. Наследство ее сына. Ее взор застлало тонкой красной пеленой, когда она осознала, что произошло. Ее сына Адриана лишили всего, что принадлежит ему по праву... Родной отец все равно что вычеркнул его из завещания, хотя и прикинулся, будто это не так... Какое унижение: на глазах у всех получить меньше, чем Филдер и Мулен,— черт их знает, кто они такие, уж во всяком случае, не родственники Ги... Другие распоряжаются тем, что принадлежало ее сыну... А его буквально пустил по миру тот самый человек, который сначала дал ему жизнь, а потом бросил на произвол судьбы, да еще и выразил ему свое презрение тем, что соблазнил его возлюбленную, когда та была готова — да-да, готова — принять решение, которое в корне изменило бы жизнь Адриана, исцелило бы его... Нет, это просто не укладывалось в голове. Уму непостижимо, как можно так поступить. Но ничего, кое-кто за это заплатит.

Маргарет не знала, кто и как. Но она решительно настроилась все исправить.

Все поправить означало прежде всего выцарапать назад те деньги, которые ее бывший муж оставил двоим незнакомцам. Кто они вообще-то такие? И где они? И что всего важнее, какое отношение они имели к Ги?

Ответ на этот вопрос, очевидно, знали двое. Одним из них был Доминик Форрест, который укладывал свои бумаги обратно в портфель, бормоча что-то об отчетах судмедэкспертов, банковских счетах, биржевых брокерах и тому подобных вещах. Второй была Рут, она суетливо подбежала к Анаис Эббот — не к кому-нибудь — и начала что-то шептать ей на ухо. Форрест, догадывалась Маргарет, вряд ли скажет что-то сверх того, что он уже рассказал во время чтения завещания. Значит, остается Рут как ее собственная золовка и — что всего важнее — тетка Адриана. Да, если найти к ней правильный подход, Рут все расскажет.

Тут Маргарет ощутила рядом с собой, с той стороны, где сидел Адриан, какое-то колебание и резко обернулась. Поглощенная мыслями о том, что же делать, она даже не подумала, какой эффект произвело сообщение на ее сына. Видит бог, отношения Адриана с отцом всегда были непростыми, ведь Ги предпочитал бесконечные любовные связи близкому общению со своим старшим сыном. Но быть вот так вышвырнутым за борт — это жестоко, куда более жестоко, чем прожить без отца всю жизнь. И теперь он страдает вдвойне.

Поэтому она повернулась к нему, готовая объяснить, что существуют законные способы, методы, средства, чтобы уладить, заставить, запугать, короче, добиться желаемого, поэтому не надо беспокоиться и тем более не надо полагать, будто за условиями отцовского завещания стоит что-то, кроме минутного помешательства, вызванного один бог знает чем... Слова готовы были сорваться с ее уст, рука — обвиться вокруг его плеч, поддержать, влить в его тело материнской силы... Но тут она увидела, что во всем этом нет никакой необходимости.

Адриан не плакал. Он даже не погрузился в себя.

Сын Маргарет беззвучно смеялся.

Валери Даффи пришла на чтение завещания, снедаемая многочисленными заботами, а когда уходила, их стало лишь на одну меньше. Она боялась, что со смертью Ги Бруара они с мужем могут лишиться и дома, и заработка. Однако Ле-Репозуар не был упомянут в завещании, значит, о нем уже позаботились, и Валери догадывалась, в чьем владении он состоял. Стало быть, их с Кевином не выгонят на улицу немедленно и не оставят без работы. Это успокаивало.

Однако прочие заботы Валери никуда не делись. Они имели отношение к врожденной молчаливости ее мужа, которая обычно не вызывала у нее беспокойства, но сейчас казалась пугающей.

Она и ее муж шли через парк Ле-Репозуара, оставив позади дом и направляясь к своему коттеджу. Валери наблюдала самые разные выражения на лицах тех, кого собрали в гостиной сегодня, и почти в каждом она видела разбитые надежды. Анаис Эббот надеялась на воскрешение из финансовой могилы, которую сама себе вырыла, пытаясь удержать около себя мужчину. Фрэнк Узли ожидал посмертного дара, который позволил бы ему воздвигнуть памятник своему отцу. Маргарет Чемберлен мечтала получить столько денег, чтобы навсегда отселить сына из-под своей крыши. А Кевин? Было видно, что Кевин думал о чем угодно, только не о посмертных дарах и завещаниях, а поэтому имел одно преимущество перед всеми: он вошел в гостиную, свободный от картин радужного будущего, которые рисовали себе другие.

Она бросила беглый взгляд на мужа, который шагал рядом. Она знала, что ему покажется странным, если она промолчит, но боялась сболтнуть лишнее. Есть вещи, о которых лучше помалкивать.

— Так ты думаешь, что нам стоит позвонить Генри? — решилась она наконец.

Кевин ослабил галстук и расстегнул верхнюю пуговицу: одежда, которую большинство мужчин носят не задумываясь, его тяготила. Он сказал:

— Думаю, он скоро сам узнает. К ужину половина острова будет в курсе.

Валери ждала продолжения, но его не последовало. Ей хотелось счесть это добрым знаком, но муж не посмотрел на нее, когда ответил, и она поняла, что он думает о другом.

— Интересно, как он отреагирует? — задумчиво произнесла Валери.

— Неужели, милая? — переспросил Кевин.

Он сказал это тихо, так что Валери могла бы и не расслышать, но тон был таков, что у нее мурашки побежали по коже.

— Что ты хочешь этим сказать, Кев? — спросила она в надежде спровоцировать его на разговор.

— Люди не всегда делают то, что собираются, так ведь? Кевин пристально посмотрел на нее.

Мурашки Валери перешли в дрожь. Холод прокрался по ее ногам и клубком свернулся в животе, точно безволосая кошка, которая просит, чтобы ее обогрели. Она ждала, когда муж заведет разговор на тему, которую наверняка обдумывали или обсуждали сейчас те, кто был на чтении завещания. Но он молчал, и она сказала:

— Генри был в церкви, Кев. Ты говорил с ним? И на погребение он тоже пришел. И на поминки. Ты его видел? Наверное, они с мистером Бруаром остались друзьями до самого конца. И это хорошо, по-моему. Как было бы ужасно, если бы мистер Бруар скончался, не помирившись с кем-нибудь, и особенно с Генри. Ведь Генри не хотел бы, чтобы хоть одна трещинка в их с мистером Бруаром дружбе омрачала его совесть, правда?

— Нет,— сказал Кевин.— Нечистая совесть — противная штука. Спать не дает по ночам. Только о том и думаешь, как бы ее успокоить.

Он остановился, то же сделала Валери. Они стояли на лужайке. Внезапный порыв ветра принес с собой запах моря, а с ним прилетели и воспоминания о том, что произошло в бухте совсем недавно.

— Ты думаешь, Вэл,— сказал Кевин через добрых тридцать секунд после своего последнего замечания, на которое жена так и не ответила,— что Генри приходил узнать насчет завещания?

Она отвернулась, зная, что он по-прежнему смотрит на нее, точно пытаясь прочесть ее мысли. Обычно ему удавалось ее разговорить, ведь на двадцать восьмом году брака она любила его так же, как в тот первый день, когда он сорвал одежду с ее трепетавшего от желания тела и овладел ею. Она знала, что значит мужчина в жизни женщины, и страх потерять его тянул ее за язык, подбивая рассказать мужу о том, что она натворила, и попросить у него прощения, хотя она и поклялась себе молчать, чтобы не сделать хуже.

Но одного притяжения взгляда Кевина было для нее недостаточно. Он заставил ее подойти к краю пропасти, но столкнуть ее вниз, навстречу неминуемой гибели, было не в его власти. Она по-прежнему молчала, и тогда он продолжил:

— Было бы странно, если бы он не пришел. Все это до того чудно, что поневоле напрашиваются вопросы. И если он их не задаст...

Кевин повернул голову в направлении утиного пруда, где на маленьком утином кладбище покоились искалеченные тела ни в чем не повинных птиц. Он заговорил снова:

— Есть много вещей, которые для мужчины означают власть, и, если у него забирают эту власть, вряд ли он отнесется к этому спокойно. Потому что тут не отмахнешься, не скажешь: «Ну и подумаешь, не больно-то и нужно». Мужчина, который обрел свою силу, так не скажет. Не скажет и тот, кто свою силу потерял.

Валери тронулась с места, решив, что больше не позволит мужу пронзить ее взглядом, точно бабочку, снабдив этикеткой «Женщина, нарушившая клятву».

— Думаешь, в этом все дело, Кев? В том, что кто-то расстался со своей властью? Из-за этого весь шум?

— Не знаю,— ответил он.— А ты?

Хитрая женщина на ее месте сказала бы: «А мне-то откуда знать?» — но Валери никогда не отличалась таким качеством, как хитрость. Она хорошо знала, почему муж задает ей этот вопрос, и знала, куда заведет их ее прямой ответ — к пересмотру данных обещаний и обсуждению сделанных выводов.

Но помимо того, что Валери не хотелось обсуждать с мужем, оставались ее собственные чувства, которые тоже следовало принять во внимание. Нелегко жить с сознанием того, что на тебе, быть может, лежит ответственность за смерть хорошего человека. Заниматься повседневными делами с таким грузом на душе само по себе испытание не из легких. А жить при этом бок о бок с человеком, которому известно о твоей вине, и вовсе невыносимо. Так что оставалось только петлять и заметать следы. Поэтому любой поступок казался Валери шагом к поражению, началом долгого пути нарушения заветов и отказа от ответственности.

Больше всего ей хотелось повернуть колесо времени вспять. Но это было не в ее власти. Поэтому она продолжала ровным шагом идти к коттеджу, где обоих ждала работа, позволявшая им отвлечься от пропасти, отдаляющей их друг от друга.

— Ты видел того человека, который разговаривал с мисс Бруар? — спросила она у мужа.— Хромого? Она повела его наверх. Поминки тогда почти кончились. Раньше я его здесь не видела, вот и подумала... Может, это ее доктор? Она ведь больна. Ты знаешь это, Кев? Она пыталась скрыть, но ей стало хуже. Жалко, что она не хочет говорить об этом. Тогда бы я больше ей помогала. Понятно, почему она молчала раньше, пока он был жив,— расстраивать его не хотела,— но теперь, когда его не стало... Мы могли бы многое сделать для нее, ты и я. Если бы она нам позволила.

Они оставили лужайку позади и пересекли подъездную аллею, выгнувшуюся прямо перед их домом. С Валери во главе они подошли к входной двери. Валери готова была шагнуть через порог, снять пальто, повесить его на вешалку и заняться повседневными делами, но тут ее остановили слова Кевина:

— Когда ты перестанешь врать мне, Вэл?

Слова заключали в себе тот самый вопрос, на который ей рано или поздно пришлось бы отвечать. Был в них и намек на изменение их отношений, и в другое время, чтобы доказать, что это не так, она просто дала бы мужу прямой и искренний ответ. Но сейчас ей не пришлось ничего говорить, потому что из кустов, росших по краю тропы, которая вела в бухту, вышел тот самый человек, о котором Валери говорила раньше.

С ним была рыжеволосая женщина. Увидев Даффи, они перекинулись несколькими торопливыми словами и направились к ним. Мужчина отрекомендовался как Саймон Сент-Джеймс и представил свою жену Дебору. Объяснив, что они приехали на похороны из Лондона, он попросил Даффи уделить им несколько минут.

Новейший из анальгетиков, тот, который ее онколог называл «последним словом», уже не в силах был убить зверскую боль в костях Рут. Очевидно, настало время подключить морфин, то есть физически оно настало. Но ее разум еще не был готов сдаться и отказаться от контроля над собственным концом. И до тех пор пока это не произошло, Рут намеревалась жить так, словно болезнь не безумствовала в ее теле, как банда головорезов, оставшихся без предводителя.

В то утро она проснулась от сильнейшей боли, которая не уменьшалась в течение всего дня. Поначалу ей удалось до такой степени сосредоточиться на долге перед братом, его семьей, друзьями и общиной в целом, что она почти не обращала внимания на огненные тиски, которые сжимали ее тело. Но когда люди один за другим начали откланиваться, ей стало все труднее игнорировать боль, которая изо всех сил старалась привлечь ее внимание. Чтение завещания помогло ей немного отвлечься. Последовавшие за ним события тоже.

Ее перебранка с Маргарет оказалась, благодарение богу, на удивление короткой.

— Я разберусь во всей этой путанице позже,— негодующе выпрямившись, заявила ей невестка с таким лицом, как будто ей сунули кусок тухлого мяса под нос.— А сейчас я хочу услышать, кто они, черт возьми, такие.

Рут знала, что Маргарет имеет в виду двух наследников Ги, не являвшихся его детьми. Она предоставила Маргарет всю информацию, которую та требовала, и проследила, как она выплыла из комнаты, чтобы, вне всякого сомнения, затеять юридическую баталию, исход которой представлялся Рут весьма сомнительным.

Потом наступила очередь остальных. С Фрэнком Узли все прошло удивительно гладко. Когда она подошла к нему и, заикаясь от смущения, заговорила о том, что наверняка что-то еще можно сделать, поскольку ее брат совершенно недвусмысленно высказывался по поводу музея, Фрэнк ответил:

— Не утруждайте себя этим, Рут.

И без всякой злобы откланялся. И все же он наверняка был сильно разочарован, ведь они с Ги вложили в этот проект столько времени и сил, поэтому она задержала его и сказала, что положение не безнадежное, что они вместе придумают, как воплотить в реальность его мечту. Ги знал, как много значил для Фрэнка этот проект, и наверняка хотел... Но продолжать она не могла. Она не могла предать брата и его планы, так как сама еще не понимала, что именно он сделал и почему.

Фрэнк взял ее руку в свои и сказал:

— У нас будет время подумать об этом позже. А сейчас не беспокойтесь.

И он ушел, оставив ее один на один с Анаис.

«Контуженый»,— внезапно всплыло в памяти Рут слово, когда она наконец осталась один на один с любовницей своего брата.

Та оцепенело сидела на том же самом диванчике, куда опустилась, когда Доминик Форрест оглашал завещание, только теперь она была одна. Бедняжка Джемайма так обрадовалась возможности скрыться, что не успела Рут шепнуть: «Не могла бы ты поискать Стивена, дорогая, он где-то в парке...», как девочка заторопилась к выходу и, зацепившись неуклюжей ногой за краешек оттоманки, едва не опрокинула ее. Причины такой спешки были понятны. Джемайма хорошо знала свою мать и заранее предвидела, каких жертв дочерней преданности потребует от нее та в ближайшие несколько недель. Анаис понадобится и наперсница, и козел отпущения. И только время покажет, какую роль она выберет для своей долговязой дочери.

Итак, Рут и Анаис остались одни. Анаис сидела, теребя уголок диванной подушки, а Рут не знала, что сказать. Ее брат, несмотря на все свои недостатки, был добрым и щедрым человеком и в своем предыдущем завещании так хорошо обеспечил Анаис Эббот и ее детей, что, будь оно действительным сейчас, у той не осталось бы поводов для беспокойства. Вообще-то Ги давно обзавелся привычкой поступать так со своими женщинами. Каждый раз, когда ему случалось провести с очередной любовницей больше трех месяцев кряду, он включал ее в свое завещание, чтобы показать, как они привязаны друг к другу. Рут хорошо это знала, потому что Ги всегда ставил ее в известность о каждом своем завещании. За исключением последнего документа, она прочитала их все в присутствии брата и его поверенного, так как Ги всегда хотел быть уверен в том, что деньгами распорядятся по его желанию.

Последнее завещание, которое читала Рут, было составлено через шесть месяцев после начала его отношений с Анаис Эббот, они тогда как раз вернулись с Сардинии, где занимались, похоже, лишь тем, что исследовали возможности взаимодействия мужчины и женщины при помощи соответствующих частей тел. Ги вернулся из той поездки со сверкающими глазами и сразу заявил:

— Она — та, кто мне нужен, Рут.— И его новое завещание отражало эту оптимистическую веру.

Именно поэтому Рут и попросила Анаис присутствовать при чтении завещания, а та, судя по выражению ее глаз, считала, что она сделала это по злобе.

Рут не знала, что хуже: позволить Анаис считать, будто она затаила такую ненависть к ней, что публично разбила все ее надежды, или рассказать ей о тех четырехстах тысячах, которые отходили ей по первому завещанию и позволили бы решить ее нынешние проблемы. Придется выбрать первое, решила Рут. Конечно, ей не хотелось жить с сознанием того, что кто-то ее ненавидит, но рассказать о предыдущем завещании значило пуститься в объяснения о том, почему оно было изменено.

Рут опустилась на диванчик. Она тихо сказала:

— Анаис, мне очень жаль. Я не знаю, что еще сказать.

Анаис повернула голову медленно, как женщина, приходящая в себя после глубокого обморока.

— Если ему так хотелось оставить свои деньги детям, то почему не моим? Джемайме. Стивену. Неужели он только притворялся? — Она прижала подушку к животу.— За что он так со мной, Рут?

Рут не знала, как ей объяснить. Анаис и так было плохо. Сделать ей еще хуже было бы совсем жестоко.

— Я думаю, все дело в том, что своих детей Ги потерял, моя дорогая. Их забрали матери. После разводов. По-моему, эти подростки были для него последним шансом сыграть роль отца, ведь его дети выросли.

— А моих ему было недостаточно? — спросила Анаис.— Моей Джемаймы? Моего Стивена? Они были для него не важны? Настолько несущественны, что двое чужих...

— Не для Ги,— поправила ее Рут.— Он знал Пола Филдера и Синтию Мулен много лет.

«Дольше, чем тебя или твоих детей»,— чуть было не произнесла она, но удержалась, потому что хотела завершить разговор раньше, чем они доберутся до тем, рассуждать на которые она не могла.

— Ты же знаешь о Гернсийской ассоциации взрослых, подростков и учителей, Анаис. И ты знаешь, как трепетно Ги относился к обязанностям наставника.

— И они втерлись в его жизнь, так? В надежде на... Представились, пришли сюда, огляделись и поняли, что если разыграют свои карты как надо, то, может, им что-нибудь и перепадет. Вот так. Именно это и случилось. Вот так.

И она отшвырнула подушку.

Рут смотрела и слушала. Способность Анаис к самообману поражала. Ее так и подмывало сказать: «А ты сама-то не к тому ли стремилась, милая? Или ты связалась с мужчиной на двадцать пять лет старше тебя из чистой преданности? Нет, Анаис, я так не думаю».

Вместо этого она произнесла:

— Наверное, он полагал, что Джемайма и Стивен преуспеют в жизни, ведь о них есть кому позаботиться. А те двое... У них нет таких преимуществ, как у твоих детей. Вот он и хотел им помочь.

— А я? Как он собирался поступить со мной?

«Ага,— подумала Рут.— Вот мы и добрались до главного».

Но такого ответа, который устроил бы Анаис, у нее не было. Поэтому она снова повторила:

— Мне очень жаль, дорогая.

На что Анаис заявила:

— Да уж, конечно.

Она огляделась по сторонам с видом человека, который очнулся в незнакомом месте. Собрала свои пожитки и встала. Подошла к двери. Но там остановилась и повернулась к Рут.

— Он давал обещания,— сказала она.— Он говорил мне такие вещи, Рут! Неужели все это была ложь?

Рут дала тот единственный ответ, который можно было спокойно предложить другой женщине:

— Я не помню случая, когда бы мой брат говорил неправду.

Да он и не лгал никогда в жизни, по крайней мере ей.

«Sois forte,— говорил он ей.— Ne crains rien. Je reviendrai te chercher, petite soeur»*.

И он сдержал свое простое обещание, вернулся и нашел ее в чужой семье, куда разоренная войной страна, для которой двое французских ребятишек-беженцев были двумя лишними ртами, нуждавшимися в еде, доме и заботе, поместила их в ожидании того неопределенного будущего, когда

---

* Не бойся. Я вернусь и найду тебя, сестренка *(фр.)*.

появятся благодарные родители и заберут их домой. Но они так и не пришли, а потом, когда все узнали об ужасах, творившихся в концлагерях, появился Ги. Несмотря на свой страх, он клялся ей, что «cela n'a d'importance, d'ailleurs rien n'a d'importance»*, чтобы она не боялась. И всю жизнь продолжал доказывать, что они проживут и без родителей, а если надо, то и без друзей, в стране, которую они не выбирали, но которую навязала им судьба. Поэтому в глазах Рут он никогда не был лжецом, хотя она и понимала, что ему наверняка пришлось сплести целую сеть лжи, когда он обманывал двух жен и множество любовниц, без конца меняя женщин.

Когда Анаис ушла, Рут задумалась над этими вопросами. Она размышляла над ними в свете активности Ги в последние несколько месяцев. И поняла, что если он обманывал ее хотя бы в том, что не говорил ей всей правды,— как в случае с новым завещанием, о котором она ничего не знала,— то мог обманывать и в остальном.

Она встала и пошла в его кабинет.

11

— А вы уверены в том, что видели в то утро? — спросил Сент-Джеймс.— В котором часу она проходила мимо коттеджа?

— Сразу после семи,— ответила Валери Даффи.

— Значит, еще не совсем рассвело.

— Нет. Но я подошла к окну.

— Зачем?

Она пожала плечами.

— Я пила чай. Кевин еще не спустился. Играло радио. Вот я и стояла у окна с чашкой чая в руках, думала о делах на день, как обычно делают люди.

Они сидели в гостиной коттеджа Даффи, куда проводила их Валери, а Кевин пошел на кухню поставить для гостей

* Это не важно, совершенно не важно *(фр.)*.

чайник. Низкий потолок нависал над головами, полки с альбомами фотографий и репродукций, а также коллекцией фильмов сестры Венди* занимали все пространство. Комната была так мала, что и в лучшие времена в ней едва хватило бы места для четверых. Теперь, когда на полу громоздились стопки книг, вдоль стен выстроились картонные коробки и отовсюду глядели семейные портреты, люди казались здесь просто лишними. Да и свидетельства неожиданного образования Кевина Даффи, по правде говоря, тоже. Хотя не часто встретишь садовника и мастера на все руки с университетской степенью по истории искусств, и, наверное, поэтому среди семейных фото красовалась рамка с университетским дипломом Кевина и несколько портретов юного неженатого выпускника.

— Родители Кевина верили в то, что смысл образования — в самом образовании,— сказала его жена словно в ответ на невысказанный, но напрашивающийся вопрос.— По их мнению, оно не обязательно определяет выбор работы.

Даффи не пришло в голову спросить, откуда Сент-Джеймс явился и по какому праву задает вопросы о смерти Ги Бруара. Когда он объяснил им род своих занятий и вручил визитку, они сразу согласились с ним поговорить. Не вызвало у них вопросов и то, почему он приехал с женой, а Сент-Джеймс не стал упоминать о том, что женщина, обвиненная в убийстве, подруга Деборы.

Валери рассказала, что всегда встает в половине седьмого утра и идет на кухню готовить Кевину завтрак, после чего спешит в большой дом, где готовит еду для Бруаров. Мистер Бруар, пояснила она, любил позавтракать чем-нибудь горячим, когда возвращался с купания, поэтому в то утро она встала в обычное время, несмотря на то что накануне все поздно легли спать. Мистер Бруар говорил, что пойдет купаться, как всегда, и сдержал обещание,— она замети-

* Сестра Венди Беккет — монахиня, эксперт по искусству, приобрела широкую известность в Британии после того, как в 1990-е годы снялась на Би-би-си в серии документальных фильмов по истории искусства.

ла его, когда стояла у окна с чашкой чая в руках. Почти сразу же следом за ним прошел кто-то в темном плаще.

Сент-Джеймс поинтересовался, был ли плащ с капюшоном.

Да, с капюшоном.

А капюшон был поднят или лежал на плечах?

Поднят, сообщила ему Валери Даффи. Но это не помешало ей увидеть лицо женщины, потому что та прошла очень близко от ее освещенного окна и разглядеть ее было легче легкого.

— Это была та американская леди,— сказала Валери.— Я в этом уверена. Я видела прядь ее волос.

— А может, это был кто-то другой примерно ее роста? — спросил Сент-Джеймс.

Больше некому, заверила его Валери.

— Других блондинок не было? — вставила Дебора.

Валери еще раз заверила их в том, что видела Чайну Ривер. И ничего удивительного, сказала она им. Чайна Ривер и мистер Бруар были довольно близки все время, что американка гостила в Ле-Репозуаре. Мистер Бруар всегда умел расположить к себе женщин, но с этой даже по его стандартам все прошло очень быстро.

Сент-Джеймс заметил, как нахмурилась его жена, и поостерегся ловить Валери Даффи на слове. Его привела в замешательство легкость, с которой она дала такой ответ. И еще то, что она старалась не смотреть на мужа.

Поэтому не он, а Дебора вежливо спросила:

— А вы тоже это видели, мистер Даффи?

Кевин Даффи молча стоял в темном углу, куда переместился сразу после того, как принес чай. Он прислонился к книжной полке, его галстук был ослаблен, смуглое лицо непроницаемо.

— Вэл обычно встает раньше меня,— ответил он лаконично.

Судя по всему, подумал Сент-Джеймс, им предлагается сделать вывод, что он вообще ничего не видел. Тем не менее он спросил:

— И в тот день тоже?

— То же самое,— ответил Кевин Даффи.

Дебора спросила у Валери:

— В каком смысле близки? — И когда та поглядела на нее, ничего не понимая, пояснила: — Вы сказали, что Чайна Ривер и мистер Бруар были довольно близки. Вот я и спрашиваю, в каком смысле.

— Они всюду ездили вместе. Ей нравилось поместье, она хотела его сфотографировать. А ему нравилось смотреть, как она снимает его дом. Ну и остальной остров тоже. Он очень хотел все ей показать.

— А ее брат? — спросила Дебора.— Он тоже ездил с ними?

— Иногда ездил, а иногда болтался тут. Или уходил куда-нибудь в одиночку. Она, похоже, не возражала, эта американская леди. Потому что тогда они оставались вдвоем. Она и мистер Бруар. Но в этом не было ничего удивительного. Женщины его всегда любили.

— Но у мистера Бруара уже была другая женщина, так ведь? — спросила Дебора.— Миссис Эббот?

— У него всегда была какая-нибудь женщина, и не всегда долго. Миссис Эббот была последней. А потом появилась американка.

— Кто-нибудь еще? — спросил Сент-Джеймс.

По какой-то причине после этого вопроса в комнате сразу стало тяжело дышать. Кевин Даффи переступил с ноги на ногу, а Валери нарочито аккуратно расправила юбку.

— Никого, насколько я знаю, — ответила она.

Дебора и Сент-Джеймс переглянулись. По выражению лица жены он понял, что она готова продолжать поиски в новом направлении, и мысленно с ней согласился. Однако факт, что перед ними была свидетельница того, как Чайна Ривер шла по пятам за Ги Бруаром в бухту, и свидетельница более надежная, чем Рут, учитывая небольшое расстояние между тропой и коттеджем, игнорировать было нельзя.

— А главному инспектору Ле Галле вы об этом рассказывали? — задал вопрос Сент-Джеймс.

— Я все ему рассказала.

Сент-Джеймс удивился, почему ни Ле Галле, ни адвокат Чайны Ривер ничего ему не сообщили.

— Мы нашли предмет, который вы, может быть, опознаете.

Он вытащил из кармана носовой платок с завернутым в него перстнем, найденным Деборой среди булыжников. Развернув платок, показал кольцо сначала Валери, а потом Кевину Даффи. Они не проявили особого интереса.

— Похоже, это кольцо военное,— сказал Кевин.— Времен оккупации. Нацистское, наверное. Череп и кости. Я видел такое раньше.

— Такое кольцо? — спросила Дебора.

— Я имел в виду череп с костями,— ответил Кевин. Он бросил взгляд на жену.— Не знаешь, у кого такое есть, Вэл?

Глядя на кольцо, лежавшее на ладони Сент-Джеймса, она покачала головой.

— Это ведь сувенир, правда? — спросила она у мужа и добавила: — На острове столько этого добра. Оно могло взяться откуда угодно.

— Например? — уточнил Сент-Джеймс.

— Например, из магазина военного антиквариата,— ответила Валери.— Или из чьей-нибудь коллекции.

— Или у какого-нибудь молокососа с руки свалилось,— добавил Кевин Даффи.— Череп с костями? Паршивцы из Национального фронта любят похвалиться такими цацками перед своими дружками. Чувствуют себя настоящими мужиками. Но кольцо-то большое — зазевался, вот оно с пальца и соскользнуло.

— А больше ему неоткуда было взяться? — спросил Сент-Джеймс.

Даффи задумались. Еще раз переглянулись. И Валери медленно, словно размышляя, произнесла:

— Нет, ничего больше в голову не приходит.

Фрэнк Узли ощутил приближение приступа, как только повернул машину на Форт-роуд. До Ле-Репозуара было рукой подать, и поскольку по дороге ему не встретилось ничего такого, что могло бы причинить беспокойство его бронхам, то он решил, что просто нервничает из-за предстоящего разговора.

В сущности, в этой беседе не было никакой нужды. Как именно Ги Бруар распорядился своими деньгами, его, Фрэнка, не касалось, поскольку Ги никогда не обращался к нему за советом по этому вопросу. И Фрэнк вовсе не обязан был брать на себя роль посланника, приносящего дурные вести, тем более что благодаря местным сплетникам на острове скоро не останется ни одного человека, который не слышал бы о завещании Ги. И все-таки он чувствовал, что, как бывший учитель, должен сделать это сам. Однако сознание того, что он поступает правильно, никакой радости ему не приносило, о чем сообщала сжимающаяся грудная клетка.

Затормозив у дома на Форт-роуд, он вытащил из бардачка ингалятор и воспользовался им. Подождал, пока станет легче дышать, и тут заметил, что на лужайке через улицу худой высокий мужчина и двое мальчишек играют в футбол. Все трое делали это довольно неуклюже.

Фрэнк вышел из машины на прохладный ветерок. С трудом натянул пальто, пересек улицу и пошел к лужайке. Деревья, которые росли вдоль ее дальнего края, стояли почти без листьев — здесь, в возвышенной части острова, всегда было ветрено. На фоне серого неба ветки походили на вскинутые в мольбе руки, а птицы, которые, нахохлившись, сидели на них, казалось, наблюдали за игроками.

Подходя к Бертрану Дебьеру и его сыновьям, Фрэнк пытался придумать какую-нибудь вступительную реплику. Нобби не сразу его увидел, и к лучшему, потому что Фрэнк знал — все, о чем ему так не хотелось говорить, написано у него на лице.

Два маленьких мальчика шумно радовались, наслаждаясь вниманием отца. Лицо Нобби, часто омраченное заботами, теперь было совершенно счастливым. Он аккуратно пинал мяч своим мальчишкам и одобрительно кричал, когда они пытались сделать то же. Фрэнк знал, что старшему шесть лет и он будет таким же высоким и, возможно, некрасивым, как его отец. Младшему было четыре, и, когда к брату катился мяч, он радостно носился вокруг и хлопал себя по бокам руками, как крыльями. Их звали Бертран-младший и Норман — не самые удачные имена в современном мире, но это они поймут лишь в школе, где будут из кожи вон лезть, чтобы получить более значительные прозвища, чем те, которыми наградили в свое время одноклассники их отца.

Бурное отрочество Нобби — вот причина, по которой Фрэнк, как он только что понял, сам приехал к своему бывшему ученику. Тогда Фрэнк не сделал все возможное, чтобы облегчить ему жизнь.

Первым его увидел Бертран-младший. Он замер с поднятой для удара ногой и уставился на Фрэнка. Желтая вязаная шапочка сползла так низко, что волос совсем не было видно. Норман, в свою очередь, воспользовался паузой, упал на траву и стал кататься по ней, точно спущенный с поводка щенок. При этом он почему-то кричал:

— Дождь, дождь, дождь,— и взбрыкивал в воздухе ногами.

Нобби обернулся взглянуть, куда смотрит его старший сын. Увидев Фрэнка, он поймал мяч, который все-таки ухитрился подать ему Бертран-младший, и бросил его обратно со словами:

— Пригляди за братишкой, Берт,— после чего шагнул навстречу Фрэнку, а Бертран-младший навалился на Нормана и стал щекотать его за шею.

Кивнув Фрэнку, Нобби сказал:

— Они так же любят играть, как я в их возрасте. Норман подает кое-какие надежды, но внимания у него кот наплакал. Но мальчишки они хорошие. Учатся хорошо. Берт так читает и считает, просто диву даешься. Насчет Нормана говорить еще рано.

Фрэнк понимал, как много это значит для самого Нобби, у которого в свое время были проблемы как с учебой, так и с родителями, считавшими его туповатым по причине того, что он единственный сын в семье, где несколько дочерей.

— Это у них от матери,— сказал Нобби.— Везунчики. Берт,— окликнул он сына,— потише там с ним.

— Ладно, папа,— отозвался мальчик.

Фрэнк видел, как Нобби при этих словах прямо раздулся от гордости, в особенности когда мальчик назвал его папой, что для Нобби Дебьера было важнее всего. Именно потому, что он был примерным семьянином, Нобби и оказался в том положении, в котором находился теперь. Нужды его домашних — реальные и воображаемые — были для него самым главным.

Подойдя к Фрэнку, архитектор говорил с ним лишь о своих сыновьях. Но едва он повернулся к ним спиной, его лицо стало жестким, словно он готовился услышать ожидаемую новость, а глаза, как и предполагал Фрэнк, сверкнули враждебностью. Фрэнк почувствовал, как просятся у него с языка слова о том, что Нобби сам должен нести ответственность за принятые им решения, но ощущал себя ответственным за Нобби, вот в чем была беда. Он понимал, что все дело в его желании стать больше чем другом для взрослого, которому он уделял недостаточно внимания, когда тот был ребенком и сносил все синяки и шишки, достающиеся в школе чудаковатым тугодумам.

Он сказал:

— Я только что из Ле-Репозуара, Нобби. Завещание прочли.

Нобби ждал молча. У него нервно дергалась щека.

— По-моему, на этом настояла мать Адриана,— продолжал Фрэнк.— Впечатление такое, как будто она играет в пьесе, о существовании которой остальные едва догадываются.

— И что? — Нобби удалось сохранить безразличный вид, хотя Фрэнк знал, что внутри он очень далек от спокойствия.

— Странное оно какое-то. Не такое прямолинейное, как кажется, если хорошо поразмыслить.

И Фрэнк пустился в подробности: банковский счет, портфель с ценными бумагами, Адриан Бруар и его сестры, двое местных подростков.

Нобби нахмурился.

— Но что он сделал с... Поместье ведь огромное. Оно не может уложиться в один банковский счет и портфель с бумагами. Как он выкрутился?

— Рут,— пояснил Фрэнк.

— Он не мог оставить Ле-Репозуар ей.

— Нет. Конечно нет. Закон этого не позволяет. Так что оставить поместье ей было нельзя.

— Что же тогда?

— Не знаю. Какая-нибудь лазейка в законе. Наверняка он что-нибудь нашел. А она всегда соглашалась с любыми его планами.

Тут Нобби слегка расслабился, морщинки вокруг глаз разгладились.

— Значит, это хорошо, верно? Рут знает о его планах, о том, что он собирался сделать. Она будет продолжать проект. Когда она начнет, будет проще простого сесть и вместе с ней просмотреть эти бумаги из Калифорнии. Объяснить ей, что он выбрал самый плохой проект из всех возможных. Совершенно не подходящий к местности, не говоря уже о части света. Наименее эффективный с точки зрения затрат на содержание. А уж что до стоимости строительства...

— Нобби,— перебил его Фрэнк,— все не так просто.

Позади них завизжал кто-то из мальчишек, Нобби обернулся, и они увидели, что Бертран-младший сорвал с себя вязаную шапчонку и старательно натягивает ее на лицо Норману. Нобби резко окликнул его:

— Берт, прекрати сейчас же. Не будешь играть нормально, останешься дома с мамой.

— Но я только...

— Бертран!

Мальчик сдернул с брата шапку и погнал через лужайку мяч. Норман со всех ног помчался за ним. Нобби проследил за ними взглядом и снова повернулся к Фрэнку. Выражение облегчения, оказавшегося скоротечным и преждевременным, покинуло его лицо, оно снова стало замкнутым и настороженным.

— Не так просто? — переспросил он.— Почему, Фрэнк? Что может быть проще? Или ты хочешь сказать, что тебе нравится проект американца? Больше, чем мой?

— Нет, не хочу.

— Так в чем дело?

— В том, что написано в завещании.

— Но ты же сам говорил, что Рут...

Лицо Нобби вновь стало жестким, как в далекие школьные годы, когда его, обычного мальчишку, такого же, как все остальные, переполняла злость одиночки, никогда не знавшего участия и дружбы, которые могли бы скрасить его одиночество.

— И что же там написано, в завещании?

Фрэнк долго об этом думал. Всю дорогу от Ле-Репозуара до Форт-роуд он только и делал, что рассматривал его со всех мыслимых точек зрения. Если бы Ги Бруар хотел продолжать строительство музея, то завещание отражало бы этот факт. Неважно, где и каким образом он избавился от остальной собственности, но определенную сумму, отведенную на строительство военного музея, он бы оставил. Он этого не сделал, и, по мнению Фрэнка, тем самым ясно выразил свои намерения.

Фрэнк растолковал это Нобби Дебьеру, который слушал его с растущим изумлением.

— Ты что, с ума сошел? — спросил он, когда Фрэнк замолчал.— Зачем тогда было устраивать вечеринку? Объявлять во всеуслышание? Пить шампанское и пускать фейерверки? Чертовы чертежи показывать?

— Не могу тебе сказать. Я сужу только об имеющихся фактах.

— То, что происходило в тот вечер, тоже факты, Фрэнк. Все, что он говорил. И что делал.

— Да, но что именно он говорил? — стоял на своем Фрэнк.— Разве он говорил о закладке фундамента? О дате завершения строительства? Не странно ли, что он ничего такого не упомянул? По-моему, причина тут только одна.

— Какая?

— Он раздумал строить музей.

Нобби смотрел на Фрэнка, а его дети носились по лужайке у него за спиной. Вдалеке, где-то около форта Георга, на лужайке показался человек в синем спортивном костюме — он бежал трусцой, ведя на поводке собаку. Хозяин отпустил животное, и пес радостно помчался к деревьям, а его уши развевались на ветру. Мальчишки Нобби завопили от восторга, но отец даже не обратил на них внимания. Он напряженно глядел за спину Фрэнка, на дома, выстроившиеся вдоль Форт-роуд, и в особенности на свой собственный: большое желтое здание с белой отделкой, за которым был сад, где могли играть дети. Фрэнк знал, что в доме Кэролайн Дебьер работала, наверное, над романом — давняя мечта Нобби, по чьему настоянию она оставила должность штатного корреспондента в «Архитектурном обозрении», где мирно трудилась до тех пор, пока не повстречала своего будущего мужа и они принялись вместе строить воздушные замки, которые рушил теперь один за другим ледяной ветер реальности, вызванный смертью Ги Бруара.

Лицо Нобби налилось кровью, когда до его сознания дошли слова Фрэнка и вложенный в них смысл.

— Ра-ра-раздумал? С-совсем? Т-то... то есть у-ублюдок...

Он замолчал. Казалось, он силой пытается заставить спокойствие снизойти на него, но оно, похоже, не очень спешило.

Фрэнк пришел на помощь.

— Не думаю, что он всех нас провел. По-моему, он просто передумал. По какой-то причине. Вот что, мне кажется, произошло.

— А... а... а вечеринка?

— Не знаю.

— А... а...

Нобби сильно зажмурился. Сморщил лицо. Трижды повторил слово «так», словно заклинание, которое помогало избавиться от напасти, а когда заговорил снова, заикания как не бывало.

— А зачем тогда было всем объявлять, Фрэнк? Зачем рисунок? Он вынес его к гостям. Ты был там. Он его всем показывал. Он... Господи, зачем он это сделал?

— Не знаю. Не могу сказать. Я сам не понимаю.

Нобби пристально поглядел на него. Сделал шаг назад, как будто хотел разглядеть Фрэнка получше, прищурился, отчего лицо заострилось еще сильнее, чем раньше.

— Опять я в дураках, да? — сказал он.— Прямо как раньше.

— Почему в дураках?

— Вы с Бруаром меня подставили. Посмеялись надо мной. Неужели вам в школе было мало? Не ставьте Нобби в нашу группу, мистер Узли. Когда он встанет перед классом, чтобы отвечать, мы все будем выглядеть плохо.

— Не говори чепухи. Ты меня вообще слушал?

— Разумеется. И прекрасно во всем разобрался. Сначала меня подставили, а теперь сбили с ног. «Пусть думает, что получил подряд, а мы вытянем ковер у него из-под ног». Правила все те же. Только игра другая.

— Нобби,— сказал Фрэнк,— послушай себя сам. Неужели ты думаешь, что Ги заварил всю эту кашу с музеем ради сомнительного удовольствия унизить тебя?

— Думаю,— ответил тот.

— Чушь какая. Зачем?

— Затем, что ему это нравилось. Взамен того источника адреналина, которым был для него бизнес. Так он чувствовал себя всемогущим.

— Во всем этом нет ни капли смысла.

— Думаешь? А ты посмотри на его сына. Посмотри на Анаис, глупую телку. Да посмотри на себя, Фрэнк, если уж на то пошло.

«С этим надо что-то делать, Фрэнк. Ты ведь понимаешь, правда?»

Фрэнк отвел взгляд. Грудь снова стало давить, давить, давить. И снова в воздухе не было ничего такого, что мешало бы ему дышать.

— Он говорил: «Насколько мог, я тебя выручил»,— сказал Нобби тихо.— Он говорил: «Я поддержал тебя, сынок. К сожалению, на большее тебе рассчитывать не приходится. И на то, что это будет длиться вечно, тоже, дорогой мой». Но ведь он обещал, понимаешь. Он заставил меня поверить...

Нобби яростно заморгал и отвернулся.

— Да,— прошептал Фрэнк.— Это у него хорошо получалось.

Сент-Джеймс и его жена расстались недалеко от коттеджа. Рут Бруар позвонила, когда их разговор с Даффи подходил к концу, и в результате ее звонка кольцо, найденное ими на пляже, перекочевало в руки Деборы. Сент-Джеймс должен был вернуться в поместье, чтобы увидеть мисс Бруар. Дебора, в свою очередь, должна была отнести кольцо, не вынимая его из носового платка, к инспектору Ле Галле для возможного опознания. Внешний вид находки не позволял надеяться на то, что на ней будет хотя бы один годный отпечаток. Но шанс, пусть и ничтожный, все равно оставался. Поскольку у Сент-Джеймса для проведения экспертизы не было ничего, в том числе и права, то заниматься этим придется Ле Галле.

— Я сам доберусь обратно и встречусь с тобой в отеле,— сказал он жене, серьезно посмотрел на нее и спросил: — Ты уверена, что справишься, Дебора?

Он имел в виду не задание, которое поручал ей, а то, что они услышали от Даффи, в особенности от Валери, непоколебимо уверенной в том, что она видела именно Чайну Ривер, когда та шла в бухту по пятам за Ги Бруаром. Дебора ответила:

— Наверное, у нее есть какая-то причина желать, чтобы мы поверили, будто между Чайной и Ги что-то было. Он имел подход к женщинам, почему бы не к самой Валери?

— Она старше остальных.

— Старше Чайны. Но не намного старше, чем Анаис Эббот. Всего на несколько лет, я думаю. И при этом она оказывается лет на... сколько? На двадцать лет моложе самого Ги Бруара?

Этот факт нельзя было оставить без внимания, даже если ему показалось, что его жена настойчиво старается убедить саму себя. Тем не менее он сказал:

— Ле Галле не говорит нам всего, что знает. И не скажет. Я для него никто, и даже если бы я был кем-то, то так просто не бывает, чтобы полицейский, расследующий убийство, раскрывал материалы следствия представителю противоположной стороны. Но обо мне и этого не скажешь. Я для него совершенно чужой человек, который пришел просить об одолжении, не объяснив толком, кто он такой и какое место занимает во всей этой истории.

– Значит, ты считаешь, что есть что-то еще. Какая-то причина. Какая-то связь. Между Ги Бруаром и Чайной. Саймон, я не могу в это поверить.

Сент-Джеймс посмотрел на нее с нежностью и подумал о том, как сильно он ее любит и как ему хочется ее защитить. Но он знал, что должен сказать правду, и потому ответил:

– Да, любимая. По-моему, это не исключено.

Дебора нахмурилась. Ее взгляд устремился поверх его плеча туда, где тропинка, ведущая к бухте, пропадала в зарослях рододендронов.

– Я в это не верю,– повторила она.– Даже будь она легкой добычей. Из-за Мэтта. Понимаешь, когда такое случается, когда женщина расстается с мужчиной, ей нужно время, Саймон. Она должна чувствовать, что между ней и следующим мужчиной что-то есть. Ей хочется верить, что это не просто... не просто секс...

Жаркий румянец растекся по ее шее, поднялся вверх и залил щеки.

Сент-Джеймс хотел сказать: «Так было с тобой, Дебора».

Он понимал, что она, сама того не подозревая, сделала их отношениям самый лучший из всех возможных комплиментов: созналась, что для нее перейти от него к Томми Линли было совсем не просто, когда до этого дошло. Но не все женщины одинаковы. Бывают и такие – он знал это наверняка,– которым по окончании длительного романа просто необходимо убедиться в неотразимости своих чар. Для них знать, что они желанны, важнее, чем знать, что они любимы. Но он не мог сказать этого вслух. Слишком многое было связано с любовью Деборы к Линли. Слишком многое зависело от его собственной дружбы с ним.

Поэтому он сказал:

— Не будем смотреть на вещи предвзято. Пока не узнаем наверняка.

— Хорошо. Не будем.

— Увидимся позже?

— В отеле.

Он коротко поцеловал ее, сначала раз, потом еще два. Ее губы были нежны, а рука касалась его щеки, и ему так хотелось остаться с ней, но он знал, что это невозможно.

— В участке спроси Ле Галле,— сказал он ей.— Никому другому кольцо не отдавай.

— Конечно,— ответила она.

И он зашагал назад к дому.

Дебора провожала его взглядом, замечая про себя, как хромота сковывает его движения, от природы полные красоты и грации. Ей хотелось окликнуть его и объяснить, что она знает Чайну Ривер так, как можно узнать человека только в беде, ему, Саймону, не понятной, а дружба, выкованная при таких обстоятельствах, помогает женщинам понимать друг друга с полуслова. Ей хотелось рассказать мужу, что между женщинами бывают такие моменты, когда устанавливается истина, и ее нельзя ни отменить, ни опровергнуть, но и объяснить словами тоже нельзя. Истина просто есть, а то, как каждая из женщин ведет себя в очерченных ею пределах, зависит от того, прочна ли их дружба. Но разве объяснишь это мужчине? И не какому-то мужчине, а собственному мужу, который прожил больше десяти лет, пытаясь вырваться за пределы истины о том, что он калека, и, не в силах эту истину отрицать, пытался обратить ее в шутку, хотя, как она знала, увечье погубило почти всю его молодость.

Ничего объяснить было нельзя. Можно было лишь сделать все, чтобы показать ему: Чайна Ривер, которую она знала, вовсе не та Чайна Ривер, которая легко прыгнула бы в постель к любому мужчине и тем более — убила кого-нибудь.

Оставив позади поместье, она поехала в Сент-Питер-Порт, куда ее привела дорога, вволю попетляв по лесистому склону Ле-Валь-де-Терр и свернув к городу только у самой Хавлет-Бей. Пешеходов на набережной было мало. Всего лишь через улицу отсюда, чуть выше по склону холма, в банках, которыми славятся Нормандские острова, жизнь бьет ключом в любое время года, но здесь все как вымерло: ни налоговых изгнанников, загорающих на палубах своих яхт, ни туристов, снимающих замок и город.

Дебора остановила машину возле отеля «Эннс-плейс», откуда до полицейского управления, укрывшегося за высокой каменной стеной на Госпиталь-лейн, было рукой подать. Заглушив двигатель, она еще с минуту посидела в автомобиле. До возвращения Саймона из Ле-Репозуара у нее есть час, а может быть, и больше. Она решила использовать это время с пользой, слегка откорректировав планы, которые построил для нее муж.

В Сент-Питер-Порте понятия «далеко» не существует. Из пункта А в пункт Б всегда можно добраться пешком за двадцать минут, а в центре города, где улицы, начиная с рю Вовер и заканчивая Грейндж-роуд, словно закручены против часовой стрелки в неправильной формы овал, и того быстрее.

Ведь город возник задолго до появления автотранспорта, и его улицы, настолько узкие, что двум машинам не разминуться, без всякой логики и порядка петляли по склону холма, под которым был заложен Сент-Питер-Порт, заставляя его расти вверх.

Чтобы добраться до дома королевы Маргарет, Деборе просто нужно было пересечь эти улицы одну за другой. Но когда она прибыла на место и постучала в дверь, то, к своему огорчению, обнаружила, что Чайны в квартире нет. Дебора повернулась и тем же путем вернулась к парадному подъезду здания, где стала думать, что делать дальше.

Чайна могла уйти куда угодно, размышляла она. На встречу со своим адвокатом, отмечаться в полицию, просто прогуляться или побродить по улицам. Ее брат, скорее всего, пошел с ней, и Дебора решила попробовать их найти. Она пойдет в сторону полицейского управления. Спустится на центральную улицу и будет идти по ней, пока снова не придет к отелю.

Через дорогу, напротив дома королевы Маргарет, в склон холма были врезаны ступени, которые вели к гавани. Дебора направилась к ним, углубилась в коридор высоких стен и каменных строений и вскоре оказалась в одной из старейших частей города, где здание из красноватого камня, когда-то великолепное, занимало одну сторону улицы, а на другой открывались многочисленные арочные проемы, сквозь которые можно было попасть в магазины, торгующие цветами, фруктами и сувенирами.

Высокие окна величественного старого дома были темны, без света в этот сумеречный день здание выглядело нежилым и заброшенным. Но в одной его части вокруг торговых прилавков все еще теплилась жизнь. Прилавки стояли в глубине похожего на пещеру здания, куда можно было попасть с Маркет-стрит через обшарпанную голубую дверь, широко распахнутую. Дебора подошла к ней.

Ее ноздри тут же защекотал безошибочно узнаваемый запах крови: так пахнет только в лавке мясника. Отбивные, лопатки и груды фарша были выставлены на немногочисленных застекленных прилавках — все, что осталось от некогда процветавшего мясного рынка. И хотя здание с его коваными решетками и лепниной вполне могло привлечь Чайну как фотографа, Дебора не сомневалась, что запах мертвых животных наверняка прогнал бы обоих Риверов прочь, и не удивилась, не найдя их внутри. Однако на всякий случай она внимательно оглядела каждый уголок здания, с грустью отметив, что там, где раньше стояли мелкие лавчонки и шла бойкая торговля, нынче не было ничего, кроме пустоты заброшенного склада. Посреди громадного зала, где взмывающий вверх потолок жутковатым эхом вторил ее шагам, стоял ряд разбитых прилавков, на одном из которых сделанная фломастером надпись «Чтоб ты провалился, Сейфуэй» отражала чувства по крайней мере одного торговца, потерявшего заработок по вине пришедшей в город сети супермаркетов.

В самом дальнем углу рынка, напротив мясных прилавков, Дебора обнаружила все еще работающую лавочку, где торговали овощами и фруктами, а за ней снова начиналась улица. Прежде чем выйти из здания, она зашла туда купить лилий, а заодно взглянуть, какие еще магазины есть на улице.

Сквозь арочные проходы по ту сторону улицы ей были хорошо видны не только сами магазинчики, но и их покупатели, так как посетителей там было не много. Ни Чайны, ни Чероки среди них не было, и Дебора снова задумалась, куда они могли пойти.

Ответ ждал ее прямо у лестницы, по которой она спускалась. Небольшой бакалейный магазин под гордым названием «Кооперация Нормандских островов. Общество с ограниченной ответственностью» наверняка должен был привлечь внимание Риверов, которые все-таки оставались детьми своей матери — убежденной вегетарианки, сколько бы они над ней ни подтрунивали.

Дебора вошла внутрь и сразу услышала голоса обоих Риверов, потому что магазин был маленький, хоть и загроможденный высокими полками, которые скрывали посетителей от взглядов прохожих.

— Я ничего не хочу,— нетерпеливо говорила Чайна.— Я не могу есть, когда у меня нет аппетита. Будь ты на моем месте, он бы и у тебя пропал.

— Но есть-то надо,— отвечал Чероки.— Вот, например, суп.

— Ненавижу супы из банок.

— Но ты же раньше ела их на обед.

— Вот именно. Знаешь, что они мне напоминают, Чероки? Жизнь в мотелях. А это еще хуже, чем жить в трейлере.

Дебора прошла по проходу, завернула за угол и увидела их у прилавка с супами Кэмпбелла. Чероки держал в одной руке банку с супом из риса и помидоров. А в другой — пакет с чечевицей. Чайна повесила себе на локоть проволочную корзину. В ней не было ничего, кроме батона, пачки спагетти и коробки томатного сока.

— Дебс! — Чероки улыбнулся, отчасти приветственно, но в основном с выражением глубокого облегчения.— Мне нужен союзник. Она отказывается есть.

— Не отказываюсь.

Вид у Чайны был изможденный, хуже, чем вчера, под глазами залегли глубокие темные круги. Попытка скрыть их при помощи косметики принесла лишь частичный результат.

— «Кооперация Нормандских островов». Я-то думала, здесь продают здоровую пищу. А тут...

И Чайна безнадежно повела рукой, указывая на полки вокруг.

Единственными свежими продуктами, которыми располагал этот кооператив, были яйца, сыр, охлажденное мясо и хлеб. Все остальное было либо в консервах, либо замороженное. Серьезное разочарование для тех, кто привык покупать экологически чистые продукты в специализированных магазинах Калифорнии.

— Чероки прав,— сказала Дебора.— Тебе надо поесть.

— Я остаюсь при своем мнении,— решительно сказал Чероки и принялся нагружать корзину всеми подряд банками.

Чайна выглядела слишком подавленной, чтобы спорить. Через несколько минут с покупками было покончено.

Выйдя из магазина, Чероки выразил желание поскорее услышать, что принес Сент-Джеймсам этот день. Дебора предложила вернуться в квартиру и там поговорить, но Чайна воспротивилась:

— О господи, нет. Я только что оттуда. Давайте пройдемся.

И они направились вниз, к гавани, где выбрали для прогулки самый длинный из пирсов. Он протянулся до мыса у входа в Хавлет-Бей, где, точно часовой, стоял замок Корнет. Поравнявшись с ним, они повернули направо, описав приличную дугу над водами пролива.

На краю пирса Чайна сама подняла волнующую всех тему. Она спросила у Деборы:

— Ну что, дела плохи? По твоему лицу вижу. Так что давай выкладывай,— и тут же повернулась к морю, которое сплошной серой массой колыхалось перед ними.

Не так далеко впереди еще один остров — Сарк? Или Олдерни? — просвечивал сквозь туман, словно морское чудовище, которое прилегло отдохнуть.

— Так что у тебя, Дебс?

Чероки поставил на землю сумки с продуктами и взял сестру за руку.

Чайна высвободилась и отодвинулась от него. У нее был вид человека, готового услышать самое плохое. Дебора почти решила преподнести новости в позитивном свете. Но ничего позитивного в том, что она собиралась сказать, не было, к тому же она понимала, что обязана сказать подруге правду.

Поэтому она рассказала Риверам все о том, что им с Саймоном удалось узнать в Ле-Репозуаре. Чайна, которая никогда не была дурой, сразу сообразила, какое направление примут мысли любого разумного человека, едва станет известно, что она не только проводила время с Ги Бруаром наедине, но и была замечена — и явно не одним человеком — идущей за ним по пятам в утро его смерти.

— Ты тоже считаешь, что у меня с ним что-то было, так ведь, Дебора? Так. Здорово.

В ее голосе звучали враждебность и отчаяние.

— Вообще-то я...

— А почему бы и нет, в конце концов? Все равно все именно так и думают. Несколько часов наедине, два дня... К тому же он был чертовски богат. Ну конечно. Мы трахались, как кролики.

Дебора моргнула, услышав такую грубость. Это было так не похоже на ту Чайну, которую она знала, всегда такую романтичную, преданную единственному мужчине, довольную самым неопределенным будущим.

Чайна продолжала:

— И меня совершенно не волновало то, что он мне в дедушки годился. При таких-то деньжищах. Какая разница, кого трахать, если на этом можно хорошо заработать, правда?

— Чайн! — взмолился Чероки.— О господи!

Едва ее брат заговорил, как Чайна словно одумалась. Более того, она, кажется, поняла, что ее слова можно отнести и к самой Деборе, потому что торопливо сказала:

— Господи, Дебора. Прости меня.

— Ничего страшного.

— Я ничего такого не хотела... я вообще не думала ни о тебе, ни о... ну, ты знаешь.

«Томми»,— мысленно закончила Дебора.

Чайна хотела сказать, что не думала о Томми и его деньгах. Его деньги никогда не упоминались, но всегда присутствовали — одна из тех вещей, которые кажутся такими привлекательными со стороны, если не знать, что за ними стоит.

— Ничего. Я знаю,— сказала Дебора.

Чайна продолжала:

— Просто дело в том, что... Неужели ты правда веришь, будто я... с ним? Веришь?

— Она рассказывала тебе о том, что ей удалось узнать, вот и все, Чайн,— вмешался Чероки.— Нам же надо знать, что думают люди, или нет?

Чайна набросилась на него.

— Слушай, заткнись, Чероки. Ты сам не понимаешь, что... Хотя ладно, забудь. Просто заткнись, и все.

— Я всего лишь пытаюсь...

— Ну так не пытайся. И перестань вокруг меня вертеться. Мне дышать нечем. Я шагу без тебя ступить не могу.

— Послушай. Никто не хочет, чтобы ты села в тюрьму,— сказал ей Чероки.

Она засмеялась, но смех тут же оборвался, потому что она заткнула себе рот кулаком.

— Ты что, спятил? — спросила она.— Да все только этого и добиваются. Кому-то нужен козел отпущения. Моя кандидатура подходит идеально.

— Ну да, вот поэтому твои друзья и приехали.— Чероки улыбнулся Деборе и кивнул на букет, который она держала в руках.— И привезли цветы. Где ты их купила, Дебс?

— На рынке.— Подчиняясь импульсу, она протянула цветы Чайне.— Мне показалось, что в твоей квартире не хватает яркого пятна.

Чайна взглянула на цветы, потом посмотрела Деборе в лицо.

— Знаешь, по-моему, ты лучшая подруга в мире,— сказала она.

— Я рада.

Чайна взяла цветы. Пока она смотрела на них, выражение ее лица смягчилось.

— Чероки, оставь нас ненадолго, ладно? — попросила она брата.

Он перевел взгляд с сестры на Дебору и ответил:

— Ладно. Я поставлю их в воду.

Он подхватил сумки с покупками и сунул букет под мышку.

— Ну пока,— кивнул он Деборе, в то время как его взгляд яснее слов говорил: «Удачи».

И зашагал вдоль пирса назад. Чайна провожала его взглядом.

— Я знаю, что он хочет мне добра. Знаю, что он волнуется. Но от его присутствия мне только хуже становится. Как будто мне надо бороться не только со всей этой ситуацией, но еще и с ним.

Она обхватила себя руками, и Дебора в первый раз заметила, что на ней нет ничего, кроме свитера, хотя на улице холод. Наверное, ее плащ еще в полиции. Тот самый плащ, от которого так много зависит.

— Где ты оставила свой плащ в тот вечер?

Чайна посмотрела на воду.

— Когда была вечеринка? В моей комнате, наверное. Я за ним не следила. Я целый день то приходила, то уходила, но, видимо, в какой-то момент унесла его наверх, потому что утром, когда мы собрались ехать, он был там, висел на стуле. У окна.

— А ты помнишь, как ты его туда повесила?

Чайна покачала головой.

— Наверное, я сделала это машинально. Надела, сняла, бросила куда попало. Я никогда не страдала манией порядка, ты же знаешь.

— Значит, кто-то мог взять его, надеть, выйти в то утро за Ги Бруаром, а потом вернуть?

— Наверное. Только не понимаю как. Или даже когда.

— А когда ты ложилась спать, он был там?

— Возможно.— Она нахмурилась.— Не знаю даже.

— Валери Даффи клянется, что видела, как ты шла за ним по пятам, Чайна,— сказала Дебора как можно мягче.— Рут Бруар клянется, что обыскала дом, как только увидела из окна кого-то, похожего на тебя.

— Ты им веришь?

— Дело не в этом,— ответила Дебора.— Дело в том, не случилось ли раньше чего-нибудь такого, что заставило бы полицию поверить их словам.

— Какого такого?

— Между тобой и Ги Бруаром.

— Снова ты об этом.

— Это не я так думаю. Это полиция...

— Забудь,— перебила ее Чайна.— Пойдем со мной.

И она пошла назад к набережной. Перешла через дорогу, даже не поглядев по сторонам. Обогнула несколько автобусов на городской автостанции и зигзагами двинулась к лестнице Конституции, которая рисовала перевернутый вопросительный знак на склоне холма. Эта лестница — очень похожая на ту, по которой спустилась раньше Дебора,— привела их на Клифтон-стрит, к дому королевы Маргарет. Чайна обошла дом и через черный ход вошла в квартиру «Б». И только когда они вошли внутрь и сели за кухонный стол, она сказала:

— Вот. Садись. Прочти это. Если по-другому ты мне не веришь, пожалуйста, можешь вникнуть в подробности.

— Чайна, да я тебе верю. Тебе не надо...

— Не рассказывай мне, что мне надо и чего не надо,— ответила Чайна настойчиво.— Ты думаешь, что я, может быть, все-таки лгу.

— Не лжешь.

— Ну ладно. Бывает, что-нибудь такое покажется. Но я говорю тебе, тут и показаться ничего не могло, потому что ничего не было. И никому бы ничего не показалось, потому что ничего не было. Ни между мной и Ги Бруаром. Ни между мной и кем-нибудь еще. Вот я и прошу, прочти это сама. Чтобы не сомневаться.

И она опустила на стол блокнот, в котором записала все, что делала в Ле-Репозуаре каждый день.

— Я верю тому, что ты говоришь,— повторила Дебора.

— Читай,— был ответ.

Дебора поняла, что придется, иначе ее подруга не успокоится. Она села за стол и стала читать, а Чайна отошла к разделочному столу, на который Чероки сложил цветы и покупки, прежде чем куда-то скрыться.

Чайна была очень педантична, Дебора заметила это сразу, едва начав читать записки. Ее памяти можно было позавидовать. Каждая встреча с Бруарами была подробно описана, а когда она не встречалась с Ги Бруаром, или его сестрой, или с ними обоими, то тщательно перечисляла все, чем занималась без них. Чаще всего она проводила время с Чероки или одна, фотографировала поместье.

Записала она и то, где происходила каждая встреча. Это давало возможность проследить каждый ее шаг, что было очень хорошо, потому что кто-нибудь наверняка мог подтвердить ее слова.

«Гостиная,— писала она.— Смотрела исторические изображения ЛР. Были Ги, Рут, Чероки и Пол Ф.».

Далее следовали время и дата.

«Столовая,— продолжала она.— Обедала с Ги, Рут, Чероки, Фрэнком У. и Полом Ф. А. Э. пришла позже, во время десерта, привела Утеночка и Стивена. На меня смотрела волком. На Пола Ф. тоже».

«Кабинет,— шло далее.— Ги, Фрэнк У. и Чероки говорили о музее. Фрэнк ушел. Чероки пошел с ним знакомиться с его отцом и смотреть мельницу. Я и Ги остались. Пришла Рут с А. Э. Утеночек со Стивеном и Полом Ф. пошли на улицу».

«Галерея,— писала она,— верхний этаж дома, с Ги. Ги показывал картины, позировал для снимка. Зашел Адриан. Он только что приехал. Нас познакомили».

«Парк. Я и Ги. Говорили о снимках поместья. Об "Архитектурном дайджесте". О спонтанных поступках. Осматривали постройки и разные сады. Кормили рыб».

«Комната Чероки. Он и я. Обсуждали, ехать дальше или остаться».

И так далее, и тому подобное, дотошный отчет обо всем, что происходило в последние несколько дней перед смертью Ги Бруара. Дебора прочитала все целиком, стараясь выделить ключевые моменты, которыми кто-то неизвестный мог воспользоваться в своих целях и поставить Чайну в ее нынешнее положение.

— Кто такой Пол Ф.? — спросила она.

Чайна объяснила: один из протеже Ги Бруара. Ги был для него кем-то вроде Большого Брата. У британцев есть такие Большие Братья, как у нас, в Штатах? Когда взрослый человек берется воспитывать подростка, которому не повезло с родителями? Именно такие отношения были между Ги Бруаром и Полом Филдером. Мальчик никогда не произносил больше десяти слов кряду. Просто смотрел на Ги преданными глазами и ходил за ним повсюду, как собачонка.

— А сколько ему?

— Подросток. Из бедной семьи, судя по виду. И велосипеду. Он почти каждый день приезжал на этом своем ржавом костотрясе. И ему всегда были рады. И его псу тоже.

Мальчик, одежда и собака. Описание подходило пареньку, на которого они с Саймоном наткнулись по пути в бухту. Дебора спросила:

— А на вечеринке он был?

— Ты имеешь в виду — накануне?

Когда Дебора кивнула, Чайна ответила:

— Конечно. Все там были. Насколько мы поняли, она была здесь событием сезона.

— А сколько там было людей?

Чайна задумалась.

— Сотни три, наверное. Ну, примерно.

— И все в одном месте?

— Не совсем. То есть дом не держали открытым, но люди всю ночь бродили, где хотели. Из кухни то и дело приносили новые закуски. Работали четыре бара. Никакого хаоса не было, но я не думаю, что кто-нибудь следил за тем, кто куда пошел.

— Значит, твой плащ легко могли стащить,— подытожила Дебора.

— Наверное, так. Но когда он мне понадобился, он был на месте, Дебс. Когда мы с Чероки уезжали в то утро.

— А ты никого не видела, когда уезжала?

— Ни души.

Тут они обе умолкли. Чайна разобрала сумки и сложила покупки в маленький холодильник и единственный кухонный шкаф. Поискала, куда бы пристроить цветы, и остановилась на кофейнике. Дебора наблюдала за ней, ломая голову над тем, как бы задать вопрос, который ей необходимо задать, но так, чтобы подруга не сочла его подозрительным или провокационным. Трудностей ей и без того хватало.

— А до того,— начала она,— в какой-нибудь из предыдущих дней, ты ходила с Ги Бруаром на его утреннее купание? Хотя бы просто посмотреть?

Чайна покачала головой.

— Я знала, что он ходил плавать в бухту. Все так восхищались им из-за этого. Вставал в такую рань, зимой, да еще окунался в ледяную воду. Мне кажется, ему нравилось восхищение, которое вызывали в людях его утренние заплывы. Но я никогда с ним не ходила.

— А кто-нибудь другой ходил?

— По-моему, его подружка, судя по тому, как об этом говорили. Вроде того: «Анаис, может быть, хотя бы ты его отговоришь?» А она: «Я и пытаюсь, когда там бываю».

— Так что она могла пойти с ним в то утро?

— Если бы осталась на ночь. Но по-моему, она этого не сделала. Она не оставалась ни разу за все время, что мы с Чероки были там.

— Но иногда она все же оставалась?

— Да, и не скрывала этого. То есть она всячески старалась, чтобы я об этом узнала. Так что теоретически в ту ночь, когда была вечеринка, она могла и остаться, хотя я сомневаюсь.

Дебору успокоило то, что Чайна не пыталась бросить тень подозрения на кого-то другого. Это свидетельствовало о характере куда более сильном, чем ее собственный.

— Чайна, по-моему, в этом деле существует множество путей, по которым полиция могла бы пойти в своих поисках.

— Правда? Ты правда так считаешь?

— Да.

И тут Чайну словно отпустило что-то большое и неназываемое, сидевшее у нее внутри с тех самых пор, как Дебора набрела на них с Чероки в бакалейном магазине.

— Спасибо тебе, Дебс.

— Не надо меня благодарить.

— Нет, надо. За то, что ты приехала. За то, что ведешь себя как настоящая подруга. Если бы не вы с Саймоном, меня бы тут совсем заклевали. Ты познакомишь меня с Саймоном? Мне бы очень хотелось его увидеть.

— Конечно познакомлю. Он тоже ждет не дождется.

Чайна вернулась к столу и взяла в руки блокнот. Поглядела в него с минуту, словно обдумывая что-то, а потом протянула его Деборе так же внезапно, как раньше та протянула ей цветы.

— Передай ему это. Пусть пройдется по нему частым гребнем. Пусть не стесняется задавать мне любые вопросы так часто, как сочтет нужным. Но пусть докопается до правды.

Дебора взяла документ и пообещала передать его мужу.

Квартиру она покидала с радостным чувством. Выйдя из подъезда, обогнула здание и увидела Чероки, который стоял, прислонившись к ограде на другой стороне улицы, напротив закрытого на зиму отеля. Воротник его куртки был приподнят, из картонного стаканчика с крышкой, который он держал в руках, поднимался парок, а сам он разглядывал дом королевы Маргарет с видом копа, работающего под прикрытием. Увидев Дебору, он отделился от ограждения и пошел ей навстречу.

— Ну как? — спросил он.— Все в норме? Она весь день сама не своя.

— С ней все в порядке,— ответила Дебора.— Хотя нервишки, конечно, пошаливают.

— Я хочу сделать для нее что-нибудь, а она мне не позволяет. Я пытаюсь, а она слетает с катушек. По-моему, ей не надо сидеть там одной, вот я и слоняюсь вокруг нее, предлагаю пойти покататься, погулять, поиграть в карты или посмотреть Си-эн-эн, узнать, как дела дома. Или еще что-нибудь. А ее это бесит.

— Ей страшно. Мне кажется, она просто не хочет, чтобы ты знал насколько.

— Но я же ее брат.

— Может быть, именно поэтому.

Он задумался, осушил свой стакан и смял его в руке.

— Она всегда заботилась обо мне. В детстве. Когда мама... ну, ты знаешь нашу маму. У нее всегда были марши протеста. Судебные дела. Не всегда, конечно, но, когда надо было привязать себя к какому-нибудь дереву или пронести плакат против чего-нибудь, она никогда не отказывалась. Уезжала, и все. Иногда на несколько недель. И тогда все держалось на Чайне. Не на мне.

— Поэтому ты чувствуешь себя в долгу перед ней.

— Еще как. Да. Я хочу помочь.

Дебора задумалась: его желания полностью отвечали ситуации. Взглянув на часы, она решила, что пора.

— Пойдем со мной,— сказала она.— Есть одно дело.

12

В утренней комнате особняка Сент-Джеймс увидел огромную раму вроде тех, на которых ткали гобелены. Только здесь была колоссальных размеров вышивка. Рут Бруар молча наблюдала, как он разглядывал раму с натянутой на ней канвой и висящую на стене законченную работу, похожую на ту, которую он уже видел в спальне.

Сюжетом громадной вышитой картины была Франция во Второй мировой войне: линия Мажино, женщина, собиравшая чемоданы. Двое детей — мальчик и девочка — наблюдали за ней, а на заднем плане бородатый мужчина в молитвенном одеянии стоял, держа на ладони раскрытую книгу, а женщина одного с ним возраста плакала и успокаивала мужчину, который был, наверное, ее сыном.

— Какая замечательная работа,— сказал Сент-Джеймс.

На открытом бюро лежал конверт из манильской бумаги, который Рут Бруар положила туда, прежде чем впустить посетителя.

— Для меня это лучше психоанализа,— сказала она,— и гораздо дешевле.

— И сколько ушло на это времени?

— Восемь лет. Но я тогда не торопилась. Некуда было.

Сент-Джеймс поглядел на нее внимательно. Все в ней говорило о болезни — и подчеркнуто осторожные движения, и напряженное лицо. Но ему не хотелось не то что называть болезнь своим именем, но и вообще говорить о ней, так убедительно поддерживала Рут иллюзию жизнестойкости.

— И сколько таких вы запланировали? — спросил он, переводя взгляд на неоконченное полотно на подставке.

— Столько, сколько понадобится, чтобы рассказать всю историю,— ответила она.— Вон та,— кивнула она на стену,— та была первая. Грубовата немного, но с опытом пришло качество.

— Она рассказывает важную историю.

— Я тоже так думаю. А что с вами случилось? Я знаю, задавать такие вопросы считается грубостью, но мне сейчас не до условностей. Надеюсь, вы не возражаете.

Он бы наверняка возражал, если бы вопрос исходил от кого-нибудь другого. Но в ней чувствовалась такая способность к пониманию, которая превосходила всякое праздное любопытство и превращала ее в родственную душу.

«Возможно,— подумал Сент-Джеймс,— это потому, что она сама уже так очевидно умирает».

Он ответил:

— Автокатастрофа.

— Давно?

— Мне было двадцать четыре.

— А, простите меня.

— Совершенно не за что. Мы оба были пьяны в дым.

— Вы и ваша дама?

— Нет. Старый школьный друг.

— Который, разумеется, был за рулем. И отделался парой синяков.

Сент-Джеймс улыбнулся.

— Мисс Бруар, вы, случайно, не колдунья?

Она ответила ему улыбкой.

— К сожалению, нет. Уж я бы не упустила возможности наложить пару-тройку заклятий.

— На какого-нибудь счастливчика?

— На моего брата.

Она развернула стоявший у стола стул с прямой спинкой к комнате и опустилась на него, положив на сиденье руку. Потом кивнула на соседнее кресло. Сент-Джеймс сел и стал ждать, когда она объяснит, зачем позвала его снова.

Через минуту все прояснилось. Она спросила, знаком ли мистер Сент-Джеймс с законом о наследовании на острове Гернси. В таком случае ему, может быть, известны ограничения, которые этот закон налагает на завещателя с точки зрения распределения денег и собственности? Система, прямо скажем, архисложная, корнями уходящая в норманнское обычное право. Его важнейшей характеристикой является сохранение собственности в пределах семьи, а отличительной чертой — невозможность лишить своего отпрыска наследства, будь он хоть трижды беспутным. Дети имеют право наследовать определенную долю имущества родителей, каковы бы ни были их взаимоотношения.

— Многое на этих островах было по душе моему брату,— сказала Сент-Джеймсу Рут Бруар.— Погода, атмосфера, сильно развитое чувство общности. Само собой, налоговое законодательство и хорошие банки. Но Ги было не по душе, когда ему указывали, как он должен распоряжаться собственными деньгами.

— Вполне понятно,— ответил Сент-Джеймс.

— Поэтому он стал искать способ обойти закон, какую-нибудь лазейку в нем. И он ее нашел, в чем каждый, кто его знал, мог быть уверен с самого начала.

Прежде чем перебраться жить на остров, объяснила Рут Бруар, ее брат перевел все свое имущество на нее. Себе он оставил единственный банковский счет, на который положил кругленькую сумму, позволявшую ему не только делать вложения, но и жить с комфортом. А все остальное, чем он когда-либо владел,— недвижимость, акции, ценные бумаги, другие счета, предприятия — было оформлено на имя Рут. При одном условии: оказавшись на Гернси, она должна была сразу же подписать завещание, которое составят юрист и ее брат. Поскольку ни мужа, ни детей у нее не было, то она могла завещать свою собственность кому угодно, а точнее, свою собственность мог завещать кому угодно ее брат, потому что завещание было написано под его диктовку. Неплохой способ обойти закон.

— Видите ли, мой брат многие годы не общался со своими младшими детьми,— объясняла Рут.— И он не мог понять, почему тот факт, что он является для этих девочек отцом, обязывает его с точки зрения местного закона оставить каждой из них целое состояние в наследство. Он всю жизнь помогал им материально. На его деньги они учились в лучших школах, благодаря его связям одна из них учится в Кембридже, другая — в Сорбонне. И никакой благодарности в ответ. Даже простого спасибо. Поэтому он решил, что хорошего понемножку, и изыскал способ отблагодарить двух появившихся в его жизни людей, от которых он получил то, чего не дождался от родных детей. Я имею в виду преданность. Дружбу, признание и любовь. Он мог щедро отблагодарить их, этих двоих, и хотел это сделать, но только через меня. Так он и поступил.

— А что его сын?

— Адриан?

— Его ваш брат тоже хотел оставить без наследства?

— Он никого не собирался оставлять без наследства. Он только хотел уменьшить ту сумму, которую его обязывал отдать им закон.

— Кому это было известно? — спросил Сент-Джеймс.

— Насколько я знаю, самому Ги, Доминику Форресту — это его адвокат — и мне.

Тут она протянула руку за конвертом из манильской бумаги, но не сразу расстегнула его металлические зажимы. Просто положила конверт себе на колени и продолжала говорить, поглаживая его руками.

— Частично я на это согласилась, просто чтобы Ги не беспокоился. Его очень угнетали те отношения, которые установились у него с детьми по вине его жен, вот я и подумала: «А почему бы и нет? Почему бы не дать ему возможность отблагодарить тех, кто осветил его жизнь в тот момент, когда родные люди от него отказались?» Понимаете, я ведь не ожидала...

Заколебавшись, она аккуратно сложила на груди руки, словно обдумывая, что еще следует сказать. Внимательный взгляд на конверт, лежавший у нее на коленях, словно помог ей решиться, и она продолжила:

— Я не надеялась пережить своего брата. Я думала, что, когда расскажу ему о своем... физическом состоянии, он предложит мне переписать завещание и оставить все ему. Разумеется, тогда закон опять связал бы ему руки в том, что касалось его собственных посмертных распоряжений, но я до сих пор уверена, что он предпочел бы это, чем остаться при одном банковском счете и нескольких инвестициях без всякой возможности увеличения того или другого в случае необходимости.

— Да, понятно,— сказал Сент-Джеймс.— Мне понятно, как все должно было быть. Но, судя по всему, получилось иначе?

— Я так и не собралась рассказать ему о своей... ситуации. Иногда я ловила на себе его взгляд и думала: «Он знает». Но он никогда ничего не говорил. И я тоже. Я все обещала себе: «Завтра. Поговорю с ним об этом завтра». Но так и не поговорила.

— Поэтому когда его внезапно не стало...

— Было много надежд.

— А теперь?

— Теперь много обид.

Сент-Джеймс кивнул. Он поглядел на огромную стенную вышивку, изображавшую роковой момент в жизни семьи. Он увидел, что мать плачет, собирая чемоданы, а дети в страхе жмутся друг к дружке. В окно были видны фашистские танки, бороздившие отдаленный луг, а по узкой улице колонной двигались войска.

— По-моему, вы позвали меня сюда не для того, чтобы я сказал вам, как поступить дальше,— сказал он.— Что-то подсказывает мне, что вы уже приняли решение.

— Я всем обязана моему брату, и я привыкла отдавать долги. Поэтому вы правы. Я пригласила вас сюда не для того, чтобы спросить, как мне поступить с моим завещанием теперь, когда Ги больше нет. Совсем не для этого.

— В таком случае могу я узнать... Чем я могу вам помочь?

— До сегодняшнего дня,— ответила она,— мне были в точности известны условия завещаний Ги.

— Их было несколько?

— Он переписывал их несколько чаще, чем это делают другие люди. Каждый раз, составив новое, он обязательно устраивал мне встречу со своим адвокатом, чтобы я в точности знала содержание каждого документа. Он всегда заботился об этом и был очень последователен. В день, когда завещание следовало подписать и засвидетельствовать, мы шли к мистеру Форресту в офис. Там просматривали все бумаги, проверяли, не следует ли внести какие-то изменения в мое завещание, подписывали и заверяли все и шли обедать.

— Но, как я понимаю, с последним завещанием такого не случилось?

— Не случилось.

— Может быть, он просто не успел,— предположил Сент-Джеймс.— Он ведь не собирался умирать.

— Последнее завещание было написано в октябре, мистер Сент-Джеймс. Больше двух месяцев назад. Все это время я никуда не уезжала с острова. И Ги тоже. Чтобы сделать это завещание законным, ему пришлось поехать в Сент-Питер-Порт подписать все необходимые бумаги. Тот факт, что он не взял меня с собой, показывает, что он не хотел посвящать меня в свои планы.

— Какие?

— Вычеркнуть из завещания Анаис Эббот, Фрэнка Узли и Даффи. Он утаил это от меня. Когда я это поняла, то осознала, что он мог утаить от меня и многое другое.

Сент-Джеймс видел, что дело дошло наконец до главного — причины, по которой он снова здесь. Рут Бруар отогнула застежки конверта. Сент-Джеймс увидел паспорт Ги Бруара.

— Вот первый секрет,— сказала Рут.— Посмотрите на последнюю отметку, совсем недавнюю.

Сент-Джеймс пролистал маленькую книжицу и нашел страницу для отметок иммиграционных властей. И тут же увидел, что, вопреки фактам, сообщенным несколькими часами ранее его сестрой, Ги Бруар ступал на землю штата Калифорния в марте текущего года, куда попал через международный аэропорт города Лос-Анджелеса.

— Он не рассказывал вам об этом? — спросил ее Сент-Джеймс.

— Нет, конечно. Иначе я бы вам сказала.

Она передала гостю стопку каких-то бумаг. Сент-Джеймс увидел, что это счета по кредитной карте, а также счета из отеля, чеки из ресторанов и фирм по прокату автомобилей. Ги Бруар провел пять ночей в отеле «Хилтон» города Ирвин. Там он обедал в заведении под названием «Иль Форнайо», а также в «Морском ресторане Скотта» в Коста-Мезе и гриль-баре «Цитрус» в Ориндже. В Тастине он встречался с человеком по имени Уильям Кифер, адвокатом, которому заплатил более тысячи долларов за три встречи на протяжении пяти дней и сохранил его визитную карточку, а также счет из архитектурной фирмы под названием «Саутби, Стрейндж, Уиллоуз и Вард». Внизу, под счетом, было нацарапано «Джим Вард», слово «мобильный» и номер.

— Похоже, он лично устраивал все музейные дела,— заметил Сент-Джеймс.— Это совпадает с тем, что мы знаем о его планах.

— Совпадает,— кивнула Рут.— Но он ничего не рассказал мне. Ни слова об этой поездке. Понимаете, что это значит?

Вопрос Рут прозвучал зловеще, хотя Сент-Джеймсу показалось, что ее брат, наверное, просто хотел немного пожить своей жизнью. Не исключено даже, что он поехал туда не один и не хотел, чтобы сестра знала об этом. Но когда Рут заговорила снова, он понял, что открытые ею факты не столько сбили ее с толку, сколько лишний раз убедили в собственной правоте.

— Калифорния, мистер Сент-Джеймс. Она живет в Калифорнии. Значит, он наверняка познакомился с ней до того, как она приехала на Гернси. Она приехала сюда, продумав все заранее.

— Понимаю. Вы о мисс Ривер. Но она из другой части штата,— заметил Сент-Джеймс.— Она живет в Санта-Барбаре.

— А как далеко оттуда до этого места?

Сент-Джеймс нахмурился. Он не знал, так как никогда не бывал в Калифорнии и не имел никакого представления о том, какие там вообще есть города, за исключением Сан-Франциско и Лос-Анджелеса, которые, по его представлениям, находились в противоположных концах штата. Однако Калифорния виделась ему как огромное пространство, опутанное сетью автодорог, по которым с умопомрачительной скоростью носятся автомобили. Квалифицированное мнение о том, мог ли Ги Бруар добраться из одного места в другое за то время, которое он провел в Калифорнии, способна была высказать Дебора. Живя там, она много путешествовала, причем не только с Томми, но и с Чайной.

Чайна. Мысль о ней напомнила ему рассказ жены об их визитах к ее матери и брату. Город, как цвет, сказала она тогда,— Ориндж. Именно там находился гриль-бар «Цитрус», чек из которого сохранился среди бумаг Ги Бруара. Кроме того, где-то в тех местах жил Чероки Ривер, а не его сестра Чайна. Так, может быть, не Чайна, а именно Чероки познакомился с Ги Бруаром до приезда на Гернси?

Подумав о том, что может из этого следовать, он сказал Рут:

— Где спали Риверы, когда гостили у вас?

— На третьем этаже.

— Куда выходили их окна?

— На юг.

— То есть из них хорошо просматривается подъездная аллея? Деревья вдоль нее? Коттедж Даффи?

— Да. А что?

— Почему вы подошли к окну в то утро, мисс Бруар? Когда вы увидели человека, крадущегося за вашим братом, почему вы вообще выглянули в окно? Вы всегда так поступали?

Поразмыслив над его вопросом, она медленно заговорила:

— Обычно Ги выходил из дома раньше, чем я вставала. Так что, наверное, это был...

Вид у нее стал задумчивый. Она сложила руки поверх конверта, и Сент-Джеймс увидел, как на тоненьких косточках натянулась ее кожа, словно бумажная.

— Дело в том, что мне послышался какой-то звук, мистер Сент-Джеймс. Он разбудил меня и немного напугал, так как я думала, что еще очень поздно и кто-то крадется среди ночи. Но, взглянув на часы, я увидела, что время, когда Ги уходил плавать, почти подошло. Я еще полежала, послушала и услышала, как он шуршит в своей комнате. Поэтому я решила, что и тот звук донесся тоже из его спальни.

Поняв, какое направление приняли мысли Сент-Джеймса, она добавила:

— Но это мог быть кто-то другой, правда? Вовсе не Ги, а тот, кто давно встал и ходил по дому. Тот, кто собирался выйти и ждать Ги под деревьями.

— Похоже на то,— ответил Сент-Джеймс.

— А их комнаты были как раз над моей,— сказала она.— Комнаты Риверов. Этажом выше. Так что видите...

— Возможно,— сказал Сент-Джеймс.

Но видел он гораздо больше. Например, то, как можно уцепиться за какой-то один факт и упустить все остальное. Поэтому он спросил:

— А где была спальня Адриана?

— Он не мог...

— Он знал о завещаниях? Вашем и вашего брата?

— Мистер Сент-Джеймс, уверяю вас. Он не мог... Поверьте мне, это не он...

— Если предположить, что он знал островной закон о наследовании и не знал о том, что отец фактически оставил его без наследства, то он мог надеяться получить... что?

— Половину состояния отца, поровну поделенную между ним и его сестрами,— ответила Рут с явной неохотой.

— Или треть пирога, если бы отец просто оставил все своим детям?

— Да, но...

— Значительное состояние,— подчеркнул Сент-Джеймс.

— Да, конечно. Но вы должны поверить, что Адриан его и пальцем не тронул бы. Ни за что. И уж тем более из-за наследства.

— Значит, у него есть собственные деньги?

Она не ответила. На каминной полке тикали часы, их звук вдруг стал громким, словно это была готовая взорваться бомба. Сент-Джеймс счел молчание достаточным ответом.

— А что насчет вашего завещания, мисс Бруар? Какое соглашение заключили вы с братом? Как он хотел распорядиться собственностью, оформленной на ваше имя?

Она облизала губу. Язык у нее оказался почти таким же бледным, как она сама.

— Адриан — несчастный мальчик, мистер Сент-Джеймс. Почти всю жизнь родители тянули его каждый в свою сторону, как канат. Их брак кончился плохо, и Маргарет превратила сына в орудие мести. Для нее не имело значения то, что она вскоре снова вышла замуж, причем удачно,— Маргарет всегда удачно выходит замуж,— ведь Ги обманывал ее, а она ни о чем не догадывалась, не выследила его и не застала за самим фактом измены, о чем она, мне кажется, мечтала: мой брат с какой-нибудь женщиной в постели, и тут открывается дверь и фурией влетает Маргарет. Но ничего такого не было. Вся грязь выплыла наружу совершенно случайно... даже не знаю как. А она не смогла закрыть глаза, не смогла простить. И Ги заплатил за ее унижение полной мерой. Адриан стал орудием его пытки. Разве можно так обращаться с ребенком... вряд ли дерево вырастет крепким, если постоянно подкапывать ему корни. Но Адриан не убийца.

— Значит, в качестве компенсации вы все оставили ему?

До сих пор она разглядывала свои руки, но тут подняла голову и сказала:

— Нет. Я поступила так, как хотел брат.

— А именно?

Поместье Ле-Репозуар, по ее словам, становилось достоянием всех жителей Гернси и превращалось в публичный парк, а для поддержания в должном порядке территории, строений и интерьеров учреждался специальный фонд. Остальное — недвижимость в Испании, Франции и Англии, акции и ценные бумаги, банковские счета и личные вещи, не ставшие к моменту ее смерти частью интерьеров дома или украшений парка,— должно быть продано, а вырученные деньги вложены в фонд.

— Я согласилась, потому что он так хотел,— сказала Рут.— Он обещал, что его дети будут упомянуты в его собственном завещании, и слово сдержал. Конечно, они получили не так много, как могли бы при нормальном положении вещей. Но все же без гроша он их не оставил.

— Что они получили?

— Он воспользовался тем, что закон разрешает делить состояние. Его дети получили половину, поделенную на троих. Вторую половину получили двое подростков с Гернси.

— То есть фактически им он оставил больше, чем родным детям?

— Я... Да,— сказала она.— Совершенно верно.

— И кто эти подростки?

Она назвала ему Пола Филдера и Синтию Мулен. Ее брат, сказала она, был их наставником. С мальчиком он познакомился благодаря специальной программе, которая проводится в местной средней школе. С девочкой — благодаря ее отцу, Генри Мулену, стекольщику, который строил оранжерею и менял стекла в Ле-Репозуаре.

— Обе семьи довольно бедные, особенно Филдеры,— закончила Рут.— Ги видел это, и поскольку дети ему нравились, то он хотел сделать для них что-нибудь такое, чего их родители никогда не смогли бы себе позволить.

— Но зачем скрывать это от вас? — спросил Сент-Джеймс.

— Не знаю,— ответила она,— не понимаю.

— Вы стали бы возражать?

— Ну, может быть, сказала бы ему, что это вызовет много недовольства.

— У его родственников?

— Не только. У Пола и Синтии есть сестры и братья.

— Которых ваш брат не упомянул в своем завещании?

— Которых мой брат не упомянул в своем завещании. Так что если один получит наследство, а другие нет... Я бы предупредила его о том расколе, который это может вызвать в семьях.

— Он послушался бы вас, мисс Бруар?

Она покачала головой. Вид у нее при этом был бесконечно печальный.

— Это было его слабое место,— сказала она ему.— Ги никогда никого не слушал.

Маргарет Чемберлен не могла вспомнить, когда она в последний раз испытывала такую ярость и такое желание ее выплеснуть. Наверное, в тот день, когда ее подозрения насчет похождений мужа на стороне перестали быть подозрениями и превратились в полнокровную реальность, которая на миг вышибла из нее дух, словно удар кулаком в солнечное сплетение. Но тот день давно прошел, и с тех пор столько всего было — еще три брака и трое детей, если уж быть точной,— что сама память о нем потускнела, как давно не чищенное старинное серебро. Тем не менее она чувствовала, что гнев, от которого ее распирало сейчас, был сродни той старой обиде. По иронии судьбы и тогда, и сейчас причина была одна и та же.

Когда она испытывала такое, ей всегда трудно бывало решить, в каком направлении нанести первый удар. Она знала, что разговора с золовкой не избежать: слишком уж странными были условия завещания Ги, и Маргарет готова была голову дать на отсечение, что причина тому одна и она носит имя Рут. Но кроме нее были еще двое новоявленных наследников, которые оттяпали половину того, что Ги выдавал за свое полное состояние. И никакие силы на небесах, на земле или в аду не заставят Маргарет Чемберлен просто стоять и смотреть, как эти двое выскочек, не связанные с Ги ни единой каплей общей крови, получат больше денег, чем родной сын этого паразита.

Из Адриана цедить информацию пришлось по капле. Он укрылся в своей комнате, а когда она выследила его и приперла к стенке вопросами о том, кто, где и почему, на которые Рут не пожелала дать подробного ответа, он сказал только:

— Это дети. Которые глядели на отца так, как, по его мнению, должны были глядеть на него порождения его чресл. Но мы на это не пошли. А они — с радостью. В этом он весь, правда? Всегда ценил преданность.

— Где они? Где их можно найти?

— Он в Буэ,— ответил ее сын.— Где именно это находится — не знаю. Что-то вроде муниципального района. Может быть где угодно.

— А она?

С ней все оказалось проще. Мулены жили в Ла-Корбьере, к юго-западу от аэропорта, в приходе под названием Форест. Их дом был самый чудной на острове. Люди прозвали его Ракушечным домом, и любой, кто оказывался в окрестностях Ла-Корбьера, просто не мог его не заметить.

— Прекрасно. Поехали,— скомандовала Маргарет сыну.

И тут Адриан ясно дал понять, что никуда ехать не собирается.

— Чего ты добиваешься? — спросил он.

— Я хочу, чтобы они поняли, с кем имеют дело. Я хочу, чтобы они ясно представили себе, что их ждет, если они украдут у тебя принадлежащее тебе по праву...

— Зря стараешься.— Он непрерывно курил и ходил взад и вперед по комнате с такой настойчивостью, как будто решил протоптать в персидском ковре дыру.— Отец так хотел. Это его последнее... как это... последнее «прости».

— Прекрати скулить, Адриан.— Она ничего не могла с собой поделать. Смириться с согласием сына принять унизительное поражение только потому, что так за него решил отец, было выше ее сил.— Речь идет не только о его желаниях. Здесь затронуты твои права, права его плоти и крови. А если на то пошло, то и права твоих сестер, и не говори мне, что Джоанна Бруар станет спокойно сидеть в сторонке, когда узнает, как обошелся с ее девочками твой отец. Но мы можем годами таскаться по судам, если до этого дойдет дело. Поэтому надо прежде всего взять за жабры этих новоявленных наследников. А потом и Рут.

Он подошел к комоду, в первый раз поменяв свой маршрут. Раздавил сигарету в пепельнице, на девяносто процентов ответственной за дурной запах в комнате. И тут же зажег новую.

— Я никуда не поеду,— сказал он.— На меня не рассчитывай, мама.

Маргарет не приняла его отказ всерьез, во всяком случае, как постоянный. Она сказала себе, что он подавлен. Он унижен. Он в трауре. Не по Ги, само собой. По Кармел, которую он уступил Ги, да сгноит Господь его душу за то, что он предал своего родного и единственного сына в своей самой худшей манере, Иуда проклятый. Однако эта самая Кармел еще прибежит к нему и будет молить о прощении, когда Адриан займет свое законное место как полноправный наследник отцовского состояния. В этом Маргарет почти не сомневалась.

Адриан не задал ни единого вопроса, когда она сказала:

— Очень хорошо,— и стала рыться в его вещах.

Он не возражал, когда она вытащила ключи от его машины из кармана пиджака, который он оставил на сиденье стула. Бросив: «Ладно. Можешь ни во что пока не вмешиваться», она вышла.

В бардачке «рейнджровера» она нашла выпущенную фирмой по сдаче автомобилей внаем карту острова, на которой, как обычно в таких случаях, крупно было обозначено только расположение этой самой фирмы, а все остальное напечатано так мелко, что и не разглядишь. Но поскольку фирма была рядом с аэропортом, а Ла-Корбьер находился недалеко от того и другого, то у самой кромки южного берега острова ей удалось-таки разглядеть деревушку, к которой вела тропа не шире кошачьей шерстинки.

Она сорвалась с места, словно хотела выразить таким образом свои чувства, и понеслась вперед. Получится ли у нее, спрашивала она себя, сначала найти дорогу в аэропорт, а потом свернуть с нее влево по рю де ла Виллиаз? Она же не дура. А на домах есть указатели. Она не заблудится.

Ее уверенность основывалась на том, что на домах должны быть указатели. Однако скоро Маргарет обнаружила, что своей репутацией необычного места остров отчасти обязан тому, как надежно здесь прятались от глаз указатели с названиями улиц: обычно их вешали на уровне пояса и непременно там, где рос плющ. Еще она выяснила, что здесь желательно знать название прихода, в который направляешься, иначе рискуешь оказаться прямо в центре Сент-Питер-Порта, куда, словно в Рим, вели на острове все пути.

Потерпев четыре неудачи, она даже вспотела от расстройства, а когда ей посчастливилось наконец найти аэропорт, проскочила мимо рю де ла Виллиаз, даже не заметив ее, такой крошечной оказалась улочка при ближайшем рассмотрении. Маргарет привыкла к английским дорогам, где основные магистрали хотя бы отдаленно соответствуют своему названию. На карте улочка была обозначена красным, поэтому Маргарет представляла себе двухполосное шоссе с хорошей разметкой и крупными дорожными знаками, которые укажут ей на то, что она попала куда надо. К несчастью, она проехала практически весь путь до треугольной развязки в середине острова, о близости которой возвещала церковь, полускрытая в ложбине, когда ей пришло в голову, что она, должно быть, забралась слишком далеко. Тогда она свернула на обочину, раскрыла карту и с нарастающим раздражением увидела, что цель осталась далеко позади и все придется начинать сначала.

Вот тут-то она помянула своего сына недобрым словом. Если бы не этот жалкий, бесхребетный... Но нет. Конечно, было бы куда удобнее, если бы он поехал с ней и они прибыли к месту назначения, не заблудившись пять раз по дороге. Но Адриану надо прийти в себя после удара, нанесенного ему завещанием отца — его проклятого отца,— и если ему нужен на это час или около того, что ж, так тому и быть, думала Маргарет. Она сама справится.

Однако мысль о Кармел Фицджеральд все же мелькнула у нее в голове: может быть, девушка просто поняла, что рано или поздно настанет время, когда Адриан засядет у себя в комнате или натворит что-нибудь похуже, а ей придется со всем справляться самой? Видит бог, Ги мог любого чувствительного человека если не загнать в могилу, то уж заставить мучиться презрением к себе. Как минимум. И если именно это случилось с Адрианом, пока он и Кармел гостили в Ле-Репозуаре, то как молодой беззащитной девушке было устоять перед натиском мужчины, находившегося в своей стихии, бодрого и чертовски активного?

«Вот именно, беззащитной»,— подумала Маргарет.

А Ги, разумеется, сразу это увидел и бессовестно воспользовался.

Но, бог свидетель, он заплатит за все, что натворил. При жизни он этого избежал. Зато теперь никуда не денется.

Маргарет так увлеклась своими мыслями, что чуть не проскочила рю де ла Виллиаз вторично. Но в последний миг все же заметила узкий проулок, сворачивавший вправо недалеко от аэропорта. Очертя голову она ринулась в него, пронеслась мимо паба, отеля и вдруг оказалась за городом, в окружении высоких земляных насыпей и живых изгородей, за которыми виднелись фермерские дома и лежали невспаханные поля. Проселок начал ветвиться мелкими тропинками, больше похожими на тракторную колею, чем на дорогу, и Маргарет уже хотела было свернуть на первую попавшуюся в надежде, что та приведет ее в какое-нибудь узнаваемое место, как вдруг случилось чудо: впереди показался перекресток, а на нем — знак, указывавший направо, в сторону Ла-Корбьера.

Шепотом Маргарет воздала хвалу божеству автолюбителей, которое милостиво сопроводило ее сюда и указало путь, неразличимый среди многих других. Попадись ей навстречу другая машина, кому-то из них пришлось бы пятиться до самого начала тропинки, но удача была на ее стороне, и, миновав беленый фермерский дом и пару красных каменных коттеджей, она никого не встретила.

Зато в просвете между ними она увидела Ракушечный дом. Как и говорил Адриан, не обратить на него внимание мог разве что слепой. Само здание было оштукатурено и выкрашено желтой краской. Ракушки, от которых оно получило свое название, украшали подъездную дорожку, изгородь и просторный сад перед ним.

Маргарет не могла припомнить, когда она в последний раз видела такую безвкусицу, наводившую на мысль о коллекционере-маньяке. Во-первых, бордюры: они состояли из больших воронкообразных раковин и раковин-гребешков, перемежавшихся с редкими морскими ушками. Ими были огорожены все до единой клумбы, на которых вместо растений красовались обклеенные ракушками прутики, веточки и металлические стержни, согнутые в виде цветов. Посреди лужайки неглубокий пруд поднимал свои выложенные ракушками борта, между которыми плавали — слава богу — настоящие золотые рыбки. Зато вокруг пруда на многочисленных инкрустированных раковинами постаментах застыли в разнообразных позах готовые к приему почестей ракушечные идолы. Два полноразмерных чайных стола из ракушек стояли в окружении соответствующего количества ракушечных стульев, и каждый был накрыт к чаю сервизом из ракушек, и даже угощение на ракушечных тарелочках было из ракушек же. А вдоль фасада выстроились миниатюрная пожарная часть, школа, амбар и церковь, и все сверкали белизной от покрывавших их панцирей моллюсков, которые расстались с жизнью ради их сооружения.

«Да,— подумала Маргарет, вылезая из "рейнджровера",— после такого не скоро захочешь отведать буйабес».

Такая монументальная вульгарность заставила ее содрогнуться. Откуда-то нахлынули неприятные воспоминания: летние каникулы на берегу моря в Эссексе, повсюду валяются обглоданные куриные косточки, горы жирных чипсов и безобразно обгоревшие дряблые телеса, гордо заявляющие всему миру о том, что на отдых у моря денег было накоплено достаточно.

Маргарет отмахнулась от этих мыслей и от воспоминания о том, как ее родители стояли на пороге арендованной пляжной кабинки в обнимку, с пивом в руках. Слюнявые поцелуи, хихиканье матери и последовавшая за этим любовная пантомима.

«Довольно»,— подумала она и решительно зашагала по дорожке.

Уверенно окликнула хозяев — раз, другой, третий. Из дома никто не вышел. Однако на дорожке лежали садовые инструменты, хотя для чего они могли тут понадобиться, бог весть. Тем не менее их присутствие указывало, что кто-то дома и работает в саду, поэтому она подошла к двери. И тут же из-за угла вышел мужчина с лопатой. Одет он был как бродяга, в такие грязные джинсы, что, сними он их и поставь на пол, они бы стояли сами по себе. Несмотря на холод, он был без куртки, а на его полинявшей синей рубахе кто-то вышил красными нитками слова «Стекло Мулена». Ноги были обуты в сандалии, правда, с носками. Впрочем, последние обнаруживали множество дыр, в одну из которых, на правом носке, почти целиком выглядывал большой палец.

При виде Маргарет человек остановился, но не сказал ни слова. С удивлением она поняла, что узнает его: это был тот самый раскормленный Хитклиф, которого она видела на поминках по Ги. При ближайшем рассмотрении оказалось, что цветом лица он обязан загару, который сделал его похожим на арапа. Его глаза глядели враждебно, а руки покрывала сетка из заживших и свежих порезов. От него прямо-таки веяло ненавистью, и Маргарет испугалась бы, не всколыхнись в ней ответная ненависть, а кроме того, она вообще была не робкого десятка.

— Я ищу Синтию Мулен,— сказала она человеку со всей вежливостью, на какую была способна.— Не могли бы вы сообщить мне, где я могу ее найти?

— Зачем?

Он прошел с лопатой к лужайке и начал окапывать дерево.

Маргарет ощетинилась. Она привыкла к тому, что люди трепетали, заслышав ее голос — видит бог, она достаточно времени потратила на его тренировку,— и выполняли ее команды немедленно. Она сказала:

— Думаю, что ответ должен быть либо да, либо нет. Вы либо можете мне помочь, либо нет. Или вы меня плохо поняли?

— Все я понял, только мне начхать.

Он говорил с таким чудовищным акцентом, что был похож на персонажа костюмной драмы.

Она продолжала:

— Мне надо с ней поговорить. Это необходимо. Мой сын сообщил мне, что она живет здесь...— Она попробовала произнести слово «здесь» так, словно хотела сказать «на этой куче мусора», но решила, что не будет ничего страшного, если у нее не получится.— Но если он ошибся, то я была бы вам очень признательна за информацию о том, где ее можно найти. А после этого я от вас отстану.

«Не то чтобы мне очень хотелось к тебе приставать»,— подумала Маргарет, глядя на его волосы, которые отличались густотой, но при этом имели такой вид, словно их отродясь не мыли.

— Ваш сын? Это еще кто?

— Адриан Бруар. Ги Бруар был его отцом. Его-то, я надеюсь, вы знаете? Ги Бруара? Я видела вас на его поминках.

Последнее замечание, кажется, привлекло его внимание, потому что он оторвался от своего занятия и оглядел Маргарет с головы до ног, после чего молча направился через всю лужайку к крыльцу, откуда вернулся с ведром. В нем лежали какие-то гранулы, которыми он щедро засыпал канавку, выкопанную вокруг дерева. Поставив ведро на землю, перешел к соседнему дереву и снова стал копать.

— Послушайте, вы,— сказала Маргарет,— я ищу Синтию Мулен. Мне нужно поговорить с ней немедленно, и если вы знаете, где ее найти... она ведь живет здесь, верно? Это Ракушечный дом?

Маргарет подумала, что вопроса глупее этого ей еще не приходилось задавать. Если это не Ракушечный дом, значит, где-то ее поджидает кошмар еще похуже этого, что просто не укладывалось в голове.

— Вы, значит, его первая,— сказал мужчина и кивнул.— Я всегда хотел посмотреть, кто была его первая. Много узнаешь о человеке, когда видишь его первую. Понимаете? Сразу ясно, как он выбирал остальных.

Маргарет напряженно вслушивалась в его акцент, пытаясь разобрать, что он говорит. Улавливая лишь каждое четвертое-пятое слово, она тем не менее поняла, что этот тип нелестным образом комментирует их с Ги сексуальное партнерство. Нет, этого она не допустит. Контролировать ситуацию будет она. Мужчины способны любой разговор свести к «сунул-вынул», только дай шанс. Думают, что этим могут смутить любую женщину. Но Маргарет Чемберлен — не любая женщина. Пока она собиралась с мыслями, как лучше дать это понять стоявшему перед ней мужлану, в его кармане зазвонил мобильный телефон, который он вынужден был достать и раскрыть, тем самым разоблачив свое притворство.

— Генри Мулен,— сказал он в трубку и слушал почти целую минуту.

Потом без малейшего намека на акцент, которым он только что развлекал Маргарет, ответил:

— Сначала мне придется сделать замеры на месте, мадам. Иного способа сказать, сколько времени займет выполнение вашего заказа, не существует.

Послушав еще, он торопливо достал из другого кармана черную записную книжку. Записал в нее что-то, очевидно, дату встречи с особой, разговор с которой он закончил так:

— Разумеется. Буду счастлив помочь, миссис Феликс.

Вернув телефон в карман, он посмотрел на Маргарет так невозмутимо, словно это не он только что пытался убедить ее, будто знать не знает ничего, кроме стрижки овец где-нибудь в окрестностях Кестербриджа.

— Ага,— заговорила Маргарет угрожающе-вежливо,— теперь, когда это маленькое препятствие устранено, вы, может быть, все же ответите на мой вопрос и скажете мне, где я могу найти Синтию Мулен? Вы ее отец, насколько я понимаю?

Он не только не смутился, но и не раскаялся.

— Син здесь нет, миссис Бруар.

— Чемберлен,— поправила его Маргарет.— Где она? Я должна поговорить с ней немедленно.

— Невозможно,— ответил он.— Она на Олдерни. Помогает бабушке.

— А телефона у бабушки нет?

— Есть, когда не сломан.

— Понятно. Ну что же, мистер Мулен, может быть, так даже лучше. Мы с вами решим все сами, а она ни о чем даже не узнает. И не будет разочарована.

Мулен вынул из кармана тюбик с какой-то мазью, которую выдавил себе на ладонь. Втирая мазь в свои многочисленные порезы и ничуть не заботясь о том, что заодно с ней туда попадает и грязь, он пристально смотрел на Маргарет.

— Расскажите сначала, с чем вы пришли,— сказал он по-мужски прямо, и его прямота одновременно обескуражила и как-то даже возбудила Маргарет.

На миг она представила себя с ним в постели — мысль до того дикая и странная, на которую она даже не считала себя способной. Он шагнул к ней, она инстинктивно отшатнулась. Его губы дрогнули в усмешке. У нее по коже побежали мурашки. Она почувствовала себя героиней плохого любовного романа за миг до постельной сцены.

И тут же разозлилась и вернула себе преимущество в беседе.

— Возможно, мистер Мулен, мы с вами уладим этот вопрос между собой. Не думаю, что вам хочется стать участником длительной судебной тяжбы. Я права?

— Какой тяжбы?

— О наследстве моего покойного мужа.

Его глаза блеснули, что говорило о возросшем интересе. Маргарет заметила это и поняла, что возможен компромисс: уломать его принять меньшую сумму, вместо того чтобы тратить все на стряпчих, или как там их называют на этом острове, которые будут годами таскать их по судам, словно оживших членов клана Джарндисов*.

— Не буду вас обманывать, мистер Мулен. Согласно завещанию моего бывшего мужа, ваша дочь становится наследницей крупной суммы денег. Мой сын, старший ребенок Ги и его единственный отпрыск мужского пола, как вам, возможно, известно, получает гораздо меньше. Уверена, вы согласитесь с тем, что это вопиющая несправедливость. Поэтому мне хотелось бы ее исправить, не доводя дело до суда.

Маргарет не пыталась представить себе заранее, как отреагирует этот человек на известие о том, что его дочь полу-

* Персонажи романа Ч. Диккенса «Холодный дом».

чила наследство. В общем-то, это ее не заботило. Ей хотелось лишь одного: любым путем разрешить сложившуюся ситуацию наиболее выгодным для Адриана образом. Разумный человек, решила она, согласится с ней, когда она изложит все в выражениях, содержащих недвусмысленный намек на будущие юридические затруднения.

Генри Мулен сначала не сказал ничего. Он отвернулся. Подошел к неоконченной канавке, но дышал при этом как-то странно, с присвистом. И шагал быстрее, чем раньше. Схватил лопату и вогнал ее в землю. Раз, другой, третий. При этом его шея, обыкновенно черная, налилась вдруг такой краснотой, что Маргарет испугалась, как бы его тут же, на месте, не хватил удар.

— Моя дочь, черт побери! — воскликнул он и перестал копать.

Схватил ведро с гранулами. Перевернул его над второй канавкой, не обращая внимания на то, что гранулы заполнили ее целиком и просыпались вокруг.

— Да он что думает, можно... Ни на секунду, черт его побери...— пробормотал он, и не успела Маргарет пикнуть, не успела выразить сочувствие, пусть и наигранное, по поводу его огорчения, вызванного недоверием Ги к его способности обеспечить собственного ребенка, как Генри Мулен снова схватился за лопату.

Но на этот раз он двинулся на Маргарет. Поднял лопату и пошел прямо на нее.

Маргарет завопила, отпрянула, тут же возненавидела себя за это, а его за то, что он заставил ее отпрыгнуть, и оглянулась в поисках пути к отступлению. Но выбор был невелик: либо по очереди перепрыгнуть через ракушечную пожарную станцию, ракушечный шезлонг и чайный столик, либо сразу, словно заправский прыгун, сигануть через ракушечный пруд. Она уже метнулась к шезлонгу, когда мимо нее промчался Генри Мулен и напал на пожарную станцию. Не глядя, он нанес удар.

— Черт возьми!

Куски полетели в разные стороны. Три мощных удара, и ракушечная постройка превратилась в горстку мусора. Потом он обрушился на амбар, после — на школу, а Маргарет смотрела, завороженная силой его гнева.

Больше он не говорил ничего. Фантастические ракушечные строения падали одно за другим жертвами его ярости: школа, чайный столик, стулья, пруд, сад ракушечных цветов. Мулен был неутомим. И остановился лишь тогда, когда уперся в тропинку, которая вела от подъездной дорожки к входной двери. Швырнул лопату в направлении выкрашенного желтой краской дома. Та со стуком упала на дорожку.

Мужчина стоял, тяжело дыша. Старые порезы на его руках раскрылись, из них снова показалась кровь. От летевших во все стороны ракушек и осколков цемента появились новые. Грязные джинсы побелели от ракушечной пыли, и, когда он провел по ним руками, на белом остались красные кровавые следы.

И вдруг у Маргарет вырвалось:

— Не смейте! Не смейте так унижаться перед ним, Генри Мулен.

Он уставился на нее, тяжело дыша и часто моргая, словно надеялся, что от этого у него прояснится в голове. Ярость покинула его. Оглядев разрушения, учиненные им самим на пороге собственного дома, он сказал:

— Ублюдок, у него и так их было двое.

«Это он о девочках Джоанны»,— подумала Маргарет.

У Ги были собственные дочери. С ними он тоже упустил возможность стать настоящим отцом. Но он не привык мириться с поражениями, а потому заменил своих брошенных детей другими, теми, которые закрывали глаза на его недостатки охотнее, чем его собственная плоть и кровь. Ведь они были бедны, а он — богат. Имея деньги, без любви и преданности не останешься.

— Вам надо что-то сделать с руками,— заметила Маргарет.— Вы их совсем изрезали. Кровь идет. Нет, не вытирайте...

Но он все равно вытер их еще раз о грязные и пыльные штаны, добавив еще красных разводов, и, словно этого было мало, промокнул руки о свою заскорузлую от пота и пыли рубашку.

— Его проклятые деньги нам не нужны. Мы не нищие. Можете разжечь из них костер на Тринити-сквер, нам плевать.

Маргарет подумала, что, скажи он это с самого начала, она, а заодно с ней и искусственный сад были бы избавлены от ужасающей сцены. А вслух произнесла:

— Рада это слышать, мистер Мулен. По отношению к Адриану это честно...

— Но они принадлежат Син,— продолжал Генри Мулен, разбив тем самым в куски надежды Маргарет так же легко, как незадолго до этого раскрошил творения из ракушек и цемента.— Если она хочет отступного...

Тяжело ступая, он пошел за лопатой, которая лежала на дорожке, ведущей к двери. Поднял ее. Проделал то же самое с граблями и ведром. Стоя с инструментами в руках, стал оглядываться вокруг, словно вспоминая, для чего они ему понадобились.

Он посмотрел на Маргарет, и она увидела, что его глаза покраснели от горя.

— Он приходил сюда. Я бывал у него. Много лет мы трудились бок о бок. И все это время он повторял: «Ты настоящий художник, Генри. Не может быть, чтобы твоим предназначением было всю жизнь строить оранжереи». И еще: «Порви с этим и вырвись на свободу, друг. Я в тебя верю. Для начала я тебе помогу. Разреши мне. Ведь кто не рискует, тот, видит бог, не пьет шампанского». И я верил ему, понимаете? Мне хотелось другой жизни. Куда больше, чем продолжать жить здесь. Мне хотелось этого ради моих девочек, да, именно ради них. Но и для себя тоже. Разве это преступление?

— Нет, не преступление,— ответила Маргарет.— Мы все хотим своим детям добра, верно? Вот и я тоже. Поэтому я и пришла сюда, из-за Адриана. Нашего с Ги сына. Из-за того, как с ним обошлись. У него украли то, что ему принадлежит, мистер Мулен. Вы ведь понимаете, что это неправильно, мистер Мулен?

— Нас всех обокрали,— сказал Генри.— У вашего бывшего мужа это хорошо получалось. Он годами уговаривал нас решиться на что-то, а сам выжидал. Но он не вор, наш мистер Бруар, нет, он все делает в рамках закона. Моральный закон, вот что он нарушает. Долг и правда, вот чего он не помнит. Мы все ели из его рук и не знали, что в еду он подмешал отраву.

— Разве вам не хочется все исправить? — спросила Маргарет.— Это ведь в ваших силах. Поговорите с дочерью, объясните ей. Мы не требуем, чтобы Синтия отказалась от всего наследства. Мы только хотим поделить все по справедливости, чтобы сразу было видно, кто был плотью и кровью Ги, а кто нет.

— Вот, значит, что вам нужно? — прищурился Генри Мулен.— И вы думаете, что таким образом справедливость будет восстановлена? Значит, вы ничем от него не отличаетесь, миссис. Считаете, что деньгами можно прикрыть любой грех. Нет, нельзя, и никогда не будет можно.

— То есть вы отказываетесь с ней поговорить? Объяснить ей все? И нам придется решать проблему на другом уровне?

— Вы что, ничего не понимаете? С моей дочкой поговорить нельзя. Я ей все уже объяснил.

Он повернулся и понес инструменты туда, откуда несколько минут тому назад пришел с лопатой. Повернул за угол и скрылся.

С минуту Маргарет совершенно неподвижно стояла посреди дорожки, впервые в жизни не зная, что сказать. Ее угнетало ощущение ненависти, которое Генри Мулен оставил после себя, точно сильный запах. Оно было как течение, которое увлекало ее в открытое море, откуда не было спасения.

Совершенно неожиданно она ощутила необъяснимое духовное родство с этим косматым, растрепанным человеком. Она понимала его чувства. Свой ребенок — всегда свой ребенок, и к нему чувствуешь не то же самое, что ко всем остальным. Мужья, жены, родители, братья, сестры, любовники, любовницы, друзья — все это совершенно иное. Ребенок же — часть твоего тела и души. И никто не имеет права разрывать узы, выкованные из такого материала.

Но что, если чужак все же попытался и, не дай бог, преуспел?

Никто лучше Маргарет Чемберлен не знал, на что может пойти родитель, чтобы сохранить отношения со своим ребенком.

13

Вернувшись из Сент-Питер-Порта, Сент-Джеймс первым делом заехал в отель, но нашел их комнаты пустыми, а портье сказал ему, что никакого сообщения его жена не оставляла. Тогда он отправился в полицию, где застал главного инспектора Ле Галле за пожиранием огромного сэндвича из багета с креветочным салатом. Инспектор проводил его в свой кабинет, где предложил кусок своего сэндвича, от которого Сент-Джеймс отказался, и чашку кофе, которую Сент-Джеймс принял. К кофе инспектор достал откуда-то и положил на стол шоколадные конфеты, но поскольку вид у них был такой, словно их шоколадное покрытие не однажды таяло и застывало снова, то Сент-Джеймс решил ограничиться кофе.

Он описал Ле Галле всю историю с завещаниями Бруаров, брата и сестры. Тот слушал, не переставая жевать, и делал пометки в блокноте, который извлек из стоявшей на его столе пластиковой коробки для входящих и исходящих дел. Рассказывая, Сент-Джеймс наблюдал, как инспектор подчеркивает фамилии Филдер и Мулен и рисует рядом с последней вопросительный знак. Ле Галле прервал поток информации сообщением о том, что знал об отношениях Бруара с Полом Филдером, но Синтия Мулен раньше в этом деле не фигурировала. Еще он записал все о завещаниях Бруара и вежливо выслушал теорию Сент-Джеймса, которая созрела у того по дороге в город.

По предыдущему завещанию, о существовании которого было известно Рут Бруар, наследство получали люди, вычеркнутые из последнего документа: Анаис Эббот, Фрэнк Узли, Кевин и Валери Даффи, а также дети Ги Бруара, как того требовал закон. Но поскольку об изменениях в завещании она ничего не знала, то пригласила всех присутствовать при его чтении. Если, подчеркнул Сент-Джеймс, кто-нибудь был в курсе более раннего документа, то у него появляется ясный мотив для того, чтобы разделаться с Ги Бруаром и получить свое не позже, а раньше.

— А Филдера и Мулен в предыдущем завещании не было? — спросил Ле Галле.

— Она их не упоминала,— ответил Сент-Джеймс,— и поскольку на сегодняшнем чтении они отсутствовали, то, по-моему, мы не ошибемся, предположив, что мисс Бруар ничего об этом не знала.

— А они? — спросил Ле Галле.— Сам Бруар мог сказать им об этом. И тогда у них тоже появляется мотив. Что скажете?

— Полагаю, что это возможно.

Вероятным это предположение он не считал, поскольку речь шла о подростках, но его радовало любое свидетельство того, что мысль Ле Галле работает еще в каком-то направлении, кроме недоказанной вины Чайны Ривер.

Видя, что Ле Галле настроен непредвзято, Сент-Джеймс очень не хотел возвращать его к предыдущему образу мыслей, но приходилось быть честным, иначе его замучила бы совесть.

— С другой стороны...

Сент-Джеймс, который полагал, что его лояльное отношение к жене должно распространяться и на ее друзей, начал неохотно и, заранее зная, как отреагирует инспектор, все же передал ему то, что получил при последней беседе от Рут Бруар. Ле Галле перелистал паспорт покойного, потом перешел к счетам и чекам. Счет из гриль-бара «Цитрус» привлек его особое внимание, он долго смотрел на него, постукивая по нему карандашом и жуя очередной кусок сэндвича. Поразмыслив, он развернул свое кресло и протянул руку к конверту из манильской бумаги. В нем оказались бумажки с напечатанными на них заметками, в которых он рылся до тех пор, пока не нашел то, что ему, очевидно, было нужно.

— Почтовые индексы,— сказал он Сент-Джеймсу.— Оба начинаются на девять два. Девять два восемь и девять два шесть.

— Один из них принадлежит Чероки Риверу, как я понимаю?

— Вы уже знаете?

— Я знаю, что он живет где-то недалеко от того места, куда ездил Бруар.

— Второй — его индекс,— сказал Ле Галле.— Девять два шесть. А другой — вот этого ресторана, гриль-бара «Цитрус». Вам это о чем-нибудь говорит?

— Только о том, что Ги Бруар и Чероки Ривер провели некоторое время в одном и том же округе.

— А больше ни о чем?

— Как я могу предполагать что-то большее? Калифорния — обширный штат. И округи в нем тоже, наверное, обширные. Не думаю, что на основании одних только почтовых индексов можно сделать вывод о том, что Бруар и Ривер встречались до того, как последний приехал со своей сестрой на остров.

— То есть никакого совпадения вы тут не видите? Подозрительного совпадения?

— Возможно, я бы его увидел, если бы мы имели дело лишь с теми фактами, которые сейчас перед нами: паспортом, счетами и домашним адресом Чероки. Но некий юрист — скорее всего, с тем же самым индексом — нанял Ривера, чтобы тот доставил архитектурные чертежи на Гернси. Поэтому мне кажется разумным предположить, что Ги Бруар ездил в Калифорнию для встречи с этим юристом и архитектором, который, возможно, проживает по тому же самому индексу, а не с Чероки Ривером. Я не думаю, что они встречались до того, как Ривер и его сестра приехали в Ле-Репозуар.

— Но вы согласны с тем, что такую возможность нельзя сбрасывать со счетов?

— Я бы сказал, что со счетов нельзя сбрасывать никакую возможность.

Включая и кольцо, которое они с Деборой нашли в бухте. Сент-Джеймс это понимал. И спросил о нем главного инспектора Ле Галле, точнее, о том, не может ли на нем оказаться каких-нибудь отпечатков, хотя бы частичных, которые будут полезны полиции. Судя по виду кольца, вряд ли оно долго лежало на берегу, подчеркнул он. Но главный инспектор, вне всякого сомнения, и сам пришел к такому же убеждению, осмотрев его.

Ле Галле отложил сэндвич и вытер пальцы о бумажную салфетку. Взял чашку с кофе, которую игнорировал во время еды, устроил ее поудобнее в ладони и только потом заговорил. От двух слов, которые он произнес, у Сент-Джеймса заныло сердце.

— Какое кольцо?

Бронзовое, или медное, или просто железное, объяснил Сент-Джеймс. С черепом и костями на печатке, цифрами тридцать девять тире сорок у черепа на лбу и надписью по-немецки. Он сам послал его в полицейское управление некоторое время тому назад с наказом передать инспектору Ле Галле лично в руки.

Он не добавил, что в роли курьера выступала его собственная жена, так как внутренне готовился услышать от Ле Галле неизбежное. Задавая себе вопрос, чем это неизбежное обернется, он знал ответ заранее.

— Не видел,— ответил ему Ле Галле и поднял трубку, чтобы узнать, не лежит ли кольцо где-нибудь в приемной.

Со слов Сент-Джеймса он описал дежурному офицеру кольцо. Когда офицер ответил, он хмыкнул и уставился на Сент-Джеймса, продолжая выслушивать отчет о чем-то еще.

Наконец он сказал:

— Ну так несите его наверх,— отчего Сент-Джеймс снова задышал полной грудью.

Но Ле Галле продолжал:

— Бога ради, Джерри. Я не тот человек, кому надо жаловаться на какой-то чертов факс. Разберитесь с ним как-нибудь сами, ясно?

Ругнувшись, он швырнул трубку, а когда заговорил снова, то во второй раз за последние три минуты смутил спокойствие духа Сент-Джеймса.

— Нет там никакого кольца. Может, еще что-нибудь скажете?

— Должно быть, произошла ошибка.

«Или автокатастрофа»,— хотелось добавить Сент-Джеймсу, но он знал, что это полная ерунда, так как сам ехал той же дорогой, по которой раньше вернулась в город его жена, и не увидел ни одного разбитого фонаря и никаких других следов дорожного происшествия, из-за которого Дебора не смогла бы выполнить свой долг. Да и вообще на этом острове никто не ездил со скоростью, достаточной для автокатастрофы. Самое серьезное, на что способны здешние водители, это погнуть кому-нибудь бампер или помять крыло. Не больше. А это не могло помешать его жене прийти в полицию и передать кольцо Ле Галле.

— Ошибка.— Ле Галле говорил уже не так дружелюбно, как раньше.— Да. Понятно, мистер Сент-Джеймс. Ошибочка, значит, вышла.

Тут он повернул голову, чтобы поглядеть, кто стоит у открытой двери кабинета, и увидел офицера в форме с пачкой документов в руках. Ле Галле жестом приказал ему отойти, сам встал и закрыл дверь. Скрестив на груди руки, он повернулся к Сент-Джеймсу.

— Я не возражаю, чтобы вы тут вынюхивали, мистер Сент-Джеймс. Страна у нас, сами знаете, свободная, и если вам надо задать пару вопросов тому или другому парню и он не против, то и мне все равно. Но скрывать улики — это совсем другое дело.

— Да я же понимаю...

— Не думаю. Вы приехали сюда с определенным намерением, и если вам кажется, что я этого не знаю или не понимаю, к чему это может привести, то лучше вам переменить свое решение. А теперь мне нужно кольцо. Немедленно. Позже мы разберемся, где оно побывало с тех пор, как вы подняли его на пляже. А заодно и с тем, зачем вы его вообще подняли. Можно подумать, черт возьми, вы не знали, что в таких случаях надо делать. Я ясно выражаюсь?

Сент-Джеймс не получал таких выволочек с ранней юности и сейчас чувствовал себя так, словно разъяренный учитель прилюдно стащил с него штаны,— ситуация не из приятных. У него даже мурашки по коже побежали, настолько это было унизительно, но делать было нечего — он это заслужил, да еще как. Однако сознание собственной вины не смягчало чувства горечи, испытываемой им в данный момент, и не могло предотвратить удар, который это происшествие нанесет его репутации в будущем, если он не исправит ситуацию в кратчайшие сроки.

— Я не знаю, что могло случиться,— сказал он,— но приношу вам мои глубочайшие извинения. Кольцо...

— Мне не нужны ваши дурацкие извинения,— рявкнул Ле Галле.— Мне нужно кольцо.

— Вы получите его немедленно.

— На это я, черт возьми, и надеюсь, мистер Сент-Джеймс.

Главный инспектор подошел к двери и распахнул ее.

Сент-Джеймс не помнил случая, когда бы его выпроваживали столь бесцеремонно. Он вышел в коридор, где ждал офицер с бумагами в руке. Опустив глаза, точно в смущении, он проскользнул мимо него в кабинет главного инспектора.

Ле Галле захлопнул дверь. А напоследок бросил вместо «до свидания»:

— Хромоножка чертов.

Дебора обнаружила, что буквально все гернсийские торговцы антиквариатом жили в Сент-Питер-Порте. Как и следовало ожидать, они облюбовали старейшие кварталы вблизи гавани. Но вместо того чтобы обходить одну за другой их лавки, она предложила Чероки обзвонить их. Поэтому они вернулись назад к рынку, а оттуда прошли прямо к городской церкви. Сбоку от нее стоял телефон-автомат, который и был им нужен, и, пока Чероки стоял и с серьезным видом наблюдал за Деборой, она скармливала автомату одну монету за другой, выясняя, в каких именно магазинах продается военный антиквариат. Ей казалось логичным начать с них, а потом расширять круг поисков по мере надобности.

Как оказалось, всего две лавки в городе торговали подобным добром. Обе находились на Милл-стрит, мощеной улочке, карабкавшейся вверх по холму от мясного рынка. Мудрым решением муниципалитета она была переведена в разряд пешеходных.

«Впрочем,— подумала Дебора, когда они ее нашли,— здесь все равно ни одна машина не проехала бы, не ободрав себе бока о стены».

Улочка напомнила ей Шэмблз в Йорке: чуть более широкая, она также вызывала в воображении картины прошлого, когда запряженная лошадьми повозка, медленно тащившаяся по мостовой, служила единственным транспортным средством.

Магазинчики на Милл-стрит отражали патриархальный период развития торговли, так как украшения в их окнах почти отсутствовали, а сами окна были снабжены мощными переплетами, и двери тоже были серьезные. Дома, в которых располагались эти заведения, вполне вероятно, служили их владельцам и постоянными квартирами, так как имели по три аккуратных этажа, а их крыши украшали слуховые окна и ряды каминных труб, выстроившихся по росту, точно школьники на линейке.

Район был малолюдный, поскольку лежал довольно далеко от оживленных магазинов и банков Хай-стрит и ее продолжения, Ле-Полле. Пока Дебора и Чероки оглядывались в поисках первого адреса и фамилии, которые она записала на оборотной стороне незаполненного чека, ей пришло в голову, что даже самый оптимистически настроенный торговец рискует прогореть, открыв здесь магазин. Обнаружив первый из двух нужных им магазинов, они увидели в его окне унылый транспарант, объявлявший о грядущем выходе из бизнеса,— вид у него был такой, словно он служил местным торговцам переходящим знаменем.

Антикварный магазин Джона Стивена Митчелла предлагал совсем немного вещей на военную тематику. Возможно, по причине скорого закрытия в нем оказалась всего одна витрина. В основном там были различные медали, компанию им составляли три кортика, пять пистолетов и две фуражки вермахта. Несмотря на разочарование, охватившее ее при виде этой витрины, Дебора решила, что раз в ней все немецкое, то, может быть, надежда еще есть.

Они с Чероки склонились над витриной, изучая выставленные предметы, когда к ним вышел владелец, вероятно, сам Джон Стивен Митчелл. Судя по его влажным рукам и мокрым пятнам на фартуке, они оторвали его от мытья посуды. Не переставая вытирать тошнотворной засаленной тряпкой руки, он любезно осведомился, чем может им помочь.

Дебора вытащила найденное ими с Саймоном на пляже кольцо, стараясь не касаться его сама, и предупредила Джона Стивена Митчелла, чтобы он тоже его не трогал. Она спросила, видел ли он этот предмет раньше и может ли чтонибудь о нем сказать.

Митчелл взял с кассы очки, надел их и склонился над кольцом, которое Дебора положила на витрину с военными артефактами. Вооружившись дополнительно увеличительным стеклом, он стал разглядывать надпись на черепе.

— «Западный бастион»,— пробормотал он.— «Тридцать девять — сорок».

Он умолк, точно обдумывая свои слова.

— Так переводится «Die Festung im Westen». А год... в общем, похоже на памятный знак о строительстве какого-то оборонительного сооружения. А может быть, это метафорическое обозначение оккупации Дании. С другой стороны, череп и кости были типичны для отрядов СС, так что, может быть, это как-то связано с ними.

— А к оккупации Гернси оно может иметь отношение? — спросила Дебора.

— Тогда оно затерялось бы, когда немцы сдались союзникам. Но нет, к оккупации оно отношения не имеет. Даты не те. И выражение «западный бастион» теряет смысл.

— Почему это? — Чероки не сводил глаз с кольца, пока Митчелл осматривал его, но теперь вдруг взглянул прямо на антиквара.

— Потому что они не строили здесь крепостей,— ответил Митчелл.— Разумеется, они построили тоннели. Укрепления, артиллерийские батареи, наблюдательные башни, госпитали, много всего. Даже железную дорогу. Но никакой крепости. Впрочем, даже если бы они ее тут возвели, дата все равно указывает на год перед оккупацией Гернси.

И он во второй раз склонился над кольцом с увеличительным стеклом в руке.

— Надо сказать, я такого еще не видел. Хотите продать?

Нет, нет, ответила ему Дебора. Только выяснить, откуда оно могло взяться, так как, судя по его состоянию, вряд ли оно пролежало где-нибудь в земле с сорок пятого года. Им показалось, что самое правильное будет начать поиск с антикваров.

— Понятно,— отозвался Митчелл.

Что ж, если им нужна информация, то глупо не поговорить с Поттерами, они тут совсем рядом, всего в нескольких домах.

Антикварный магазин «Поттер и Поттер», владельцы Жанна и Марк, мать и сын, пояснил он. Она специалист по фарфору, так что помочь им она не сможет. Зато он знает о немецкой армии времен Второй мировой все, что только можно знать.

Не откладывая, Дебора с Чероки вышли на Милл-стрит и пошли дальше, на этот раз вверх по склону холма, мимо темного отверстия между двумя домами, которое называлось Бэк-лейн. Сразу за этим переулком они и обнаружили магазин «Поттер и Поттер». В отличие от лавки, где они только что побывали, он производил впечатление процветающего предприятия.

Войдя, они обнаружили за прилавком матушку Поттер. Она сидела в кресле-качалке, поставив ноги в шлепанцах на обитую стеганым материалом скамейку, а ее внимание было целиком отдано экрану телевизора размером с обувную коробку. По нему шел фильм: Одри Хэпберн и Альберт Финни ехали по сельской местности на старинном «МГ». Автомобиль показался Деборе похожим на машину Саймона, и впервые с тех пор, как она отложила визит в полицию ради того, чтобы повидаться сначала с Чайной Ривер, Дебора ощутила укол совести. Она словно попалась на крючок, и ее полегоньку тянули куда-то. Чувством вины это не было, ведь она не сделала ничего такого, чего следовало бы стыдиться. И все же это было неприятно, как дурной привкус во рту, от которого хочется поскорее избавиться. Она даже удивилась тому, что так странно себя чувствует. До чего же это раздражает, когда приходится отвлекаться от важного дела по пустякам.

Она заметила, что Чероки нашел военный отдел, который оказался значительным. В отличие от антикварного магазина Джона Стивена Миллера, «Поттер и Поттер» торговал всем на свете, начиная от старых противогазов и заканчивая кольцами для салфеток со столов немецких офицеров. Даже пушка ПВО и та была выставлена у них на продажу, не говоря уже про старый кинопроектор с фильмом, который назывался «Хорошая вещь». Чероки сразу направился к витрине с полками, которые приводились в движение электричеством, поднимаясь и опускаясь на специальном барабане, стоило только нажать кнопку. На них Поттеры хранили медали, значки и военные знаки различия. Брат Чайны начал изучать полку за полкой. При этом он нетерпеливо постукивал ногой по полу, что говорило о его стремлении найти хоть что-нибудь для облегчения участи сестры.

Матушка Поттер отвлеклась от Одри и Альберта. Она была полной, слегка выпученные глаза выдавали проблемы со щитовидной железой, но на Дебору она глядела дружелюбно.

— Чем могу помочь, моя дорогая?

— Нам бы по военной части.

— Тогда вам нужен мой Марк.

Прошлепав к полуприкрытой двери, она распахнула ее, явив их взору лестницу. Шла миссис Поттер, держась рукой за мебель, как человек, нуждающийся в операции по замене тазобедренного сустава. Остановившись у лестницы, она крикнула сына, и его бестелесный голос отозвался откуда-то сверху. Она сообщила ему, что пришли клиенты и придется оторваться от компьютера ненадолго.

— Интернет,— сказала она Деборе доверительно.— Хуже героина, ей-богу.

Марк Поттер, с грохотом спустившийся по лестнице, оказался совсем не похож на человека, страдающего какой-нибудь зависимостью. Несмотря на время года, его лицо было темным от загара, а в движениях сквозила энергия.

Он сразу же поинтересовался, чем может им помочь. Что именно они ищут? Он все время получает новые предметы для продажи.

— Люди умирают, а их коллекции остаются, и, если вы спросите меня, от этого всем хорошо.

Поэтому если сейчас нужной им вещи у него не найдется, то не исключено, что он сможет ее для них достать.

Дебора снова вытащила кольцо. При виде его лицо Марка Поттера просияло.

— Еще одно! — воскликнул он.— Ну и ну! За все время, что я в деле, мне попадалось только одно такое, а тут второе. Как вы его нашли?

Жанна Поттер подошла к сыну и встала по другую сторону витрины, на которую выложила кольцо Дебора, снова попросив всех не прикасаться к нему. Женщина сказала:

— Точно такое, как ты продал, правда, милый? — Потом обратилась к Деборе: — Оно у нас тут долго лежало. Мрачноватая штука, как и эта. Я уж думала, мы никогда его не продадим: на такую вещь не скоро найдешь охотника, так ведь?

— А давно вы его продали? — поинтересовалась Дебора.

Поттеры переглянулись.

— Когда? — спросила мать.

— Дней десять? Или две недели? — стал вспоминать сын.

— А кто его купил? — спросил Чероки.— Вы не запомнили?

— Конечно запомнил,— ответил Марк Поттер.

Его мать с улыбкой добавила:

— Еще бы ты не запомнил. Глаз у тебя наметанный, известное дело.

Поттер усмехнулся и ответил:

— Ты же знаешь, это тут ни при чем. Хватит меня дразнить, глупая старуха.

После этого он заговорил с Деборой:

— Одна американская леди. Я запомнил ее потому, что американцы вообще редко бывают на Гернси, а зимой особенно. Да и что им тут делать? Когда они отправляются в Европу, то на уме у них места поважнее, чем Нормандские острова, верно?

Дебора слышала, как рядом с ней Чероки набрал полную грудь воздуха. Она опередила его вопрос:

— Вы уверены, что это была именно американка?

— Леди из Калифорнии. Я услышал акцент и спросил, откуда она. Мама тоже слышала.

Жанна Поттер кивнула.

— Мы поговорили о кинозвездах,— сказала она.— Я-то сама там никогда не бывала, но думала, что те, кто живет в Калифорнии, каждый день с ними на улице сталкиваются. А она сказала, что нет, это не так.

— Харрисон Форд,— сказал Марк Поттер.— Не ври, ма.

Она засмеялась и прикинулась смущенной.

— Да иди ты.— И обратилась к Деборе: — Мне Харрисон нравится. Помните маленький шрам у него на подбородке? Он с ним такой мужественный.

— Ах ты проказница,— сказал ей Марк.— Что сказал бы папа?

Чероки, вмешавшись, с надеждой произнес:

— А как она выглядела, эта американская леди? Вы помните?

Как оказалось, они ее не очень хорошо разглядели. На голове у нее было что-то намотано — Марк думал, что шарф, его мать считала, что капюшон,— так что волос и верхней части лица видно не было. Да к тому же в магазине было довольно темно, и день, скорее всего, был дождливый... в общем, они ничего не могли добавить к тому, как она выглядела. Хотя она была вся в черном, если от этого есть какой-то прок. И еще на ней были кожаные брюки, вспомнила Жанна Поттер. Она хорошо их запомнила, эти брюки. Именно такие ей хотелось носить самой, когда она была в том же возрасте, только их тогда еще не придумали, а если бы и придумали, фигура у нее все равно была не та.

Дебора не смотрела на Чероки, но в этом не было необходимости. Она уже рассказала ему о том, где они с Саймоном нашли кольцо, и потому знала, что эта новая информация привела его в отчаяние. Но он все же не сдавался и спросил у Поттеров, не знают ли они на острове такого места, откуда могло взяться еще одно такое же — точно такое же, подчеркнул он,— кольцо.

Мать и сын задумались над вопросом, и в конце концов ответил Марк. На всем острове, проинформировал он их, есть лишь одно место, где могло бы существовать точно такое же кольцо. Он назвал это место, и мать тут же подтвердила его слова.

За городом, в Тэлбот-Вэлли, сказал Марк, живет серьезный собиратель всякого военного барахла. У него этого добра больше, чем на всем остальном острове.

Его зовут Фрэнк Узли, добавила миссис Поттер, и он со своим отцом живет в местечке под названием Мулен-де-Нио.

Разговор с Нобби Дебьером о рухнувшем музейном проекте дался Фрэнку непросто. Он пошел на это потому, что слишком часто подводил Нобби в школе и пытался загладить вину. Следующий разговор предстоял с отцом. Фрэнк и перед ним был в долгу, но притворяться дальше, будто их совместная мечта принимает конкретные очертания в переулке рядом с церковью Святого Спасителя, как думал его отец, было чистым безумием.

Правда, он еще не говорил о проекте с Рут. И если уж на то пошло, можно было обратиться за помощью к Адриану Бруару, его сестрам — при условии, что он сможет их найти,— а также к Полу Филдеру и Синтии Мулен. Адвокат не называл конкретных сумм, которые унаследуют эти люди, поскольку все деньги пройдут через руки банкиров, брокеров и судебных бухгалтеров. Но речь наверняка шла об очень крупных суммах, поскольку невозможно было поверить, будто Ги мог избавиться от Ле-Репозуара и прочей недвижимости, не обеспечив предварительно свое будущее солидным банковским счетом и портфелем документов, содержимое которого при необходимости могло пополнить этот счет. Слишком он был умен.

Самым простым и эффективным способом привести проект в действие было поговорить с Рут. Скорее всего, законной владелицей Ле-Репозуара стала именно она, как бы это ни было оформлено юридически, а значит, ее можно настроить так, чтобы она почувствовала себя обязанной выполнить обещание, данное ее братом людям, и согласилась открыть более скромную версию музея военного времени Грэма Узли на землях поместья, а участок возле церкви, приобретенный под строительство, продать и вырученные деньги вложить в здание. С другой стороны, он мог бы поговорить с наследниками Ги и выжать деньги из них, убедив построить фактически памятник их благодетелю.

Фрэнк знал, что может и должен так поступить. И вообще, будь он сделан из другого теста, то именно так и поступил бы. Однако кроме стремления построить здание, куда можно будет поместить коллекцию военного добра, на собирание которой ушло более полувека, им двигали иные соображения. По правде говоря, его не интересовало ни благо жителей Гернси, получающих возможность просвещаться, приходя в этот музей, ни личное благо Нобби Дебьера, чья карьера архитектора стремительно пойдет в гору после строительства, просто Фрэнк Узли знал, что ему будет легче дышать, если музея военного времени не появится.

Поэтому он не станет говорить с Рут о продолжении благородного дела, начатого ее братом. И загонять в угол остальных наследников с целью выпросить у них средства тоже не будет. С него, Фрэнка Узли, достаточно. Ги Бруар умер, и музей вместе с ним.

Фрэнк с трудом вписал свой старенький «пежо» в узкую колею, которая вела к Мулен-де-Нио. Подскакивая на последних колдобинах, которые отделяли его от мельницы, он обратил внимание, как сильно заросла дорога. Ежевика уже захватывала асфальт. Ягод в этом году будет достаточно, а вот подъезда к мельнице и соседним коттеджам не будет совсем, если он не подрежет ветки, не выстрижет плющ, остролист и папоротники.

Он знал, что теперь может спокойно заняться живой изгородью. Приняв наконец-то решение и проведя умозрительную линию в несуществующем песке, он приобрел ту свободу, которой ему, оказывается, не хватало. Эта свобода раздвинула границы его мира, впустив в него мысли о таких простых вещах, как стрижка кустов вдоль дороги. До чего же это странная штука, одержимость, подумал он. Стоит только раз попасть в удушающие объятия идеи фикс, и окружающий мир просто исчезает.

Он свернул в ворота сразу за мельничным колесом, и шины автомобиля зашуршали по гравию. Проехав до самого последнего коттеджа, он остановил «пежо» капотом к ручью, который он слышал, но не видел из-за вязов, обвитых плющом. Его стебли свисали с ветвей почти до земли, как косы Рапунцель. С одной стороны, плющ загораживал коттеджи от шоссе, что проходило через Тэлбот-Вэлли, но с другой — скрывал от глаз звонкий ручей, которым так приятно было бы любоваться весной и летом, сидя в раскладных креслах в саду. Фрэнк осознал, что вокруг дома тоже полно дел. Еще одно указание на то, как сильно он все запустил.

В доме он застал отца, дремавшего в своем кресле, а вокруг него на полу лежали рассыпанные страницы «Гернси пресс», словно огромные игральные карты. Увидев их, Фрэнк вспомнил, что не попросил миссис Петит спрятать от отца газету, и пережил несколько неприятных минут, собирая газетные листы с пола и просматривая их на предмет сообщения о смерти Ги. Только убедившись, что в сегодняшнем номере его нет, он вздохнул свободнее. Следующий, с репортажем о похоронах, выйдет завтра. А сегодня он спасен.

Затем он прошел на кухню, где аккуратно сложил газетные листы и стал готовить чай. В свой последний визит к Грэму миссис Петит заботливо захватила с собой пирог в металлической коробке, к которой приспособила веселенький ярлычок. «Цыпленок с латуком для вашего удовольствия!» было написано на фирменной карточке кухни Бетти, привязанной к пластиковым зубчикам миниатюрной вилочки, воткнутой в корку пирога.

«Как кстати»,— подумал Фрэнк.

Наполнив чайник водой, он разыскал жестянку с чаем. И насыпал «Инглиш брекфест» в заварник.

Он раскладывал на салфетке тарелки и приборы, когда в комнате зашевелился в своем кресле отец. Фрэнк слышал, как он сперва коротко всхрапнул перед пробуждением, а потом охнул, удивленный тем, что уснул.

— Который час? — спросил Грэм Узли.— Это ты, Фрэнк?

Фрэнк подошел к двери. Он увидел, что нижняя губа у отца мокрая, а с подбородка сталактитом свисает струйка слюны.

— Готовлю чай,— отозвался он.

— Давно ты дома?

— Несколько минут. Ты спал. Я не хотел тебя будить. Как вы поладили с миссис Петит?

— Она помогала мне в туалете. Я не люблю, чтобы женщина заходила со мной в туалет, Фрэнк.— Руки Грэма теребили плед, лежавший у него на коленях.— Где ты был так долго? Который сейчас час?

Фрэнк глянул на старый будильник на плите. К его удивлению, он показывал пятый час.

— Дай-ка я позвоню миссис Петит, а то она подумает, что ей придется зайти еще раз,— сказал он.

Покончив с этим, он хотел ответить на вопросы отца, но обнаружил, что тот снова заснул в своем кресле. Плед соскользнул с его тощих колен, и Фрэнк поправил его, обернув вокруг ног Грэма, и слегка опустил спинку кресла, чтобы голова старика не заваливалась на его костлявую грудь. Носовым платком он вытер отцу рот и убрал ниточку слюны с подбородка.

«Правду говорят, старость — не радость,— подумал он.— Стоит человеку перевалить за отпущенные ему семь десятков, как он стремглав несется к полной недееспособности».

Он стал готовить чай: настоящий, такой, как пили в рабочих семьях. Разогрел и порезал клинышками пирог. Достал салат и намазал хлеб маслом. Когда еда была готова, а чай заварился, он пошел за Грэмом и привел его на кухню. Можно было подать ему еду на подносе, но Фрэнк хотел, чтобы они глядели друг другу в лицо во время разговора, который он затевал. Разговор лицом к лицу означал, что говорить будут двое мужчин, двое равных, а не отец и сын.

Грэм уплетал пирог с цыпленком и латуком за обе щеки: оскорбление, которое нанесла ему миссис Петит, сводив его в туалет, было забыто, заслоненное удовольствием от ее стряпни. Он даже попросил добавки — событие небывалое для старика, который обыкновенно ел меньше девочки-подростка.

Фрэнк решил дать ему поесть спокойно, а уж потом огорошивать новостью. Поэтому жевали они в молчании; Фрэнк обдумывал начало разговора, а Грэм ограничивался редкими замечаниями по поводу качества еды и особенно хвалил подливку, лучше которой он не едал с тех пор, как скончалась мать Фрэнка. Именно так он обычно говорил о гибели Грейс Узли. Трагедия на водохранилище, когда Грэм и Грейс отчаянно барахтались в воде и только один из них выжил, забылась со временем.

Еда напомнила Грэму о жене, о войне и особенно о посылках Красного Креста, которые островитяне начали получать, лишь когда запасы продовольствия на острове истощились и люди дошли до того, что пили кофе из пастернака, подслащивая его сиропом из свеклы. Канада прислала дары неописуемой щедрости, сообщил Грэм сыну: шоколадное печенье, мальчик мой, да с настоящим чаем, целый пир! А еще сардины и сухое молоко, консервированную лососину, и сливы, и ветчину, и говяжью тушенку. Ах, какой это был прекрасный день, когда посылки Красного Креста показали народу Гернси, что их остров, хотя и невелик, не забыт остальным миром.

— А нам надо было это знать, вот как надо,— заявил Грэм.— Немцы хотели заставить нас поверить в то, что их паршивый сосунок Гитлер может ходить по водам и накормить одним хлебом всех голодных, но мы-то знали, что сдохнем, Фрэнки, сдохнем раньше, чем этот мерзавец подкинет нам хотя бы одну маленькую сосисочку.

Подбородок Грэма был в пятнах подливки, и Фрэнк, наклонившись, промокнул его и сказал:

— Суровые были времена.

— Но люди-то об этом ничего не знают, так ведь? Они все про евреев да про цыган говорят, это да. Про другие страны, про Голландию, про Францию. Да про блицкриг. Черт возьми, только и слышно, что про блицкриг, который доблестные англичане, те самые англичане, между прочим, чей сраный король сдал нас немцам и глазом не моргнул: «Пока, мол, прощайте, и желаю вам приятно провести время с врагом, парни и девчата...»

Грэм подцепил вилкой кусок пирога и дрожащей рукой поднял его в воздух, где тот повис, словно немецкий бомбардировщик времен битвы за Англию, готовый вот-вот сбросить начинку, точно бомбу.

Фрэнк снова подался вперед и мягким движением направил вилку отцу в рот. Грэм послушно взял курятину и продолжал жевать и говорить одновременно.

— Они до сих пор обсасывают этот блицкриг, англичане-то. Лондон, видите ли, бомбили, так теперь никому не дадут об этом даже на пятнадцать секунд забыть, а здесь? Черт, никто и понятия не имеет о том, что тут произошло, как будто нам причинили маленькое неудобство, не более того. Можно подумать, фрицы наш порт не бомбили — двадцать девять трупов, Фрэнки, и ни единого орудия с нашей стороны,— и бедных евреек в концлагеря не отправляли, и не расстреливали тех, кого им угодно было считать шпионами. Можно подумать, что этого не было, всем плевать. Но ничего, мы скоро с этим покончим раз и навсегда. Правда, сынок?

Фрэнк подумал, что подходящий момент настал. Не надо выдумывать, с чего начать разговор. Боясь упустить подвернувшуюся возможность, он очертя голову ринулся вперед:

— Папа, кое-что случилось. Я не хотел говорить тебе об этом раньше. Я знаю, что значит для тебя этот музей, вот и молчал, боялся, ты подумаешь, будто я вставляю тебе палки в колеса.

Склонив голову набок, Грэм повернул к сыну свое, как он выражался, хорошее ухо.

— Повтори-ка,— попросил он.

Фрэнк точно знал, что никаких проблем со слухом у его отца нет, просто он слышит только то, что захочет. Поэтому повторять он не стал. Просто сказал отцу, что несколько дней тому назад умер Ги Бруар. Смерть наступила внезапно, он был здоров как бык и совсем не собирался на тот свет, судя по тому, что не предусмотрел, как его кончина скажется на планах строительства музея.

— О чем это ты? — Грэм тряхнул головой, словно надеясь, что в ней прояснится.— Говоришь, Ги умер? Скажи мне, что ты пошутил, мой мальчик.

К несчастью, отвечал Фрэнк, ему совсем не до шуток. И что самое печальное, по какой-то причине Ги Бруар не побеспокоился заранее о подобной случайности, хотя, зная его, это кажется невероятным. В его завещании нет ни строчки о военном музее, так что планы его строительства придется положить на полку.

Проглотив свой кусок, Грэм дрожащей рукой поднял кружку с забеленным чаем и сказал:

— Знаешь, что они сделали? Мины поставили, вот что. Разрывные. Тридцать пять штук. Фугасы тоже. И ригели. Предупреждающие флажки, конечно, развесили, но сам подумай, на что они были похожи. Маленькие желтые треугольнички, которые запрещали нам ступать по собственной земле. Мир должен узнать об этом, сынок. И о том, что мы варили варенье из водорослей, тоже.

— Знаю, папа. Люди должны об этом помнить.

Фрэнку расхотелось доедать пирог. Он отодвинул тарелку на середину стола и развернул свой стул таким образом, чтобы говорить прямо отцу в ухо. Своими действиями он словно предупреждал отца о серьезности своих слов: «Слушай внимательно, папа. Все изменилось, и навсегда».

— Папа, музея не будет. У нас нет денег. Мы надеялись, что за строительство здания заплатит Ги, но в его завещании об этом нет ни слова. Папа, ты меня слышишь, я знаю, и, поверь мне, я очень, очень жалею, что пришлось тебе об этом сказать. Я не хотел тебе говорить и вообще не планировал говорить тебе о смерти Ги, но когда я услышал его завещание, то понял, что выбора у меня нет. Прости меня.

Про себя он добавил, что ему и правда жаль, хотя это лишь часть его истории.

Рука Грэма так сильно задрожала, когда он попытался поднести чашку к губам, что горячий чай выплеснулся ему на грудь. Фрэнк протянул было руку, чтобы ему помочь, но старик отшатнулся от него, пролив еще больше. Застегнутый на все пуговицы теплый жилет, надетый поверх фланелевой рубашки, уберег его от ожога. Казалось, в тот миг ему важнее было избежать соприкосновения с сыном, чем не облиться чаем.

— Мы с тобой,— пробормотал Грэм с помутившимся взглядом,— мы с тобой строили планы.

Фрэнк даже не предполагал, что ему будет так мучительно больно смотреть, как рушатся оборонительные рубежи его отца. Чувство было сродни тому, подумал он, как если бы Голиаф вдруг рухнул перед ним на колени.

— Пап, я ни за что на свете не причинил бы тебе такую боль. Если бы я знал, как построить твой музей без помощи Ги, я бы это сделал. Но такого способа нет. Строительство слишком дорого стоит. Нам остается только забыть об этой идее.

— Люди должны знать,— запротестовал Грэм Узли, но голос его звучал слабо, и он не думал больше ни о чае, ни о пироге.— Никто не должен забыть.

— Согласен.— Фрэнк ломал голову над тем, как смягчить боль этого удара.— Может быть, со временем мы придумаем, как помочь нашей идее осуществиться.

Плечи Грэма поникли, он обводил кухню взглядом лунатика, который только что очнулся и не понимает, где находится. Руки, что он уронил на колени, судорожно мяли салфетку. Он оттолкнулся от стола и встал, Фрэнк за ним следом, думая, что отец хочет в туалет, или спать, или вернуться в свое кресло в гостиной. Но как только он взял Грэма под локоть, старик уперся. То, что ему было нужно, оказалось на рабочем столе — Фрэнк недавно положил туда рассыпанные газетные страницы, сложив их в должном порядке, так что надпись из двух слов, «Гернси» и «пресс», разделенных жирной чертой, смотрела вверх.

Грэм схватил газету и прижал ее к груди.

— Так тому и быть,— сказал он Фрэнку.— Способ другой, зато результат тот же самый. А это главное.

Фрэнк никак не мог взять в толк, какую связь нашел его отец между крахом их планов и островной газетой. С сомнением в голосе он произнес:

— Газета, конечно, напечатает эту историю. Может, кто-нибудь из тех, кто скрывается тут от налогов, прочитает, заинтересуется и даст нам денег. Но сколько наличности можно собрать, просто опубликовав статью в газете? Вряд ли нам хватит, пап. Да и на это может уйти несколько лет.

Он не стал добавлять, что в девяносто два года этих лет просто нет в запасе.

— Я сам им позвоню,— ответил Грэм.— Они придут. Они заинтересуются, вот увидишь. Как только узнают, так и прибегут.

Он сделал три неверных шага к телефону и поднял трубку, словно собирался позвонить немедленно.

— Не думаю, что газета сразу опубликует эту статью, папа,— попытался его утихомирить Фрэнк.— Со временем — да. Материал не лишен определенного интереса с гуманитарной точки зрения. Но по-моему, тебе не следует возлагать надежды на...

— Пора,— настаивал Грэм, как будто Фрэнк ничего не говорил.— Я себе обещал. Я сделаю это перед смертью, говорил я себе. Есть те, кто хранил верность, и те, кто изменил. И вот время пришло. Пока я жив.

И он зашелестел газетами, которые лежали на столе рядом со стопкой корреспонденции за несколько дней.

— Куда же запропастился этот справочник? Какой у них номер, парень? Давай позвоним.

Но Фрэнк уже зациклился на тех, кто хранил верность, и тех, кто изменил. Что, собственно, имел в виду его отец? Есть тысячи разных способов хранить верность и изменять, но когда речь заходит о войне и оккупированных территориях, то тут способ может быть только один. Он осторожно начал:

— Папа, по-моему...

«Господи,— подумал он,— как же отговорить его от этого безрассудства?»

— Послушай, так не годится. И потом, еще слишком рано...

— Время уходит,— настаивал Грэм.— Времени почти не осталось. Я дал себе клятву. Я поклялся на их могилах. Они погибли за «ГСОС», и никто не заплатил за их гибель. Ничего, заплатят теперь. Вот так-то.

Он откопал справочник на дне ящика с кухонными полотенцами и столовыми салфетками и, хотя томик был совсем небольшой, крякнул, вытаскивая его на стол. Когда он начал перелистывать страницы, его дыхание стало частым, как у бегуна, приближающегося к концу дистанции.

Фрэнк сделал последнюю попытку остановить его.

— Папа, надо сначала собрать доказательства.

— Не надо нам ничего собирать. Все вот здесь.

И он ткнул себе в висок кривым пальцем, сломанным еще во время войны при неудачной попытке бегства: гестаповцы арестовали всех издателей газеты, которых предал кто-то из своих, кому они доверяли. Двое из четверых умерли в тюрьме. Еще один погиб при попытке бегства. Только Грэм остался цел, хотя и нельзя сказать, что невредим. И навсегда сохранил память о тех троих, погибших за дело свободы по вине предателя, так долго остававшегося неизвестным. Негласное соглашение между островными и английскими политиками не предусматривало расследования преступлений военной поры и наказания за них. Прошлое должно было оставаться прошлым, и, поскольку улик для возбуждения уголовного дела оказалось недостаточно, те, кто ради собственных интересов пожертвовал во время войны чужой жизнью, спокойно жили дальше, не тревожимые призраками прошлого, и увидели то самое будущее, которого по их вине оказались лишены люди куда более достойные. Часть музейного проекта была направлена на то, чтобы исправить эту несправедливость. Музей военного времени без раздела о коллаборационизме не имел никакой ценности для будущего: без него предательство кануло бы в небытие вместе с теми, кто его совершил, и теми, кто от него пострадал. И жители Гернси продолжали бы жить и наслаждаться свободой, ничего не зная о людях, которые заплатили за это жизнью, и нелюдях, навлекших на них такую страшную участь.

— Но, папа,— сказал Фрэнк, зная, что все напрасно,— у тебя потребуют доказательств более веских, чем твое слово. Ты должен понимать это.

— Ну так пойди и поищи их там, среди барахла,— ответил Грэм и кивком указал на стену, в сторону соседнего коттеджа, где нашла временный приют их коллекция.— Когда они придут, доказательства будут у нас в руках. Иди ищи, мальчик.

— Но, папа...

— Нет! — Грэм стукнул исхудавшим кулаком по справочнику и пригрозил сыну телефонной трубкой.— Иди и делай, не откладывая. И без глупостей, Фрэнк. Я собираюсь назвать имена.

14

На обратном пути к дому королевы Маргарет Дебора и Чероки говорили мало. Задул ветер, заморосил дождь, давая им повод для молчания: Дебора спряталась под зонтом, Чероки втянул голову в плечи и поднял воротник куртки. Возвращаясь тем же путем, они прошли по Милл-стрит и пересекли маленькую площадь. Кругом было совершенно безлюдно, и только на Маркет-стрит из опустевшей лавки мясника грузили в желтый фургон пустую витрину. Вся сцена была словно печальный симптом близкой кончины рынка, и, будто комментируя происходящее, один из грузчиков, споткнувшись, уронил свой конец витрины. Стекло разлетелось вдребезги, на боку образовалась вмятина. Напарник обругал грузчика, назвав его чертовым увальнем.

— Влетит нам за это! — кричал он.

Что ему ответил на это первый грузчик, Дебора и Чероки не узнали, так как повернули за угол и начали подниматься по лестнице Конституции. Но мысль задержалась и повисла между ними: за то, что они сделали, им влетит.

Чероки первым нарушил молчание. Где-то на середине холма, где ступени делали поворот, он задержался и окликнул Дебору. Она остановилась и повернулась к нему. Капли дождя бусинами лежали на его кудрявых волосах, покрывая их тончайшей сеткой, в которой отражался свет, а ресницы слиплись от сырости, как у ребенка. Он дрожал. Там, где они стояли, ветра не было, но Дебора знала, что на Чероки теплая куртка, а значит, дело не в холоде.

Его слова подтвердили ее догадку.

— Наверняка это ерунда какая-нибудь.

Она не стала притворяться, будто не понимает. Вряд ли он сейчас способен думать о чем-то другом.

— Все равно надо ее спросить, — ответила она.

— Они сказали, что на острове могут быть и другие. А тот парень, про которого они говорили,— ну, тот, из Тэлбот-Вэлли,— у него такая военная коллекция, просто уму непостижимо. Я сам видел.

— Когда?

— В один из тех дней... Он как-то приходил на обед, и они с Ги говорили про коллекцию. Он спросил, не хочу ли я на нее взглянуть, а Ги превозносил ее до небес, вот я и подумал, почему бы и нет, черт возьми, и пошел. Мы вдвоем пошли.

— С кем?

— С парнишкой, который дружил с Ги. С Полом Филдером.

— И ты видел там другие такие же кольца?

— Нет. Но это не значит, что их там не было. У этого парня там все битком набито. Мешки, коробки. Шкафы для бумаг. Полки. Два двухквартирных дома забиты ими сверху донизу, без всякой системы. Даже если бы там было такое кольцо и вдруг почему-то пропало... Черт, да он бы даже не заметил. Не мог же он все вещи до одной занести в каталог.

— Ты хочешь сказать, что этот Пол Филдер мог стащить его, пока вы были там?

— Ничего я не хочу сказать. Просто должно быть еще одно такое кольцо, потому что Чайна ни за что бы не стала...

Он неуклюже сунул руки в карманы, отвернулся от Деборы и стал смотреть вверх по склону холма, в направлении Клифтон-стрит, где в доме королевы Маргарет, в квартире «Б» ждала его сестра.

— Чайна ни за что бы не стала никому вредить. Ты это знаешь. Я это знаю. А кольцо... Его потерял кто-то другой.

Его голос был полон решимости, но на что именно он решился, Дебора не хотела спрашивать. Она знала, что столкновения с Чайной им не избежать. Верить они могли во что угодно, но выяснить все про это кольцо было необходимо.

— Давай вернемся в квартиру,— сказала она.— По-моему, через минуту-другую хлынет как из ведра.

Они застали Чайну смотрящей по телевизору бокс. Одного из боксеров избивали нещадно, и было очевидно, что матч нужно прервать. Но завывающая от восторга толпа явно не собиралась этого допустить. «Крови,— звучало в ее воплях,— еще крови!» Чайна, казалось, ничего не замечала. Ее лицо было совершенно пустым.

Чероки подошел к телевизору и переключил канал. Передавали репортаж о велогонке из какой-то залитой солнцем страны, походившей на Грецию, хотя, в сущности, это могло быть что угодно, кроме их неприветливого острова. Выключив звук, он оставил изображение. Подошел к сестре и спросил:

— Как ты? Тебе что-нибудь нужно?

Он тронул Чайну за плечо.

Тогда она пошевелилась.

— Я в порядке,— ответила она брату и посмотрела на него со слабой улыбкой на лице.— Просто задумалась.

Он улыбнулся ей в ответ.

— Оставь-ка ты это. Посмотри, до чего я дошел. А все потому, что вечно думаю. Думал бы поменьше, мы бы не сидели сейчас в таком дерьме.

Она пожала плечами.

— Да. Ладно.

— Ты что-нибудь ела?

— Чероки...

— Хорошо. Забудь, что я спрашивал.

Тут Чайна как будто поняла, что Дебора тоже здесь. Повернув голову, она сказала:

— Я думала, ты вернулась к Саймону со списком всего, что я делала на острове.

Шанс поговорить о кольце сам плыл в руки, и Дебора решила его не упускать.

— Он не совсем полон. В твоем списке не все.

— О чем ты?

Дебора поставила зонт в подставку у двери и подошла к дивану, где села рядом с подругой. Чероки пододвинул стул и присоединился к ним, так что они сидели, образовав равнобедренный треугольник.

— Ты не указала антикварный магазин «Поттер и Поттер»,— заявила Дебора.— На Милл-стрит. Ты была там и купила кольцо у Поттера-сына. Ты забыла?

Чайна бросила взгляд на брата, точно ожидая разъяснений, но он молчал. Она снова повернулась к Деборе.

— Я вообще не писала про магазины, в которые ходила. Я не думала... Да и зачем? Несколько раз я заходила в «Бутс», заглянула в пару обувных магазинов. Раз или два купила газету и еще освежающие леденцы. В моем фотоаппарате разрядилась батарейка, и я заменила ее на новую, которую купила в пассаже... рядом с Хай-стрит, кажется? Но я ничего этого не записывала, так что многое, наверное, забыла. А что?

И она снова повернулась к брату:

— Что такое?

Вместо ответа Дебора достала кольцо. Развернув носовой платок, в который оно было завернуто, она протянула руку к Чайне, чтобы та могла видеть кольцо, лежащее в гнезде из льняной ткани.

— Оно было на пляже,— сказала она,— в той бухте, где умер Ги Бруар.

Чайна даже не попыталась прикоснуться к кольцу, как будто понимала значение того, что Дебора завернула его в платок и что оно найдено вблизи места преступления. Зато она на него поглядела. Смотрела она долго и пристально. Ее лицо уже и без того было таким бледным, что Дебора не могла сказать наверняка, отхлынула ли кровь от ее щек. Но она явно прикусила нижнюю губу, не открывая рта, а когда снова посмотрела на Дебору, глаза у нее были испуганные.

— Какой вопрос ты хочешь мне задать? — спросила она.— Убила ли я его? Хочешь так прямо выяснить?

Дебора ответила:

— Тот человек в магазине, мистер Поттер, сказал, что какая-то американка купила у него это кольцо. Американка из Калифорнии. На ней были кожаные брюки и, наверное, плащ, потому что капюшон был поднят. Она и мать мистера Поттера — миссис Поттер — поговорили о кинозвездах. Они вспомнили, что она — та женщина из Америки — рассказала им, что обычно звезд просто так не увидишь...

— Ну ладно,— сказала Чайна.— Я все поняла. Я купила кольцо. Какое-то кольцо. Вот это кольцо. Не знаю. Я купила у них какое-то кольцо, ясно?

— Такое, как это?

— Очевидно, да,— огрызнулась Чайна.

— Слушай, Чайн, нам надо выяснить...

— А я вам помогаю! — сорвалась Чайна на брата.— Понятно? Помогаю, как полагается хорошей маленькой девочке. Я приехала в город, увидела кольцо, подумала: это как раз то, что надо,— и купила его.

— То, что надо? — спросила Дебора.— Для чего?

— Для Мэтта. Понятно? Я купила его для Мэтта.

Признавшись в том, что она купила кольцо в подарок мужчине, с которым у нее, по ее словам, все было кончено, Чайна смутилась. Словно понимая, какое впечатление это производит, она продолжила:

— Оно было такое страшное, что это мне в нем и понравилось. Послать такое человеку — все равно что послать куклу вуду. Череп и кости. Яд. Смерть. Мне казалось, что такой подарок лучше всяких слов объяснит, как я себя чувствую.

Тут Чероки встал и подошел к телевизору, на экране которого велосипедисты крутили педали на самом краю утеса. Под ними переливалось солнечными бликами море. Он выключил телевизор и вернулся на свой стул. На сестру он не смотрел. На Дебору тоже.

Но Чайна, словно в ответ на его безмолвный комментарий, сказала:

— Ну хорошо, это было глупо с моей стороны. Я словно напрашиваюсь на продолжение отношений там, где никакого продолжения быть не должно. Я словно жду от него ответа. Я это знаю, понятно? Знаю, что это глупо. Но мне все равно хотелось так сделать. Тут уж ничего не поделаешь. Я его увидела, и мне оно понравилось. Я его купила, и все.

— А что ты с ним сделала? — спросила Дебора.— В тот день, когда купила?

— Как это?

— Они упаковали его в пакетик? А ты положила его в сумку? Или в карман? И что было потом?

Чайна задумалась над ее вопросами; Чероки смотрел на нее, оторвавшись от разглядывания своих туфель. Похоже, он понял, к чему клонила Дебора, потому что сказал:

— Постарайся вспомнить, Чайн.

— Я не знаю. Сунула его в сумку, наверное,— сказала она.— Я всегда так делаю, когда покупаю что-нибудь маленькое.

— А после? Когда ты вернулась в Ле-Репозуар? Что ты могла с ним сделать?

— Ну, может быть... я не знаю. Если оно было у меня в сумке, я могла оставить его там и забыть о нем. Или переложить его в чемодан. Или положить на туалетный столик, где оно лежало бы до отъезда.

— Где кто-нибудь мог его увидеть,— произнесла Дебора.

— Если это вообще то самое кольцо,— сказал Чероки.

«В этом все и дело»,— подумала Дебора.

Ведь если кольцо в ее руке было лишь копией того, которое Чайна купила у Поттеров, значит, они имеют дело с поразительным совпадением. И каким бы невероятным оно ни казалось, необходимо разобраться в нем до конца, прежде чем двигаться дальше.

— Ты уложила кольцо, когда собиралась? Сейчас оно среди твоих вещей? Может, ты его сама засунула куда-нибудь и позабыла?

Чайна улыбнулась, словно осознавая иронию, которая должна была прозвучать в ее ответе.

— Откуда мне знать, Дебс? Все, чем я владею, находится сейчас у копов. Ну, по крайней мере все, что я привезла с собой. Если я и упаковала кольцо или просто сунула в чемодан, когда вернулась в Ле-Репозуар, то оно сейчас вместе со всеми вещами.

— Значит, это надо проверить,— сказала Дебора.

Чероки кивнул на кольцо у нее в ладони.

— А с этим что будет?

— Отнесу в полицию.

— И что они с ним сделают?

— Наверное, будут искать отпечатки. Может быть, найдут хотя бы фрагмент.

— Найдут, и что тогда? Ну, то есть, если найдут отпечаток Чайн... если это то же кольцо... Они ведь не подумают, что его могли подбросить? Я имею в виду кольцо.

— Могут и заподозрить,— ответила Дебора.

Но одну важную деталь она скрыла: полиция всегда заинтересована в том, чтобы как можно быстрее доказать вину и закрыть дело. А дальше пусть другие разбираются. Если среди вещей Чайны не окажется кольца, аналогичного этому, и если отпечатки ее пальцев обнаружатся на кольце, найденном на пляже, то полицейским останется только занести это в протокол и передать его обвинителю. И тогда уже адвокату Чайны придется придумывать, как интерпретировать этот факт, когда ее будут судить за убийство.

Разумеется, подумала Дебора, Чероки и Чайна это знают. Они же не младенцы. Разногласия с законом, которые возникли у отца Чайны в Калифорнии, наверняка должны были послужить им обоим наглядным уроком того, как работает машина правосудия.

— Дебс,— произнес Чероки задумчиво, отчего коротенькое имя прозвучало протяжно, словно призыв.— А можно как-нибудь...

Он глянул на сестру, будто пытаясь представить, как она отреагирует на то, что он собирался сказать.

— Не хочется тебя об этом просить. Но ты не могла бы как-нибудь потерять это кольцо?

— Потерять?

— Не надо, Чероки,— сказала Чайна.

— Нет, надо,— ответил он ей.— Дебс, если это то кольцо, которое купила Чайна... а мы ведь знаем, что такая возможность не исключена, верно? В общем, я хочу сказать, зачем полицейским вообще знать о том, что ты его нашла? Может, тебе просто взять и бросить его в канализацию, и дело с концом?

Похоже, он понимал все значение своей просьбы, потому что торопливо продолжил:

— Слушай, копы ведь и так уверены, что это ее рук дело. А если найдут ее отпечаток на этой штуке, то это будет лишним доказательством. Но если ты его потеряешь... предположим, выронишь случайно из кармана на пути к отелю...

Он смотрел на нее с надеждой, протянув руку, словно ожидал, что она положит кольцо ему на ладонь.

Его взгляд, надежда и искренность, которые в нем были, заворожили Дебору. Она не могла пошевелиться под его взглядом, читая в нем историю, которая связала их с Чайной Ривер.

— Иногда,— тихо продолжал Чероки,— добро и зло перепутываются. То, что кажется правильным, оказывается неправильным, и наоборот...

— Забудь об этом,— перебила его Чайна.— Чероки, забудь об этом.

— Но ведь это совсем не сложно.

— Забудь, я сказала.— Чайна протянула к Деборе руку и сомкнула ее пальцы вокруг завернутого в льняной платок кольца.— Делай то, что должна, Дебора.

И снова повернулась к брату.

— Она не такая, как ты. Для нее это вовсе не просто.

— Они используют против нас все средства. И нам надо действовать так же.

— Нет,— сказала Чайна и снова обратилась к Деборе: — Ты приехала, чтобы помочь мне. Я благодарна тебе за это. Так что делай то, что должна делать.

Дебора кивнула и с трудом выдавила:

— Мне очень жаль.

У нее было такое чувство, как будто она их подвела.

———

Сент-Джеймс всегда считал, что умеет контролировать свои чувства. С того дня, когда он, очнувшись на больничной койке,— память не сохранила о катастрофе ничего, кроме последнего стаканчика текилы, который ему не следовало пить,— взглянул в лицо своей матери и прочел по нему приговор, час спустя подтвержденный неврологом, он привык подчинять себя и свои эмоции такой суровой дисциплине, которая сделала бы честь и военному. Он неколебимо верил в силу своей воли: с ним произошло самое худшее, но он не сломался под грузом личной трагедии. Он был изувечен, остался калекой, его бросила возлюбленная, но он прошел сквозь все испытания, оставшись самим собой. Если он справился с этим, то справится с чем угодно.

Поэтому беспокойство, которое он начал испытывать, узнав, что жена не доставила кольцо старшему инспектору Ле Галле, застигло его врасплох. Позже, когда минуты шли, а Дебора все не возвращалась, беспокойство достигло критического уровня, и это его доконало.

Сначала он ходил по комнате и прилегавшему к ней балкончику. Потом бросился в кресло и минут пять раздумывал о том, что могло означать поведение Деборы. Но от этого ему стало только хуже, и он, схватив в охапку пальто, выскочил на улицу. Там он решил, что пойдет ее искать. Не представляя, в каком направлении двигаться, он перешел дорогу, радуясь тому, что дождь кончился и можно не раскрывать зонта.

Направление вниз по склону холма было ничуть не хуже, чем вверх, и он пошел, огибая сложенную из валунов стену, которая тянулась по краю большого углубления напротив отеля, где был разбит сад. У его дальнего конца стоял военный мемориал, и Сент-Джеймс уже поравнялся с ним, когда увидел, как из-за угла здания королевского суда, чей величавый фасад серого камня занимал рю дю Мануар полностью, выходит его жена.

Дебора подняла руку в знак приветствия. Пока она приближалась, он изо всех сил старался успокоиться.

— Ты вернулся,— сказала она с улыбкой, подойдя к нему.

— Это очевидно,— ответил он.

Ее улыбка погасла. Она все поняла по его голосу. Иначе и быть не могло. Ведь она знала его почти всю жизнь. И он тоже думал, что знает ее, однако теперь ему начинало казаться, будто разница между его представлением о ней и реальностью быстро приобретает размеры пропасти.

— В чем дело? — спросила она.— Саймон, что случилось?

Он стиснул ее руку так, что ей, несомненно, стало больно, но ослабить хватку было не в его силах. Подведя ее ко входу в сад, он едва ли не спихнул ее по ступенькам вниз.

— Что ты сделала с кольцом?

— Сделала? Ничего я с ним не сделала. Оно у меня вот здесь...

— Ты должна была отнести его прямиком к Ле Галле.

— Я это и делаю. Я как раз шла к нему. Саймон, да что такое?

— Шла к нему? Только сейчас? А где ты была все это время? С тех пор как мы расстались с тобой на пляже, прошло несколько часов.

— Но ты же не говорил... Саймон, почему ты так себя ведешь? Перестань. Пусти меня. Мне больно.

Она высвободилась из его хватки и отпрянула с пылающими щеками. Вдоль периметра сада шла тропа, и Дебора повернулась и пошла по ней, хотя та, в сущности, никуда не вела. Черные лужицы дождевой воды стоял на ней повсюду, отражая быстро темневшее небо. Дебора шагала прямо по ним, нисколько не заботясь о том, что промочит ноги.

Сент-Джеймс шел следом. Его бесило, что она вот так взяла и ушла от него. Казалось, что перед ним какая-то совершенно другая Дебора, и это ему не понравилось. Конечно, если дело между ними дойдет до погони, то она легко его обставит. И вообще, в любом состязании, кроме словесного или интеллектуального поединка, победа тоже будет за ней. Таково было проклятие его увечья, сделавшего его слабее и неповоротливее собственной жены. И это тоже бесило его, стоило ему представить, как они смотрелись бы с улицы, если бы кто-нибудь решил за ними понаблюдать: она уверенным шагом уходит все дальше, а он, словно жалкий попрошайка, ковыляет за ней.

Она дошла до дальнего конца маленького парка, глубже всего сидевшего в земле. В углу, где согнувшаяся под грузом красных ягод пираканта склоняла свои отяжелевшие ветви над скамьей, так что ягоды почти касались ее спинки, Дебора остановилась. Но не села, а прислонилась к подлокотнику и, сорвав с куста горсть ягод, стала задумчиво швырять их одну за другой в листву.

Ее ребячество рассердило его еще больше. Их словно отбросило назад в то время, когда ему было двадцать три, а ей двенадцать и он, столкнувшись с приступом необъяснимой подростковой истерики по поводу стрижки, которая ей не шла, вырывал у нее из рук ножницы, пока она не сотворила с волосами что-нибудь похуже и не изуродовала себя в наказание за то, что решила, будто новая прическа поможет ей примириться с прыщами на подбородке, которые высыпали в одночасье, ознаменовав наступление в ее жизни периода перемен.

«Да, с нашей Деб не соскучишься, это точно»,— сказал тогда ее отец. «Женского глаза ей не хватает»,— добавил он, а сам так никогда и не женился.

«Как было бы удобно,— подумал Сент-Джеймс,— взять и свалить сейчас всю вину на Джозефа Коттера, дескать, не предпочти он остаться вдовцом, ничего подобного сейчас между нами с Деборой не происходило бы. Вот было бы замечательно! И незачем строить догадки, почему Дебора повела себя столь непостижимым образом».

Он настиг ее. И безрассудно выпалил первое, что пришло ему на ум:

— Не вздумай больше убегать от меня, Дебора.

Не разжимая кулака с зажатыми в нем ягодами, она резко развернулась.

— Не смей... Не смей говорить со мной в таком тоне!

Он сделал попытку успокоиться. Он понимал, что эта стычка перерастет в затяжную ссору, если один из них не возьмет себя в руки и не перестанет кипятиться. А еще он знал, что вряд ли Дебора первой пойдет на мировую. И поэтому как можно спокойнее — хотя, вероятно, его голос прозвучал лишь чуть менее воинственно, чем раньше,— он произнес:

— Я жду объяснений.

— Ах вот как? Ну так извини, дорогой, но я не расположена их давать.

И она швырнула ягоды на тропинку.

«Словно перчатку»,— пронеслось у него в голове.

Если он ее поднимет, между ними разразится настоящая война. Как бы он ни был зол, войны не хотелось. Разум еще не совсем изменил ему, и он понимал, что в битве между ними победителя не будет. Он сказал:

— Это кольцо представляет собой улику. А улики должны быть в руках полиции. Если оно не попадет к ним немедленно...

— Можно подумать, что все улики попадают в полицию прямо сразу,— отрезала она.— Ты прекрасно знаешь, что это не так. Ты прекрасно знаешь, что половина улик, которые удается добыть полиции, сначала никто даже уликами не считает. Через сколько рук они проходят, прежде чем попадут туда, куда нужно? Уж кому-кому, а тебе это известно, Саймон.

— Но это никому не дает права умножать число рук, через которые проходят улики,— возразил он.— Где ты была с этим кольцом?

— Ты что, меня допрашиваешь? Да ты сам-то слышишь, что говоришь? Или тебя это не заботит?

— Сейчас меня заботит только одно: почему улика, которая, как я полагал, находится в руках Ле Галле, оказалась где-то в неизвестном месте, когда я заговорил о ней? Тебя не заботит, что это означает?

— А, понятно.

И она вздернула подбородок. В ее голосе прозвучало ликование, как всегда у женщины, когда мужчина наступает на мину, которую она ему подложила.

— Ты в этом весь. Главное — хорошо выглядеть. Нам плюнули в лицо, а утереться нечем.

— Препятствование полицейскому расследованию — это не плевок в лицо,— ответил он лаконично.— Это преступление.

— Я никому ни в чем не препятствую. Вот это чертово кольцо.

Она сунула руку в висевшую у нее на плече сумочку, вытащила завернутое в носовой платок кольцо, схватила его за руку так же сильно, как он ее несколько минут назад, и втиснула сверток прямо ему в ладонь.

— На, держи. Доволен? Тащи его к своему дорогому Ле Галле. А то еще подумает о тебе что-нибудь нехорошее, если ты не примчишься к нему немедленно, Саймон.

— Почему ты так себя ведешь?

— Я? А ты почему?

— Потому что я сказал тебе, что надо делать. Потому что у нас есть улика. Потому что мы оба знаем, что это улика. Потому что мы знали это тогда и...

— Нет,— сказала она.— Ты не прав. Мы этого не знали. Мы только подозревали. И на основании этого подозрения ты велел мне отнести кольцо в полицию. Но если уж кольцо должно было попасть в руки полиции немедленно, если его роль была так очевидна, так почему же ты сам не отвез его в город, а отбыл в неизвестном направлении, которое на тот момент казалось тебе более важным?

Сент-Джеймс выслушал ее тираду с нарастающим раздражением.

— Ты прекрасно знаешь, что я разговаривал с Рут Бруар. Учитывая то, что она сестра убитого, и то, что она сама пригласила меня для разговора, о чем тебе тоже хорошо известно, можно сказать, что в Ле-Репозуар меня призывало дело не самого последнего значения.

— Ну конечно. Разумеется. В то время как дело, которым занималась я, и яйца выеденного не стоит.

— То, чем ты должна была заниматься...

— Хватит уже об этом!

Ее голос сорвался на визг. Похоже, она сама это услышала, потому что заговорила тише, хотя и не менее гневно.

— А *занималась* я,— сказала она, издевательски подчеркнув это слово,— вот чем. Это записки Чайны. Она считает, что они могут тебе пригодиться.

Порывшись у себя в сумочке еще раз, Дебора извлекла оттуда сложенный вдвое блокнот.

— А еще я выясняла насчет кольца,— продолжала она с притворной любезностью.— О чем и поведаю тебе в случае, если ты сочтешь информацию достойной твоего внимания, Саймон.

Сент-Джеймс взял у нее блокнот. Проглядев его, он увидел даты, указания времени, места и описания событий, сделанные, как можно было предположить, рукой самой Чайны Ривер.

Дебора сказала:

— Она хотела, чтобы он был у тебя. Точнее говоря, она даже просила, чтобы он был у тебя. А еще она купила это кольцо.

Он оторвался от чтения.

— Что?

— Думаю, ты меня слышал. Это кольцо или такое же, как это... Чайна купила его в магазине на Милл-стрит. Мы с Чероки его проследили. А потом спросили ее об этом. Она созналась, что купила его для того, чтобы послать своему парню. Бывшему. Мэтту.

Дебора рассказала ему остальное. Излагала она официально: визит в антикварный магазин, к Поттерам, описание того, что сделала с кольцом Чайна, наконец, возможность существования второго такого кольца в Тэлбот-Вэлли. Закончила она так:

— Чероки говорит, что видел эту коллекцию сам. С ним был мальчик по имени Пол Филдер.

— Чероки? — резко переспросил Сент-Джеймс.— Он был с тобой, когда ты расспрашивала о кольце?

— По-моему, я уже сказала.

— Значит, он все о нем знает?

— Думаю, он имеет право.

Мысленно Сент-Джеймс выругал себя, ее и всю ситуацию, а также то, что он ввязался в это дело по причинам, о которых ему не хотелось размышлять. Дебора не была дурой, но это дело ей явно не по силам. Однако сказать ей об этом нельзя, а то они рассорятся еще больше. Не сказать — как угодно, со всем возможным тактом или без него,— значит поставить под угрозу все расследование. Выбора у него не было.

— Ты поступила не мудро, Дебора.

Его интонация не укрылась от нее.

— Почему?

— Ты должна была предупредить меня заранее.

— О чем?

— О том, что ты намерена раскрыть...

— Я ничего не раскрывала...

— Но ты ведь сама сказала, что он был с тобой, когда ты выясняла, откуда взялось кольцо, или нет?

— Он хотел помочь. Он обеспокоен. Он чувствует себя виноватым, потому что это он настоял на поездке, а теперь его сестру обвиняют в убийстве. Когда я уходила от Чайны, у него был такой вид... Он страдает вместе с ней. За нее. Он хотел помочь, и я не думала, что от этого будет какой-то вред.

— Он подозреваемый, Дебора, так же как его сестра. Если Бруара убила не она, значит, это сделал кто-то другой. А он был одним из тех, кто присутствовал в доме в момент убийства.

— Ты не можешь так думать... Он не убийца... Ради бога! Он же приехал в Лондон. Нашел нас. Сходил в посольство. Согласился на встречу с Томми. Да он только и мечтает, чтобы кто-нибудь доказал невиновность Чайны. Неужели ты в самом деле считаешь, что он сделал бы все это, если бы был убийцей? Зачем?

— На этот вопрос у меня нет ответа.

— А. Ну да. Но ты по-прежнему настаиваешь...

— Зато у меня есть вот что,— перебил он.

И тут же возненавидел себя, когда волна черной радости затопила его изнутри. Он загнал ее в угол и сейчас нанесет последний, решающий удар, который определит, кто из них прав, а кто виноват. Он рассказал ей о бумагах, отданных им Ле Галле, с информацией о поездке Ги Бруара в Америку, втайне даже от своей сестры. Сент-Джеймсу было не важно, что в разговоре с Ле Галле он отстаивал совершенно другую точку зрения на то, какое отношение к поездке Бруара в Калифорнию мог иметь Чероки Ривер. Главное — отстоять свое превосходство над ней во всех вопросах, имеющих отношение к расследованию убийства. Он намекнул на то, что ее стихия — фотография, мир образов, возникающих на целлулоидной пленке в темной комнате. Его стихия — наука, мир фактов. Иными словами, фотография — это просто еще одно название фантазии. И пусть она не забывает об этом в следующий раз, когда решится без его ведома на какой-либо шаг.

— Понятно,— сказала она в заключение его речи и застыла.— Приношу извинения за кольцо.

— Уверен, ты делала то, что считала правильным,— ответил ей Сент-Джеймс со всем великодушием мужа, только что вновь утвердившего свое законное положение в браке.— Я немедленно отнесу кольцо Ле Галле и объясню ему, что случилось.

— Отлично,— сказала она.— Если хочешь, я пойду с тобой. И с радостью объясню все сама, Саймон.

Ее предложение и то, что стояло за ним,— ясное понимание своего проступка — тронуло Сент-Джеймса.

— Это совсем не обязательно,— ответил он добродушно.— Я сам справлюсь, любимая.

— Уверен, что ты хочешь именно этого?

Вопрос прозвучал ядовито. Сент-Джеймс должен был понять, что означает этот тон, но как законченный дурак, который считает, будто может оставить за собой последнее слово в споре с женщиной, ответил:

— Совершенно уверен, Дебора.

— Странно. Ни за что бы не подумала.
— Чего?
— Что ты упустишь возможность посмотреть, как Ле Галле вонзает в меня свои клыки. Это же так весело. Я удивлена, что ты не хочешь позабавиться.
Горько улыбнувшись, она торопливо прошла мимо него. Теперь она спешила по той же тропе к выходу.

Главный инспектор Ле Галле как раз садился в свою машину во дворе полицейского управления, когда в воротах показался Сент-Джеймс. Дождь начался снова, когда Дебора во второй раз бросила его в глубоком саду, но, хотя Сент-Джеймс покинул отель в спешке и забыл зонт, возвращаться за ним к портье он не стал. Пойти следом за Деборой выглядело бы как приставание к ней. А поскольку приставать к ней у него не было причин, то он решил не производить такого впечатления.
Вела она себя возмутительно. Конечно, ей удалось собрать информацию, которая может оказаться полезной. Выяснив, откуда взялось кольцо, она сэкономила всем время, а обнаружив его потенциальное вторичное происхождение, она заготовила такой снаряд, который может пошатнуть убежденность местной полиции в виновности Чайны Ривер. Но все это не извиняет той скрытной и бесчестной манеры, в которой она произвела свое расследование. Если она и впредь собирается идти по пути, который изберет сама, то пусть предупреждает его, чтобы он не выглядел дураком перед офицером, расследующим это дело. К тому же, невзирая на все, что она совершила, открыла и узнала от Чайны Ривер, она поделилась с братом подозреваемой ценной информацией, и с этим фактом ничего поделать было нельзя. И потому необходимо указать ей на всю глупость ее поведения.
И хватит об этом, подумал Сент-Джеймс. В конце концов, он сделал то, на что имел право и что обязан был сделать. Но идти за ней следом ему все равно не хотелось. Он сказал себе, что даст ей сначала время остыть и подумать. Немного дождя не помешает ему на пути к ее исправлению.

Во дворе полицейского управления Ле Галле заметил его и остановился, не закрыв дверцу своего «эскорта». К заднему сиденью машины были прикреплены два одинаковых детских креслица.

— Близняшки,— сообщил Ле Галле отрывисто, когда Сент-Джеймс поглядел на них.— Восьмимесячные.

И, словно эти признания обязывали его обойтись с Сент-Джеймсом по-дружески, чего инспектору совсем не хотелось, он продолжил:

— Где оно?

— У меня.

Сент-Джеймс выложил все, что рассказала ему о кольце Дебора, и закончил:

— Чайна Ривер не помнит, куда положила его в последний раз. Она говорит, что если это кольцо не то же самое, которое она купила, то, значит, ее кольцо у вас, среди ее вещей.

Ле Галле не стал требовать, чтобы ему показали кольцо сразу. Он захлопнул дверцу машины и, бросив: «Пойдемте», вернулся в участок.

Сент-Джеймс последовал за ним. Ле Галле привел его наверх, в тесную комнатенку, служившую, по всей вероятности, лабораторией. Вдоль одной стены висели на спускавшихся с потолка лесках черно-белые фотографии отпечатков ног, под ними стояло несложное приспособление для обнаружения отпечатков пальцев при помощи паров цианакрилата. За ним над другой дверью с надписью «темная комната» горел красный свет, указывая на то, что она была не пуста. Ле Галле трижды стукнул по ней кулаком и рявкнул:

— Отпечатки, Маккуин! — После чего обернулся к Сент-Джеймсу.— Давайте.

Сент-Джеймс передал ему кольцо. Ле Галле составил надлежащий протокол. Когда главный инспектор ставил свою подпись с целой россыпью точек, из темной комнаты появился Маккуин. Скоро к улике из бухты, где погиб Ги Бруар, был применен весь арсенал средств, которыми располагала островная криминалистическая лаборатория.

Ле Галле предоставил Маккуину колдовать с парами клея, а сам отправился в комнату для хранения вещественных доказательств. От дежурного офицера он потребовал список вещей, изъятых у Чайны Ривер. Просмотрев его, он сообщил Сент-Джеймсу то, что тот и так уже подозревал: среди пожитков Чайны Ривер кольца не было.

«Как, должно быть, радуется сейчас Ле Галле»,— подумал Сент-Джеймс.

Ведь полученная им только что информация была не чем иным, как новым гвоздем в крышку гроба Чайны Ривер, который и без того вот-вот закроется окончательно. Однако вместо удовлетворения лицо главного инспектора выражало раздражение. У него был такой вид, точно он собирал мозаику, где на место одного кусочка вдруг встал совершенно другой.

Ле Галле посмотрел на него. Снова перечитал список вещей. Дежурный офицер сказал:

— Да нет его здесь, Лу. Раньше не было и сейчас нет. Я еще раз все пересмотрел. Здесь все просто. Ничего не изменилось.

Из этого Сент-Джеймс заключил, что Ле Галле искал в бумагах не только кольцо. Очевидно, главный инспектор уже приходил сюда проверять что-то еще, не пришедшее ему в голову при их предыдущей встрече. Он внимательно поглядел на Сент-Джеймса, словно прикидывая, как много можно ему доверить.

— Черт,— выдохнул он, а потом добавил: — Пойдемте со мной.

Они прошли в его кабинет, где Ле Галле захлопнул дверь и указал Сент-Джеймсу на стул. Сам выдвинул из-за своего стола стул, плюхнулся на него, потер лоб и потянулся к телефону. Набрал на нем несколько цифр и, когда на том конце ответили, сказал:

— Ле Галле. Есть что-нибудь?.. Черт. Ну так продолжайте искать. Край. Кончик пальца. Что угодно... Да, Розюмек, я, черт возьми, имею представление о том, сколько людей имели возможность там полазать. Хотите верьте, хотите нет, но умение считать тоже входит в мою профессиональную квалификацию. Пошевеливайтесь там.

И он повесил трубку.

— Вы проводите обыск? — спросил Сент-Джеймс.— Где? В Ле-Репозуаре?

Он не стал ждать ответа.

— Но если бы целью ваших поисков было кольцо, вы бы его сейчас отменили.

Подумав, он решил, что вывод из этого следует только один, и сказал:

— Полагаю, вы получили информацию из Англии. Может быть, детали некролога подсказали этот поиск?

— А вы не дурак, верно?

Ле Галле протянул руку к папке и вынул из нее несколько листков, скрепленных вместе. Посвящая Сент-Джеймса в подробности картины, он не смотрел на них.

— Токсикология.

— Что-то неожиданное в крови?

— Опиат.

— В момент смерти? И что они говорят? Что он был без сознания, когда задохнулся?

— Похоже на то.

— Но это может значить только одно...

— Что не все еще кончилось.

Ле Галле был недоволен. И неудивительно. Из-за этой новой информации, чтобы свести концы с концами, ему придется доказать, что либо жертва, либо главная подозреваемая были как-то связаны с опиумом или его продуктами. Если этого не произойдет, обвинение, выстроенное Ле Галле против Чайны Ривер, рассыплется, как карточный дом.

— Что вам об этом известно? — спросил Сент-Джеймс.— Мог он употреблять наркотики?

— Ширнулся, прежде чем войти в воду? Сбегал в местный шалман с утра пораньше? Вряд ли, если, конечно, он не хотел утопиться.

— На руках следов нет?

Взгляд Ле Галле яснее слов говорил: «Не держите нас за идиотов».

— Как насчет осадка в крови с предыдущей ночи? Вы правы — вряд ли он сделал укол перед тем, как пойти купаться.

— Вряд ли он вообще употреблял.

— Значит, кто-то подсунул ему опиат в то утро? Как?

Ле Галле стало неловко. Он опять положил бумаги на стол.

— Человек подавился камнем. Что бы ни было у него в крови, умер он все равно от этого. Подавился камнем. Давайте не будем об этом забывать.

— Но теперь мы, по крайней мере, понимаем, как этот камень попал ему в рот. Если его накачали наркотиком и он потерял сознание, то разве трудно было засунуть камень ему в рот и дать задохнуться? Единственный вопрос в том, как ему дали наркотик? Вряд ли он стал бы сидеть и смотреть, как ему делают укол. Может, он страдал диабетом? И ему под видом инсулина ввели опиат? Нет? Тогда он наверняка... что? Выпил его в растворе?

Сент-Джеймс заметил, что взгляд Ле Галле стал напряженнее. Он сказал главному инспектору:

— Значит, вы тоже думаете, что он его выпил,— и тут же понял, почему, несмотря на трудности, причиненные Деборой, детектив вдруг стал таким покладистым.

Ему предлагали негласную сделку: невысказанные извинения за нанесенное оскорбление и потерю терпения при прошлой встрече в обмен на отказ Сент-Джеймса разобрать по косточкам дело, состряпанное Ле Галле. Учитывая это и все, что ему было известно об этом деле, Сент-Джеймс медленно произнес:

— Должно быть, вы что-то проглядели на месте преступления, что-то совсем безобидное.

— Ничего мы не проглядели,— сказал Ле Галле.— Мы проверили его, как и все остальное.

— Что?

— Термос Бруара. Его ежедневную порцию гинкго и зеленого чая. Он пил эту смесь каждое утро после купания.

— На пляже?

— Да, именно на чертовом пляже. Вообще-то он был просто помешан на этом напитке, каждый день его пил. Наркотик наверняка подмешали в него.

— Но когда вы его проверяли, в нем не было ничего?

— Кроме соленой воды. Мы решили, что это Бруар его выполоскал.

— Кто-то, несомненно, это сделал. А кто нашел тело?

— Даффи. Он спустился в бухту, потому что Бруар не вернулся домой, и его сестра позвонила к ним узнать, не зашел ли он в коттедж на чашечку кофе. Он нашел его холодным, как рыба, и тут же побежал вызывать «скорую», так как ему показалось, что у того сердечный приступ. И неудивительно: Бруару-то было под семьдесят.

— Значит, Даффи, бегая туда-сюда, вполне мог выполоскать термос.

— Да, мог. Но если это он убил Бруара, то его жена должна была либо помогать ему, либо хотя бы знать об этом, а тогда эта женщина — самая отъявленная лгунья, которую я видел. Она говорит, что ее муж был наверху, а она — на кухне, когда Бруар шел купаться. Он, то есть Даффи, по ее словам, даже не выходил из дома в то утро до тех самых пор, когда ему пришлось спуститься в бухту в поисках Бруара. Я ей верю.

Сент-Джеймс взглянул на телефонный аппарат и задумался о звонке Ле Галле и его указаниях насчет поиска.

— Значит, если вы решили, что отрава была в термосе, и речь идет не о том, как его отравили, то вы ищете то, в чем опиат был раньше, контейнер, в котором его принесли в поместье.

— Если он был в чае,— сказал Ле Галле,— а я представить себе не могу, чтобы он был в чем-то другом, значит, он был жидкий. Или растворимый, в виде порошка.

— Что, в свою очередь, предполагает бутылку, флакон или еще какой-нибудь контейнер... на котором будут, хочется надеяться, отпечатки пальцев.

— И находиться он может где угодно,— признал Ле Галле.

Сент-Джеймс понимал затруднение главного инспектора: его людям предстояло не только прочесать огромное поместье, но и опросить сотни потенциальных подозреваемых, поскольку в ночь перед гибелью Ги Бруара Ле-Репозуар был наводнен гостями, любой из которых мог прийти на вечеринку, замыслив убийство. Ведь, несмотря на волос Чайны Ривер, найденный на теле Ги Бруара, несмотря на таинственную фигуру в ее плаще и несмотря на потерянное на пляже кольцо с черепом и скрещенными костями — купленное самой Чайной,— опиат, обнаруженный в крови Ги Бруара, это улика, от которой Ле Галле не отмахнется.

Ему не очень нравилась ситуация, в которую он попал. До настоящего момента все улики указывали на Чайну Ривер как на убийцу, однако присутствие наркотика в крови Ги Бруара выдавало предумышление, никак не вязавшееся с тем фактом, что Чайна познакомилась с Бруаром, лишь приехав на остров.

— Если это сделала Ривер,— сказал Сент-Джеймс,— то она должна была привезти наркотик с собой из Штатов, так ведь? Не могла же она полагаться на то, что найдет опиум на Гернси. Она ведь не знала, что это за место, насколько велик здешний город и где его вообще тут искать. Но даже если она надеялась найти наркотик здесь и действительно нашла, поспрашивав в разных местах, то главный вопрос все равно остается, так ведь? Зачем она это сделала?

— Среди ее вещей нет ничего такого, в чем она могла бы его провезти,— сказал Ле Галле, как будто Сент-Джеймс не задал ему только что очень обоснованный вопрос.— Ни бутылки, ни флакона, ни банки. Ничего. Значит, она его выбросила. Если мы его найдем — когда мы его найдем,— там должен быть осадок. Или отпечатки. Хотя бы один. Ни одному убийце еще не удавалось замести все следы. Каждый думает, что ему удастся. Но если человек не сумасшедший, то убить другого ему психологически сложно, он начинает нервничать и упускает что-нибудь из виду. Одну маленькую деталь. Где-нибудь.

— И все же вопрос остается,— настаивал Сент-Джеймс.— У Чайны Ривер нет мотива. Она ничего не выигрывает от его смерти.

— Я найду контейнер с отпечатками, а дальше не мое дело,— заявил Ле Галле.

Его ответ выражал худшую сторону полицейской работы: следователи вечно предрасположены к тому, чтобы сначала найти виноватого, а уж потом подгонять факты под мнимую вину. Верно то, что у полиции Гернси был плащ, волос на теле убитого и показания двух свидетелей, которые говорили, что за Ги Бруаром на пути в бухту кто-то крался. А теперь они получили еще и кольцо, купленное самой подозреваемой и потерянное на месте преступления. Но кроме этого у них был еще один элемент головоломки, который должен был их насторожить. И то, что они, получив отчет токсикологов, даже не почесали в затылке, объясняет, почему в тюрьме сплошь и рядом сидят невиновные, а вера людей в правосудие давно сменилась циничным к нему отношением.

— Инспектор Ле Галле,— осторожно начал Сент-Джеймс,— с одной стороны, у нас убитый мультимиллионер и потенциальный убийца, которому ровно ничего не дает его смерть. С другой стороны, среди окружавших его людей были такие, кто мог надеяться на получение наследства. У нас есть ущемленный в правах сын, двое подростков, получивших от покойного по небольшому состоянию каждый, не приходясь ему родственниками, и некоторое количество индивидов, чьи разбитые мечты были связаны с планами Бруара строить музей. Мне кажется, что мотивов для убийства хоть отбавляй. Игнорировать их в пользу...

— Он был в Калифорнии. Мог повстречать ее там. Тогда же возник и мотив.

— Но вы проверили передвижения остальных?

— Никто из них не был...

— Я говорю не о поездке в Калифорнию,— перебил Сент-Джеймс.— Я говорю о том утре, когда было совершено убийство. Вы проверили, где были в тот момент все остальные?

Адриан Бруар, люди, имеющие отношение к музею, подростки, их родственники, жаждавшие денег, другие люди из окружения Бруара, его любовница, ее дети?

Молчание Ле Галле было красноречивым ответом.

Сент-Джеймс продолжал настаивать на своем.

— Чайна Ривер была в доме, это правда. Правда и то, что она могла познакомиться с Бруаром в Калифорнии, хотя это еще предстоит проверить. Или с ним мог познакомиться ее брат и представить их друг другу. Но если не учитывать эту связь — которой, может быть, и не существует,— разве Чайна Ривер ведет себя как убийца? Разве она совершала что-нибудь подозрительное? Она не скрывалась с места преступления. Просто уехала вместе с братом, как было запланировано, и не пыталась замести следы. Смерть Бруара ей абсолютно не выгодна. У нее нет причин желать ему смерти.

— Насколько нам известно,— вставил Ле Галле.

— Вот именно,— согласился Сент-Джеймс.— Но вешать это убийство на нее на основании доказательств, которые легко можно подделать... должны же вы понимать, что адвокат Чайны Ривер съест вас с потрохами.

— Я так не считаю,— просто ответил Ле Галле.— Мой опыт подсказывает мне, мистер Сент-Джеймс, что дыма без огня не бывает.

— Значит, вы по-прежнему настаиваете на своем.

— Пока не найду контейнер. А там посмотрим.

15

Пол Филдер обычно просыпался под звон своего будильника, старого оловянного агрегата, выкрашенного когда-то черной краской, но с годами облупившегося, который он каждый вечер добросовестно заводил и ставил на нем точное время, всегда помня о том, что кто-нибудь из младших братишек мог поковыряться в нем в течение дня. Но в то утро его разбудил телефонный звонок и следом топот на лестнице. Узнав тяжелую поступь Билли, он плотно зажмурил глаза на случай, если тот войдет в комнату. С чего это братец поднялся так рано? Может, вообще не ложился? В этом-то как раз ничего необычного не было. Иногда Билли засиживался перед телевизором до раннего утра, пока было что смотреть, а когда все передачи кончались, он просто сидел в гостиной, курил и слушал пластинки на старом отцовском проигрывателе. Он включал его на всю громкость, но никто никогда не просил его сделать потише, чтобы остальные члены семьи могли поспать. Те дни, когда чья-то просьба влияла на Билли, давно прошли.

Дверь спальни с грохотом распахнулась, но Пол упорно не открывал глаз. С кровати в противоположном конце маленькой комнаты донесся испуганный вскрик младшего братишки, и на мгновение Пол испытал облегчение человека, который избежал пытки, доставшейся кому-то другому. Но как оказалось, вскрик означал лишь испуг, причиненный внезапным шумом, потому что сразу вслед за ним на плечо Пола опустилась тяжелая ладонь. И голос Билли произнес:

— Эй, тупица! Думаешь, я не знаю, что ты притворяешься? Вставай. К тебе посетитель.

Пол упрямо держал глаза закрытыми, ожидая, оторвет Билли его голову от подушки, схватив за волосы, или нет. Вонючее утреннее дыхание Билли обдало Полу лицо, и он услышал:

— Может, поцеловать тебя, паскудник мелкий? Помочь тебе проснуться? Ты ведь любишь, когда это делают мальчики? — Он встряхнул Пола за волосы и отпустил его голову, так что она шмякнулась на подушку.— Эх ты, недотепа. Спорим, у тебя стоит, да вставить некуда. Давай проверим.

Пол почувствовал, как руки брата опустились на одеяло, и среагировал моментально. Эрекция у него действительно была. Она всегда случалась по утрам, но из разговоров, подслушанных им на переменах в школе, он понял, что это нормально, и испытал большое облегчение, так как его уже стало волновать, почему он просыпается каждое утро с членом, торчащим под прямым углом к телу.

Завопив не хуже младшего брата, он вцепился в одеяло. Поняв, что Билли не отстанет, Пол выскочил из постели и опрометью кинулся в ванную. Влетев в нее, захлопнул за собой дверь и запер на замок. Билли колотил кулаками с другой стороны.

— Что, дрочишь? — хохотал он.— Без чужой помощи не так приятно? Уж ты-то знаешь, как такие дела делаются, правда?

Пол открыл кран и спустил воду в унитазе. Только бы не слышать голоса брата.

Сквозь рев воды до него донеслись другие голоса, потом ненормальный смех Билли и снова стук в дверь, на этот раз не такой грубый, но настойчивый. Закрыв воду, Пол продолжал стоять рядом с ванной. Голос был отцовский.

— Открой, Поли. Поговорить надо.

Открыв дверь, Пол увидел отца в рабочей одежде. На нем были заскорузлые джинсы, заляпанные грязью башмаки и толстая фланелевая рубаха, от которой так и разило тяжелым запахом пота.

«А ведь на нем должен быть халат мясника»,— подумал Пол, и от этой мысли ему стало так грустно, что даже перехватило горло.

Красивый белый халат и длинный белый передник, спускающийся на брюки, не знающие грязи, вот во что надлежало бы ему одеться. И работать там, где его с раннего детства помнил Пол. Сейчас он должен был бы выкладывать мясо на свой собственный прилавок в дальнем конце рынка, где уже никто не торгует и все стало так, как будет, когда за всеми придет смерть.

Полу хотел захлопнуть дверь у отца перед носом, чтобы не видеть его грязной одежды и заросшего щетиной лица. Но не успел, так как в дверях появилась мать, принеся с собой запах жареного бекона, который, по ее настоянию, съедал каждый день отец, чтобы поддержать силы.

— Одевайся, Поли,— сказала она через плечо мужа.— К тебе пришел адвокат.

— В чем дело, Пол? — спросил его отец.

Пол покачал головой. Адвокат? К нему? Ошибка какая-то.

— Может, ты школу прогуливал? — спросил отец.

Пол снова покачал головой, нимало не раскаиваясь во лжи. В школу он ходил, но только когда не было других дел, поважнее. Например, несчастья с мистером Ги. И горе снова волной нахлынуло на мальчика.

Похоже, мать прочитала это по его лицу. Сунув руку в карман своего клетчатого халата, она вытащила оттуда бумажный платок, вложила его Полу в руку и сказала:

— Поспеши, милый,— и мужу: — Ол, пойдем готовить тебе завтрак.

— Он пошел вниз,— добавила она через плечо, когда они выходили, чтобы Пол мог подготовиться к встрече с посетителем.

Снизу, словно ненужное объяснение, раздался рев телевизора. Билли нашел себе занятие.

Оставшись один, Пол стал, как мог, готовиться к встрече с адвокатом. Помыл лицо и подмышки. Одел вчерашнюю одежду. Почистил зубы и причесался. Поглядел на себя в зеркало и удивился. Что бы это могло значить? Та женщина, книга, церковь и рабочие. В руках у нее было гусиное перо, которое показывало куда-то: острый конец в книгу, а пушистый — в небо. Но что это значило? Может быть, ничего, но он в это не верил.

«Ты умеешь хранить секреты, мой принц?»

Он спустился вниз, где отец завтракал, а Билли, позабыв про телевизор, наслаждался сигаретой, развалившись на стуле и закинув ноги на мусорное ведро. Рядом с ним стояла чашка чая, которую он поднял в шутовском приветствии, увидев Пола.

— Ну как, Поли, хорошо пошло? Надеюсь, сиденье унитаза не забыл вытереть?

— Рот закрой,— сказал Ол Филдер старшему сыну.

— Ой, боюсь, боюсь, боюсь,— был ответ Билли.

— Яичницу, Поли? — спросила мать.— Сейчас поджарю. Или могу яйца сварить, если хочешь.

— Последняя трапеза перед арестом,— глумился Билли.— Ничего, Поли, ты там отсосешь кому надо, и все парни к тебе в очередь выстроятся.

Громкий рев младшей из Филдеров, донесшийся сверху, прервал их разговор. Мать поручила отцу присмотреть за яичницей, а сама поспешила на помощь к единственной дочери. Скоро та въехала в кухню верхом на материнском бедре, но прошло еще немало времени, прежде чем она успокоилась.

В дверь позвонили, когда двое средних Филдеров с грохотом скатились по лестнице и заняли свои места за кухонным столом. Ол Филдер пошел открывать и скоро уже звал Пола в гостиную.

— И ты тоже, Мейв,— окликнул он жену, следом за которой тут же поплелся никем не званный Билли.

Пол мялся у двери. Он не так уж много знал об адвокатах, но то, что было ему известно, не пробуждало в нем желания свести знакомство с одним из них. Адвокаты участвуют в судебных процессах, а процессы означают, что у кого-то неприятности. А неприятности, как ни крути, легко могут оказаться и у Пола.

Адвокат оказался человеком по фамилии Форрест, который крутил головой, глядя то на Билли, то на Пола, точно недоумевая, кто из них кто. Билли решил проблему, вытолкнув Пола вперед. Он сказал:

— Вот кто вам нужен. Чего он натворил-то?

Ол Филдер представил всех присутствующих. Мистер Форрест оглянулся в поисках стула. Мейв Филдер смахнула стопку стираного белья с большого кресла и сказала:

— Прошу вас, садитесь,— хотя сама осталась стоять.

Никто не знал, как себя вести. Все переминались с ноги на ногу, у кого-то заурчало в животе, а малютка ерзала на руках у матери.

У мистера Форреста был с собой дипломат, который он положил на крытый синтетической тканью диван. Садиться он не стал, потому что хозяева дома стояли. Порывшись в бумагах, он откашлялся.

Пол, объявил он родителям мальчика и его старшему брату, является одним из основных наследников состояния покойного Ги Бруара. Филдерам известно что-нибудь о законе наследования имущества на Гернси? Нет? Ну что же, тогда он им объяснит.

Пол слушал, но ничего не понял. Только по изменившемуся выражению родительских лиц и комментариям Билли наподобие «Чего? Кто? Вот черт!» он сообразил, что произошло что-то необычайное. Но он не сознавал, что это событие имеет отношение к нему, пока его мать не вскрикнула:

— Наш Поли? Он будет богатым?

— Что за хрень! — сказал Билли и повернулся к брату.

Он мог бы высказаться яснее, но тут мистер Форрест начал называть наследника, к которому он пришел, «нашим молодым мистером Полом», и это произвело на старшего брата такое неизгладимое впечатление, что тот ткнул Пола в бок и вымелся из комнаты. Он и из дома вышел, так громко хлопнув дверью напоследок, что всем показалось, будто в комнате на мгновение изменилось давление воздуха.

Отец, улыбаясь Полу, говорил:

— Это хорошая новость, хорошая. Повезло тебе, сынок.

Мать не переставая шептала:

— Господи боже, господи Иисусе.

Мистер Форрест говорил еще что-то про бухгалтеров, и определение точной суммы наследства, и кто сколько получит, и как все это будет решаться. Еще он упомянул детей мистера Ги и дочку Генри Мулена, Син. Он рассказал о том, как и почему мистер Ги избавился от недвижимости, и говорил, что, когда Полу понадобится совет касательно размещения капитала, процентов, страховок, банковских залогов и тому подобного, ему стоит только сделать мистеру Форресту один звонок, и он всегда будет рад ему помочь. Достав свои визитки, он сунул одну Полу, другую — его отцу. Пусть звонят ему в любое время, как только у них возникнут какие-то вопросы, сказал он им. А вопросы, улыбнулся он, возникнут непременно. В таких случаях, как этот, без них не обходится.

Первый вопрос задала Мейв Филдер. Облизав пересохшие губы, она нервно глянула на мужа и поправила ребенка, сидевшего у нее на бедре.

— А сколько?..

А, ответил мистер Форрест. Пока неизвестно. Сначала нужно получить банковский отчет, выплатить брокерские гонорары и погасить неоплаченные счета — судебная бухгалтерия уже занимается этим,— а когда все будет сделано, они узнают точную сумму. Хотя он, со своей стороны, может предположить... однако ему не хотелось бы, чтобы на основании его догадки они предпринимали какие-то шаги, добавил он торопливо.

— Хочешь узнать, Поли? — спросил его отец.— Или подождешь, пока они определятся с точной суммой?

— Я думаю, что он хочет знать прямо сейчас,— сказала Мейв Филдер.— Я бы на его месте хотела, а ты, Ол?

— Пусть Поли решает. Что скажешь, сын?

Пол взглянул на их лица, сияющие улыбками. И понял, какой ответ ему следует дать. Он и сам хотел ответить так, потому что знал, как им хочется услышать хорошую новость. Поэтому он кивнул, просто коротко опустил и поднял голову в знак признания внезапно открывшегося перед ними будущего, о котором они даже не мечтали.

Нельзя быть абсолютно уверенными, пока не закончена бухгалтерская работа, предупредил их мистер Форрест, но поскольку мистер Бруар был чертовски прозорливым бизнесменом, то долю Пола Филдера в наследстве можно с уверенностью оценить в семьсот тысяч фунтов стерлингов.

— Господи Иисусе,— выдохнула Мейв Филдер.

— Семьсот тысяч...— Ол Филдер тряхнул головой, точно хотел прочистить мозги. Лицо печального неудачника озарила уверенная улыбка.— Семьсот тысяч фунтов стерлингов? Семьсот тысяч! Подумать только! Поли, сынок. Подумай только, что ты теперь можешь сделать!

Пол повторил за ним «семьсот тысяч фунтов», но для него эти слова были загадкой. Зато чувство долга, внезапно свалившееся на него, буквально пригвоздило его к месту.

«Подумай, что ты можешь сделать».

Это напомнило ему мистера Ги, слова, сказанные им, когда они вместе стояли на крыше Ле-Репозуара, любуясь деревьями в богатом апрельском уборе и лежавшими вокруг садами, которые возвращала к жизни весна.

«С того, кому многое дано, еще больше спросится, мой принц. Не забывай об этом, и в твоей жизни всегда будет равновесие. Но жить по такому правилу получается не у всех. А ты, сынок, смог бы, будь у тебя такая возможность? С чего бы ты начал?»

Пол не знал. Он не знал тогда, не знал и сейчас. Но коекакая идея у него все же возникла, и подсказал ее сам мистер Ги. Не прямо, мистер Ги вообще не делал ничего прямо, как выяснил Пол. Но он его понял.

Он оставил родителей и мистера Форреста за обсуждением волшебных «когда» и «почему» его чудесного наследства. Вернулся в спальню, где под кроватью, для пущей сохранности, держал свой рюкзак. Опустился на колени — пятая точка в воздухе, ладони на полу,— чтобы достать его, и тут же услышал, как когти Табу скребут линолеум в прихожей. Громко сопя, песик вбежал в спальню и подошел к нему.

Пол вспомнил, что нужно закрыть дверь, и на всякий случай придвинул к ней один из двух письменных столов, бывших в комнате. Табу прыгнул на его кровать, покрутился, выбирая местечко, где особенно сильно пахло Полом, а когда нашел, то улегся, удовлетворенный, и стал наблюдать за тем, как хозяин вытащил из-под кровати рюкзак, смахнул с него пыль и расстегнул пластмассовые застежки.

Пол сел рядом с собакой. Табу положил голову ему на колени. Пол знал, что должен почесать пса за ухом, и сделал это, но без внимания, просто из чувства долга. В то утро у него были другие заботы, поважнее забав с собакой.

Он не знал, как поступить с тем, что у него было. Развернув это впервые, он сразу понял, что это не карта пиратского клада, которую он ожидал увидеть, но все же что-то похожее, иначе мистер Ги не положил бы ее для него в тайник. Тогда, разглядывая свою находку, он вспомнил, что мистер

Ги часто говорил загадками: к примеру, утка, отвергнутая стаей, обозначала Пола и его одноклассников, а машиной, изрыгающей клубы жирного черного дыма, он называл организм, безнадежно отравленный плохой пищей, сигаретами и нехваткой упражнений. Такова была манера мистера Ги, потому что он не любил читать нотации. Чего Пол не предвидел совершенно, так это аналогичного подхода мистера Ги к поучительным разговорам, которые перетекли в сообщение, составленное для него.

Перед ним была женщина с пером в руке. Но было ли это перо? Выглядело оно как перо. На ее коленях лежала раскрытая книга. За спиной поднималось высокое большое здание, у подножия которого трудились рабочие. Полу оно напомнило собор. А она выглядела... Он не знал, как сказать. Подавленной, что ли. По крайней мере, грустной. Она писала в книге, словно поверяла ей... что? Свои мысли? Или ход работы? То, что происходило за ее спиной? А что там происходило? Люди строили здание. Женщина с книгой и пером и рабочие, которые строят здание, таково было последнее послание Полу от мистера Ги.

«Ты знаешь много всего, хотя тебе кажется, что ты ничего не знаешь, сынок. Ты можешь делать все, что захочешь».

Но что делать с этим? Что нужно с этим сделать? Единственными зданиями, которые ассоциировались у Пола с мистером Ги, были его отели, его дом в Ле-Репозуаре и музей, о строительстве которого он говорил с мистером Узли. Единственными женщинами, которые были связаны с мистером Ги и о которых знал Пол, были Анаис Эббот и сестра мистера Ги. Не похоже было, чтобы сообщение, которое оставил Полу мистер Ги, имело какое-то отношение к Анаис Эббот. Еще больше он сомневался в том, что мистер Ги стал бы посылать ему тайное сообщение об одном из своих отелей или даже о доме, в котором жил. А значит, сообщение подразумевало мистера Узли и сестру мистера Ги. В этом была суть того, что он хотел сообщить.

Возможно, книга на коленях женщины содержала отчет о строительстве музея. А тот факт, что мистер Ги оставил это сообщение Полу, когда мог бы просто взять и передать его кому-то другому, говорил о том, что это его инструкция на будущее. И наследство, полученное от мистера Ги, вписывалось в эту картину: Рут Бруар позаботится о том, чтобы построить музей, а деньги для этого даст ей Пол.

Наверное, в этом все дело. Пол знал это. Более того, он это чувствовал. А мистер Ги не раз говорил с ним о чувствах. «Верь тому, что внутри, мальчик мой. Там живет истина».

С радостным возбуждением Пол подумал, что «внутри» означает не просто в сердце или в душе, но еще и внутри дольмена. Он должен верить тому, что найдет в его темной сердцевине. Значит, он будет верить.

Он обнял Табу и почувствовал, как с его плеч свалилась огромная тяжесть. С того самого дня, когда умер мистер Ги, он словно бродил в темноте. И вот увидел свет. Больше чем свет. Гораздо больше. Он нашел дорогу.

Рут не интересовали слова онколога. Приговор и так был написан у него на лице, особенно на лбу, где словно прибавилось морщин. Она понимала, что он гонит прочь мысли, неизбежно следующие за неудачей. И подумала: интересно, что чувствует человек, чья повседневная работа — наблюдать за угасанием бесчисленных пациентов. Врачам ведь полагается исцелять и торжествовать победу над недугами, немощами и несчастными случаями. Но средств, которыми располагают онкологи, зачастую недостаточно для борьбы с врагом, не признающим ни границ, ни правил. Рак похож на террориста, подумала Рут. Нападает без предупреждения, разрушает все до основания. Одно название чего стоит.

— Из этого препарата мы выжали все, что могли,— сказал врач.— Настает время использовать более сильный опиоидный анальгетик. Думаю, вы уже поняли, что пора, Рут. Одного гидроморфона больше недостаточно. Нельзя все время увеличивать дозу. Надо сменить лекарство.

— Я предпочла бы другой вариант.

Рут знала, как слабо звучит ее голос, и ненавидела его за то, что он выдает ее истинное состояние. Ей надо было найти способ скрыться от огня, а если нет, то скрыть огонь от мира. Она вымученно улыбнулась.

— Если бы боль стала пульсирующей, то это было бы не так страшно. Тогда между приступами были бы передышки, понимаете? Я бы успела вспомнить, как было раньше... во время пауз... как было до болезни.

— Значит, еще один курс химиотерапии.

Рут твердо стояла на своем.

— Только не это.

— Тогда придется перейти на морфин. Другого выхода нет.

Он пристально посмотрел на нее со своей стороны стола, и с его глаз словно упала пелена, которая мешала ему видеть. Он почувствовал себя перед ней беззащитным: человек, который принял на себя слишком много чужой боли.

— Чего именно вы боитесь? — Его голос звучал доброжелательно.— Химии как таковой? Побочных эффектов?

Она покачала головой.

— Значит, морфина? Вас страшит привыкание? Представляете себе героинистов, опиумные притоны, наркоманов, дремлющих в проулках?

И снова она покачала головой.

— Или того, что морфин назначают в конце? И того, что это значит?

— Нет. Не этого. Я знаю, что скоро умру. И не боюсь.

«Увидеть maman и papa после долгой разлуки, снова встретить Ги и попросить у него прощения... Разве это страшно?» — подумала Рут.

Но ей хотелось сохранить контроль над ситуацией до самого конца, а она знала, что такое морфин и как он коварно лишает вас того самого, что вы храбро пытаетесь с его помощью удержать.

— Зачем же тогда умирать в агонии, Рут? Ведь морфин...

— Когда я буду уходить, я хочу знать, что ухожу,— сказала Рут.— Не хочу превратиться в труп раньше, чем испущу дух.

— А-а.— Доктор опустил на стол руки, аккуратно сложив их так, чтобы его кольцо-печатка ловило солнечный свет.— Вот, значит, как вы себе это представляете. Пациентка лежит в коме, родные обступили ее и смотрят, а она не может даже прикрыться. Лежит неподвижно, ничего не чувствует и не может ничего сказать, не важно, хочется ей этого или нет.

Рут захотелось плакать, но она переборола себя. Боясь, что это ненадолго, она просто кивнула.

— Так было давным-давно,— сказал ей врач.— Конечно, мы и сегодня можем по желанию пациента устроить ему медленный спуск в забытье, где его будет ждать смерть. Но мы можем и контролировать дозу так, чтобы боль притуплялась, а пациент оставался в сознании.

— Но при очень сильной боли дозу все равно придется сделать адекватной. А я знаю, что морфин делает с человеком. Вы ведь не станете утверждать, что он не расслабляет.

— Если у вас будут такие проблемы, если вас все время будет клонить в сон, мы можем уравновесить действие морфина чем-нибудь другим. Например, метилфенидатом, он стимулирует.

— Еще один наркотик.— Горечь, которая прозвучала в голосе Рут, была сопоставима с болью, которая терзала ее кости.

— Разве у вас есть выбор, Рут, не считая того, что вы уже имеете?

Это был вопрос, на который нелегко ответить, а еще тяжелее с этим ответом смириться. Вариантов было три: наложить на себя руки, с радостью принять муку, точно христианская святая, или обратиться к наркотику. Решать ей.

Она обдумывала, что же выбрать, за чашкой кофе, которую зашла выпить в гостиницу «Адмирал де Сомаре». Там, всего в нескольких шагах от Бертело-стрит, огонь пылал в камине, и ей повезло найти крохотный свободный столик прямо рядом с ним. Осторожно опустившись на стул, она заказала кофе. Пила его не спеша, наслаждаясь горьковатым привкусом и наблюдая, как языки пламени жадно лижут поленья в камине.

Она не создана была для такой жизни, устало подумала Рут. В юности она думала, что выйдет замуж и у нее, как у других девушек, будет своя семья. Но ей исполнилось сначала тридцать, потом сорок, а семейная жизнь все не получалась, и тогда она решила, что будет жить для брата, который был для нее всем. Значит, она не создана для другого, сказала она себе тогда. Так тому и быть. Она будет жить для Ги.

Но жить для Ги означало периодически сталкиваться с тем, как жил сам Ги, а принять это ей было трудно. Со временем она научилась, убеждая себя в том, что его поведение — это просто реакция на раннюю потерю родных и бесконечную ответственность, которая свалилась на него в результате этой утраты. Частью его сердечной заботы была сама Рут. Она ему многим обязана. Такие мысли позволяли ей закрывать глаза на его слабости до тех пор, пока она не поняла, что больше у нее нет сил.

Она много думала о том, почему трудности, пережитые в детстве, так сильно влияют на характер человека. Что придает одному сил, для другого становится оправданием слабостей, но, так или иначе, опыт, полученный в детстве, все равно стоит за всеми нашими делами. Этот несложный принцип был очевиден для нее всегда, когда бы она ни задумалась о жизни брата. Его стремление добиться успеха и показать всем, чего он стоит, определялось преследованиями и утратами, которые ему пришлось перенести в раннем возрасте. Его неудержимая бесконечная погоня за женщинами была простым отражением чувств ребенка, изголодавшегося по материнской любви. Его безуспешные попытки исполнить роль отца указывали на то, что его отношения с собственным отцом были прерваны в самом начале, не достигнув расцвета. Она понимала это. И много над этим размышляла. Но она никогда не задумывалась над тем, как тот же принцип главенствующей роли детства срабатывает в жизни других людей, не похожих на Ги.

К примеру, в ее жизни — существовании, пронизанном страхом. Взрослые обещали ей, что вернутся, и ушли навсегда. Таков был задник, на фоне которого она играла свою роль в затяжной драме, ставшей ее жизнью. Но жить, беспрерывно боясь, невозможно, поэтому надо хотя бы притвориться, что страха не существует. Мужчина может бросить, значит, надо найти такого, который не сможет этого сделать. Ребенок может вырасти, измениться, покинуть родное гнездо, значит, надо предупредить такую возможность простейшим способом — не иметь детей. Будущее может принести с собой проблемы, решение которых нужно будет искать в неизвестной сфере, значит, жить надо в прошлом. Да, надо превратить свою жизнь в воздаяние прошлому, стать его хроникером, его жрицей, его памятью. Так она научилась жить вне страха, что оказалось равнозначным тому, чтобы жить вне самой жизни.

Но разве это так уж плохо? Рут так не думала, особенно когда она размышляла над тем, к чему привели ее попытки жить внутри жизни.

— Я хочу знать, что ты намерена делать,— подступила к ней Маргарет утром.— Адриана лишили того, что принадлежало ему по праву, и не только в материальном отношении. Тебе это прекрасно известно, поэтому я хочу знать, что ты намерена предпринять. Скажу тебе честно, меня не интересует, как именно он этого добился; и какие юридические па ему пришлось для этого вытанцовывать, меня не касается. Я хочу знать только одно — как ты намерена это исправить. Вот именно, Рут. Как? Ты отлично знаешь, куда это тебя заведет, если все останется как есть.

— Ги хотел...

— Мне наплевать на то, чего он, по-твоему, хотел, потому что я точно знаю: хотел он того же, что и всегда.

Маргарет вплотную подступила к Рут, которая сидела за туалетным столом, пытаясь придать своему лицу искусственный румянец.

— Она ему в дочери годилась, Рут. Да что там, его собственные дочери старше, чем она. Уж казалось бы, на нее у него не могло быть никаких видов. Но его и это не остановило. И ты знаешь об этом, правда, Рут?

Руки у Рут задрожали так сильно, что она не смогла даже раскрыть тюбик помады. Маргарет заметила это и немедленно бросилась в бой, вообразив, что Рут не намерена отвечать прямо.

— Господи, да ты и вправду знала,— сказала Маргарет хрипло.— Ты знала, что он планирует ее соблазнить, и даже не попыталась остановить его. Ведь ты считала — ты всегда так считала,— что чертов Ги — совершенство и все, что он делает, благо, и не важно, если кому-то это повредит.

«Рут, я хочу этого. И она тоже».

— Да в конце концов, разве имело какое-то значение то, что она стала последней в длиннющем списке соблазненных им женщин, мимо которых он просто не смог в свое время пройти? Разве имеет какое-то значение то, что, соблазнив ее, он совершил предательство, которое нельзя ничем загладить? А он всегда притворялся, будто делает своим пассиям большое одолжение, наш джентльмен. Расширял их кругозор, брал под свое крыло, спасал от неприятностей, известно каких. На самом деле он просто развлекался, причем самым несложным способом. Ты это знала. Ты видела. И не возражала. Как будто у тебя никогда не было обязательств ни перед кем, кроме себя самой.

Рут опустила руку, которая тряслась так, что толку от нее никакого не было. Да, Ги грешил. Она это признает. Но он никогда не делал этого намеренно. Он никогда ничего не планировал заранее... и даже не думал... Нет. Он не был таким чудовищем. Просто однажды она пришла, и с его глаз словно упали шоры, как падали всегда, когда он внезапно видел женщину, и так же внезапно им овладевало желание, и он уже не мог удержаться, потому что «это она, Рут, та самая». Все женщины Ги были только из этой категории, чем он и оправдывал свои поступки. Поэтому Маргарет была права. Рут знала о грозящей опасности.

— Ты следила за ними? — спросила Маргарет.

До сих пор она смотрела на Рут со спины и видела только ее отражение в зеркале, но теперь подошла и встала так, чтобы Рут пришлось смотреть ей в лицо, а на случай, если та отвернется, Маргарет выхватила у нее помаду.

— Так было дело? Ты была там? Тебе надоело играть при Ги роль Босуэла* с иглой, и ты решила сыграть активную роль в драме жизни. Или ты заделалась любопытной Варварой? Или, как Полоний в юбке, спряталась за гобеленом?

— Нет! — вскрикнула Рут.

— А, значит, держала нейтралитет. Что бы он ни вытворял.

— Неправда.

Это было выше ее сил — терпеть свою собственную боль, переживать из-за убийства брата, быть свидетелем крушения надежд, любить людей, находящихся в конфликте друг с другом, да еще и наблюдать круговорот преступных страстей Ги, неизменный даже в финале. Все шло по заведенному порядку. Даже после того, как он в последний раз сказал ей: «Это точно она». Это была не она, но он должен был сказать себе эти слова, ведь иначе ему пришлось бы взглянуть в глаза правде о самом себе и признать, что он — старик, так и не справившийся с горем, которому никогда не предавался. Да он и не мог позволить себе такую роскошь, ведь наказ «заботься о сестренке» стал для него девизом, который он мысленно начертал на своем воображаемом гербе. Так разве она имела право призывать его к ответу? Какие требования могла она ему предъявить? Чем угрожать?

Ничем. Она могла только уговаривать. Но уговоры не возымели действия, потому что были обречены в тот самый миг, когда он снова сказал: «Это она», как будто не повторял тех же самых слов раз тридцать. И тогда она поняла, что остановить его можно только хитростью. Для нее это был

---

* Граф Босуэл — фаворит и третий муж шотландской королевы Марии Стюарт.

совершенно новый путь, пугающий и неизведанный. Но пройти его было необходимо.

Так что Маргарет ошибалась, по крайней мере, в этом. Она не была Полонием в юбке, который подсматривает и подслушивает, чтобы подтвердить собственные подозрения, а заодно и получить удовлетворение вприглядку. Она все знала. И пыталась воздействовать на брата словами. Когда это не помогло, она приняла меры.

И что? Теперь она расхлебывала последствия.

Рут знала, что искупление неизбежно. Маргарет хочет заставить ее поверить, будто для этого достаточно будет выцарапать законное Адрианово наследство из юридического болота, которое Ги создал именно для того, чтобы сын не добрался до его денег. Но это потому, что Маргарет верит в быстрое решение проблемы, нараставшей годами.

«Как будто деньги могут заменить в жилах Адриана кровь и избавить его от немощи, которая его гложет»,— подумала Рут.

В гостинице «Адмирал де Сомаре» Рут допила свой кофе и положила деньги на стол. Не без труда надела пальто, на ощупь застегнула пуговицы и повязала шарф. Снаружи тихо падал дождь, но просвет в тучах со стороны Франции обещал, что может еще распогодиться. Рут надеялась на это. Она приехала в город без зонта.

Ей нужно было пройти по Бертело-стрит снизу вверх, что оказалось для нее совсем не просто. Сколько еще она продержится, сколько месяцев, а может быть, и недель осталось до того дня, когда она не сможет подняться с постели и для нее начнется последний отсчет, спрашивала она себя. Хотелось надеяться, что немного.

В верхней точке подъема от Бертело-стрит ответвлялась Нью-стрит и уходила вправо, к зданию королевского суда. В этом районе открыл свой офис Доминик Форрест.

Рут вошла и обнаружила, что адвокат только вернулся с утренних визитов. Если она не откажется подождать минут пятнадцать, он примет ее. Ему нужно сделать два телефонных звонка, очень важных. Может быть, она выпьет кофе?

Рут отклонила это предложение. Садиться она тоже не стала, так как сомневалась, что сможет встать без посторонней помощи. Она взяла номер журнала «Кантри лайф» и стала делать вид, будто рассматривает фотографии.

Обещанные пятнадцать минут еще не истекли, а мистер Форрест уже пришел за ней. Когда он окликнул ее по имени, вид у него был серьезный, и она подумала, уж не стоял ли он все это время в дверях своего кабинета, наблюдая за ней и прикидывая, сколько еще ей осталось. Рут казалось, что она ловит подобные взгляды на каждом шагу. Чем больше усилий прилагала она к тому, чтобы выглядеть нормальной и незатронутой болезнью, тем более пристально следили за ней окружающие, точно ждали, когда она выдаст себя.

В кабинете Форреста Рут села, понимая, что если во время их разговора она останется стоять, это будет выглядеть странно. Адвокат попросил у нее разрешения выпить чашечку кофе. Он сегодня на ногах с самого утра, так что ему просто необходимо немного взбодриться. Может быть, она не откажется от кусочка кекса?

Рут сказала: нет, ей ничего не нужно, она сама только что пила кофе в «Адмирале де Сомаре». Подождала, пока мистер Форрест выпьет свой кофе с ломтиком местного фруктового кекса, и только тогда пустилась в объяснения о цели своего визита.

Она рассказала адвокату о том, в какое смятение повергло ее завещание Ги. Как мистеру Форресту известно, она всегда была свидетельницей завещаний брата, и потому изменения, произведенные им в порядке наследования, шокировали ее. Анаис Эббот и ее дети ничего не получили, музей военного времени забыт, Даффи обойдены. А родным детям Ги завещано даже меньше денег, чем его двум... Замявшись в поисках подходящего слова, она остановилась на «местных протеже». Все это просто сбило ее с толку.

Доминик Форрест торжественно кивнул. Он и сам не мог понять, что происходит, признал он, когда его попросили огласить условия завещания в присутствии людей, которые, как ему было известно, ничего по нему не получали.

Это было ошибкой — впрочем, как и вся процедура оглашения завещания в такой день и в такой компании,— но он решил, что, возможно, Рут окружила себя друзьями и близкими в час испытаний. Но сейчас стало ясно, что Рут и сама пребывала в неведении относительно последнего завещания брата. Это объясняет, почему официальное чтение документа выглядело так странно.

— Я удивился, что вы не пришли с ним в тот день, когда он подписывал документы. Он ведь всегда приводил вас раньше. Я подумал, что, может быть, вы неважно себя чувствуете, но не стал спрашивать. Потому что...

Он пожал плечами, вид у него был сочувствующий и смущенный. Он тоже знает, поняла Рут. Значит, и Ги, скорее всего, догадался. Но, как большинство людей, не знал, как об этом заговорить. Слова «мне так жаль, что ты умираешь» казались ему слишком вульгарными.

— Но понимаете, он всегда рассказывал мне,— сказала Рут.— О каждом новом завещании. Всегда. Вот я и пытаюсь понять, почему он держал в секрете последнее.

— Возможно, не хотел вас расстраивать,— ответил Форрест.— Возможно, он знал, что вы будете не согласны с изменениями, которые он произвел. С тем, что он решил отдать часть денег чужим людям.

— Нет. Дело не в этом,— сказала Рут.— В других завещаниях было то же самое.

— Но тогда речь шла не о половине. И его дети всегда получали больше, чем остальные наследники. Возможно, Ги думал, что вы станете придираться к этому. Он знал, что вы сразу поймете суть нового завещания, едва услышите его.

— Я действительно стала бы возражать,— заметила Рут.— Но это ровным счетом ничего не изменило бы. Ги меня никогда не слушал.

— Да, но так было раньше...

Форрест сделал едва заметное движение руками. Рут решила, что он имеет в виду ее болезнь.

Да. Если Ги знал, что она умирает, то это все ставит на свои места. Желание сестры, которой недолго осталось жить на этом свете, он бы выполнил. Даже Ги не пренебрег бы таким обязательством. А выполнить ее просьбу значило бы для него оставить родным детям по крайней мере такую же, если не бóльшую, сумму денег, чем та, которую он завещал двоим подросткам с острова. А этого-то он как раз и не хотел. Дочери давно стали для него чужими; сын всю жизнь приносил одни разочарования. Ему хотелось отблагодарить людей, которые любили его так, как он считал правильным. Поэтому он исполнил закон о наследовании формально, завещав своим детям половину, которую они и так получили бы, а остальное отдал, кому захотел.

И все же не сказать ей... У Рут было такое чувство, как будто она несется куда-то без руля и без ветрил. Причем несется по бурному морю, где буквально не за что зацепиться взглядом. Ведь Ги, ее родной брат, ее опора, оставил ее в неведении. Меньше чем за сутки она узнала о его поездке в Калифорнию, о которой он сам не обмолвился с ней ни словом, и о заговоре с целью воздать по заслугам тем молодым людям, которые его разочаровали, и тем, которые принесли ему радость.

— Ги очень серьезно относился к последнему документу,— сказал мистер Форрест, точно надеясь утешить ее.— Он был составлен так, что дети Ги получили бы большие деньги вне зависимости от того, что получали другие наследники. Десять лет назад, как вам известно, он начал с двух миллионов фунтов. При условии разумного вложения этот капитал превратился бы со временем в состояние, даже часть которого кому угодно показалась бы завидной долей.

Уже не думая о делах брата, которые заставили страдать столь многих, Рут вслушивалась в эти «получили бы» и «превратился бы», произносимые мистером Форрестом. Ей вдруг показалось, что он где-то далеко от нее, словно море, в которое ее швырнули, уносит ее все дальше от людей. Она спросила:

— Есть еще что-то такое, что мне нужно знать, мистер Форрест?

Казалось, вопрос поверг Доминика Форреста в раздумье.

— Нужно? Да нет, я бы не сказал. С другой стороны, принимая во внимание реакцию детей Ги... Наверное, лучше приготовиться заранее.

— К чему?

Адвокат взял листок бумаги, лежавший у него на столе рядом с телефоном.

— Я получил сообщение от судебного бухгалтера. Помните, мне нужно было позвонить? В том числе я звонил и ему.

— И?

По тому, как Форрест глядел в листок, Рут видела, что он колеблется,— точно так же колебался ее доктор, собираясь с силами, чтобы сообщить дурную весть. Поэтому она успела подготовиться к тому, что услышит, хотя ей хотелось сорваться с места и бежать из комнаты вон.

— Рут, денег осталось очень мало. Едва наберется четверть миллиона фунтов. При нормальном положении вещей в этом нет ничего страшного. Но, учитывая, что начал он с двух миллионов... А ведь он был очень проницательным бизнесменом, я не знаю никого проницательнее его. Он всегда знал, когда, куда и как вкладывать деньги. На его счетах должно было быть куда больше денег, чем есть сейчас.

— Что же случилось...

— С остальными деньгами? — закончил Форрест.— Не знаю. Когда судебный бухгалтер представил свой отчет, я сказал ему, что в нем, должно быть, какая-то ошибка. Сейчас он разбирается, но, по его словам, дело совсем ясное.

— Что это значит?

— Очевидно, десять месяцев тому назад Ги продал значительную часть своих акций. Более чем на три с половиной миллиона фунтов.

— Чтобы положить в банк? Под проценты?

— Их там нет.

— Значит, он что-то купил?

— Никаких документов об этом нет.

— Тогда что же?

— Я не знаю. Я только десять минут назад обнаружил, что денег нет, и потому могу лишь сказать, что от них осталось — четверть миллиона фунтов стерлингов.

— Но как его адвокат, вы должны были знать...

— Рут, сегодня я потратил часть утра на то, чтобы сообщить его наследникам о причитающейся им сумме в семьсот тысяч фунтов, а может быть, и более. Поверьте мне, я и понятия не имел, что деньги куда-то ушли.

— Их мог кто-нибудь украсть?

— Не вижу как.

— Может быть, их растратил банкир или брокер?

— Опять же — как?

— А сам он мог их отдать?

— Мог. Да. Именно сейчас бухгалтер занимается тем, что ищет среди документов след пропавших денег. Логически самой подходящей кандидатурой для того, чтобы сбыть деньги на сторону, был бы его сын. Но в настоящее время? — Он пожал плечами.— Мы не знаем.

— Если Ги и отдал Адриану деньги,— сказала Рут скорее себе, чем адвокату,— то мне он ничего об этом не говорил. И Адриан тоже. А его мать ничего не знает. Маргарет, его мать,— обратилась она к адвокату,— ничего не знает.

— До тех пор пока мы не узнаем больше, будем считать, что все получают сильно урезанное наследство,— ответил мистер Форрест.— А вам следует подготовиться к тому, что у вас появится много врагов.

— Урезанное. Да. Об этом я не подумала.

— Так подумайте теперь,— сказал ей мистер Форрест.— При нынешнем положении вещей дети Ги наследуют чуть менее шестидесяти тысяч фунтов каждый, двое других — около восьмидесяти тысяч, в то время как вы владеете собственностью, которая стоит миллионы. Когда это откроется, на вас начнут давить со всех сторон, требуя исправить положение. Поэтому пока мы не разобрались во всем, советую вам ни на шаг не отступать от того, что нам известно о желаниях Ги касательно поместья.

— Неужели это еще не все? — прошептала Рут.

Форрест опустил на стол записку от бухгалтера.

— Поверьте мне, главные новости еще впереди,— сказал он.

16

Валери Даффи слушала длинные гудки в трубке и шептала:

— Возьми трубку, возьми трубку, ну возьми же трубку.

Но сигналы продолжались. Ей очень не хотелось их прерывать, но ничего другого не оставалось. В следующую секунду она убедила себя, что набрала не тот номер, и начала все сначала. Номер набран; гудки возобновились. И снова безрезультатно.

В окно ей были видны полицейские, которые проводили обыск. Сначала они с упорством ищеек обследовали дом, потом взялись за парк и пристройки. Валери понимала, что в скором времени они явятся и в коттедж. Ведь он был частью Ле-Репозуара, а им было приказано, как сообщил ей ответственный за обыск сержант, «провести полный и тщательный осмотр всей территории».

Ей даже думать не хотелось о том, что именно они ищут, хотя она и так знала. Один из офицеров спустился с верхних этажей, неся полный пакет улик — таблетки Рут, и, если бы Валери не вступилась и не объяснила, что лекарства жизненно необходимы хозяйке, в доме не осталось бы ни единой пилюли. Зачем вам все, убеждала их Валери. Мисс Бруар страдает от сильных болей, и без таблеток...

— Болей? — вмешался констебль.— Значит, это все болеутоляющие?

И он тряхнул мешком для пущей выразительности, как будто так было непонятно.

Ну разумеется, болеутоляющие. Посмотрите на этикетки, там же написано — от болей, неужели они не заметили, когда выгребали таблетки из шкафчика с лекарствами?

— У нас есть четкие указания, мадам,— был ответ констебля.

Из этого заявления Валери поняла, что они должны забрать из дома все потенциальные наркотики, для чего бы те ни предназначались.

Она попросила их не трогать большую часть таблеток.

Пусть возьмут пробу из каждого флакона, а остальное не забирают. Они ведь могут пойти на это ради мисс Бруар. Иначе ей будет очень плохо.

Констебль нехотя согласился. Возвращаясь на кухню, где ее ждала работа, Валери буквально спиной чувствовала его взгляд и понимала, что теперь он будет ее подозревать. Именно поэтому она не хотела звонить из большого дома. Она прошла через парк в коттедж и, вместо того чтобы позвонить из кухни, поднялась в спальню, откуда могла наблюдать за полицейскими, хозяйничавшими в поместье. Она сидела на половине кровати Кевина, ближе к окну, и, видя, как полицейские разделились и пошли кто в сады, а кто в разные строения на территории поместья, вдыхала запах мужа, исходивший от рабочей рубашки, которую он бросил на подлокотник кресла.

«Сними трубку,— мысленно молила она.— Ну же, давай, сними трубку».

Он вышел из дома рано. Погода день ото дня все хуже, сказал он, надо починить рамы в коттедже у Мэри Бет, а то протекают. Местность там открытая, окна выходят прямо на бухту Портеле, так что, когда пойдут дожди, у нее будут большие проблемы. Через нижние окна вода будет течь прямо в гостиную, попортит ковры, заведется плесень, а Валери ведь знает, что у обеих дочек Мэри аллергия на сырость. С верхними окнами и того хуже — это как раз спальни ее девочек. Не может же он допустить, чтобы его племянницы спали в комнатах, где струйки дождя текут прямо по обоям. У него, как у зятя, есть свои обязанности, и грех ими пренебрегать.

И ушел заниматься окнами в доме невестки. Бедная, бедная Мэри Бет, до срока овдовевшая из-за порока сердца, который убил ее мужа, когда тот шел от такси к дверям отеля в Кувейте. Минуты не прошло, а с Кори все было кончено. Кев имел точно такой же порок сердца, как и его брат-близнец, о чем стало известно лишь после того, как Кори упал бездыханным на улице, посреди жары и беспощадного кувейтского солнца. Так Кев оказался обязанным жизнью покойному брату. Врожденный дефект в теле одного близнеца заставил предположить наличие точно такого же дефекта в теле второго. Кевину вставили в грудь волшебную штучку, которая спасла бы жизнь и Кори, если бы кто-нибудь знал про его заболевание.

Валери знала, что по этой причине ее муж ощущал себя вдвойне ответственным за вдову брата и его детей. Напоминая себе о том, что он просто исполняет свой долг, о котором не было бы и речи, будь его брат жив, она все же не удержалась, взглянула на будильник у изголовья кровати и спросила себя, сколько же времени может уйти на то, чтобы законопатить четыре или пять оконных рам.

Девочки, племянницы Кева, наверняка будут в школе, а Мэри будет ему благодарна. Ее благодарность в сочетании с горем могут превратиться в дурманящий коктейль.

Сделай так, чтобы я забыла, Кев. Помоги мне забыть.

Сигналы все шли и шли. Наклонив голову, Валери слушала гудки. Рукой она прикрыла глаза.

Она хорошо знала, как действует соблазн. Видела собственными глазами. Старая как мир история отношений между мужчиной и женщиной начинается с брошенных мимоходом взглядов и понимающего вида. Случайные касания, которые так легко объяснить, придают ей определенность: пальцы поглаживают друг друга, передавая тарелку, ладонь ложится на локоток, подчеркивая забавное замечание. Лицо заливает румянец, предвещающий голод в глазах. А после находятся причины для того, чтобы бродить вокруг, видеть предмет своего обожания, показывать ему себя и вызывать желание.

Она и сама не знала, как они дошли до этого. И что было бы дальше, если бы никто не сказал ни слова?

Она никогда не умела убедительно лгать. Когда ей задавали вопрос, она либо уходила от него, притворяясь, будто не поняла, либо отвечала правду. Актрисой она была никудышной и намеренно вводить человека в заблуждение, глядя ему при этом в глаза, просто не могла. Когда ее спрашивали: «А что тебе известно об этом, Вэл?» — ей приходилось либо спасаться бегством, либо говорить.

Она нисколько не сомневалась в том, что именно видела из окна кухни в то утро, когда умер Ги Бруар. Она была уверена в этом даже сейчас. Тогда у нее не возникло сомнений потому, что увиденное вполне совпадало с тем, как Ги Бруар жил. Он проходил мимо ее окна на заре, направляясь к бухте, где совершал свой ежеутренний ритуал купания, который был для него не столько физическим упражнением, сколько средством доказать самому себе и другим, что удаль и мужская сила еще не покинули его, хотя время и подтачивало их день за днем. А в тот день за ним по пятам кралась тень. Валери до сих пор была уверена в том, кто был его тенью тем утром, потому что видела, как он обхаживал ту американку. Он был с ней одновременно очаровательным и очарованным, как старосветский джентльмен и в то же время как современный повеса,— а она хорошо знала, до каких чувств и поступков может довести женщину такое обращение.

Но могла ли она убить? Вот в чем вопрос. Вполне вероятно, что Чайна Ривер кралась за ним в бухту просто потому, что там у них было назначено свидание. Валери не сомневалась в том, что многое — если не все — уже произошло между ними еще до того утра. Но она никак не могла убедить себя, что американка убила Ги Бруара. Убийство — а особенно такое, как это,— не женских рук дело. Женщины убивают соперниц, отнимающих у них мужскую любовь; но они не убивают мужчин.

Чайне Ривер самой грозила опасность. Анаис Эббот вовсе не радовалась, видя, как ее возлюбленный расточает знаки внимания другой. А может, и кто-то еще наблюдал за этими двумя — Чайной Ривер и Ги Бруаром — и понял, что их стремительно развивающееся взаимопонимание говорит об их отношениях, подумала Валери. И увидел в Чайне Ривер не посторонною, приехавшую в Ле-Репозуар погостить на несколько дней, а угрозу своим планам, почти осуществившимся, когда она появилась на Гернси. Но если дело именно в этом, зачем убивать Ги Бруара?

«Возьми трубку, возьми»,— сказала Валери прямо в телефон.

И тут же услышала:

— Вэл, что здесь делает полиция?

Трубка упала Валери на колени. Стремительно обернувшись, она увидела Кевина, который стоял на пороге их спальни в наполовину расстегнутой рубашке,— видимо, собирался переодеться. За долю секунды в ее мозгу мелькнуло подозрение: «Что, Кев, на твоей одежде ее запах?» Но он выбирал из гардероба что-нибудь потеплее — толстый рыбацкий свитер для работы на улице.

Кевин взглянул на телефонную трубку на ее коленях, потом на нее. Из мембраны доносилось чуть слышное попискивание. Валери схватила трубку и со стуком опустила ее на телефон. И тут же почувствовала то, чего не замечала раньше: резкую боль в костяшках пальцев. Пошевелив пальцами, она сморщилась от боли. И удивилась, как это она раньше ничего не заметила.

Кевин спросил:

— Болит, да?

— Иногда.

— Доктору звонила?

— Да что от него толку. Все в порядке, вот и весь его ответ. Никакого артрита у вас нет, миссис Даффи. А таблетки, которые он назначает... в них, по-моему, один сахар и больше ничего, Кев. Просто так, чтобы я не жаловалась. Но боль-то настоящая. Бывают дни, когда я пальцами не могу пошевелить.

— Значит, другой врач?

— Так трудно найти того, кому можно доверять.

«Как это верно»,— подумала она.

И кто это научил ее быть такой недоверчивой и подозрительной?

— Я имел в виду телефон,— сказал Кевин, натягивая толстый серый свитер через голову.— Ты звонила другому врачу? Если боль усиливается, надо же что-то делать.

— А-а.— Валери уставилась на телефон возле кровати, чтобы не смотреть в глаза мужу.— Да. Да. Я пыталась... но не могла дозвониться.

Она торопливо улыбнулась.

— Куда катится мир, если у врачей в приемных никто не берет трубку.

Она хлопнула себя по бедрам, точно подводя итог разговору, и решительно поднялась.

— Пойду за таблетками. Если, как утверждает мой доктор, я все придумала, то, может, им удастся меня обмануть.

Пока она ходила за таблетками, у нее было время, чтобы успокоиться. Они были в ванной, и Валери принесла их на кухню, чтобы принять, как обычно, с апельсиновым соком. Ничего такого, что могло бы насторожить Кевина.

Когда он спустился по лестнице и зашел на кухню, она была готова. И весело спросила:

— Как там Мэри Бет? Законопатил ей окна?

— Ее тревожит Рождество. В первый раз без Кори.

— Тяжело ей, бедняжке. Она еще долго по нему тосковать будет. Как я тосковала бы по тебе, Кев.

Из ящика с бельем Валери достала чистую тряпочку и принялась вытирать ею столы. Никакой необходимости в этом не было, но надо было чем-то занять себя, чтобы правда не вышла наружу. Пока руки работают, голос, жесты и мимика ее не выдадут, а этого ей как раз и хотелось: знать, что она в безопасности, что ее чувства под надежным контролем.

— А с тобой ей, наверное, еще хуже: бедняжка смотрит на тебя, а видит Кори.

Кевин не отвечал. Ей пришлось на него посмотреть.

— Ее тревожат девочки,— сказал он.— Они просят Санта-Клауса, чтобы он вернул им папу. Вот Мэри Бет и волнуется о том, что с ними будет, когда этого не случится.

Валери терла черное пятно на старой столешнице, оставленное горячим чайником. Но оно не оттиралось. Слишком старый ожог, лечить надо было сразу.

Кевин снова спросил:

— Что тут делает полиция, Вэл?

— Ищут.

— Чего?

— Не говорят.

— Это имеет отношение к...

— Да. К чему же еще? Они забрали таблетки Рут...

— Они же не думают, что Рут...

— Нет. Не знаю. Вряд ли.

Валери перестала тереть и свернула тряпку. Пятно осталось на своем месте, как было.

— Не в твоих привычках сидеть дома в это время,— сказал Кевин.— Что, в большом доме нет работы? А еду приготовить?

— Не хотела у этих под ногами путаться,— ответила она, имея в виду полицию.

— Они просили?

— Мне показалось, так лучше.

— Они и сюда придут, раз там закончили.— Он посмотрел в окно, хотя из их кухни господского дома было не видно.— Интересно, что они ищут?

— Не знаю,— ответила она снова, чувствуя, как перехватило горло.

Перед коттеджем залаяла собака. Лай перешел в визг. Кто-то закричал. Валери с мужем пошли в гостиную, выходившую окнами на лужайку перед домом и подъездную аллею, которая в этом месте как раз огибала бронзовую статую купальщиков с дельфинами. Оттуда они увидели Пола Филдера и Табу, сражавшихся с местной полицией в лице единственного констебля, который прижался спиной к стене, пока собака трепала его за штаны. Пол бросил свой велосипед и принялся оттаскивать пса. Краснолицый констебль, громко крича, двинулся на него.

— Пойду-ка я разберусь,— сказала Валери.— Не хочу, чтобы наш Пол попал в беду.

Она схватила пальто, которое перебросила через ручку кресла, когда пришла домой. И направилась к выходу.

Кевин молчал до тех пор, пока ее рука не легла на ручку входной двери, и тогда окликнул ее.

Она обернулась и поглядела на него: обветренное лицо, загрубевшие от работы руки, непроницаемый взгляд. Когда он заговорил, она не нашла в себе сил ответить, хотя и слышала вопрос.

— Ты ничего не хочешь мне сказать? — спросил он.

Она беззаботно улыбнулась и покачала головой.

Дебора сидела под серебристым небом недалеко от памятника Виктору Гюго, чей гранитный плащ и гранитный шарф вечно раздувал порыв ветра с берегов его родной Франции. Они были одни на некрутом склоне Кэнди-гарденс, прямо над отелем «Эннс-плейс», откуда пришла Дебора. Спала она плохо, присутствие в кровати мужа и ее решимость не приваливаться к нему в ночном забытьи мешали ей. Морфей бежит от людей с подобными настроениями. Вот почему она поднялась еще до рассвета и вышла на прогулку.

После вчерашней ожесточенной стычки с Саймоном она вернулась в отель. Но там почувствовала себя ребенком, замученным чувством вины. Злясь на себя за то, что позволила себе сожалеть о своем поступке, хотя ничего плохого не сделала, Дебора снова покинула отель и вернулась только после полуночи, когда Саймон, по ее убеждению, должен был уже спать.

Вечер она провела у Чайны.

— Саймон,— сообщила она ей,— совершенно невыносим.

— По-моему, это видовая характеристика всех мужчин.

Чайна втянула ее внутрь, и они стали вместе готовить пасту, то есть Чайна колдовала у плиты, а Дебора стояла, привалившись к раковине.

— Выкладывай,— предложила Чайна приветливо.— Тетушка готова к оказанию первой помощи.

— Все из-за этого дурацкого кольца,— сказала Дебора.— Он прямо истерику из-за него устроил.

И пока Чайна опорожняла банку томатного соуса в кастрюлю и размешивала его ложкой, она рассказала ей всю историю.

— Можно было подумать, будто я совершила какое-то преступление,— закончила она.

— Действительно, глупо,— заметила Чайна, когда Дебора выговорилась.— То есть я хочу сказать, что зря я его купила. Необдуманный поступок.

Она склонила голову, глядя на Дебору.

— Ты бы никогда так не сделала.

— Похоже, Саймон считает, что необдуманно с моей стороны было принести его сюда.

— Правда? — Чайна посмотрела на кипящую пасту и ровным голосом ответила: — Что ж. Понятно, почему он не хочет меня видеть.

— Это не так,— тут же запротестовала Дебора.— Не надо... Ты с ним познакомишься. Он очень этого хочет... он столько слышал о тебе за эти годы.

— Да?

Чайна оторвалась от соуса и невозмутимо посмотрела на нее. Деборе показалось, что под этим взглядом она становится липкой.

— Все правильно,— проговорила Чайна.— Ты продолжала жить. Ничего плохого в этом нет. Три года в Калифорнии не были для тебя лучшими в жизни. Я вполне понимаю, почему ты предпочитала по возможности не вспоминать о них. А писать... Это тоже значит вспоминать, да? И вообще, с друзьями такое случается. Люди сначала сближаются, потом расходятся. Обстоятельства меняются. Иначе и быть не может. Такова жизнь. Но я по тебе скучала.

— Жаль, что мы не общались.

— Трудно общаться, когда кое-кто не пишет. И не звонит. И вообще молчит.

На лице Чайны сверкнула улыбка. Но она вышла печальной, и Дебора это заметила.

— Прости меня, Чайна. Я не знаю, почему я не писала. Я хотела, но время пошло так быстро... Я должна была написать. Послать имейл. Позвонить.

— В там-тамы побить.

— Что угодно. Ты наверняка подумала... Не знаю... Ты, наверное, подумала, что я тебя забыла. Но я не забыла. Разве я могла? После всего, что было?

— Известие о твоей свадьбе я все же получила.

«Но не приглашение на нее»,— осталось в подтексте.

Но Дебора услышала. И стала подыскивать объяснения.

— Наверное, я решила, что ты сочтешь это странным. После Томми. После всего, что было, я вдруг выхожу замуж за кого-то другого. Наверное, я просто не знала, как это объяснить.

— А ты считала, что должна объяснять? Почему?

— Потому что это было похоже...

Дебора искала слово, которое точно отразило бы, как ее переход от Томми Линли к Саймону Сент-Джеймсу мог выглядеть в глазах кого-то, кто не знал всей истории ее любви к Саймону и разрыва между ними. Все время, пока она оставалась в Америке, боль была слишком свежа, чтобы говорить о ней с кем-то. Кроме того, там был Томми, заполнивший пустоту, о существовании которой не знал тогда даже он. Как все сложно. И всегда было сложно. Возможно, именно поэтому Чайна была для нее лишь частью американского опыта, который включал в себя Томми и должен был отправиться в архив, когда их с Томми время кончилось.

— Я ведь не говорила тебе о Саймоне, правда? — начала она.

— Даже имени его не упоминала. Но ты так ждала писем. А когда раздавался телефонный звонок, ты только что не подпрыгивала от нетерпения, как щенок. Когда выяснялось, что письма нет и звонит кто-то другой, ты исчезала на пару часов. Я догадалась, что дома остался кто-то, кого ты держишь про запас, и спрашивать не стала. Думала, ты сама скажешь, когда будешь готова. Но ты не сказала.

Чайна откинула готовую пасту в дуршлаг. Когда она отвернулась от раковины, за ее спиной поднялся пар.

— Мы могли бы поговорить и об этом,— сказала она.— Жаль, что ты мне не доверяла.

— Это не так. Подумай о том, что тогда произошло, и ты поймешь, что я доверяла тебе целиком и полностью.

— Аборт, я помню. Но это физическое испытание. А эмоциями ты не делилась ни с кем. Даже когда вышла замуж за Саймона. Даже теперь, когда вы с ним донимаете друг друга. Подруги нужны для того, чтобы делиться, Дебс. А не просто для удобства, как бумажный платочек, который всегда в кармане, если надо высморкаться.

— Ты думаешь, что я так к тебе относилась? И отношусь сейчас?

Чайна пожала плечами и сделала несчастное лицо.

— Точно не знаю.

Сидя на Кэнди-гарденс, Дебора обдумывала свой вечер с Чайной. Пока она была там, Чероки не появлялся: «Сказал, что идет в кино, а сам, наверное, кадрит какую-нибудь телку в баре»,— так что никто не отвлекал их от обсуждения насущного вопроса о том, что же случилось с их дружбой.

На Гернси их роли странным образом поменялись, и это создавало между ними неопределенность. Чайна, на чью долю раньше выпало быть благодетельницей, взявшей на себя заботы об иностранке, которая приехала в Калифорнию с разбитым сердцем, здесь волей обстоятельств превратилась в Чайну-просительницу, зависимую от доброты подруги. Дебора, привыкшая принимать помощь Чайны, вынуждена была примерить плащ доброй самаритянки. Эта перемена сбила их с толку, причем сильнее, чем могла бы, не стой между ними ничего, кроме тех лет, когда наступил перерыв в их дружбе. Поэтому неудивительно, что обе не знали, что говорить и как себя вести. Но обе, как надеялась Дебора, чувствовали в душе одно и то же, хотя их попытки выразить это казались неловкими: каждая хотела другой добра, и каждая защищала свою позицию. Они искали друг к другу новый подход, который должен был вывести их из прошлого.

Дебора поднялась со скамьи, едва белесый луч солнца упал на угольно-черную дорожку, ведшую к воротам парка. Она пошла по тропе между кустарником и газоном, в обход пруда, где плавали золотые рыбки, миниатюрные копии тех, которых она видела в японском саду Ле-Репозуара.

Снаружи, на улице, машин становилось все больше, и пешеходы спешили в центр города по своим делам. В основном они направлялись к «Эннс-плейс». Повернув, Дебора увидела Чероки, который стоял, прислонившись бедром к низкой ограде утопленного в земле садика. Он жевал что-то завернутое в салфетку и запивал это из чашки, над которой поднимался парок, а когда она окликнула его по имени, вздрогнул. Потом ухмыльнулся.

— Гляди-ка, работает,— сказал он.— Я посылал тебе телепатические сообщения, чтобы ты вышла.

— Телефон обычно эффективнее. Что ты ешь?

— Шоколадный круассан. Хочешь? — И дал ей салфетку.

Дебора взяла его ладони своими, чтобы удобнее было кусать.

— Ммм, свеженький. Прелесть какая,— проговорила она с полным ртом.

Он протянул ей чашку, над которой плюмажем вставал аппетитный запах горячего кофе. Она сделала глоток.

— Отлично,— улыбнулся Чероки.

— Ты о чем?

— О том, что здесь только что произошло.

— И что же?

— Наша свадьба. Согласно обычаям некоторых примитивных племен Амазонии, ты только что стала моей женой.

— И что из этого следует?

— Поехали со мной на Амазонку, там узнаем.— Он откусил от круассана, пристально глядя на нее.— Не знаю, где были тогда мои глаза. Я даже не заметил, какая ты горячая штучка. Наверное, это потому, что ты была несвободна.

— Я и сейчас несвободна,— напомнила ему Дебора.

— Замужние женщины не в счет.

— Почему?

— Так сразу не объяснишь.

Она прислонилась рядом с ним к ограде, взяла у него из рук стаканчик и отхлебнула еще кофе.

— А ты попробуй.

— Ну, это типично мужская штука. Что-то вроде основного правила. С женщиной можно заигрывать, если она одна или замужем. Одинокая женщина более доступна, да и, что греха таить, обычно ищет кого-нибудь, кто сказал бы ей, как классно она выглядит, поэтому заигрывания принимает. Замужняя тоже, поскольку муж наверняка уже не уделяет ей столько внимания, как раньше, ну а если у них все в порядке, то она даст тебе знать сразу, и делу конец. Но руки прочь от женщины, у которой есть друг, но нет мужа. На заигрывания она не обращает внимания, а если попробуешь с ней связаться, наверняка получишь от ее парня.

— Похоже на личный опыт,— прокомментировала Дебора.

Он уклончиво улыбнулся.

— Чайна думала, что ты ходил закадрить какую-нибудь бабенку вчера вечером.

— Она говорила, что ты заходила. Я еще удивился зачем.

— Да у нас тут размолвка вчера вышла.

— Значит, ты вдвойне доступна для флирта. Размолвка — очень хорошая новость для того, кто хочет пофлиртовать. Откуси еще круассан. Выпей еще кофе.

— Чтобы скрепить наш амазонский брак?

— Вот видишь? Ты уже думаешь как латиноамериканка.

И оба дружески рассмеялись.

Чероки сказал:

— Жаль, что ты так редко бывала в Оринджe. Мы бы хорошо провели время.

— Ты бы кадрил меня тогда?

— Не-а. Этим я занимаюсь сейчас.

Дебора усмехнулась. Разумеется, это была шутка. Он желал ее не больше, чем свою собственную сестру. Однако она не могла не признать, что подтекст его шуток, сквозившее в них сексуальное напряжение доставляли ей удовольствие.

Она попыталась вспомнить, как давно это напряжение ушло из ее брака. И ушло ли оно. Просто попыталась вспомнить.

— Мне нужен твой совет,— сказал Чероки.— Прошлой ночью я ни хрена не спал, все думал, что же делать.

— С чем?

— Да с матерью. Чайна не хочет, чтобы я ей звонил. И не хочет, чтобы она узнала. А по-моему, она имеет право. Она ведь наша мать, как-никак. Чайна говорит, что помочь она все равно не сможет, и это правда. Но она могла бы приехать, так? Короче, я решил, что позвоню. Что скажешь?

Дебора задумалась. Отношения Чайны с матерью и в лучшие времена напоминали вооруженное перемирие двух армий, вовлеченных в кровопролитный конфликт. В худшие времена это была настоящая война. Ненависть Чайны к матери уходила корнями в детство, полное лишений, причиной которых была неумеренная приверженность Андромеды Ривер к вопросам социальным и экологическим, что, в свою очередь, негативно влияло на ее отношение к потребностям собственных детей. Вот почему она почти не уделяла времени Чероки и Чайне, чье детство прошло в мотелях, где стены были тонкими, как бумага, а единственным предметом роскоши являлась машинка для льда рядом с кабинетом владельца. Сколько Дебора знала Чайну, в душе у той всегда был огромный запас злости на мать за то, что она позволяла им так жить, а сама непрерывно размахивала плакатами в защиту исчезающих видов животных, растений и детей, чье детство было под угрозой из-за условий существования, весьма похожих на те, в которых росли ее собственные отпрыски.

— Может, лучше тебе с этим повременить,— предложила Дебора.— Чайна сейчас на взводе... да и кто на ее месте не был бы? Раз она не хочет, чтобы мать приезжала, так, может, отнестись с уважением к ее желанию? Ну, хотя бы пока.

— Думаешь, дальше будет хуже?

Она вздохнула.

— Все из-за этого кольца. И зачем только она его купила?

— Вот именно.

— Чероки, что произошло между ней и Мэттом Уайткомбом?

Он уставился на отель, словно его вдруг очень заинтересовали окна первого этажа, где занавеси были еще задернуты от утреннего солнца.

— Их отношения никуда не вели. А она отказывалась это понимать. Для него они не значили ничего, а для нее значили много, так она их видела.

— Как это ничего не значили, когда они пробыли вместе тринадцать лет? — спросила Дебора.— Разве такое бывает?

— Бывает, потому что все мужики — задницы.— Чероки опрокинул в себя остатки кофе и поспешно сказал: — Пойду-ка я лучше к ней, ладно?

— Разумеется.

— А мы с тобой, Дебс? Нам надо как следует постараться, чтобы вытащить ее из этого дерьма. Ты ведь понимаешь, правда?

Он протянул руку, и ей показалось, будто он хочет погладить ее по волосам или по щеке. Но он опустил ладонь ей на плечо и стиснул его. И зашагал в сторону Клифтон-стрит, откуда было рукой подать до здания королевского суда, где Чайна скоро предстанет в качестве обвиняемой, если они не сделают все возможное, чтобы предотвратить это.

Дебора вернулась в свой номер в отеле. Там она обнаружила Саймона, занятого одной из своих утренних процедур. Правда, обычно ему помогали в этом она или ее отец, поскольку подключать электроды в одиночку ему было неудобно. Но в то утро он сумел вставить их достаточно точно. Он лежал в кровати со вчерашним номером «Гардиан» в руках и читал передовицу, пока электричество стимулировало бесполезные мышцы его ноги, чтобы они не атрофировались.

Она знала, что это было единственным проявлением его тщеславия. Но также и надежды на то, что, может быть, настанет день, когда он сможет ходить как все. И когда этот день придет, он не хотел, чтобы нога отказалась служить ему просто потому, что в ней атрофировались все мышцы.

Всякий раз, застав его за этим занятием, Дебора чувствовала, как у нее разрывается сердце от жалости к нему. Он это знал, и, поскольку все, что хотя бы отдаленно напоминало жалость, было ему ненавистно, она изо всех сил делала вид, будто он занят совершенно обычным делом, например чистит зубы.

— Я пережил неприятный момент, когда проснулся и увидел, что тебя нет,— сказал он.— Я подумал, что тебя всю ночь не было.

Она сняла пальто, подошла к электрическому чайнику, налила в него воды и включила. Положила в заварник два чайных пакетика.

— Я сильно рассердилась на тебя. Но все же недостаточно, чтобы спать на улице.

— Да я и не думал, что ты этим кончишь.

Она взглянула на него через плечо, но он развернул газету и скрылся за ее страницами.

— Мы вспоминали старые времена. Ты спал, когда я вернулась. А потом мне не спалось. Всю ночь ворочалась. Встала рано, вот и вышла погулять.

— Ну и как там, на улице, хорошо?

— Холодно и серо. Прямо как в Лондоне.

— Декабрь,— сказал он.

— Гмм,— ответила она.

Хотя внутри у нее все кричало: «Почему, черт побери, мы говорим о погоде? Этим что, заканчивается каждый брак?»

Словно прочитав ее мысли и желая доказать ей, что она не права, Саймон заговорил:

— Очевидно, это ее кольцо, Дебора. В комнате для вещественных доказательств среди ее вещей другого такого не было. Хотя, конечно, наверняка они смогут сказать лишь тогда...

— А ее отпечатки на нем есть?

— Пока не знаю.

— Тогда...

— Подождем — увидим.

— Ты думаешь, что она виновна, правда? — Дебора сама услышала горечь в своем голосе, хотя изо всех сил старалась быть как Саймон — рациональной, вдумчивой, уравновешенной,— но это ей не удавалось, эмоции все равно брали в ней верх над преданностью факту.— Ну мы с тобой и помощники.

— Дебора,— позвал Саймон негромко,— подойди сюда. Сядь на кровать.

— Господи, до чего я ненавижу, когда ты говоришь со мной таким тоном!

— Ты сердишься на меня из-за вчерашнего. Я обошелся с тобой... нехорошо, я знаю. Я был резок. Груб. Признаю это. И прошу у тебя прощения. Мы можем забыть об этом? Потому что мне хочется рассказать тебе обо всем, что я узнал. Я хотел рассказать еще вчера вечером. И рассказал бы. Но это было сложно. Я нехорошо поступил с тобой, и ты имела полное право уйти от меня подальше.

Саймон никогда еще не заходил так далеко в признании своих ошибок, совершенных по отношению к ней. Дебора оценила это и приблизилась к кровати, где он стимулировал мышцы ноги электрическим током. Присела на краешек.

— Может быть, это и ее кольцо, Саймон, но это не значит, что она была там.

— Согласен.

И он начал рассказывать, чем занимался целый час после того, как они расстались в нижнем саду.

Разница во времени между Гернси и Калифорнией позволила связаться с тем адвокатом, который нанял Чероки Ривера перевезти архитектурные планы через океан. Уильям Кифер начал разговор с цитаты о неразглашении поверенным дел клиента, но, едва узнав, что клиента, о котором идет речь, убили на пляже острова Гернси, охотно пошел на сотрудничество.

Ги Бруар, как объяснил Кифер Саймону, нанял его для того, чтобы привести в движение довольно необычную цепочку событий. Он пожелал, чтобы Кифер нашел заслуживающего доверия человека, который взялся бы поработать курьером и доставить некие чертежи из округа Ориндж на Гернси.

Сначала, сказал Кифер, задача показалась ему идиотской, хотя он и не употребил этого слова во время короткой встречи с мистером Бруаром. Почему не обратиться в одну из служб доставки, созданных специально для того, чтобы выполнять поручения, подобные этому, причем за минимальную цену? В «Федэкс», например? В «Ди-эйч-эл»? Или в «Единую посылочную службу»? Но мистер Бруар, как выяснилось, представлял собой интересную комбинацию властолюбца, эксцентрика и параноика. Он сказал Киферу, что у него есть деньги и он может себе позволить сделать все по-своему, то есть получить то, что ему нужно и когда нужно. Он бы и сам увез эти чертежи, но он прибыл в Ориндж только для того, чтобы договориться об их изготовлении. Остаться и подождать, пока они будут готовы, он не мог.

Он подчеркнул, что курьер ему нужен ответственный. За то, чтобы получить именно такого человека, он готов был заплатить любые деньги. Одиноким мужчинам он не доверял: он объяснил Киферу, что, глядя на своего сына-неудачника, он привык считать, что нынешняя молодежь ни на что не способна,— а поручать поездку в Европу одинокой женщине не хотел, так как считал, что женщин вообще не следует отпускать одних, и, кроме того, боялся, как бы ему не пришлось отвечать, если в пути с ней что-нибудь случится. В этом смысле он был человек старомодный. Поэтому они решили, что поедут мужчина и женщина. Значит, искать надо супружескую чету любого возраста.

Как сказал Кифер, Бруар проявил эксцентричность, предложив за работу пять тысяч долларов. Зато билеты оплатил только туристического класса. Поскольку пара должна была тронуться в путь, едва чертежи будут готовы, то наиболее подходящим местом для поисков потенциальных курьеров показался им Калифорнийский университет. Кифер развесил там объявления и стал ждать.

Тем временем Бруар выплатил ему гонорар и добавил пять тысяч долларов для курьера. Оба чека оказались в порядке, но Кифер, которому вся ситуация казалась чертовски странной, проверил, все ли законно и что архитектор действительно архитектор, а не фабрикант оружия, торговец наркотиками, поставщик плутония или веществ для ведения биологической войны.

Поскольку было очевидно, добавил Кифер, что никто из подобных типов не стал бы ничего посылать официальной курьерской почтой.

Но архитектором оказался человек по имени Джим Вард, который даже ходил с Кифером в одну школу. Он все и подтвердил. Ему поручили изготовить набор чертежей и набросков для мистера Ги Бруара, владельца поместья Ле-Репозуар близ Сент-Мартина на острове Гернси. Бруар хотел получить их как можно скорее.

Только после этого Кифер взялся за дело. Из толпы желающих съездить в Европу он выбрал человека по имени Чероки Ривер. Тот был старше других и женат, так объяснил свой выбор Кифер.

— Важнее всего то,— закончил Саймон,— что Уильям Кифер подтвердил историю Риверов до последней запятой. Странный способ ведения дел, но у меня складывается впечатление, что Бруар вообще любил вести свои дела странно. Это позволяло ему держать людей в подвешенном состоянии, а значит, контролировать ситуацию. Для богачей это важно. Именно так они становятся богачами.

— А полиция об этом знает?

Он покачал головой.

— Все бумаги находятся у Ле Галле. Думаю, еще немного, и он все выяснит.

— И тогда он ее отпустит?

— Только потому, что основные детали ее истории подтверждаются?

С этими словами Саймон протянул руку к коробочке, которая была источником электрических импульсов. Отключив ее от сети, он начал освобождаться от проводов.

— Вряд ли, Дебора. По крайней мере, не раньше, чем он найдет что-нибудь, прямо указывающее на кого-то еще.

Он подхватил с пола костыли и, опираясь на них, броском перенес свое тело с кровати на пол.

— А это «что-нибудь» существует? И указывает на кого-то другого?

Он не ответил. Взял скобу, которая лежала у кресла под окном, и начал прилаживать ее на ногу. Деборе показалось, что в то утро количество движений, которые он совершил, прикрепляя ее на место, просто не поддавалось счету, а время, понадобившееся ему, чтобы одеться, встать на ноги и приготовиться к продолжению разговора, тянулось бесконечно.

Наконец он сказал:

— Тебя что-то беспокоит.

— Чайна удивлялась, почему ты не... В общем, ты, кажется, не очень хочешь ее видеть. Ей кажется, будто у тебя есть для этого какие-то основания. Это правда?

— Любой, кто судит поверхностно, решит, что лучшей кандидатуры на роль козла отпущения, чем она, в этом деле не придумаешь: очевидно, что она и Бруар провели некоторое время наедине, заполучить ее плащ мог кто угодно, и всякий, кто имел доступ в ее комнату, мог раздобыть там ее волос и башмак. Но умышленное убийство требует мотива. А у нее, как ни крути, его нет и в помине.

— И все же полиция считает...

— Нет. Они знают, что мотива у них нет. И нам это на руку.

— Чтобы найти его для кого-нибудь другого?

— Да. Что заставляет людей идти на убийство? Месть, ревность, шантаж или материальная выгода. Вот на них-то мы и должны сосредоточить наши усилия сейчас.

— Но кольцо... Саймон, а что, если оно действительно принадлежит Чайне?

— И времени у нас осталось чертовски мало.

17

Всю дорогу назад, к Ле-Репозуару, Маргарет Чемберлен мертвой хваткой держала рулевое колесо. Это помогало ей сосредоточиться и думать только о количестве усилий, необходимых, чтобы не выпустить его из рук. Потому что надо было вести «рейнджровер» на юг вдоль Белль-Грев-Бей, а не возвращаться все время мыслями к недавнему столкновению с семейством Филдер.

Найти их оказалось легко. В телефонном справочнике оказалось всего двое Филдеров, один из которых жил на Олдерни. Другой оказался обитателем дома на рю де Лир в районе между Сент-Питер-Портом и Сент-Сэмпсоном. Найти это место на карте не составило труда. Однако в реальном измерении все оказалось куда сложнее, поскольку этот район, называемый Буэ, судьба обделила не только внешней привлекательностью, но и указателями с названиями улиц и номерами домов.

Район Буэ вызвал у Маргарет неприятные воспоминания о далеком детстве: у ее родителей было шестеро детей, и в их семье концы не только не сходились с концами, но даже не подозревали о существовании друг друга. В Буэ обитали маргиналы островного общества, и их дома мало чем отличались от домов им подобных по всей Англии. Везде одни и те же жуткие однотипные дома с узкими дверями, оконными рамами из алюминия и облицовкой, пятнистой от ржавчины. Переполненные мешки с мусором занимают место живых изгородей, а немногочисленные плешивые лужайки пестрят не цветочными клумбами, а отбросами.

Пока Маргарет выбиралась из своей машины, на улице в канаве шипели друг на друга две кошки, не поделив валявшийся там же пирог со свининой. В перевернутом мусорном баке рылась собака. На чьей-то лужайке чайки клевали остатки батона. Все это привело Маргарет в содрогание, хотя она знала, что такая обстановка дает ей преимущество в близящемся разговоре. Филдеры явно не принадлежали к той категории людей, которые могут нанять адвоката, чтобы тот разъяснил им, в чем заключаются их права. А значит, выцарапать у них Адрианову долю наследства будет совсем не сложно.

Она не рассчитывала увидеть типа, который открыл ей дверь. Здоровенный, нечесаный, немытый и непривлекательный да еще и агрессивно настроенный мужлан стоял перед ней. На ее вежливое: «Доброе утро. Родители Пола Филдера живут здесь?» — он ответил: «Может, живут, а может, и нет» — и впился глазами в ее грудь с явным намерением сбить незнакомку с толку.

— Вряд ли мистер Филдер — это вы,— заметила она.— Я имею в виду, старший.

Разумеется, это был не он. Несмотря на всю напускную сексуальную опытность, лет ему было никак не больше двадцати.

— Вы, наверное, сын. Я хотела бы поговорить с вашими родителями, если они здесь. Скажите им, что речь пойдет о вашем брате. Пол Филдер ведь ваш брат, как я понимаю?

Мужлан тут же оторвался от созерцания ее бюста.

— Мелкий засранец,— сказал он и отошел от двери.

Маргарет приняла это за приглашение войти, а когда мужлан исчез где-то в задней части дома, она решила, что может последовать за ним. Она оказалась в крохотной кухоньке, пропитанной кислыми запахами многочисленных яичниц с беконом, наедине с этим неотесанным типом, который прикурил сигарету от газовой горелки на плите и, затягиваясь, повернулся к ней.

— Что он еще натворил? — спросил он.

— Он унаследовал приличную сумму денег от моего мужа, бывшего мужа, точнее говоря. Унаследовал в обход моего сына, которому эти деньги принадлежат по праву. Я считаю, что нудных судебных разбирательств по этому поводу можно избежать, и пришла узнать, придерживаются ли ваши родители того же мнения.

— Да ну? — спросил братец Филдер.

Поддернув свои грязные синие джинсы, он переступил с ноги на ногу и громко пукнул.

— Пардон,— сказал он.— С леди надо вести себя как следует. Я и позабыл.

— Я так понимаю, что ваших родителей дома нет? — Маргарет поправила висевшую на локте сумочку в знак того, что их встреча быстро приближается к концу.— Если вы сообщите им...

— Может, они наверху. Они любят с утра покувыркаться. А вы когда предпочитаете?

Маргарет решила, что ее разговор с этим молокососом затянулся.

— Если вы сообщите им, что Маргарет Чемберлен, ранее Бруар, заходила... Я им позже позвоню.

И повернулась, чтобы уйти восвояси.

— Маргарет Чемберлен, ранее Бруар,— повторил за ней братец Филдер.— Уж и не знаю, как я все это запомню. Придется вам пособить мне маленько. Надо же, язык сломать можно.

Не дойдя до двери, Маргарет остановилась.

— Если у вас найдется листок бумаги, я запишу.

Она стояла в коридоре, который соединял кухню с прихожей, и молодой человек вышел за ней туда. Его близкое присутствие в узком коридоре сделало его страшнее, чем он мог показаться при других обстоятельствах, а тишина вокруг и над ними стала особенно заметной.

— Да я не про бумагу говорю,— сказал он.— Какой с нее толк?

— Ну что же. Тогда разговор исчерпан. Придется мне позвонить и представиться им самой.

Маргарет повернулась к нему спиной, хотя ей страшно не хотелось выпускать его из виду, и направилась к двери.

Он нагнал ее в два прыжка и схватил ее руку, уже лежавшую на ручке двери. Она почувствовала, как его дыхание обожгло ей шею. Он навалился и прижал ее к двери. Обездвижив, он стал ощупывать ее, опускаясь вниз, пока не достиг паха. Тут он сильно ухватился за Маргарет и рывком прижал ее спиной к себе. Другой рукой стиснул ее левую грудь. Все случилось за одну секунду.

— Вот так я точно запомню,— пропыхтел он.

Как ни смешно, все мысли Маргарет были только о сигарете, которую он зажег на кухне. Куда он ее девал? Неужели он хочет ее обжечь?

Эта безумная мысль при таких обстоятельствах, когда нанести ей ожоги явно не входило в планы этого типа, помогла прогнать страх. Она двинула локтем ему под ребра. Изо всех сил наступила каблуком на ногу. И едва его хватка ослабла, отпихнула его от себя и выскочила за дверь. Ей хотелось задержаться и наподдать ему ногой по яйцам — видит бог, ужасно хотелось,— но, хотя в ярости Маргарет Чемберлен становилась настоящей тигрицей, головы она при этом не теряла. И потому побежала к машине.

По дороге в Ле-Репозуар Маргарет обнаружила, что ее буквально переполняет адреналин, а он всегда вызывал в ней ярость. Она направила ее на мерзкую двуногую ошибку природы, которая повстречалась ей в Буэ. Да как он смел... За кого он, черт побери, ее принял... Что он намеревался... Да она бы его убила... Но продолжалось это недолго. Когда сознание того, что с ней едва не произошло, полностью овладело ее мыслями, ее ярость устремилась к более подходящему адресату — сыну.

Он снова отказался с ней ехать. Вчера он предоставил ей самой разбираться с Генри Муленом и сегодня поступил так же.

С нее хватит, решила Маргарет. Видит бог, хватит. Ей надоело организовывать за Адриана его жизнь, не видя от него не то что помощи, но даже благодарности. Она выигрывала сражения за него с тех самых пор, как он родился, но теперь все, хватит.

В Ле-Репозуаре она вышла из автомобиля, сильно хлопнув дверцей, широким шагом подошла к дому, открыла дверь, вошла и грохнула ею о косяк. Удары были точками в ее внутреннем монологе. Хватит с нее. Трах. Пусть сам справляется. Трах.

Ни звука не донеслось из глубины дома в ответ на ее обхождение с тяжелой входной дверью. Это разозлило Маргарет так, что самой стало странно, и она пронеслась по старому каменному холлу, выбивая каблучками сапог яростную дробь по плитам пола. Она буквально взлетела по лестнице к дверям комнаты Адриана. Единственное, что не позволило ей распахнуть ее и ворваться внутрь, было беспокойство о том, как бы недавнее происшествие не оставило на ее внешности какие-нибудь следы, да еще страх застать Адриана за очередным отвратительным занятием.

Может быть, подумала она, именно это и толкнуло Кармел Фицджеральд в вечно распахнутые объятия его отца. Наверное, она столкнулась с одним из гнусных методов, к которым Адриан прибегал для успокоения своей нервной системы в периоды стресса, и, смущенная, бросилась к Ги, ища у него утешения и объяснения, а тот был только рад их ей предоставить.

«Мой сын странный человек, не совсем тот, кого можно назвать настоящим мужчиной».

«О да, тут ты был прав,— подумала Маргарет.— Единственный шанс Адриана стать нормальным ты выхватил у него прямо из рук».

И что бесило Маргарет сильнее всего, виноват в этом был сам Адриан. Когда, господи, когда же ее сын станет тем человеком, которым она всегда хотела его видеть?

В коридоре верхнего этажа над комодом из красного дерева висело зеркало в золоченой раме, и Маргарет затормозила перед ним, чтобы взглянуть на себя. Бросив взгляд на свое отражение, она даже удивилась, не найдя отпечатков лап братца Филдера на своем желтом кашемировом свитере. Она все еще чувствовала его прикосновение. Вонь из его рта. Чудовище. Кретин. Психопат. Убийца.

В дверь комнаты Адриана она постучала дважды, и довольно громко. Окликнула сына по имени, повернула ручку и вошла. Он лежал в кровати. Но не спал. Его взгляд был прикован к окну, шторы на котором были раздвинуты, открывая картину серого дня и распахнутое окно.

В животе у Маргарет стало холодно, и гнев тут же покинул ее. Ни один нормальный человек, решила она, не стал бы лежать в кровати при таких условиях.

Маргарет поежилась. Шагнув к окну, она осмотрела наружный подоконник и землю внизу. Повернулась лицом к кровати. Пуховое одеяло закрывало Адриана до самого подбородка, бугорки под ним обозначали расположение его конечностей. Она изучала его топографию, пока ее взгляд не уперся в его ступни. Надо посмотреть, сказала она себе. Надо знать самое худшее.

Он не протестовал, когда она подняла одеяло, открыв его ноги. И не пошевелился, пока она разглядывала его подошвы в поисках следов того, что он выходил на улицу минувшей ночью. Раздвинутые шторы и открытое окно свидетельствовали о том, что у него опять был приступ. Раньше он никогда не ходил по коньку крыши и не стоял на подоконнике ночью, но его подсознание не всегда руководствовалось тем, что делают и чего не делают разумные люди.

— Лунатики редко подвергают себя опасности,— втолковывали Маргарет.— Ночью они делают то же самое, что стали бы делать днем.

В этом-то, думала Маргарет мрачно, все и дело.

Но если Адриан и выходил ночью за пределы своей комнаты, а не просто ходил по ней взад-вперед, никаких следов этого на его подошвах не сохранилось. Мысленно вычеркнув приступ снохождения из списка потенциальных пятен на экране психологического состояния своего сына, Маргарет приступила к осмотру постели. Она даже не имитировала нежность, когда сунула обе руки ему под бедра в поисках мокрых пятен на простыне и матрасе. С облегчением обнаружила, что их там нет. С комой наяву, как она называла его периодические погружения в транс среди бела дня, она справится.

Было время, когда она делала это с нежностью. Тогда она называла его своим бедным мальчиком, своим дорогим малышом, не похожим на трех ее других сыновей, здоровых и успешных, таким чувствительным ко всему, что происходило вокруг. И пробуждала его от сна наяву, нежно поглаживая по щекам. Она массировала ему голову, пока он не просыпался, и ласковыми словами возвращала его на землю.

Но не теперь. Братец Филдер выжал из нее молоко материнской нежности и заботы досуха. Поехал бы Адриан с ней в Буэ, и ничего подобного не случилось бы. Хотя он, конечно, не мужчина, но присутствие еще одного человека, к тому же свидетеля, наверняка заставило бы братца Филдера подумать, прежде чем бросаться на нее.

Маргарет схватила одеяло за край, сорвала его со своего сына и швырнула на пол. Выдернула у него из-под головы подушку. Когда он заморгал, она сказала:

— С меня хватит. Сам занимайся своей жизнью.

Адриан посмотрел на мать, на окно, потом снова на мать и на одеяло на полу. Его не затрясло от холода. Он не пошевелился.

— Вылезай из постели! — рявкнула Маргарет.

Только тогда он проснулся окончательно и спросил: «Я опять...» — имея в виду окно.

— А ты как думаешь? И да и нет.— Она имела в виду окно и постель.— Мы нанимаем поверенного.

— Их здесь называют...

— Да плевать я хотела на то, как их тут называют! Я нанимаю поверенного, и ты едешь со мной.

Она подошла к гардеробу и вынула из него халат. Бросила сыну и, когда тот поднялся с постели, закрыла окно.

Когда она повернулась к нему снова, то встретила его взгляд, и по его выражению ей стало ясно, что он полностью отдает себе отчет в происходящем и начинает реагировать на ее вторжение в его комнату. Было похоже, будто осознание того, что она осматривала его тело и окружающие его предметы, медленно просачивалось в его мозг, и она видела, как это происходит: сначала забрезжило понимание, затем пришло все остальное. Значит, поладить с ним будет еще труднее, но Маргарет всегда знала, что сын ей не ровня.

— Ты стучала? — спросил он.

— Не говори ерунды. Как ты думаешь?

— Ответь мне.

— Не смей так разговаривать с матерью. Знаешь, через что я прошла сегодня утром? Знаешь, где я была? И знаешь почему?

— Я хочу знать, стучала ли ты.

— Да ты сам себя послушай. Знаешь, на кого ты похож?

— Не уходи от ответа. Я имею право...

— Вот именно. Ты имеешь право. Этим-то я и занимаюсь с самого рассвета. Забочусь о соблюдении твоих прав. Пытаюсь вернуть тебе то, что принадлежит тебе по праву. Пытаюсь — без всякой благодарности — втолковать это тем самым людям, которые вырвали твои права прямо у тебя из рук.

— Я хочу знать...

— Ты скулишь как сопливый двухлетка. Прекрати. Да, я стучала. Я колотила в дверь. Я кричала. И если ты считаешь, что я должна была уйти и спокойно дожидаться, пока ты соизволишь вынырнуть из своего крошечного придуманного мирка, то ты сильно ошибаешься. Я устала работать на того, кто совершенно не стремится работать сам на себя. Одевайся. Будешь действовать. Сейчас же. Или я все бросаю.

— Бросай.

Маргарет стала наступать на сына, радуясь тому, что ростом он пошел в отца, а не в нее. Она была на два, нет, почти на три дюйма выше. И пользовалась этим.

— Ты невыносим. Нельзя вечно мириться с поражением. Ты хотя бы представляешь, какое впечатление ты производишь? И что думают о тебе женщины?

Он подошел к комоду, с которого взял пачку «Бенсон и Хеджес». Вытряхнул сигарету и закурил. Глубоко затянулся и некоторое время молчал. От его ленивых движений ей чуть не стало плохо.

— Адриан!

Услышав свой визг, Маргарет ужаснулась: ее голос звучал в точности как голос ее матери-уборщицы — те же нотки безнадежности и страха, которые она маскировала яростью.

— Отвечай мне, черт тебя побери. Я этого не потерплю. Я приехала на Гернси для того, чтобы обеспечить твое будущее, и не собираюсь стоять здесь и терпеть твое обращение со мной, как будто я...

— Что? — Он стремительно обернулся.— Как будто ты что? Предмет мебели? Который двигают то туда, то сюда? Как ты обращаешься со мной?!

— Я не...

— Думаешь, я не знаю, чего ты добиваешься? Чего ты всегда добивалась? Чтобы все было так, как ты хочешь. Как ты запланировала.

— Как ты можешь так говорить? Я работала. Я выбивалась из сил. Я организовывала. Я устраивала. С тех пор как ты родился, я жила только ради того, чтобы ты мог гордиться своей жизнью. Чтобы ты чувствовал себя ровней со своими братьями и сестрами. Чтобы ты стал человеком.

— Не смеши меня. Ты всю жизнь делала из меня бездельника, а теперь, когда я стал им, ты пытаешься сбросить меня со своей шеи. Думаешь, я не вижу? Думаешь, я не понимаю? В этом все дело. Для этого ты сюда приехала.

— Это неправда. Это дурно, неблагодарно и намеренно...

— Нет уж. Если ты хочешь моего участия в приобретении того, что ты для меня запланировала, так давай убедимся в том, что мы с тобой правильно друг друга понимаем. Ты хочешь, чтобы я получил эти деньги и наконец отстал от тебя. «Больше никаких оправданий, Адриан. Теперь ты сам по себе».

— Неправда.

— Думаешь, я не знаю, что я неудачник? И обуза?

— Не говори так о себе. Не смей!

— А когда у меня в руках окажется целое состояние, время оправданий кончится. И ты сможешь выпихнуть меня из своего дома и из своей жизни. Ведь тогда у меня хватит денег даже на то, чтобы засадить себя в сумасшедший дом, если до этого дойдет.

— Я лишь хочу, чтобы ты получил то, чего заслуживаешь. Господи, неужели это непонятно?

— Понятно,— отозвался он.— Поверь, мне все понятно. Только почему ты решила, что я не получил того, что заслуживаю? Уже, мама. Уже получил.

— Ты его сын.

— Вот именно. В этом-то и суть. Его сын.

Адриан смотрел на нее долго и пристально. Маргарет вдруг поняла, что он пытается ей что-то сказать, она почувствовала напряжение в его взгляде. Ей вдруг показалось, что они — как два незнакомца, которые не встречались до тех пор, пока их не столкнула жизнь.

Но в этом непривычном чувстве отстраненности было и нечто утешительное. Другие эмоции могли заставить ее думать о том, о чем думать было нельзя.

Маргарет спокойно сказала:

— Одевайся, Адриан. Мы едем в город. Нам надо нанять поверенного, и у нас мало времени.

— Я хожу во сне,— сказал он, и в его голосе зазвучал слабый надрыв.— И еще черт знает что делаю.

— Вряд ли нам стоит обсуждать это сейчас.

После разговора в номере отеля Дебора и Сент-Джеймс разделились. Она отправилась выяснять, может ли существовать еще одно немецкое кольцо, подобное тому, которое они нашли на пляже. Он пошел разыскивать наследников Ги Бруара. Цель у них была одна: обнаружить возможный мотив, но подходы разные.

Признав, что наличие умысла в этом преступлении указывает на возможность его совершения кем угодно, только не братом и сестрой Ривер, Сент-Джеймс благословил Чероки на участие в экспедиции Деборы к Фрэнку Узли, которого они собирались расспросить о военных сувенирах. Если убийцей окажется именно он, то лучше, чтобы при их с Деборой разговоре присутствовал мужчина. Сам он отправлялся на поиски тех, кого в наибольшей степени коснулось завещание Ги Бруара, один.

Начал Сент-Джеймс с поездки в Ла-Корбьер, где обнаружил хозяйство Муленов на повороте одной из узких тропинок, которые вились по всему острову между оголенных живых изгородей и высоких земляных валов, поросших плющом и густым дерном. Он лишь в общих чертах представлял себе район, где жили Мулены, то есть собственно Ла-Корбьер, но найти его большого труда не составило. Остановившись у большого желтого дома на краю крошечной деревушки, он обратился за помощью к женщине, оптимистически развешивавшей на просушку белье в тумане.

— А, так вам Ракушечный дом нужен, миленький,— сказала она и махнула куда-то в восточном направлении.

Пусть он держится этой же дороги, только не сворачивает к морю, пояснила она. И не ошибется.

Так и случилось.

Сент-Джеймс остановился на подъездной дорожке и оглядел территорию вокруг дома Муленов, прежде чем идти дальше. Выглядела она любопытно, и это заставило его нахмуриться: обломки ракушек, куски проволоки и цементная пыль вместе составляли когда-то фантастический сад. Некоторые объекты сохранились и показывали, каким он был. Под огромным каштаном красовался нетронутый колодец, а на причудливом ракушечно-цементном шезлонге уцелела думка из ракушек, на которой кусочками темно-синего стекла были выложены слова «Папа говорит...». Все остальное превратилось в пыль. Казалось, на землю вокруг маленького приземистого домика пролился дождь из кувалд, которые вбили в землю все.

Рядом с домом стоял амбар, из него доносилась музыка: Фрэнк Синатра выводил какую-то песенку на итальянском. Сент-Джеймс направился туда. Дверь амбара была приоткрыта, и сквозь нее виднелись беленые стены, освещенные рядами флуоресцентных ламп, которые свисали с потолка.

Сент-Джеймс громко поздоровался, но ему никто не ответил. Тогда он шагнул через порог и оказался в мастерской стеклодува. Судя по всему, там изготовляли предметы двух различных видов. В одной половине резали стекло для теплиц и оранжерей. Вторая половина была отдана искусству. Здесь неподалеку от потухшего горна стопкой лежали мешки с химикалиями. Прислонившись к ним, стояли длинные трубки для выдувания стекла, а на полках красовались готовые изделия, декоративные предметы ярких цветов: огромные тарелки на подставках, стилизованные вазы, современная скульптура. Эти объекты куда уместнее смотрелись бы в каком-нибудь ресторане Конрана, чем в амбаре на Гернси.

Сент-Джеймс рассматривал их в некотором изумлении. Их состояние — ни на одном не было ни пылинки ни соринки — контрастировало с состоянием горна, трубок и мешков, покрытых толстым слоем копоти.

Сам стеклодув даже не заметил появления незнакомца. Он работал у широкого верстака на теплично-оранжерейной стороне мастерской. Над его головой висели чертежи сложного оранжерейного сооружения. Их окружали рисунки других, еще более изысканных конструкций. Но мастер, стремительным движением разрезая прозрачный лист, который лежал перед ним на скамье, смотрел не на них, а на обычную салфетку, где, похоже, были нацарапаны какие-то размеры.

Наверное, это и есть Мулен, подумал Сент-Джеймс, отец наследницы Бруара. Он окликнул его по имени, на этот раз громче. Мулен поднял голову. Когда он вынул из ушей восковые затычки, стало понятно, почему он не слышал шагов Сент-Джеймса, но непонятно, зачем ему тогда Синатра.

Затем он подошел к источнику музыки, компакт-проигрывателю, где Фрэнк уже перешел к следующей песне, «Luck Be a Lady Tonight». Мулен прервал его на полуслове. Протянув руку за полотенцем, на котором киты выпускали фонтаны воды, он накрыл проигрыватель и сказал:

— Я всегда включаю его, когда работаю, чтобы люди знали, где меня найти. А чтобы он не действовал мне на нервы, вставляю беруши.

— Может, лучше другую музыку поставить? — спросил Сент-Джеймс.

— Я ее все равно ненавижу, так что без разницы. Чем могу помочь?

Представившись, Сент-Джеймс протянул ему свою визитку. Мулен посмотрел на нее и бросил на верстак, где она упала рядом с его салфеточными расчетами. Его лицо немедленно стало настороженным. Он отметил, чем занимается Сент-Джеймс, и, очевидно, не верил, что судмедэксперт из Лондона зашел к нему с мыслью заказать стекло для оранжереи.

— Похоже, ваш сад серьезно пострадал,— заметил Сент-Джеймс.— Ни за что бы не подумал, что здесь процветает вандализм.

— Вы приехали его посмотреть? — спросил Мулен.— Это что, тоже ваша работа?

— Вы обращались в полицию? — вместо ответа вновь спросил Сент-Джеймс.

— Незачем.

Мулен вынул из кармана металлическую рулетку и начал измерять лист, над которым работал. Сделав пометку на салфетке с цифрами, он осторожно поднял стекло и прислонил его к дюжине других у стены.

— Я сам его разбил,— пояснил он.— Время пришло.

— Понятно. Мелкий домашний ремонт.

— Ремонт жизни. Сад построили мои девочки, после того как ушла жена.

— У вас не одна дочь? — спросил Сент-Джеймс.

Мулен словно взвесил его вопрос, прежде чем ответить:

— У меня их три.

Он отвернулся и взял новый кусок стекла. Положил на верстак и склонился над ним: человек за работой. Сент-Джеймс воспользовался моментом и подошел ближе. Он взглянул на чертежи и рисунки над скамьей. Слова «Йейтс, Добри-Лодж, Ле-Валлон» относились к сложной оранжерее. Рисунки изображали стилизованные окна. Они принадлежали «Военному музею Г. У.».

Прежде чем продолжить разговор, Сент-Джеймс понаблюдал за Генри Муленом за работой. Это был крупный мужчина, здоровый и сильный на вид. Под пластырями, которые перекрещивали его руки во всех направлениях, бугрились мышцы.

— Я вижу, вы порезались,— сказал Сент-Джеймс.— Издержки профессии, наверное.

— Вы правы.

Мулен разрезал стекло раз и другой, что говорило о его огромном опыте и изобличало его во лжи.

— Вы работаете не только с оранжереями, но и с окнами?

— А разве не видно? — Он поднял голову и мотнул ею в направлении стены, на которой висели рисунки.— Я работаю с любым стеклом, мистер Сент-Джеймс.

— Наверное, именно это и привлекло к вам внимание Ги Бруара?

— Наверное.

— И вы должны были делать окна музея? — Сент-Джеймс указал на рисунки на стене.— Или это просто проекты?

— Я делал все стекольные работы для Бруаров,— ответил Мулен.— Восстановил оригинальные теплицы в садах, построил оранжерею, поменял окна в доме. Я же говорю, я работаю с любым стеклом. И в музее тоже должен был работать я.

— Но вы, наверное, не единственный стекольщик на острове. Здесь столько теплиц. Все вам не успеть.

— Не единственный,— подтвердил Мулен.— Просто я лучший. Бруары это знали.

— Поэтому вполне логично, что вас наняли для музея?

— Можно и так сказать.

— Но насколько я понял, никто не знал, каким будет это здание. До того праздника. Значит, чтобы сделать проект окон заранее, вы сверяли их с чертежами местного архитектора? Кстати, я видел его модель. Ваши окна к ней вполне подходят.

Мулен сделал еще одну пометку на своей салфетке и сказал:

— Вы пришли сюда говорить об окнах?

— Почему только одна?

— Что одна?

— Дочь. У вас их три, но наследство от Бруара получает только одна. Синтия Мулен. Ваша... которая? Старшая?

Мулен взял еще один лист стекла и сделал два надреза. Рулеткой уточнил результат и сказал:

— Син старшая.

— И почему, как вы думаете, он ее выделил? Сколько ей, кстати?

— Семнадцать.

— Школу уже кончила?

— Учится на курсах в Сент-Питер-Порте. Он предлагал отправить ее в университет. Она способная, только университета здесь нет. Придется ей ехать в Англию. А в Англии нужны деньги.

— Которых у вас, как я понимаю, не было. И у нее тоже.

«Пока он не умер». Эти слова висели между ними, непроизнесенные, словно дым от невидимой сигареты.

— Верно. Все дело было в деньгах. Да. Повезло нам.— Мулен повернулся к верстаку спиной и взглянул Сент-Джеймсу в лицо.— Это все или вас еще что-то интересует?

— Как вы думаете, почему только одна из ваших дочерей была упомянута в завещании?

— Не знаю.

— Двум другим девочкам высшее образование тоже не помешало бы.

— Верно.

— Так почему...

— Возраст у них не тот. Рано им еще в университет. Всему свое время.

— Но ведь мистер Бруар не собирался умирать, правда? Конечно, шестьдесят девять лет — это не молодость, но все говорят, что он был в отличной форме.— Сент-Джеймс не стал ждать ответа Мулена.— Значит, если Бруар хотел, чтобы ваша дочь получила образование на те деньги, которые он ей оставил... Когда же она должна была этим заниматься, по его мнению? Он мог еще лет двадцать прожить. А то и больше.

— Разумеется, если бы мы его не убили,— ответил Мулен.— Вы на это намекаете?

— Где ваша дочь, мистер Мулен? Она здесь?

— Да ладно вам, бросьте. Ей всего семнадцать.

— Так она здесь? Я могу с ней поговорить?

— Она на Олдерни.

— И что она там делает?

— Бабушке помогает. Или от копов прячется. Как вам больше нравится. Мне все равно.

Он вернулся к работе, но от Сент-Джеймса не укрылось ни дрожание жилки у него на виске, ни косой надрез, который он сделал на стекле. Ругнувшись вполголоса, он швырнул испорченные куски в мусорную корзину.

— Вряд ли вы можете себе позволить часто ошибаться при такой работе,— заметил Сент-Джеймс.— Так и разориться недолго.

— Вы бы меня не отвлекали, а? — отозвался Мулен.— Если у вас все, то, с вашего разрешения, у меня много работы и мало времени.

— Я понимаю, почему мистер Бруар оставил деньги мальчику по имени Пол Филдер,— сказал Сент-Джеймс.— Бруар, как член уважаемой на острове организации, был его наставником. Я говорю о Гернсийской ассоциации взрослых, подростков и учителей. Слышали о такой? То есть их отношения имели официальную основу. А ваша дочь так же с ним встретилась?

— У Син не было с ним никаких отношений,— сказал Генри Мулен.— Ни через ассоциацию, ни как-либо иначе.

Несмотря на свои прежние слова, он, видимо, решил прекратить работу. Положив инструменты для резки и рулетку на свои места, он схватил щетку и смахнул с верстака мелкие осколки стекла.

— Просто у него были свои причуды, и Син стала одной из них. Сегодня причуда одна, завтра другая. Сегодня я занимаюсь одним, завтра другим, послезавтра третьим, потому что у меня есть деньги и я могу сколько угодно разыгрывать Санта-Клауса. Вот Син и повезло. Как в игре в музыкальные стулья, где надо оказаться в нужном месте, когда кончится мелодия. Через день на ее месте могла бы оказаться ее сестра. Через месяц точно. Вот так-то. Просто он знал ее лучше, чем других девочек, потому что, когда я работал в Ле-Репозуаре, она ходила туда со мной. Или забегала к тетке.

— К тетке?

— Вэл Даффи. Моя сестра. Она мне помогает с девочками.

— Как?

— Что значит «как»? — огрызнулся Мулен, и стало ясно, что его терпение на пределе.— Девочкам нужен женский глаз. Мне что, объяснить вам зачем или сами докумекаете? Син ходила к ней поболтать. Между нами, девочками, ясно?

— О переменах, которые происходили с ее телом? О проблемах с мальчиками?

— Не знаю. Мой нос был там, где ему положено быть, то есть у меня на лице. А не в их делах. Я благодарю небо за то, что рядом с Син есть женщина, с которой она может поговорить по душам, и эта женщина — моя сестра.

— Которая дала бы вам знать в случае чего?

— Никакого случая не было.

— Но ведь причуды у него были.

— У кого?

— У Бруара. Вы сами сказали, что у него были причуды. Син была одной из них?

Лицо Мулена побагровело. Он шагнул к Сент-Джеймсу.

— Черт побери. Да я должен...

И он остановился. Похоже, это потребовало от него серьезного усилия.

— Речь идет о девочке,— сказал он.— Не о взрослой женщине. О девочке.

— Пожилые мужчины и прежде питали слабость к молоденьким девочкам.

— Вы выворачиваете мои слова наизнанку.

— Так поправьте меня.

Мулен помедлил. Сделал шаг назад. Оглянулся на свои поделки в другой половине мастерской.

— Я уже говорил. У него были причуды. Стоило какому-то предмету привлечь его внимание, и он словно обсыпал его волшебным порошком. Делал его особенным. Потом его привлекало что-то другое, и он посыпал порошком его. Такой уж он был.

— Волшебный порошок — это деньги?

Мулен покачал головой.

— Не только.

— А что же?

— Вера,— сказал тот.

— Во что именно?

— Вера в других. Он умел верить в других. Правда, человек начинал думать, что если ему повезет, то одной верой в него дело не ограничится, вот какая проблема.

— То есть от него ждали денег.

— Он почти обещал. Он как будто говорил: «Вот чем я могу тебе помочь, если ты будешь трудиться, только сначала надо трудиться, а уж дальше посмотрим». Конечно, он никогда так не говорил, то есть не такими словами. Но эта мысль почему-то заседала в голове у каждого.

— И у вас тоже?

Вздохнув, Мулен ответил:

— И у меня тоже.

Сент-Джеймс вспомнил все, что он узнал о Ги Бруаре, о его секретах, о планах на будущее, о том, что другие люди думали о нем самом и об этих планах. Возможно, подумал он, эти черты личности покойного, которые считали отражением капризов богатого благодетеля, были на самом деле симптомами гораздо более опасного для окружающих поведения — странной игры во власть. В этой игре влиятельный человек, более не занимавший место во главе успешной бизнес-корпорации, сохранял за собой определенного рода власть над людьми, причем осуществление этой власти и являлось конечной целью всей игры. Люди превращались в пешки, а доской служила их жизнь. А главным игроком был, конечно же, Ги Бруар.

Но достаточно ли этого, чтобы толкнуть кого-то на убийство?

Сент-Джеймс предполагал, что ответ на этот вопрос кроется в тех действиях, которые каждый предпринял под влиянием веры Бруара в него. Еще раз оглядев амбар, он частично увидел ответ на свой вопрос в предметах из стекла, о которых прилежно заботились, и в горне и стеклодувных трубках, о которых не заботился никто.

— Полагаю, вас он заставил поверить в ваши художественные способности,— отметил он.— Так было дело? Он поощрял вас осуществить мечту?

Мулен вдруг направился ко входу в амбар, где щелкнул выключателем и остался стоять, вырисовываясь темным силуэтом на фоне двери. Он выглядел громадным, и не только благодаря свободной рабочей одежде, но и потому, что был силен как бык. Сент-Джеймс подумал, что ему, наверное, не составило труда разрушить поделки своих дочерей.

Он вышел на улицу следом за ним. Мулен закрыл дверь и повесил на нее замок, продев его дужку в толстые металлические петли.

— Он заставлял людей поверить в то, что они значительнее, чем на самом деле, вот что он умел,— сказал он.— А если они решались пойти по тому пути, на который он уговаривал их вступить... Что ж, полагаю, это было их личное дело. С кого же спрашивать, когда сам рискуешь последним?

— Люди редко ставят на карту последнее, если не верят в успех предприятия,— заметил Сент-Джеймс.

Генри Мулен оглянулся на сад, где осколки ракушек усыпали лужайку, точно снег.

— Он умел придумывать. Он рождал идеи и дарил их нам. А мы... мы умели верить.

— Вы знали об условиях завещания мистера Бруара? — спросил Сент-Джеймс.— Ваша дочь знала?

— Вы хотите спросить, не мы ли его убили? Не поторопились ли, пока он не передумал?

Мулен сунул руку в карман. Вытащил тяжелую связку ключей. И пошел по дорожке к дому, давя по пути ракушки и гравий. Сент-Джеймс шел за ним, но не потому, что надеялся на продолжение поднятой им самим темы, а потому, что увидел в этой связке кое-что интересное и хотел убедиться, что зрение его не обмануло.

— Завещание,— повторил он.— Знали вы о нем или не знали?

Мулен не отвечал до тех пор, пока не подошел к входной двери и не вставил один из ключей в ее замок. Тогда он повернулся, чтобы ответить.

— Ни о каком завещании мы ничего не знали,— сказал он.— Желаю вам доброго дня.

Он повернулся к Сент-Джеймсу спиной и вошел внутрь. Дверь тут же захлопнулась за ним, лязгнув замком. Но Сент-Джеймс успел увидеть то, что хотел. Со связки ключей Генри Мулена свисал маленький камешек с дырочкой посередине.

Сент-Джеймс пошел прочь от дома. Он был не настолько глуп, чтобы верить, будто Мулен рассказал ему все, но понимал, что сейчас от него большего не добьешься. И все же на пути к машине он остановился и задумчиво оглядел Ракушечный дом: шторы на окнах были задвинуты от солнца, дверь надежно заперта, сад лежал в руинах. Он размышлял о том, что же это значит — иметь причуды. А также о власти, которую обретает над другими человек, посвященный в их мечты.

Пока он так стоял, ни на что особенно не глядя, его внимание привлекло какое-то движение в доме. Пошарив глазами по фасаду, он заметил, что у небольшого окошка кто-то стоит.

Кто-то за стеклом поправлял шторы. Сент-Джеймс успел заметить лишь светлые волосы да полупрозрачный силуэт, когда человек скрылся из виду. При других обстоятельствах он решил бы, что видел привидение. Однако свет из комнаты на мгновение обрисовал фигуру женщины, вполне материальной.

18

Пол Филдер очень обрадовался, когда увидел Валери Даффи, которая спешила к нему через лужайку. Она бежала, ее расстегнутое черное пальто развевалось на ветру, и то, что она даже не застегнулась, показывало, что она на его стороне.

— Эй, послушайте! — крикнула она, когда полицейский схватил Пола за плечо, а Табу ухватил полицейского за штанину.— Что вам от него нужно? Это наш Пол. Он здешний.

— Тогда почему он не говорит, кто он такой?

У констебля были усы как у моржа, и Пол заметил кусочек хлопьев, который прилип к ним с завтрака и трепыхался при каждом слове. Пол наблюдал за ним, словно зачарованный, как будто это был не фрагмент еды, а отважный скалолаз, висящий на краю отвесного утеса.

— Я же вам объясняю, кто он,— сказала Валери Даффи.— Его имя Пол Филдер, он здешний мальчик. Табу, перестань. Отпусти этого нехорошего дяденьку.

Нащупав на собаке ошейник, она оттащила пса от констебля.

— Мне следовало бы привлечь вас обоих за нападение.

И констебль отпустил Пола, толкнув его напоследок так, что тот отлетел прямо к Валери. Табу снова залаял.

Пол бросился перед псом на колени и уткнулся лицом в его пахучую шерсть. Табу тут же перестал лаять. Но ворчать все же продолжал.

— В следующий раз,— сказал обладатель моржовых усов,— называй свое имя, когда тебя просят, парень. А если не назовешь, оглянуться не успеешь, как я тебя... И твою псину вместе с тобой. Ее уже сейчас забрать не мешало бы. Только посмотри, что она сотворила с брюками. Дыру в них прогрызла, видишь? А если бы за ногу цапнула? А там ведь мясо. Кровь. Ты прививки ему делал? А документы на него где? Вот сейчас я их у тебя и заберу.

— Не дури, Трев Аддисон,— сказала Валери, и голос ее прозвучал резко.— Да-да, я тебя знаю. Я с твоим братом в одну школу ходила. И тебе не хуже меня известно, что никто не носит документы на собаку с собой. Ты сам напугался и мальчика напугал. И собаку тоже. На этом и кончим. Зачем ухудшать дело?

Звук собственного имени, похоже, привел констебля в чувство, потому что тот посмотрел сначала на Пола, потом на собаку, на Валери и наконец одернул мундир и отряхнул брюки.

— У нас приказ,— сказал он.

— Разумеется,— ответила Валери,— и мы не собираемся мешать его выполнению. Пойдем со мной, штаны твои починим. Я их зашью — глазом моргнуть не успеешь. А все, что тут произошло, забудем.

Трев Аддисон бросил взгляд на край аллеи, где один из его коллег поднимал ветки кустарника, с головой уйдя в работу. Задача казалась весьма утомительной, и никто бы не отказался отвлечься от нее минут на десять. С неохотой он начал:

— Не знаю, мне вообще-то надо...

— Да брось,— отозвалась Валери.— Чашечку чаю-то выпить никому не возбраняется.

— Говоришь, глазом моргнуть не успею?

— Я двоих сыновей вырастила, Трев. Так что дырки успею зашить раньше, чем ты — выпить свой чай.

— Ну ладно,— согласился он и добавил, обращаясь к Полу: — А ты смотри не путайся под ногами, понял? Здесь идет полицейское расследование.

Валери сказала Полу:

— Иди в большой дом на кухню, милый. Сделай себе какао. Там есть свежие имбирные пряники.

Кивнув ему, она пустилась в обратный путь через лужайку, а Трев Аддисон шагал за ней по пятам.

Пол, словно пришитый к месту, ждал, когда дверь коттеджа Даффи закроется за ними. Обнаружив, что сердце вот-вот выпрыгнет у него из груди, он прижался лбом к спине Табу. Сырой мускусный запах его шерсти был так же знаком ему и приятен, как прикосновение материнской ладони к его щеке в детстве, когда у него поднималась температура.

Когда сердцебиение улеглось, он поднял голову и потер кулаками лицо. Рюкзак соскользнул, когда полицейский схватил мальчика за плечо, и теперь лежал на земле бесформенной кучкой. Подхватив его, Пол рысцой двинулся к дому.

Он направлялся к черному ходу, как обычно. Повсюду шла какая-то суета. Пол в жизни не видел столько полицейских в одном месте, разве что по телику, поэтому он притормозил у оранжереи, чтобы поглядеть, чем они заняты. Они что-то искали. Это было понятно. Но он представить себе не мог, что именно. Он подумал, что, верно, кто-то потерял какую-то дорогую вещь в день похорон, когда все пришли в Ле-Репозуар на поминки. Но хотя это казалось ему вполне возможным, вряд ли половину всей полиции острова согнали бы сюда на ее поиски. Такое могло произойти лишь в том случае, если бы хозяином этой вещи был кто-то очень-очень важный, но ведь самым важным человеком на острове и был покойный. Тогда кто же мог ее обронить? Пол этого не знал и не догадывался. Поэтому он пошел в дом.

Вошел он через дверь оранжереи, которая, как всегда, стояла незапертая. Табу семенил за ним, цокая когтями по кирпичам, из которых был сложен пол. Внутри было тепло и влажно, а капли воды из ирригационной системы создавали гипнотический ритм, так что Полу хотелось посидеть и послушать его. Но он не мог, ведь ему велели сделать себе какао. А когда Пол приходил в Ле-Репозуар, ему больше всего хотелось делать именно то, что ему говорили. Благодаря этому он сохранил за собой привилегию приходить в поместье, когда ему захочется, и этой привилегией он дорожил.

«Поступай со мной так, как хочешь, чтобы я поступал с тобой. Вот правило, на котором держится все важное, мой принц».

И это была еще одна причина, по которой Пол знал, что именно ему надлежит делать. И не только с какао и имбирными пряниками, но и с наследством. Когда адвокат ушел, родители поднялись к нему в комнату и постучали в дверь.

— Поли, сынок, нам надо об этом поговорить,— сказал отец, а мать добавила:

— Ты теперь богач, милый. Только подумай, что можно сделать с такими деньгами.

Он впустил их, и они говорили с ним и друг с другом, но, хотя он хорошо видел, как движутся их губы, и ловил отдельное слово или фразу, что делать с деньгами, он уже решил. И отправился прямо в Ле-Репозуар, чтобы обо всем договориться.

Он не знал, дома ли мисс Рут. Ему не пришло в голову взглянуть, на месте ли ее машина. Но поговорить он пришел именно с ней. И если ее нет дома, то он будет ждать.

Он пошел на кухню — через каменный холл, в другую дверь, вдоль по коридору. Дом молчал, но скрип половиц над головой сказал ему, что мисс Рут, вероятно, у себя. Однако у него хватило ума не шастать по чужому дому в поисках хозяйки, с которой пришел поговорить. Поэтому он добрался до кухни и шмыгнул туда. Он выпьет какао и перекусит пряниками, а когда закончит, придет Валери и проводит его наверх.

Пол достаточно часто бывал в кухне Ле-Репозуара, чтобы знать, где что лежит. Он устроил Табу под рабочим столом в центре, подложив ему под голову свой рюкзак, а сам пошел в кладовку.

Как и все поместье, кладовка была волшебным местом, наполненным запахами, которых он не мог распознать, и коробками и жестянками с едой, о которой он никогда не слышал. Он любил, когда Валери посылала его сюда за чем-нибудь, если он вертелся на кухне, пока она готовила. И всегда мешкал среди полок, вдыхая смешанный аромат экстрактов, пряностей, трав и прочих ингредиентов. Здесь он чувствовал себя так, словно попал в новую вселенную, отличную от той, которую он знал.

Вот и сейчас он тоже не спешил. Сняв крышки с целого ряда бутылок, он поднимал их одну за другой и нюхал содержимое. «Ваниль»,— прочел он на одной этикетке. «Апельсин», «миндаль», «лимон». Ароматы были такие крепкие, что он ощущал, как они отзываются у него в голове. Они переносили его в страны, в которых он никогда не бывал, показывали ему людей, которых он никогда не видел.

От экстрактов он перешел к пряностям, и прежде всего к корице. Добравшись до имбиря, он взял щепотку не больше краешка ногтя. Положив его себе на язык, он почувствовал, как рот наполняется слюной. Он улыбнулся и взялся за мускатный орех, кумин, карри и гвоздику. Затем настала очередь трав, потом уксусов, потом масел. И только после этого он повстречался с мукой, сахаром, рисом и бобами. Он брал каждую коробку в руки и читал то, что было написано на них сзади. Прижимался щекой к пакетикам с макаронами и тер их целлофановые упаковки о свою кожу. Нигде больше не видал он такого изобилия, как здесь. Это приводило его в восторг.

Наконец он издал вздох полного удовлетворения и отыскал баночку с какао. Принес ее на стол и достал из холодильника молоко. С полки над плитой он взял кастрюльку и аккуратно, не расплескав ни капли, налил в кружку молока, которое затем с еще большими предосторожностями перелил в кастрюльку. В такие мгновения он всегда вспоминал о том первом разе, когда ему разрешили воспользоваться кухней, и старался, чтобы Валери Даффи гордилась тщанием, с которым он относился к этой редкой привилегии.

Он зажег горелку и нашел мерную ложечку для какао. Имбирные пряники, совсем свежие, стояли на столе на специальной подставке, остывая после духовки. Он раскрошил для Табу один и скормил его псу. Себе взял два, один засунул в рот сразу. Другой приберег.

Где-то в доме начали бить часы. Словно аккомпанируя им, по коридору прямо у него над головой раздались шаги. Где-то открылась дверь, зажегся свет, и кто-то начал спускаться по черной лестнице в кухню.

Пол улыбнулся. Мисс Рут. Валери нет, вот ей и пришлось самой спуститься за кофе, который она пила в середине утра, когда хотела. А он был здесь, в стеклянном кофейнике, над которым поднимался пар. Пол приготовил для нее вторую чашку, ложку и сахар. И представил себе разговор, который состоится между ними, как удивленно расширятся ее глаза, округлятся губы и она прошепчет: «Пол, мальчик мой дорогой», когда поймет, что он собирается сделать.

Он наклонился и вынул рюкзак из-под головы Табу. Пес посмотрел на него, прислушиваясь к звукам с лестницы. Глубоко в его глотке назревало ворчание. За ним последовал визг, а потом и настоящий лай. Кто-то на лестнице сказал:

— Что за черт?

Это не был голос мисс Рут. Из-за поворота показалась женщина богатырского роста. Увидев Пола, она строго спросила:

— А ты еще кто такой? Как ты вошел? Что ты тут делаешь? И где миссис Даффи?

Слишком много вопросов сразу, к тому же Пола застали с имбирным пряником в руке. Он почувствовал, как его глаза округляются, словно губы мисс Рут. А брови ползут в направлении линии волос. И в ту же секунду из-под стола выскочил Табу, гавкая, как доберман, и скаля зубы. Он расставил для упора лапы, а уши прижал. Ему не нравились люди, которые говорили грубо.

Богатырша попятилась. Табу двинулся на нее раньше, чем Пол успел схватить его за ошейник. Она завопила:

— Держи его, держи, черт побери, да держи же! — словно боялась, что песик и впрямь ее укусит.

Но от ее крика Табу залаял еще громче. И в тот же миг на плите сбежало молоко.

Это уже было слишком — собака, женщина, молоко, да еще и пряник в руке, словно ворованный.

Фш-ш-ш. Молоко, пенясь, залило горелку. Запах гари от столкновения молока с открытым огнем рванулся в воздух, точно стая напуганных птиц. Табу лаял. Женщина кричала. Пол стоял столбом.

— Глупый мальчишка! — Голос богатырши гремел, словно железкой били по железке.— Да не стой же ты как вкопанный, Христа ради!

Она попятилась к стене. Повернув голову в сторону, словно для того, чтобы не видеть, как в ее плоть вонзятся зубы страшного зверя, который, по правде говоря, был напуган больше ее, женщина не побежала и не упала в обморок, а закричала:

— Адриан! Адриан! Бога ради, Адриан!

А Пол, почувствовав, что ее внимание больше не направлено на него и его собаку, вернул контроль над своими конечностями.

Он бросился вперед и схватил Табу, уронив рюкзак на пол. Подтащив пса к плите, он стал шарить в поисках регулятора, чтобы погасить газ. Тем временем Табу продолжал лаять, женщина — кричать, и кто-то, гремя каблуками, несся по лестнице вниз.

Одной рукой Пол снял с плиты кастрюльку, чтобы унести ее в раковину, но поскольку другой рукой он тянул за ошейник упиравшегося пса, то потерял равновесие. Кастрюля перевернулась, кипящая масса вылилась на пол, а Табу оказался там же, где и был — у ног богатырши, продолжая делать вид, будто собирается съесть ее на завтрак. Пол кинулся за ним и оттащил. Табу лаял как одержимый.

Адриан Бруар ворвался в кухню. И внес свою лепту в скандал, закричав:

— Что за черт? Табу! Хватит! Уймись!

Богатырша воскликнула:

— Ты знаешь эту тварь?

И Пол не понял, имела она в виду его или пса.

Вообще-то это было не важно, так как Адриан Бруар знал обоих. Он сказал:

— Это Пол Филдер, отцов...

— Этот? — Женщина устремила свой взгляд на Пола.— Этот грязный маленький...

Казалось, она не может подобрать нужное слово для самозванца с кухни.

— Этот,— подтвердил Адриан.

Он прибежал на кухню в пижамных штанах и шлепанцах, как будто его застали, когда он одевался перед наступающим днем. Пол и представить себе не мог, что в такое время можно лежать в постели, а не заниматься делом.

«Не упускай ни дня, мой принц. Кто знает, сколько их осталось».

Глаза Пола защипало от слез. Он как наяву услышал его голос. И почувствовал его присутствие так, словно Ги шагнул в комнату. Он бы решил эту проблему за одну секунду: одну руку на ошейник псу, другую — на плечо Полу, и ласково: «Ну, что у нас тут?»

— Заткни свою зверюгу,— сказал Полу Адриан, хотя лай Табу и так уже стих до ворчания.— Если он укусит мою мать, проблем не оберешься.

— Столько проблем ты в жизни своей не видел,— рявкнула она.— А их у тебя, позволь заметить, и так хватает. Где миссис Даффи? Это она тебя впустила?

Тут она закричала:

— Валери! Валери Даффи! Подите сюда немедленно!

Табу терпеть не мог крика, а эта дура так ничего и не поняла. Стоило ей повысить голос, как он тут же залаял снова. Оставалось только вытолкать его из кухни, подтереть грязь и подобрать рюкзак, и все это одновременно, чего Пол никак не мог сделать. Он чувствовал, как клокочут его внутренности. Он чувствовал, что его мозги готовы вытечь наружу. В следующий момент он понял, что вот-вот взорвется с обоих концов, и это заставило его решиться.

Коридор за спинами Бруаров заканчивался дверью, которая выходила в огород. Пол потянул было Табу туда, но тут богатырша сказала:

— Даже не думай, что тебе удастся слинять, пока не приберешь грязь, которую ты здесь развел, гаденыш ты этакий.

Табу зарычал. Бруары попятились. Полу удалось дотащить пса до двери без новых взрывов лая, несмотря на пронзительные призывы богатырши «вернуться немедленно сюда», и выпихнуть в невспаханный огород. Он захлопнул за ним дверь и решительно приготовился не слушать, когда Табу протестующе заскулил.

Пол знал, что пес просто пытался его защитить. И еще он знал, что любой, у кого есть хотя бы капля здравого смысла, понял бы это. Да видно, такие люди не слишком часто встречаются на свете. А тех, у кого здравого смысла нет, приходится бояться, потому что сами они трусливы и изворотливы.

Значит, нужно их избегать. Поскольку мисс Рут не пришла посмотреть, из-за чего поднялся шум, Пол решил, что дома ее нет. Он вернется, когда ничто не будет ему угрожать.

И все же оставлять следы катастрофического столкновения с Бруарами тоже не следовало. Это было бы по меньшей мере некрасиво с его стороны.

Он вернулся на кухню, но замешкался в дверях. И увидел, что, несмотря на все угрозы богатырши, она и Адриан подтирают пол и оттирают верх плиты. Однако запах убежавшего молока по-прежнему отравлял воздух в кухне.

— ...Конец этому безобразию,— говорила мать Адриана.— Я с ним разберусь, даже не сомневайся. Если он думает, что может приходить сюда, как к себе домой, не сказав ни «здравствуйте», ни «до свидания», словно настоящий человек, а не паршивый маленький негодный кусок...

— Мама.

Пол видел, что Адриан заметил его в дверях, и стоило тому сказать одно короткое слово, как то же сделала и его мать. Она вытирала плиту, но теперь повернулась к нему с тряпкой в руках и стояла, комкая ее своими большими, унизанными перстнями пальцами. Она так смерила его взглядом с головы до ног, а на лице у нее было написано такое презрение, что Пола пробрала дрожь, и он сразу понял — надо уходить. Но он не мог оставить на полу рюкзак, в котором лежало послание Ги о планах и мечтах.

— Можешь сообщить своим родителям, что мы нанимаем адвоката по этому делу о завещании,— сказала ему богатырша.— Если твое воображение нарисовало тебе картинку, как ты уходишь отсюда с деньгами Адриана, то ты жестоко ошибаешься — ни одного пенни ты не получишь. Я буду биться с тобой во всех судах, какие только существуют на свете, а когда наше дело подойдет к концу, вместе с ним растают и денежки, которые ты надеялся хитростью выманить у отца Адриана. Ты понял? Тебе ничего не светит. Убирайся отсюда. И смотри, чтобы я тебя больше не видела. Если сунешь сюда свой нос, я натравлю на тебя полицию. А твою вшивую шавку отправлю на живодерню.

Пол не двинулся с места. Он не собирался уходить без рюкзака, но не знал, как до него добраться. Рюкзак лежал там, где он его оставил, у ножки стола посреди комнаты. Но теперь между Полом и рюкзаком стояли Бруары. А близость к ним грозила опасностью ему самому.

— Ты меня слышишь? — продолжала богатырша.— Я сказала, убирайся. Здесь у тебя нет друзей, что бы ты там себе ни думал. В этом доме тебя никто не ждет.

Пол увидел, что единственный способ добраться до рюкзака — проползти к нему под столом, что он и сделал. Не успела мать Адриана закончить свою речь, как он опустился на четвереньки и полез под стол, словно краб.

— Куда он? — спросила она.— Что он еще задумал?

Адриан, похоже, понял намерение Пола. Он схватил рюкзак в тот самый миг, когда его коснулись пальцы Пола.

— Господи боже, да этот чертенок что-то стащил! — воскликнула богатырша.— Это предел. Адриан, останови его!

Адриан попытался это сделать. Но образы, которые возникли в воображении Пола, едва он услышал слово «украл» (рюкзак обыщут, рисунок найдут, его самого будут допрашивать в полиции, посадят в камеру, ему будет страшно, стыдно), придали ему дополнительных сил. Он потянул рюкзак так сильно, что Адриан потерял равновесие, повалился на стол, потом упал на колени и шмякнулся подбородком о деревянное сиденье. Его мать вскрикнула и тем самым дала Полу шанс, в котором он нуждался. Прижав к себе рюкзак, он вскочил на ноги.

Мальчик бросился в коридор. Огород окружала изгородь, но в ней была калитка, ведущая в парк. Там были такие укрытия, о которых Бруары даже не подозревали, и потому Пол знал, что стоит только ему добраться до огорода, и он спасен.

Он несся по коридору, а ему вслед летел голос богатырши, которая кричала:

— Дорогой, ты в порядке? Беги же за ним, бога ради! Адриан! Лови его!

Но Пол был проворнее их обоих. Последнее, что он услышал перед тем, как дверь захлопнулась и они вместе с Табу понеслись к калитке, были слова:

— В его мешке что-то есть!

Дебора удивилась, увидев Тэлбот-Вэлли. Миниатюрная долина выглядела так, словно ее перенесли сюда из Йоркшира, где они с Саймоном проводили медовый месяц. Миллионы лет назад ее пропилила в горной породе река, и одна сторона долины сбегала вниз округлыми зелеными холмами, среди которых паслись местные желтовато-коричневые коровы, укрываясь от яркого солнца и редких приступов непогоды в посадках дубов. Дорога шла по другой стороне, крутой горке, подпертой гранитной стеной. Вдоль нее росли ясени и вязы, а за ней земля уходила вверх, к пастбищам на вершине. В целом это место так же мало походило на остальной остров, как Йоркшир на Саут-Даунс.

Они искали узенькую улочку под названием Ле-Нио. Чероки был почти уверен в том, что знает, где она находится, так как уже бывал там. Тем не менее развернутая карта лежала на его коленях, поскольку он всю дорогу выступал в роли штурмана. Они почти проскочили мимо цели, но едва поравнялись с проемом в живой изгороди, как он сказал:

— Это здесь! Поворачивай.— И добавил: — Вот елки-палки. Улицы у них тут — как у нас подъездные дорожки.

И действительно, назвать замощенную тропу улицей как-то язык не поворачивался. Она ответвлялась от главной дороги неожиданно, словно вход в другое измерение, где густо росла зелень, воздух был влажен и вода сочилась сквозь трещины в булыжниках, которые лежали там в большом изобилии. Не проехали они и пятидесяти ярдов по этой тропе, как справа увидели старую водяную мельницу. От нее до края дороги было не больше пяти ярдов, а над ней возвышался старый шлюз, весь затянутый травой.

— Это она,— сказал Чероки, свернув карту и укладывая ее в бардачок.— Они живут в последнем коттедже. Остальное,— и он указал на строения, которые они миновали по пути к широкому двору перед мельницей, куда Дебора направила свой автомобиль,— склад, где они держат свою коллекцию.

— Она, наверное, очень большая,— сказала Дебора, ведь рядом с тем коттеджем, который, по словам Чероки, служил домом Фрэнку Узли, стояли еще два.

— Это мягко сказано,— ответил Чероки.— А вот и машина Узли. Может, нам повезет.

Дебора понимала, что везение им не помешает. Присутствие на пляже, где умер Ги Бруар, кольца, идентичного тому, которое до этого купила Чайна Ривер и которое отсутствовало среди ее вещей, не помогало доказать ее невиновность. А потому им с Чероки было нужно, чтобы Фрэнк Узли опознал это кольцо по описанию. Более того, им было нужно, чтобы он понял — как раз такое кольцо пропало недавно из его коллекции.

Где-то неподалеку топили камин. Дебора и Чероки вдыхали запах горящих поленьев, приближаясь к двери коттеджа Узли.

— Как у нас в каньоне,— сказал Чероки.— Окажись там среди зимы, и не поверишь, что ты в округе Ориндж. Кругом бревенчатые дома, а из труб идет дым. А на Седле — это гора — иногда даже снег лежит. Лучшее место на свете.— Он оглянулся.— Но кажется, я только сейчас это понял.

— Так что, насчет жизни на лодке возникли сомнения? — спросила Дебора.

— Черт,— сказал он с чувством,— сомнения на этот счет у меня возникли после пятнадцати минут пребывания в тюрьме Сент-Питер-Порта.

У квадратного цементного пятачка, служившего крыльцом коттеджу, он остановился.

— Я знаю, что это я во всем виноват. Это из-за меня Чайна сейчас там, где она есть, из-за того, что я хотел бабок срубить по-быстрому, как обычно. Поэтому я должен вытащить ее из этой переделки. А если не сумею...— Он вздохнул, и его дыхание туманным облачком пролетело по воздуху.— Она боится, Дебс. И я тоже. Наверное, поэтому мне хотелось позвонить ма. Помочь бы она нам, конечно, не смогла, а может, и еще хуже сделала бы, но все же...

— Все же она ваша мама,— закончила за него Дебора и стиснула его плечо.— Ничего, все образуется. Обязательно. Вот увидишь.

Он накрыл ее ладонь своей и крепко сжал в ответ.

— Спасибо. Ты...— Он улыбнулся.— Ладно.

Она подняла бровь.

— Ты что, хотел испробовать на мне один из своих приемов, Чероки?

Он расхохотался.

— А ты думала?

Они постучали в дверь, потом позвонили. Несмотря на рев телевизора внутри и присутствие «пежо» снаружи, им никто не ответил. Чероки заметил, что Фрэнк, возможно, занимается сейчас своей огромной коллекцией, и пошел проверить два других коттеджа, а Дебора снова постучала в дверь.

Она услышала дрожащий голос, который отвечал:

— Эй, вы там, коней придержите.

— Кто-то идет,— сказала она Чероки.

Он подошел и встал рядом с ней, и тут же по другую сторону двери загремели ключи и задвижки.

Им открыл старый человек. Точнее, очень старый. Он глядел на них, сверкая толстыми линзами очков, а хрупкой рукой опирался о стену, чтобы стоять прямо. Казалось, только стена да еще собственная воля не давали ему упасть, но и это требовало от него огромных усилий. Ему следовало бы опираться на ходунки или хотя бы на трость, но ни того ни другого у него не было.

— А, это вы,— сказал он сварливо.— Мы как будто на завтра договаривались или нет? Ну ладно, неважно. Так даже лучше. Входите. Входите же.

Было ясно, что он кого-то ждал. Что до Деборы, то она готовилась увидеть куда более молодого человека. Но тут Чероки все прояснил, спросив:

— Мистер Узли, а Фрэнк дома? Мы видели его машину снаружи.

Дебора поняла, что перед ними Грэм Узли, отец Фрэнка.

— Да вам не Фрэнк нужен,— ответил пенсионер,— а я, Грэм. Фрэнк ушел на ферму Петит, понес коробку из-под пирога с латуком и курицей. Если повезет, она испечет нам еще один такой же на этой неделе. Стучу по дереву, чтоб не сглазить.

— А Фрэнк скоро вернется? — спросила Дебора.

— Ну, до его возвращения нам времени хватит,— заверил ее Грэм Узли.— Об этом не беспокойтесь. Должен сказать, Фрэнку не очень нравится то, что я тут затеял. Но я дал себе обещание, что перед смертью все исправлю. И выполню его, с его благословения или без.

Он проковылял в жарко натопленную гостиную, где взял с ручки кресла пульт от телевизора, направил его на экран, где повар ловко нарезал ломтиками банан, и погасил картинку.

— Пошли, на кухне поговорим. Там кофе есть.

— Вообще-то мы пришли...

— Никакой проблемы! — Старик перебил Дебору, которая, по его мнению, собиралась протестовать.— Гостеприимство — моя слабость.

Делать было нечего, оставалось только последовать за ним на кухню. Она оказалась маленькой, а завалы всякого хлама делали ее еще меньше: кипы газет, писем и документов боролись за пространство с кухонными принадлежностями, посудой, вилками, ножами и неизвестно как сюда забредшими садовыми инструментами.

— Присаживайтесь,— сказал им Грэм Узли, прокладывая себе путь к кофейной машине, в которой стояло дюйма четыре какой-то маслянистой жижи.

Он бесцеремонно шмякнул эту жижу прямо в раковину. Достал с откидной полки жестянку и дрожащей рукой зачерпнул из нее свежего кофе: он попал не только в кофеварку, но и на пол. Старик, не заметив этого, зашаркал к плите, откуда взял чайник. Направился с ним к раковине, наполнил водой и поставил на огонь. Проделывая все это, он так и светился от гордости.

— Вот так-то,— объявил он, потирая руки, потом нахмурился и сказал: — А вы двое какого черта столбами стоите?

Стояли они, естественно, потому, что были совсем не теми, кого ждал мистер Узли. Но поскольку его сына дома не было, а вернуться он, судя по характеру его дела и присутствию машины во дворе, должен был скоро, Дебора и Чероки переглянулись, словно говоря друг другу: «Почему бы и нет?» Они решили, что выпьют со стариком кофе, посидят и подождут.

Тем не менее Деборе показалось, что будет только честно, если она спросит:

— А Фрэнк скоро должен вернуться, мистер Узли?

На что тот раздраженно ответил:

— Слушайте, вы. Что вам этот Фрэнк дался? Садитесь. Блокноты приготовили? Нет? О господи. Да у вас память, наверное, слоновья.

С этими словами он опустился на стул и ослабил галстук. Тут Дебора впервые заметила, что на нем был щеголеватый твидовый костюм-тройка, а на ногах — до блеска начищенные туфли.

— Фрэнк,— сообщил им Грэм Узли,— ни дня в жизни не прожил, не беспокоясь. И ему не нравится то, что может выйти из этого разговора между нами. Но мне плевать. Что со мной могут сделать такого, чего до сих пор не делали, а? Мой долг перед мертвыми — призвать к ответу живых, вот так-то. Это наш общий долг, и я хочу исполнить свой, прежде чем умру. Девяносто два года мне уже. Почитай сто лет живу на свете. Что вы на это скажете?

Дебора и Чероки негромко выразили свое изумление. На плите засвистел чайник.

— Давайте я,— сказал Чероки, и не успел Грэм Узли возразить, как он вскочил на ноги.— Вы рассказывайте, мистер Узли. А я кофе сварю.

И он послал старику обаятельную улыбку.

Уговаривать не пришлось, Грэм остался на своем месте, а Чероки занялся кофе, двигаясь взад и вперед по кухне в поисках чашек, ложек, молока и сахара. Когда он принес все это на стол, Грэм Узли сидел, откинувшись на спинку кресла.

— Это долгая история, так и знайте. Сейчас я вам ее расскажу.

Его история перенесла их на пятьдесят лет назад, во времена оккупации немцами островов пролива. Пять лет жизни под солдафонами, как называл то время старик, пять лет стараний перехитрить чертовых фрицев и жить достойно, несмотря на всеобщий упадок. Ведь они конфисковали у населения все транспортные средства, вплоть до велосипедов, радиоприемники объявили verboten*, депортировали тех, кто давно жил на острове без гражданства, а тех, кого считали шпионами, расстреливали. В концлагеря привозили военнопленных из России и Украины, и те работали на строительстве укреплений для фашистов. В трудовых лагерях для европейцев, куда свозили тех, кто отказывался жить по немецким законам, люди мерли как мухи. У местных жителей проверяли документы до третьего колена: искали еврейскую кровь, и те, у кого ее находили, подлежали уничтожению. Вот тогда-то среди честных граждан Гернси и появились предатели: эти черти готовы были продать собственную душу, а заодно с ней и своих братьев-островитян за то, что наобещали им немцы.

— Зависть и ревность,— продекламировал Грэм Узли.— Из-за них тоже немало народу пострадало. Ведь стоило шепнуть чертовым фрицам одно словечко, и старые недруги получали по заслугам.

И все же старик радостно сообщил, что предателями чаще всего оказывались не коренные обитатели Гернси: то живший в Сент-Питер-Порте голландец прознал о том, что у кого-то есть радио, то ирландский рыбак из Сент-Сэмпсона увидал, как в полночь британская лодка причаливала возле Петит-Порт-Бея. И хотя ни о каком забвении, а уж тем более прощении речи не было, от того, что предателем оказывался иностранец, становилось как будто легче, чем когда такое совершал свой. Но и это тоже случалось: гернсийцы тоже выдавали своих. Так было с «ГСОСом».

— С чем? — переспросила Дебора.— С каким еще насосом?

«ГСОСом», а не насосом, объяснил Грэм Узли,— название, образованное из первых букв слов «Гернси, свободный от страха». Так называлась местная подпольная газета, един-

* Запрещенными *(нем.)*.

ственный источник, из которого люди узнавали о действиях союзников во время войны. Ночами слушали запрещенное радио, настроенное на Би-би-си, и дотошно записывали все новости, какие им удавалось выудить. В предрассветный час за плотно зашторенными окнами ризницы церкви Сен Пьер дю Буа факты о войне печатали на тонких листочках бумаги, которые затем передавали из рук в руки проверенным людям, для кого жажда правды была сильнее страха перед допросом в гестапо и его последствиями.

— Среди них и оказались предатели,— объявил Грэм Узли.— Нам следовало догадаться. Следовало быть внимательнее. Поменьше доверять. Но они были из наших.

Он ударил себя в грудь кулаком.

— Понимаете меня? Из наших!

Четверых издателей «ГСОС» арестовали по доносу предателя, пояснил он. Трое умерли — двое в тюрьме, третий при попытке к бегству. И только один — Грэм Узли — провел самый страшный год своей жизни в тюрьме и вышел на свободу: сорок килограммов костей, вшей и туберкулеза.

Но предатели погубили не только издателей газеты, продолжал Узли. Они доносили на тех, кто укрывал британских тайных агентов, прятал беглых русских пленных, и даже на тех, чье единственное преступление состояло в том, что они, взяв в руки мелок, рисовали букву «V» — знак победы — на седлах велосипедов, которые немецкие офицеры оставляли перед отелями, где напивались по вечерам. И никто так и не заставил предателей заплатить за их черные дела, что не давало покоя тем, кто пострадал от них. Люди умирали, шли на казнь, в тюрьмы, откуда вернулись не все. Больше полувека прошло, а имена тех, кто за это в ответе, так и остались неназванными.

— Кровь на их руках,— заявил Грэм Узли.— И я сделаю так, что они заплатят. О, они будут отпираться, конечно. С пеной у рта будут доказывать, что они ни при чем. Но когда мы опубликуем доказательства... И вот как я хочу это сделать, слышите, вы, двое. Сначала их имена напечатают в газете, и пусть они тогда отпираются и нанимают себе адвокатов, если хотят. Тут и доказательства подоспеют, и тогда они повертятся, как должны были вертеться еще в те времена, когда фрицы сдались союзникам. Вот когда все должно было открыться. И про доносчиков, и про спекулянтов, и про немецких подстилок и их ублюдков ребятишек.

Старик договорился до того, что на губах у него показалась пена. Лицо стало синеть, и Дебора начала беспокоиться за его сердце. Она поняла, что пора объяснить, что они не те, за кого он их принимает, не репортеры, которые пришли выслушать его историю и опубликовать ее в газете.

— Мистер Узли, мне ужасно жаль...— начала она.

— Нет! — Он оттолкнул свой стул от стола с такой неожиданной силой, что кофе расплескался из их кружек, а молоко — из кувшина.— Не верите — идите за мной. Мой сын Фрэнк и я, мы нашли доказательства, слышите?

Он стал с трудом подниматься со стула, и Чероки соскочил с места, чтобы ему помочь. Но Грэм оттолкнул его протянутую руку и заковылял к выходу. И снова им не оставалось ничего, кроме как следовать за ним и задабривать его в надежде, что сын вернется домой раньше, чем старик причинит себе вред своими стараниями.

Прежде всего Сент-Джеймс поехал к Даффи. Он не удивился, обнаружив, что в коттедже никого нет. Был разгар дня, и Валери с Кевином, вне всякого сомнения, работали: он — в одном из обширных парков Ле-Репозуара, она — в самом доме. Ему нужна была она. Подтекст, который он ощущал в ее словах во время их прошлого разговора, нуждался в объяснении, и особенно теперь, когда он узнал, что Генри Мулен — ее брат.

Он нашел ее, как и ожидал, в большом доме, куда его пропустили, когда он представился одному из полицейских, которые прочесывали парк. На его звонок в дверь она вышла со свертком простыней под мышкой.

Сент-Джеймс не стал тратить время на общепринятые любезности. Преимущество неожиданности было на его стороне, и он не хотел лишиться его, пустословя понапрасну и давая ей возможность собраться с мыслями. Поэтому он начал с места в карьер:

— Почему вы сразу не сказали мне, что в этом деле замешана еще одна блондинка?

Валери Даффи не отвечала, но он видел, как смятение в ее взгляде уступило место каким-то внутренним расчетам. Ее глаза забегали, словно она искала мужа. Сент-Джеймс понимал, что его поддержка ей сейчас не помешает, и твердо вознамерился заставить ее обойтись без таковой.

— Я вас не понимаю,— тихо сказала она, положила простыни на пол у порога, повернулась и пошла в дом.

Он последовал за ней в каменный холл, где ледяной воздух хранил воспоминания о запахе дров, давно прогоревших в камине. Остановившись у длинного узкого стола в центре, она начала обирать засохшие листья и готовые упасть ягоды со стоявшей на нем осенней композиции, оттененной высокими белыми свечами.

— Вы заявляли, что видели светловолосую женщину, которая следовала по пятам за Ги Бруаром в бухту в день его смерти,— продолжил наступление Сент-Джеймс.

— Это была американка...

— То есть вы хотели, чтобы мы в это поверили.

Она подняла на него взгляд.

— Я ее видела.

— Кого-то вы видели. Но есть и другие светловолосые женщины. Просто вы не упомянули о них в свое время.

— Миссис Эббот блондинка.

— А также, я полагаю, и ваша племянница. Синтия.

К чести Валери, она продолжала смотреть ему в лицо, не отводя глаз. Опять же к ее чести, она не произнесла ни слова, пока не поняла, как много ему известно. Она была неглупа.

— Я говорил с Генри Муленом,— сказал Сент-Джеймс.— И по-моему, видел вашу племянницу. Он пытался убедить меня в том, что отослал ее на Олдерни, к бабке, но мне отчего-то кажется, что если у Синтии и есть бабушка, то живет она совсем не там. Почему ваш брат прячет Синтию в доме, миссис Даффи? Он что, держит ее под замком?

— У нее сейчас тяжелый период,— проговорила наконец Валери Даффи и вернулась к цветам и ягодам, прежде чем продолжить.— С девочками ее возраста постоянно такое случается.

— Что же это за трудности такие, которые требуют домашнего ареста?

— Трудность одна — с ними невозможно говорить. То есть невозможно ничего втолковать. Они не слушают.

— А что им надо втолковывать?

— Да то, что их причуды им только вредят.

— А ее причуда?

— Откуда мне знать?

— Ваш брат так не считает,— ответил Сент-Джеймс.— Он говорит, что именно с вами она делилась секретами. После разговора с ним у меня возникло впечатление, что вы с ней близки.

— Нет, не очень.

Она отнесла горсть листьев к камину и бросила их туда. Из кармана передника достала какую-то тряпицу и стала вытирать ею пыль с каминной полки.

— Значит, вы одобряете то, что отец запирает дочь в доме? Пока она преодолевает эти свои трудности?

— Я этого не говорила. Мне очень жаль, что Генри...

Она умолкла, перестала вытирать пыль и, похоже, попыталась собраться с мыслями.

Сент-Джеймс спросил:

— Почему мистер Бруар оставил ей деньги? Именно ей, а не другим девочкам? Почему семнадцатилетняя девочка унаследовала небольшое состояние в обход собственных детей завещателя и своих единокровных сестер? Какой в этом смысл?

— Она не единственная наследница. Если вы знаете про Син, значит, вам и о Поле сказали. У того тоже есть братья и сестра. Даже больше, чем у Син. И никто из них не был упомянут в завещании. Я не знаю, почему мистер Бруар так поступил. Может быть, ему доставляло удовольствие думать о том, какие ссоры начнутся между братьями и сестрами, когда один из них унаследует такую кучу денег.

— Отец Синтии так не считает. Он говорит, что деньги предназначались на ее образование.

Валери принялась вытирать безукоризненно чистый стол.

— А еще он говорит, что у Ги Бруара были другие причуды. Вот я и подумал, не привела ли одна из них к его смерти. Вы знаете, что такое кольцо фей, миссис Даффи?

Движения ее руки, державшей тряпку, замедлились.

— Фольклор.

— Островной фольклор, как я полагаю,— сказал Сент-Джеймс.— Вы ведь родились здесь? И вы, и ваш брат?

Она подняла голову.

— Это не Генри, мистер Сент-Джеймс.

Она говорила довольно спокойно. Синяя жилка часто билась на ее шее, но в остальном она вела себя так, словно оборот событий, на который намекал Сент-Джеймс, нисколько ее не волновал.

— Вообще-то я думал не о нем,— сказал Сент-Джеймс.— А что, у него были причины желать Ги Бруару смерти?

Залившись краской, она вернулась к своему бессмысленному занятию.

— Я обратил внимание на то, что ваш брат принимал участие в музейном проекте мистера Бруара. В изначальном проекте, судя по рисункам, которые я видел у него в амбаре. Интересно, а в пересмотренном проекте он тоже участвовал? Вы не знаете?

— Генри хороший мастер по стеклу,— только и сказала она.— Это и свело их вместе с самого начала. Мистеру Бруару был нужен кто-нибудь, чтобы построить здесь оранжерею. Она большая, замысловатая. Какая-нибудь штамповка ему не годилась. А еще ему нужен был мастер, чтобы поставить теплицы. Да и окна застеклить, если уж на то пошло. Я рассказала ему о Генри. Они побеседовали и нашли немало общего. С тех пор Генри работает на него.

— А как получилось, что Синтия привлекла внимание мистера Бруара?

— Внимание мистера Бруара привлекали многие люди,— терпеливо ответила Валери.— Пол Филдер. Фрэнк Узли. Нобби Дебьер. Генри с Синтией. Он даже отправил Джемайму Эббот в школу моделей в Лондон и помог ее матери, когда она в этом нуждалась. Он вообще интересовался людьми. Вкладывал в них деньги. Такой уж он был человек.

— Вкладывая деньги в других, люди обычно ждут отдачи,— заметил Сент-Джеймс.— И не всегда финансовой.

— Тогда вам лучше всего спросить у каждого их них, чего именно мистер Бруар ждал от них взамен,— сказала она язвительно.— И начните, пожалуй, с Нобби Дебьера.

Скомкав тряпку, она сунула ее в карман передника. Двинулась в направлении входной двери. Там подхватила белье, которое положила перед тем на пол, и, подперев сверток бедром, повернулась к Сент-Джеймсу.

— Если у вас все...

— А почему с Нобби Дебьера? — спросил ее Сент-Джеймс.— Он ведь, кажется, архитектор? Мистер Бруар обращался к нему с какой-то особой просьбой?

— Если и так, то в ночь перед смертью мистера Бруара Нобби явно не горел желанием ее выполнить,— заявила Валери.— Они спорили возле утиного пруда после фейерверка. «Я не позволю вам разорить меня»,— говорил Нобби. Интересно, что он имел в виду?

Было очевидно, что это прием, к которому она прибегла лишь для того, чтобы отвлечь Сент-Джеймса от своих родственников. Но он не собирался легко сдаваться.

— Как давно вы с мужем работаете у Бруаров, миссис Даффи?

— С самого начала.

Она переложила узел с бельем с руки на руку и выразительно взглянула на часы.

— Значит, вы знали их привычки.

Она не сразу ответила, но ее глаза слегка сузились, пока она просчитывала возможности, заложенные в его вопросе.

— Привычки? — переспросила она.

— К примеру, пристрастие мистера Бруара к утренним купаниям.

— Об этом все знали.

— И о напитке, который он неизменно брал с собой, тоже? Зеленый чай с гинкго? Где он хранится, кстати?

— На кухне.

— Где именно?

— В кладовой на полке.

— А вы работаете в кухне.

— Вы что, намекаете, что я...

— Куда ваша племянница приходила с вами поболтать? Куда приходил поболтать ваш брат во время работы над оранжереей, к примеру?

— Все, кто был дружен с мистером Бруаром, постоянно толклись в кухне. Это же открытый дом. Здесь не делают различия между теми, кто трудится внизу, и теми, кто нежится наверху. Бруары не такие люди и никогда такими не были. Именно поэтому...

Она осеклась. И крепче вцепилась в простыни.

— Именно поэтому...— спокойно повторил Сент-Джеймс.

— Мне нужно работать. Не возражаете, если я дам вам совет? — Она не стала ждать ответа.— Наши семейные дела не имеют никакого отношения к смерти мистера Бруара, мистер Сент-Джеймс. Но если вы покопаете поглубже в другом месте, то обнаружите, что это относится не ко всем семьям.

19

Фрэнку не удалось отдать коробку Бетти Петит и вернуться в Мулен-де-Нио так скоро, как он надеялся. Бездетная и овдовевшая фермерша редко принимала гостей, но если уж кто-нибудь к ней заходил, то без кофе и свежих круассанов она его не выпускала. Единственным предлогом, который позволил Фрэнку сократить свой визит почти до часа, был его отец. «Папу нельзя надолго оставлять одного» — эта фраза служила отличным прикрытием в случае необходимости.

Когда он вошел на свой двор, то сразу увидел рядом со своим «пежо» припаркованный «эскорт» с наклейкой в виде арлекина — символ местной фирмы по прокату автомобилей — на заднем стекле. Он тут же бросил взгляд на дом и заметил, что дверь распахнута. Нахмурившись, он поспешил к ней. Крикнул с порога:

— Папа? Ты здесь? — хотя и так было ясно, что в доме никого нет.

Значит, оставалось лишь одно место. Фрэнк почти бегом кинулся к ближайшему коттеджу, где хранилась военная коллекция. Пробегая мимо крохотного окна гостиной, он заглянул внутрь, и у него потемнело в глазах от увиденного. Брат этой американки, Ривер, стоял возле шкафа-картотеки, а рядом с ним какая-то рыжеволосая женщина. Верхний ящик был выдвинут до самого конца, и перед ним стоял отец. Одной рукой Грэм Узли цеплялся за край ящика, чтобы не упасть. Другой сражался с пачкой документов, которые пытался из него извлечь.

Фрэнк сорвался с места. В три прыжка он подлетел к двери и распахнул ее. Разбухшее дерево с визгом проехало по старому полу.

— Какого черта? — сказал он резко.— Какого черта вы тут делаете? Папа! Перестань! Документы хрупкие!

Грэм повернулся к сыну как раз тогда, когда тот ринулся к нему через комнату.

— Пора, мальчик,— сказал он.— Я уже все рассказал. Ты знаешь, что теперь надо делать.

— Ты с ума сошел? — набросился на него Фрэнк.— Оставь вещи в покое!

Он взял отца за руку и попытался отвести его на шаг назад.

Но тот вырвался.

— Нет! Мы перед ними в долгу. Этот долг надо заплатить, и я это сделаю. Я выжил, Фрэнк. Трое погибли, а я все еще жив. Я прожил все годы, которые могли бы прожить и они. Сейчас у них могли быть внуки, Фрэнк. Правнуки. Но все пошло прахом из-за какого-то трусливого негодяя, который так ни за что и не ответил. Ты понял, сын? Кое-кому пора платить.

Он вырывался из рук Фрэнка, словно подросток, стремящийся избежать наказания, но без юношеского проворства. Фрэнку не хотелось проявлять жестокость, ведь отец был слаб. Однако из-за этого контролировать его поступки становилось еще труднее.

Рыжеволосая женщина сказала:

— По-моему, он принимает нас за журналистов. Мы пытались ему объяснить... вообще-то мы пришли поговорить с вами.

— Оставьте нас,— бросил он ей через плечо и смягчил приказ, добавив: — На одну минуту. Пожалуйста.

Ривер и его рыжая спутница вышли из коттеджа. Фрэнк подождал, пока они скроются за дверью. Тогда он оттащил отца от шкафа и захлопнул ящик, ругнувшись сквозь зубы:

— Дурак старый.

Это привлекло внимание Грэма. Фрэнк редко ругался, а на отца — никогда. Его преданность старику, сближавшая их общая страсть к истории и прожитая бок о бок жизнь помогали ему спокойно и беззлобно воспринимать все проявления отцовского упрямства. Но сегодняшнее происшествие выходило далеко за пределы того, что Фрэнк способен был стерпеть. Словно плотина, которую он старательно сооружал два последних месяца, рухнула у него внутри, и он разразился такими ругательствами, о существовании которых в своем словаре даже и не подозревал.

Услышав их, Грэм съежился. Его плечи поникли, руки повисли вдоль тела, а мутные глаза за толстыми стеклами очков налились горькими слезами.

— Я же хотел...— Его щетинистый подбородок задрожал.— Я не хотел ничего плохого.

Фрэнк сознательно изгнал из своего сердца всякую жалость.

— Папа, послушай меня,— начал он.— Эти двое — не журналисты. Понимаешь? Не журналисты. Мужчина... Он...

Господи, как ему объяснить? И надо ли вообще что-нибудь объяснять?

— А женщина...

Но он и сам не знал, кто она. Ему показалось, что он видел ее на похоронах Ги, но что она делала на мельнице... да еще с братом этой Ривер... Это нужно было выяснить, причем немедленно.

Грэм смотрел на него в полном недоумении.

— Они сказали... Они пришли за...— И, тут же забыв, что он пытался сказать, Грэм схватил Фрэнка за плечо и закричал: — Пора, Фрэнк! Со дня на день меня не станет. А ведь я единственный, кто еще остался. Ты меня понимаешь, правда? Ну скажи мне, что понимаешь. Скажи мне, что ты знаешь. И раз музея у нас не будет...— Его хватка оказалась куда крепче, чем Фрэнк мог представить.— Фрэнки, я не могу допустить, что они умерли напрасно.

Эти слова причинили Фрэнку такую боль, словно они, как копье, поразили не только его тело, но и дух.

— Папа, ради бога...

Он не смог закончить, притянул отца к себе и крепко его обнял. Грэм всхлипнул у сына на плече.

Фрэнку хотелось плакать вместе с ним, но у него не было слез. Но даже если бы их накопился внутри его целый колодец, он не мог позволить им перелиться через край.

— Я должен сделать это, Фрэнки,— скулил отец.— Это важно, очень.

— Я знаю.

— Тогда...

Грэм отошел от сына на один шаг и промокнул слезы обшлагом своего твидового рукава.

Фрэнк обнял отца за плечи и сказал:

— Поговорим об этом позже, папа. Мы что-нибудь придумаем.

Он подтолкнул отца к двери, и Грэм, не увидев «журналистов», которые предусмотрительно скрылись из виду, притворился, будто забыл об их появлении, а возможно, так оно и было на самом деле. Фрэнк отвел его назад в их собственный коттедж, дверь которого все еще была нараспашку.

Грэм повис у него на плече, когда Фрэнк повернул его к удобному креслу спиной. Его голова поникла, словно внезапно отяжелела, а очки сползли на кончик носа.

— Что-то я себя неважно чувствую, парень,— прошептал он.— Надо, наверное, вздремнуть.

— Ты перетрудился,— сказал отцу Фрэнк.— Я больше не буду оставлять тебя одного.

— Я же не младенец, который пачкает пеленки, Фрэнк.

— Нет. Но если я не буду тебя стеречь, ты опять затеешь что-нибудь нехорошее. Тебя ведь не согнуть, ты как старая подметка, пап.

Грэм улыбнулся такому сравнению, и Фрэнк вручил ему пульт от телевизора.

— Ты сможешь посидеть здесь минут пять, ни во что не вляпываясь? — спросил он отца добродушно.— А я пойду разберусь, что там к чему.— И он кивнул на окно гостиной, подразумевая двор за ним.

Убедившись, что отец снова захвачен происходящим по телевизору, Фрэнк разыскал Ривера и его рыжую спутницу. Они стояли возле ободранных раскладных стульев на заросшей лужайке за коттеджем. Похоже, между ними шел какой-то спор. Увидев Фрэнка, они умолкли.

Ривер представил спутницу как подругу сестры. Ее звали Дебора Сент-Джеймс, и она с мужем приехала из Лондона, чтобы помочь Чайне.

— Ее муж занимается такими вещами постоянно,— сказал Ривер.

Фрэнка в тот момент беспокоил только отец, он не хотел оставлять его одного надолго, боясь, как бы тот снова не набедокурил, поэтому ответил на представление вежливо, но кратко:

— Чем я могу вам помочь?

Оба заговорили одновременно. Он понял, что обязан их визитом кольцу, как-то связанному с годами оккупации. Об этом говорили надпись на немецком языке, дата и необычное изображение черепа со скрещенными костями.

— В вашей коллекции что-нибудь подобное есть? — нетерпеливо спросил Ривер.

Фрэнк с любопытством взглянул сначала на него, потом на женщину, чей серьезный взгляд показал ему, насколько важна была эта информация для них обоих. Задумавшись над этим, он взвесил все возможные последствия всех ответов, которые он может дать. И наконец сказал:

— Мне кажется, я никогда даже не видел ничего похожего.

На что Ривер ответил:

— Но вы не совсем уверены, так?

Фрэнк не спешил с подтверждением, и тот продолжил, тыча пальцем в сторону двух других коттеджей, прилегавших к мельнице.

— У вас ведь там этого барахла до черта. Я помню, как вы говорили, что не все еще даже в каталог успели занести. Именно этим вы и занимались, так? Вы и Ги готовили вещи к показу, но сначала вам надо было составить списки всего, что у вас есть, и где оно находится сейчас, и как разместить это в музее, верно?

— Да, этим мы и занимались.

— А тот парень вам помогал. Пол Филдер. Ги то и дело приводил его с собой.

— Один раз он привел своего сына и молодого Эббота,— сказал Фрэнк.— Но какое отношение это имеет к...

Ривер повернулся к рыжей.

— Видишь? Есть и другие варианты. Пол. Адриан. Младший Эббот. Копам хочется думать, что все пути ведут к Чайне, но это не так, черт возьми, и вот доказательство.

Женщина негромко ответила:

— Не обязательно. Только если...— Она задумалась и обратилась прямо к Фрэнку: — Может ли быть такое, чтобы вы занесли в каталог кольцо наподобие того, которое мы вам описали, и просто забыли об этом? Или это сделал кто-нибудь другой? Или у вас было такое кольцо, но вы о нем забыли?

Фрэнк согласился, что такая возможность существует, но постарался вложить в ответ как можно больше сомнения, потому что знал, о чем она попросит его затем, и не хотел связывать себя обещанием. Но она приступила прямо к делу. Нельзя ли им самим поискать его среди военных артефактов? О, она, конечно, понимает, что у них нет никаких шансов осмотреть все, но вдруг им просто повезет...

— Давайте сначала посмотрим в каталоге,— сказал Фрэнк.— Если какое-нибудь кольцо было, то кто-нибудь из нас наверняка его записал, хотя, конечно, мы могли просто не дойти до него.

Он повел их туда же, куда перед этим водил его отец, и вытащил из каталога тетрадь. Всего их было четыре, и каждая предназначалась для учета предметов определенного типа. Одна — для формы, другая — для медалей и знаков различия, третья — для оружия и амуниции, и еще одна — для газет и документов. Просмотр второй тетради показал Риверу и женщине по фамилии Сент-Джеймс, что никакого кольца, подходящего под их описание, пока найдено не было. Однако это не означало, что кольцо не лежит где-нибудь среди огромной груды материала, к которому еще никто не прикасался. Через минуту стало ясно, что его гости это понимают.

Дебора Сент-Джеймс пожелала знать, хранятся ли неразобранные медали и знаки различия в одном месте или они рассеяны по всей коллекции.

Он сказал ей, что они лежат в разных местах. Вместе хранятся лишь те предметы, которые уже были осмотрены, рассортированы и занесены в каталог. Эти вещи, объяснил он, разложены по специальным контейнерам с ярлыками, которые покажут им, где что лежит, когда настанет время расставлять экспонаты в музее. Каждый предмет занесен в специальную тетрадь, где ему присвоен инвентарный номер и номер контейнера на случай, когда они понадобятся.

— Поскольку никакое кольцо в каталоге не фигурирует...— произнес Фрэнк с сожалением и красноречиво умолк, предоставив им самим закончить фразу в уме: то никакого кольца, вероятно, не существует, если только оно не лежит внутри того гордиева узла, который представляет собой неразобранная коллекция.

— Но вообще-то кольца в каталоге есть,— заметил Ривер.

Его спутница добавила:

— Значит, во время разборки кто-нибудь мог и утащить кольцо с черепом и костями, а вы об этом даже и не узнали бы, ведь так?

— И этим человеком мог оказаться любой, кого в то или иное время приводил с собой Ги,— продолжил Ривер.— Пол Филдер. Адриан Бруар. Младший Эббот.

— Возможно,— сказал Фрэнк,— не знаю только, зачем оно им.

— Или кольцо могло быть похищено у вас в другое время,— предположила Дебора Сент-Джеймс.— Ведь если что-то из материалов, не занесенных в каталог, исчезнет, как вы об этом узнаете?

— Полагаю, это зависит от того, что именно пропадет,— ответил Фрэнк.— Если что-то большое или что-то опасное... я, наверное, увижу. Ну а если что-то маленькое...

— Вроде кольца,— ввернул Ривер.

— ...то я могу и не заметить.

Фрэнк увидел, что они обменялись довольными взглядами, и спросил:

— Послушайте, а какое это имеет значение?

— Филдер, Бруар и Эббот.

Чероки Ривер сказал это рыжеволосой, а не Фрэнку, и вскоре оба ушли. Поблагодарили его за помощь и поспешили к машине. Он услышал, как Ривер ответил на какое-то замечание женщины:

— По той или другой причине это могло быть нужно любому из них. Но только не Чайне. Нет, только не ей.

Сначала Фрэнк думал, что Ривер имел в виду кольцо с черепом и костями. Но скоро понял, что они говорили об убийстве: о том, кто хотел, чтобы Ги умер, и кому это могло быть выгодно. А кроме того, только его смерть могла уберечь кого-то от грозящей опасности.

Он вздрогнул и пожалел о том, что не верит в Бога, а потому не знает готовых ответов и не умеет говорить о смерти. Он закрыл дверь коттеджа, изгнав из него саму мысль о смерти — преждевременной, напрасной, любой другой,— и уставился на мешанину предметов, связанных с войной, которые долгие годы определяли его жизнь и жизнь его отца.

Долгое время они обменивались фразами типа: «Посмотри сюда, Фрэнки, глянь, что я раздобыл!»

И: «С Рождеством, папа. Никогда не догадаешься, где я нашел вот это».

Или: «Подумай только, кто стрелял из этого пистолета, сын. Подумай о том, какая ненависть двигала им, когда он нажимал курок».

Все, чем он владел, копилось лишь для того, чтобы создать нерушимую связь между ним и гигантом духа, воплощением мужества, благородства, храбрости и силы. Стать похожим на него было невозможно, нечего и надеяться жить, как жил он, и пережить то, что выпало на долю ему, поэтому оставалось только дорожить тем же, чем дорожил он, и так оставить свою крохотную закорючку на страницах гроссбуха истории, где росчерк его отца, отчетливый и гордый, будет красоваться до скончания времен.

С этого все и началось, с желания быть как он, такого простого и неискоренимого, что Фрэнк иногда задавался вопросом, неужели все сыновья с момента зачатия запрограммированы на то, чтобы во всем копировать отцов. А если это невозможно — отец не утратил своего героического величия, невзирая на все слабости преклонного возраста,— значит, нужно что-то придумать и доказать, что сын во всем достоин своего отца.

Внутри коттеджа Фрэнк озирал материальные подтверждения своего человеческого достоинства. Идея собрать коллекцию предметов военного времени привела к тому, что на поиски чего угодно, начиная с пуль и заканчивая перевязочным материалом, были потрачены годы. Находки множились бесконтрольно, точно ракушки на корпусе корабля: буйно, своевольно, неукротимо. А началось все с бумажек, которые хранила в своем сундуке мать Грэма: талонов на питание, предупреждений об авианалетах, разрешений на покупку свечей. Фрэнк Узли столько раз смотрел и пересматривал их, что в конце концов именно они и подсказали ему честолюбивый замысел, который со временем подчинил себе всю его жизнь и должен был стать воплощением его любви к отцу. Коллекция вещей заменила ему слова преданности, восхищения и чистого восторга, которые он долго не мог произнести.

«Прошлое всегда с нами, Фрэнки. Те, кто был его частью, должны передать свой опыт тем, кто идет следом. А иначе как мы остановим зло? И как снимем шляпу перед добром?»

И разве есть лучший способ сохранить прошлое и отдать ему должное, чем показать его людям через предметы, которые ему принадлежали, а не только рассказывать о нем ученикам в классе, чем он занимался много лет? У его отца сохранились копии «ГСОС», отдельные прокламации нацистов, пилотка люфтваффе, значок члена партии, ржавый пистолет, противогаз и карбидная лампа. Мальчиком Фрэнк держал эти вещи в руках и в возрасте семи лет торжественно посвятил себя делу коллекционирования.

«Папа, давай соберем коллекцию. Ты хочешь? Я — да. Вот будет здорово, правда? На острове наверняка полно такого добра».

«Это была не игра, сынок. Не забывай, что все было всерьез. Ты меня понял?»

О да, он понял. Понял. Это и стало его мучением. Он все понял. Все всегда было всерьез.

Фрэнк изгнал из памяти звук отцовского голоса, но его место тут же занял другой, он объяснял прошлое и неведомо откуда взявшееся будущее, произнося слова, которые Фрэнк хорошо знал, хотя и не мог понять почему: «Это дело, благое дело, душа моя». Фрэнк хныкал, как ребенок, которому приснился дурной сон, но все же заставил себя идти кошмару навстречу.

Он видел, что ящик картотеки не до конца встал на свое место, когда он толкнул его туда недавно. Он приближался к нему робко, словно необстрелянный новичок, шагающий по минному полю. Добравшись до цели живым и невредимым, он обхватил пальцами ручку ящика, почти ожидая, что она обожжет его, когда он потянет ее на себя.

Вот он и стал солдатом на той войне, о полях сражений которой так долго грезил. Вот он и узнал, что значит хотеть бросить все и опрометью бежать от врага в надежное место, которого, как ему было известно, не существовало на свете.

Вернувшись домой, Рут Бруар застала такую картину: кучка полицейских вышла с территории парка и продвигалась по тропе к вырубке, которая вела вниз, к бухте. По-видимому, в поместье их работа закончилась. Сейчас они начнут обыскивать земляную насыпь и живые изгороди — а может, также рощи и поля за ними — в поисках вещи, которая поможет им доказать то, что они знали, или полагали, будто знают, или фантазировали о смерти ее брата.

Она проигнорировала их. Поездка в Сент-Питер-Порт высосала из нее все силы да еще грозила лишить единственной опоры в жизни, с самого начала отмеченной бегством, потерями и страхом. Выдержав все, что сломило бы любого другого ребенка,— вот какую мощную основу успели заложить в ней ее любящие родители, бабушки, дедушки, а также обожавшие ее дядюшки и тетушки,— она сумела не потерять себя. Причиной тому был Ги и то, что он олицетворял для нее: семью и ощущение принадлежности к определенному месту, хотя само это место давно исчезло. Но теперь Рут казалось, будто сам факт того, что человек по имени Ги когда-то жил, дышал и был любим ею, вот-вот исчезнет. Как она справится с этим потрясением и справится ли вообще, она не знала. Более того, она не была уверена, что захочет справиться.

Она вела машину по аллее под каштанами и думала о том, как хорошо было бы сейчас поспать. Каждое движение давалось ей с трудом, причем уже давно, и она знала, что ближайшее будущее не облегчит ее страданий. Строго выверенные дозы морфина могли бы умерить физическую боль, неотступно терзавшую ее кости, но для того, чтобы изгнать сомнения, начинавшие точить ее мозг, требовалось полное забвение.

Она твердила себе, что всему услышанному ею в Сент-Питер-Порте существует тысяча и одно объяснение. Но это не отменяло того факта, что одно из этих объяснений, видимо, стоило жизни ее брату. И то, что открытия, сделанные ею о последних месяцах жизни Ги, частично снимали с нее вину за те до сих пор невыясненные обстоятельства, которые сопутствовали его гибели, не имело никакого значения. Важно было лишь то, чего она так и не узнала, а именно: чем же занимался ее брат. Но одного неведения было достаточно, чтобы вера, за которую она держалась всю жизнь, начала покидать ее. А этого никак нельзя было допустить, потому что тогда вся жизнь Рут превратится в сплошное нагромождение ужасов. Поэтому ей оставалось лишь выстроить мощную крепостную стену, защищающую ее внутренний мир от потери того, что придавало ему цельность. Вот только как это сделать, она не знала.

Из конторы Доминика Форреста она поехала к брокеру Ги, потом к его банкиру. От них она узнала подробности пути, по которому шел ее брат последние десять месяцев. Продавая ценные бумаги огромными пакетами, он то переводил деньги на свои банковские счета, то снимал их, так что от всех его операций тянуло нехорошим душком чего-то незаконного. Бесстрастные лица финансовых консультантов Ги намекали на многое, но с ней они не поделились ничем, кроме голых фактов, таких голых, что ей поневоле захотелось прикрыть их хотя бы лохмотьями своих самых черных подозрений.

Пятьдесят тысяч фунтов здесь, семьдесят пять там, капля за каплей, к началу ноября они превратились в немыслимые двести пятьдесят тысяч. Разумеется, концы можно было найти в документах, но заниматься этим прямо сейчас ей не хотелось. Она стремилась лишь убедиться в том, что Доминик Форрест не ошибся, передав ей результаты работы экспертов, которые исследовали финансовую ситуацию Ги. Все девять лет, которые прошли со дня их приезда на остров, Ги, как и говорил Доминик Форрест, распоряжался деньгами, по своему обыкновению, мудро и осторожно, но вдруг в последние десять месяцев они буквально потекли у него сквозь пальцы, словно вода... или их выжали из него, словно кровь... или потребовали... или он сам пожертвовал их на что-то... или... что еще?

Она не знала. И в какой-то момент сказала себе, что ей безразлично. В конце концов, дело было не в деньгах. Дело было в том, о чем деньги, а точнее, их отсутствие говорило в ситуации, когда само завещание Ги, казалось, свидетельствовало о том, что его детей и двух других наследников ждало целое состояние... И это сильнее всего тревожило Рут.

Потому что такие мысли неизбежно приводили ее к размышлениям об убийстве брата и о том, как оно произошло и было ли оно как-то связано с деньгами.

У нее болела голова. Слишком много новых идей наполнили череп, они словно давили на него изнутри, сражаясь за наиболее выгодную позицию, чтобы получить как можно больше внимания. Но ей не хотелось уделять внимание ни одной из них. Ей хотелось только спать.

Она обогнула дом сбоку, где уже обрезали на зиму потерявшие листву кусты розового сада. Сразу за ним дорога делала еще один поворот к конюшням, где Рут держала машину. Когда она, подъехав к воротам, нажала на тормоз, то поняла, что у нее нет сил открыть дверцу. Поэтому она просто повернула ключ зажигания, остановила мотор и положила голову на рулевое колесо.

Она чувствовала, как в салон «ровера» просачивается холод, но не двинулась с места, с закрытыми глазами слушая успокоительную тишину. Ничто не утешало ее так, как тишина. Ведь она не таит в себе ничего нового.

Однако Рут понимала, что так долго сидеть нельзя. Нужно было принять лекарство. И отдохнуть. Господи, как ей нужно отдохнуть.

Чтобы открыть дверцу, ей пришлось навалиться на нее плечом. Оказавшись снаружи, Рут с удивлением обнаружила, что у нее нет сил дойти по засыпанной гравием дорожке к оранжерее, откуда она сможет попасть в дом. Поэтому она прислонилась к машине и тут заметила какое-то движение возле утиного пруда.

Она сразу подумала о Поле Филдере и о том, что кто-то должен сообщить ему новость о наследстве, которое не будет таким огромным, как пообещал ему ранее Доминик Форрест. Хотя для него это не важно. Его семья разорена, отцовский бизнес рухнул под безжалостным натиском прогресса и модернизации. Поэтому любые деньги, которые так или иначе попадут ему в руки, покажутся ему огромной суммой, куда большей, чем все, на что он мог рассчитывать... если он, конечно, знал о завещании Ги. Но это была еще одна мысль, додумывать которую до конца у Рут не было охоты.

Чтобы дойти до утиного пруда, ей пришлось собрать всю волю в кулак. Но когда Рут добралась до него и вышла между двумя рододендронами на берег, где пруд раскинулся перед ней, точно оловянная тарелка, чей цвет был позаимствован у неба, то обнаружила, что вовсе не Пола, деловито восстанавливающего укрытия для уток, видела она издалека. Вместо него у края пруда стоял человек из Лондона. Примерно в ярде от него в траве валялись брошенные инструменты. Однако смотрел он не на них, а на утиное кладбище на другом берегу.

Рут хотела развернуться и пойти назад к дому, надеясь, что он ее не заметит. Но он поглядел на нее, потом опять на могилы и спросил:

— Что случилось?

— Кому-то не понравились утки,— ответила она.

— Кому они могли не понравиться? Они же безобидные.

— Казалось бы, так оно и есть.

Больше она ничего не добавила, но, когда он снова взглянул на нее, ей показалось, будто он прочел правду по ее лицу.

— И укрытия тоже разрушили? — снова задал он вопрос.— А кто строил их заново?

— Пол и Ги. Они хотели сделать все как было. Весь пруд был их совместной идеей.

— Может быть, кому-то это не понравилось.— И он поглядел на дом.

— Не думаю,— ответила она, хотя сама слышала, как неискренне звучат ее слова, и боялась, что он не поверит ей ни на секунду.— Вы же сами сказали: «Кому могли не нравиться утки?»

— Значит, кому-то не нравился Пол? Или те отношения, которые связывали его с вашим братом?

— Вы сейчас думаете об Адриане.

— А он способен на ревность?

Рут подумала, что Адриан способен на что угодно. Но обсуждать племянника с этим человеком или с кем-нибудь еще она не собиралась.

— Здесь сыро,— заметила она.— Оставляю вас наедине с вашими мыслями, мистер Сент-Джеймс. Я иду домой.

Он пошел следом, незваный. Молча хромал бок о бок с ней. Они прошли сквозь кустарник в оранжерею, дверь которой была незапертой, как всегда.

Он сразу обратил на это внимание. И спросил, всегда ли это так.

— Да. Всегда. Здесь, на Гернси, не то что в Лондоне. Люди не привыкли бояться. Замки не нужны.

Отвечая, она чувствовала на себе его взгляд и, когда повернулась к нему спиной и зашагала по кирпичному полу через влажную атмосферу теплицы, ощущала, как его серо-голубые глаза буквально буравят ее затылок. Она догадывалась, на какие размышления навела его незапертая дверь: всякий, кто хотел зла ее брату, мог спокойно войти и сделать свое дело.

Вот и хорошо, такое направление его мыслей устраивало ее куда больше, чем то, которое они приняли за разговором о невинных утках. Ни одной секунды она не верила, что смерть брата была связана с вторжением в дом какого-то незнакомца. Но пусть уж лучше лондонец развлекает себя такими соображениями, чем подозревает Адриана.

— Я говорил с миссис Даффи,— сообщил он.— Вы были в городе?

— Я встречалась с адвокатом Ги. А также его банкирами и брокерами.

Они прошли в утреннюю комнату. Валери, заметила она, уже побывала там. Шторы были раздвинуты, в окна лился белесый декабрьский свет, газовый камин разгонял холод. На столике рядом с диваном стоял кофе в стеклянном кофейнике, рядом с ним чашка и блюдце. Коробка с нитками и иголками была открыта, словно в ожидании начала работы над новым гобеленом, на крышке бюро стопкой лежали письма.

Все в комнате словно говорило о том, что сегодняшний день был такой же, как всегда. Но он был не такой. И никогда ни один день уже не будет таким, как прежде.

При мысли об этом Рут заговорила. Она рассказала Сент-Джеймсу обо всем, что узнала в Сент-Питер-Порте. Опустившись на диван, она указала ему на кресло. Он выслушал ее молча, а когда она закончила, предложил несколько возможных объяснений. Большинство из них приходили ей в голову по дороге из города. Да и как могло быть иначе, когда в конце того пути, по которому они ее вели, затаилось убийство?

— Я бы, разумеется, остановился на шантаже,— сказал Сент-Джеймс.— Такого рода истощение финансов, сопровождающееся постоянным повышением снимаемых сумм...

— В жизни моего брата не было ничего, что могло послужить поводом для шантажа.

— Так кажется на первый взгляд. Но у него, очевидно, были секреты, мисс Бруар. Об этом говорит хотя бы его поездка в Америку, когда вы считали, что он находится где-то еще.

— У него не было секретов, которые могли бы привести к такому. Есть очень простое объяснение того, что Ги сделал с деньгами, причем совершенно законно. Просто нам оно еще неизвестно.

Она сама не верила тому, что говорила, и, судя по скептическому выражению лица Сент-Джеймса, он не верил тоже.

Он заговорил, и она сразу поняла, что он старается быть с ней помягче:

— Полагаю, вы догадываетесь, что то, как он двигал туда-сюда деньги, наводит на мысли о нелегальных операциях.

— Нет, я не знаю...

— Но если вы хотите, чтобы его убийцу нашли,— а я полагаю, вы этого хотите,— необходимо рассматривать разные возможности, вы ведь понимаете.

Она не ответила. Но от сочувствия, которое она читала в его лице, ей становилось еще хуже. Она ненавидела, когда ее жалели. Всю жизнь. «У бедняжки все родственники погибли в нацистских лагерях. Мы должны быть к ней снисходительны. И терпеливо относиться к ее маленьким слабостям».

— Убийца у нас есть,— ледяным тоном заявила Рут.— Я видела ее в то утро. Мы знаем, кто она.

Сент-Джеймс продолжал твердить свое, как будто она ничего не говорила:

— По всей вероятности, он от кого-то откупался. Или расплачивался за какую-то дорогую покупку. Может быть, даже нелегальную. Оружие? Наркотики? Взрывчатку?

— Абсурд,— ответила она.

— Если он сочувствовал какому-либо движению...

— Какому? Арабскому? Алжирскому? Ирландскому? — фыркнула она.— Мой брат интересовался политикой не больше, чем садовый гном, мистер Сент-Джеймс.

— Тогда остается единственное решение: он добровольно отдал кому-то деньги. И если это так, нам остается только найти потенциального получателя такого лакомого кусочка.

Он взглянул на входную дверь, точно прикидывая, что находится за ней.

— А где сегодня утром ваш племянник, мисс Бруар?

— К Адриану это не имеет никакого отношения.

— Тем не менее...

— Полагаю, он повез куда-то свою мать. Она не знает острова. Разметка на дорогах здесь плохая. Без его помощи ей не обойтись.

— А он, значит, часто навещал отца? Все эти годы? И знает...

— Адриан тут ни при чем!

Ее голос прозвучал чересчур пронзительно, даже ей самой так показалось. Тысячи крохотных пик пронзали ее кости. Ей необходимо было избавиться от этого человека немедленно, что бы он там ни затевал против нее самой и ее родственников. Ей надо было добраться до своего лекарства и принять дозу, которая сделает ее тело нечувствительным, если это еще возможно.

— Мистер Сент-Джеймс, я знаю, что вы пришли сюда не без причины. Это не визит вежливости.

— Я был у Генри Мулена,— сказал он ей.

Она насторожилась.

— Да?

— Я не знал, что миссис Даффи его сестра.

— Не было никаких причин сообщать вам об этом.

Он коротко улыбнулся, словно признавая ее правоту. И рассказал ей о рисунках музейных окон, которые видел в мастерской у Генри. По его словам, они напомнили ему о чертежах, заказанных мистером Бруаром. И спросил, нельзя ли ему взглянуть на них еще раз.

Услышав столь несложную просьбу, Рут испытала такое облегчение, что поспешила удовлетворить ее немедленно, не задумываясь над тем, куда это может завести. Чертежи наверху, в кабинете Ги, сказала она ему. Сейчас она их принесет.

Сент-Джеймс вызвался проводить ее, если она не возражает. Просто ему хотелось еще раз взглянуть на модель, выполненную Бертраном Дебьером, пояснил он. И заверил, что это займет совсем немного времени.

Ничего не поделаешь, пришлось согласиться. Когда они вышли на лестницу, лондонец заговорил снова.

— Похоже,— сказал он,— Генри Мулен держит свою дочь Синтию взаперти у себя дома. Мисс Бруар, вы не знаете, как давно?

Рут продолжала подниматься, притворяясь, будто не слышит.

Но Сент-Джеймс был неумолим.

— Мисс Бруар?

Направляясь по коридору к кабинету брата, она торопливо ответила:

— Понятия не имею,— и порадовалась, что день снаружи такой мрачный, а темнота в коридоре скрывает выражение ее лица.— Я взяла себе за правило не совать свой нос в дела моих сограждан, мистер Сент-Джеймс.

— Так что никакого кольца в его каталоге не оказалось,— сказал Чероки Ривер сестре.— Но это не означает, что кто-то не свистнул его без ведома владельца. Он говорит, что Адриан, Стив Эббот и парень по фамилии Филдер бывали у него в разное время.

Чайна покачала головой.

— Кольцо с пляжа – мое. Я знаю это. Я это чувствую. А вы нет?

— Не говори так,— сказал Чероки.— Должно быть какое-то другое объяснение.

Все трое собрались в доме королевы Маргарет, где Дебора и Чероки застали Чайну в спальне у окна, куда она принесла из кухни стул с решетчатой спинкой. В комнате было ужасно холодно, и все из-за распахнутого настежь окна, из которого, точно картина в раме, был виден замок Корнет.

— Я подумала, что пора привыкать смотреть на мир из маленькой квадратной комнаты с крошечным окошком,— с кислой улыбкой пояснила Чайна, когда они нашли ее.

На ней не было ни пальто, ни свитера. Казалось, даже мурашки на ее коже тоже покрылись мурашками от холода, но она, похоже, ничего не замечала.

Дебора сняла с себя пальто. Ей хотелось утешать подругу с энтузиазмом Чероки, но она боялась дать ей ложную надежду. Открытое окно было хорошим предлогом, чтобы уйти от обсуждения туч, сгущающихся над головой Чайны.

— Ты совсем замерзла. Надень это.

Дебора накинула свое пальто ей на плечи.

Чероки наклонился над ними и закрыл окно.

— Давай уведем ее отсюда,— сказал он и кивнул в сторону гостиной, где было ненамного теплее.

Когда они усадили Чайну и Дебора закутала ее ноги одеялом, Чероки сказал:

— Знаешь, тебе надо лучше о себе заботиться. Мы можем для тебя кое-что сделать, но тут все зависит только от тебя самой.

— Он думает, что я это сделала, правда? — обратилась Чайна к Деборе.— Он не пришел потому, что думает: это сделала я.

— О чем ты...— начал было Чероки.

Но Дебора все поняла и перебила его:

— Не в этом дело. Просто Саймон все время собирает улики. И ему нужно сохранять непредубежденный взгляд на вещи. Именно этим он сейчас и занят. Сохраняет непредубежденность.

— Почему же он тогда не заходит сюда? Я бы хотела, чтобы он пришел. Если бы он зашел, если бы мы встретились и поговорили... Я бы все ему объяснила.

— Ты не обязана ничего ему объяснять,— сказал Чероки,— ведь ты ничего никому не сделала.

— Это кольцо...

— Оно оказалось там. На пляже. Просто взяло да и оказалось. Если оно принадлежит тебе и ты не помнишь, чтобы оно лежало в твоем кармане, когда ты спускалась посмотреть бухту, значит, тебя подставили. И точка.

— И зачем я только его купила.

— Да уж, черт побери. Чертовски верно. О господи, я уж думал, с Мэттом покончено. Ты же сказала, что вы с ним все обсудили.

Чайна посмотрела на Чероки таким долгим немигающим взглядом, что тот не выдержал и отвернулся.

— Я же не ты,— сказала она наконец.

Во фразах, которыми обменялись брат и сестра, Деборе почудился какой-то тайный смысл. Чероки забеспокоился и стал переминаться с ноги на ногу, провел пятерней по волосам и сказал:

— Черт. Чайна, хватит.

Чайна заговорила с Деборой:

— Чероки еще не бросил серфинг. Ты это знаешь, Дебс?

— Он говорил о серфинге, но я не поняла, катается он еще или нет...

Голос Деборы замер. На уме у подруги явно было что-то другое.

— Мэтт его научил. Так они и подружились. У Чероки не было доски, но Мэтт давал ему уроки на своей. Сколько тебе тогда было лет? — спросила Чайна у брата.— Четырнадцать?

— Пятнадцать,— промямлил он в ответ.

— Пятнадцать. Верно. Но доски у тебя не было.— И она снова повернулась к Деборе: — А без доски как следует не научишься. Нельзя все время брать у кого-то взаймы, потому что тренироваться надо постоянно.

Чероки подошел к телевизору и взял пульт. Покрутил его в руках и направил на экран. Включил и тут же выключил.

— Чайна, хватит,— попросил он.

— До Мэтта у Чероки не было друзей, но их дружба кончилась после того, как мы с Мэттом сблизились. Меня это опечалило, и однажды я спросила у Мэтта, почему так получилось. Он ответил, что отношения между людьми иногда меняются, и ничего больше не сказал. Я подумала, что дело, наверное, в разных интересах. Мэтт с головой ушел в режиссуру, ну а Чероки вел себя, как и полагается Чероки: то играл в группе, то вдруг заделывался пивоваром. А то вешал людям на уши лапшу с этими индейскими артефактами. Мэтт взрослеет, решила я, а Чероки хочет навсегда остаться девятнадцатилетним. Но с дружбой никогда не бывает так просто, верно?

— Ты хочешь, чтобы я оставил тебя в покое? — спросил Чероки сестру.— Я могу, ты знаешь. Вернусь в Калифорнию. А мама приедет. Будет с тобой вместо меня.

— Мама? — Чайна приглушенно хохотнула.— Только этого мне не хватало. Так и вижу, как она роется во всех углах этой квартиры, не говоря уже о моей одежде, выбрасывая прочь все, что имеет хотя бы отдаленное отношение к животным. Следит за тем, чтобы я не забывала принимать витамины и есть тофу. Проверяет, на самом ли деле рис коричневый, а хлеб зерновой. Очень мило. Толку никакого, зато веселья — хоть отбавляй.

— Тогда чего ты хочешь? — с отчаянием в голосе спросил Чероки.— Чего? Скажи.

Они смотрели друг на друга, причем Чероки стоял, а его сестра — сидела, и все же он казался маленьким по сравнению с ней. Дебора подумала, что дело, наверное, в характере Чайны, который делал ее более значительной фигурой, чем ее брат.

— Ты будешь делать то, что должен,— сказала она ему.

Он первым не выдержал и отвел глаза, а она продолжала держать его на мушке своего взгляда. Пока они молчали, Дебора задумалась о природе отношений брата и сестры. Для нее понять происходящее между детьми одних родителей было все равно что начать дышать жабрами.

По-прежнему не сводя с брата глаз, Чайна обратилась к подруге:

— Дебс, тебе никогда не хотелось повернуть время вспять?

— По-моему, этого всем иногда хочется.

— И какое время ты выбрала бы?

Дебора задумалась.

— Была одна Пасха перед тем, как умерла моя мама... На деревенской лужайке давали представление. За пятьдесят пенсов катали на пони, а у меня как раз столько денег и было. Я знала, что если потрачу их, то больше у меня ничего не останется, три минуты верхом на пони, и я банкрот, больше уже ничего купить не смогу. И я никак не могла решиться. Даже взмокла вся и беспокоилась ужасно, боялась, что любое решение, которое я приму, окажется неправильным и я буду несчастна. И тогда мы поговорили об этом с мамой. Она сказала мне, что неправильных решений не бывает. Бывают просто решения и то, чему они нас учат.

Дебора улыбнулась своим воспоминаниям.

— Я бы хотела вернуться в тот день и все прожить сначала. Только чтобы на этот раз она не умирала.

— И что ты сделала? — спросил ее Чероки.— Покаталась на пони? Или нет?

Дебора поразмыслила над вопросом.

— Знаешь, я не помню. Странно, правда? Наверное, пони был не так уж важен для меня, даже тогда. Важно было то, что она мне сказала. Такая уж она была.

— Повезло тебе,— вздохнула Чайна.

— Да,— ответила Дебора.

Тут в дверь постучали, а потом позвонили, очень настойчиво, как им показалось. Чероки пошел посмотреть, кто это.

Он открыл дверь, и на верхней ступени лестницы они увидели двух констеблей в форме: один из них беспокойно озирался, точно проверял, нет ли где засады, а другой похлопывал себя по ладони дубинкой.

— Мистер Чероки Ривер? — спросил констебль с дубинкой.

Он не стал дожидаться ответа, так как, очевидно, знал, с кем говорит.

— Вам придется пройти с нами, сэр.

— Что? Куда? — оторопел Чероки.

Чайна встала.

— Чероки? Что...

Но заканчивать вопрос не было необходимости.

Дебора подошла к ней. Положила подруге руку на талию и спросила:

— Что происходит?

В ответ представители государственной полиции острова Гернси зачитали Чероки Риверу его права.

Они принесли с собой наручники, но надевать их на него не стали. Один сказал:

— Пройдемте, сэр, пожалуйста.

Другой взял Чероки за руку повыше локтя и быстро повел его прочь.

20

В нежилых коттеджах возле мельницы света почти не было, так как Фрэнк не работал в них ни после полудня, ни по вечерам. Но для того чтобы найти нужную вещь среди бумаг в ящике картотеки, ему не нужно было много света. Он знал, где лежит этот единственный документ, и знал его содержание, в чем и заключался весь ужас его положения.

Он потянул его на себя. Хрустящий манильский конверт ласкал пальцы, точно гладкая кожа. Только обтягивала она скелет совсем другого конверта — старого, потрепанного, с обмахрившимися уголками, давно расставшегося со своей металлической застежкой.

В последние дни войны оккупанты страдали спесью почти невероятной, учитывая поражения, которые сыпались на немецкую армию на всех фронтах. На Гернси они сначала даже отказались сдаваться, настолько им не верилось в то, что их планы по завоеванию европейского господства и улучшению человеческой расы ни к чему не привели. Когда генерал-майор Гейне поднялся наконец на борт «Бульдога», корабля британских ВМС, чтобы обсудить условия сдачи, война уже сутки как кончилась и вся Европа праздновала победу.

Не желая терять ни одного козыря из тех, что еще были у них на руках в те последние дни, а также, возможно, стремясь оставить свой след в истории острова, как это делали другие удачливые завоеватели до них, немцы не стали разрушать построенное ими. Часть из того, что они вызвали к жизни, к примеру башни для защиты от ударов авиации, разрушить было просто невозможно. А часть — в том числе и документ, который был сейчас в руке у Фрэнка,— служила немым свидетельством того, что среди островитян нашлись такие, в ком личные интересы возобладали над чувством общности со своим народом и кто притворялся, будто поддерживает немцев. То, что их поддержка была лишь притворством, для оккупантов значения не имело. Неизбежное потрясение, вызванное документом, в котором черным по белому, четким, колючим почерком будет записано все о предательстве,— вот что было для них важно. Проклятием Фрэнка было уважение к истории, которое сначала заставило его поступить в университет, а затем тридцать лет учить равнодушных, в большинстве своем, подростков. То самое уважение, которое внушил ему отец. То самое, которое подвигло его на собирание коллекции, предназначенной для того, чтобы напоминать людям о прошлом, когда его самого не станет.

Он свято верил, что те, кто забывает прошлое, обречены на его повторение. Он давно считал войны и вооруженные столкновения, которые происходили повсюду в мире, следствием того, что человечество так и не выучило главный урок истории: агрессия бесплодна. Всякое вторжение с целью завоевания господства неизбежно ведет к угнетению и затаенной вражде. А она порождает все возможные виды насилия. Единственное, чего она не может породить,— это блага. Фрэнк это знал и пламенно в это верил. Он, словно миссионер, пытался обратить свой маленький мир к знанию, которое его приучили почитать священным, а кафедрой ему служила коллекция военных атрибутов, собранных за многие годы. Пусть она сама говорит за себя, решил он. Пусть люди ее увидят. И пусть никогда не забывают.

Поэтому, как и немцы, он ничего не уничтожил. Он собрал столько разных предметов, что сам давно потерял своим сокровищам счет. Он брал все, что так или иначе относилось к оккупации или войне.

Вообще-то он даже не знал, из чего именно состоит его коллекция. Долгое время он думал о ней в самых общих выражениях. Оружие. Военная форма. Ножи. Документы. Пули. Инструменты. Головные уборы. Только появление в его жизни Ги Бруара все изменило.

«Фрэнк, а ведь это может стать чем-то вроде памятника. И прославить остров и страдания тех, кто жил на нем в войну. Не говоря уже о тех, кто умер».

Вот ведь ирония. В этом и была причина.

Фрэнк подошел с хрупким конвертом к гнилому плетеному стулу. Рядом стоял торшер с линялым абажуром и оборванной бахромой, и Фрэнк, щелкнув выключателем, сел. Желтый луч освещал его колени, на которых лежал конверт, и Фрэнк, поглядев на него с минуту, открыл его и достал оттуда четырнадцать тонких листков.

Из середины стопки он вытянул один. Расправил его у себя на коленях; остальные положил на пол. Напряжение, с которым он рассматривал оставшийся листок, наверняка заставило бы стороннего наблюдателя решить, что он видит его впервые. И что он в нем, собственно, нашел? Неприметный, казалось бы, листочек.

«Шесть колбас,— читал он по-немецки,— одна дюжина яиц, два килограмма муки, шесть килограммов картофеля, один килограмм бобов, двести граммов табака».

Очень простой список, который кто-то сунул в одну стопку вместе со списками других вещей, от бензина до краски. Совсем безобидный документ в общем и целом, который легко могли потерять или положить куда-то еще, и никто бы ничего не узнал. Однако Фрэнку он говорил о многом, в том числе о спеси оккупантов, которые записывали каждый свой шаг, чтобы, когда они победят, не оставить своих пособников без награды.

Если бы не детство и одинокая юность, которые он провел, слушая рассказы о том, как важно все, что имеет хотя бы отдаленное отношение к године испытаний Гернси, он мог бы нарочно заложить этот листок куда-нибудь, и никто бы ничего не узнал. Никто, кроме него самого, и все навсегда осталось бы как было.

Хотя если бы Узли не надумали открыть музей, то эту бумажку, возможно, не увидел бы никто, даже сам Фрэнк. Но стоило им с отцом ухватиться за предложение Ги Бруара построить музей военного времени Грэма Узли во благо и ради просвещения нынешнего и будущего поколений гернсийцев, как начались неизбежные сортировка, просеивание и организация материала. В процессе и всплыл этот список. «Шесть колбас — это в сорок третьем-то году! — одна дюжина яиц, два килограмма муки, шесть килограммов картофеля, один килограмм бобов, двести граммов табака».

Список нашел Ги.

— Фрэнк, что это такое? — спросил он, так как не понимал по-немецки.

Фрэнк, не задумываясь, механически выдал перевод, не вчитываясь в каждую строку и не вдумываясь в то, что за ними стоит. Смысл дошел до него лишь тогда, когда последнее слово — «табак» — сорвалось с его губ. Едва он осознал, что это значит, как тут же посмотрел в начало документа, а потом перевел взгляд на Ги, который по милости немцев лишился семьи, всех родственников и наследства.

— Что ты будешь с этим делать? — поинтересовался Ги.

Фрэнк не ответил.

— Тебе придется решать,— сказал Ги.— Нельзя это так оставить. Господи, Фрэнк, ты ведь не оставишь это так?

Этим и были полны все их последние совместные дни. «Ты поговорил с ним, Фрэнк? Ты намекнул ему?»

Сначала Фрэнк подумал, что теперь, когда Ги больше нет и никто, кроме него, об этом не знает, говорить нет смысла. Он был уверен, что ему и не придется. Но минувший день показал, что он ошибался.

Тот, кто забывает о прошлом, обречен на его повторение.

Фрэнк поднялся на ноги. Положил остальные бумаги в конверт, а конверт вложил в другой, новый. Убрав все в картотеку, он захлопнул ящик и выключил свет. И закрыл за собой дверь.

Вернувшись в свой коттедж, он застал отца спящим в кресле. По телевизору показывали американский детектив:

двое полицейских с надписью «NYPD»* на ветровках замерли с пистолетами перед дверью, готовые вломиться внутрь, чтобы вершить там суд и расправу. В другое время Фрэнк разбудил бы отца и помог ему подняться наверх. Но сегодня он прошел мимо и сам поднялся в спальню, ища одиночества.

На комоде в его комнате стояли две фотографии. На одной были его родители в день своей свадьбы, после войны. На другой Фрэнк с отцом на фоне немецкой башни ПВО в конце рю де ла Прево. Фрэнк не помнил, кто их тогда снимал, зато хорошо помнил тот день. Их долго поливал дождь, но они упорно лезли по крутой тропе вверх, а когда добрались до вершины, на них брызнуло солнце. И Грэм сказал, что их паломничество угодно Богу.

Фрэнк прислонил список из картотеки ко второй фотографии, попятился, словно священник, которому нельзя поворачиваться спиной к освященному хлебу. Протянув назад руку, он нащупал край кровати и опустился на нее. Потом уставился на полупрозрачную бумажку, пытаясь выбросить из памяти вызов, который звучал в том голосе.

«Ты не можешь оставить все как есть».

Он и сам понимал, что не может. Потому что «в этом причина, душа моя».

Фрэнк не много повидал в жизни, но ограниченным человеком он не был. Он знал, что мозг — прелюбопытное устройство, которое, словно кривое зеркало, может искажать воспоминания о том, что причиняет боль. Он может отрицать, переиначивать и забывать. Он может даже создать параллельную вселенную, если надо. Он может придумать отдельную реальность для каждой ситуации, которую ему трудно вынести. И еще Фрэнк знал, что в каждом подобном случае мозг не лжет. Он просто разрабатывает стратегию, которая помогает ему выжить.

Проблемы возникают там, где разработанная стратегия подменяет собой правду, вместо того чтобы на время при-

---

* Департамент полиции Нью-Йорка *(англ.)*.

крыть от нее человека. Когда это происходит, рождается отчаяние. Наступает неразбериха. За которой приходит полный хаос.

Фрэнк понимал, что они балансируют на краю бездны. Время требовало от него действий, но он чувствовал себя неспособным на них. Он отдал жизнь служению химере, и, хотя два месяца прошло с тех пор, как он узнал правду, голова у него все еще кружилась.

Разоблачение сведет на нет полвека преданности, восхищения и веры. Герой превратится в негодяя. Человек закончит свои дни в позоре.

Фрэнк знал, что в его силах это предотвратить. В конце концов, лишь тонкий листок бумаги отделял истину от фантазий старика.

Дверь дома Бертрана Дебьера на Форт-роуд открыла привлекательная беременная женщина. Она сообщила Сент-Джеймсу о том, что ее зовут Каролина и она — жена архитектора. Сам Бертран работал с мальчиками в саду. Он всегда забирал их от нее на время, когда она выкраивала несколько часов для письма. Он всегда с пониманием относился к ее работе, просто образцовый муж. Как и чем она заслужила такое счастье, она и сама не знала.

Каролина Дебьер обратила внимание на свернутые в рулон большие листы бумаги, которые Сент-Джеймс держал под мышкой. И спросила, пришел ли он по делу. Голос ее выдал — ей ужасно хотелось, чтобы это было так. Ее муж прекрасный архитектор, сказала она Сент-Джеймсу. Всякий, кому нужно построить новый дом, обновить или расширить старый, не прогадает, заказав проект Бертрану Дебьеру.

Сент-Джеймс ответил, что пришел получить у мистера Дебьера консультацию касательно уже существующего проекта. Он заходил к нему в офис, но секретарша сказала, что мистер Дебьер ушел. Тогда он заглянул в телефонный справочник и взял на себя смелость посетить архитектора у него дома. И Сент-Джеймс выразил надежду, что не пришел в неподходящее время.

Вовсе нет. Каролина немедленно позовет Бертрана из сада, если мистер Сент-Джеймс согласится немного подождать в гостиной.

Снаружи, из-за дома, донеслись радостные крики. За ними последовал стук: в дерево забивали гвоздь. Услышав это, Сент-Джеймс ответил, что не хотел бы отрывать мистера Дебьера от его настоящих занятий и, если супруга архитектора не возражает, он выйдет к нему и детям в сад.

Каролина Дебьер взглянула на него с облегчением, вне всякого сомнения довольная тем, что ей не придется отрываться от работы и брать на себя присмотр за детьми. Она показала Сент-Джеймсу дверь в сад и предоставила самому знакомиться с ее мужем.

Бертран Дебьер оказался одним из тех двоих мужчин, которые в день похорон Ги Бруара отделились от траурной процессии и затеяли оживленную дискуссию возле оранжереи в Ле-Репозуаре. Это был не человек, а ходячий подъемный кран: высокий и угловатый до карикатурности, словно какой-нибудь диккенсовский персонаж; в данный момент он сидел на нижней ветке сикомора, где сколачивал основание того, что, вероятно, должно было стать древесным домом для его сыновей. Их было двое, и они оказывали ему всяческую помощь, которой только можно ожидать от малых детей. Старший мальчик передавал отцу гвозди, лежавшие в поясной сумке, перекинутой через плечо, а младший колотил пластмассовым молотком по стволу дерева и по своим ляжкам, напевая: «Забиваем, прибиваем», чем нисколько не помогал отцу.

Дебьер заметил Сент-Джеймса, который шел к ним через лужайку, но сначала закончил забивать гвозди и только тогда обратил на него внимание. Сент-Джеймс видел, что взгляд архитектора привлекла прежде всего его хромота и ее причина: ножная скоба, поперечная планка которой проходила через каблук его ботинка, но потом он, как и его жена, взглянул на бумаги под мышкой гостя и забыл обо всем остальном.

Дебьер спустился с дерева и сказал старшему мальчику:

— Берт, уведи брата в дом, пожалуйста. Мама даст вам печенья. Только смотрите, все не съешьте. А то к чаю ничего не останется.

— Какое печенье, лимонное? — спросил старший мальчик.— Мама испекла лимонное печенье, пап?

— Думаю, да. Вы же его просили.

— Лимонное печенье! — выдохнул Берт в лицо брату.

Обещанное угощение заставило мальчишек побросать все, чем они занимались, и бежать к дому с криками:

— Мама! Мам! Мы хотим печенья! — положив тем самым конец ее уединению.

Дебьер с нежностью наблюдал за ними, потом наклонился, чтобы подобрать сумку с гвоздями, которую второпях скинул с себя Берт, рассыпав по траве половину ее содержимого.

Пока хозяин собирал гвозди, Сент-Джеймс представился и объяснил ему, какое отношение он имеет к Чайне Ривер. Он приехал на Гернси по просьбе брата обвиняемой, и полиция в курсе того, что он проводит независимое расследование по ее делу, сказал он Дебьеру.

— Какое еще расследование? — спросил тот.— Полиция арестовала убийцу.

Сент-Джеймсу не хотелось вдаваться в разговоры о вине или невиновности Чайны Ривер. Вместо этого он указал на сверток с чертежами у себя под мышкой и спросил архитектора, не откажется ли он на них взглянуть.

— Что это?

— Чертежи проекта, который выбрал мистер Бруар. Для музея военного времени. Вы ведь их еще не видели, правда?

Дебьер ответил, что видел то же, что и остальные гости на вечеринке Бруара: подробный чертеж в трех измерениях, который представлял видение проекта американским архитектором.

— Полная бессмыслица,— прокомментировал Дебьер.— Даже не знаю, о чем Ги думал, когда выбирал такое. С тем же успехом в качестве музея на Гернси можно было поставить космический корабль. Громадные окна по всему фасаду. Потолки как в церкви. Такое здание ни за какие деньги не обогреешь. Да и, судя по его виду, оно так и просится на какой-нибудь утес с видом на океан.

— Тогда как для музея выбрали...

— Участок в переулке, где церковь Спасителя, прямо рядом со входом в подземные тоннели. А оттуда до ближайшего утеса и морского берега вообще так далеко, что дальше на этом острове не бывает.

— И какой оттуда вид?

— Никакой. Если, конечно, вы не любитель автостоянок.

— А с мистером Бруаром своими опасениями вы поделились?

Лицо Дебьера приняло настороженное выражение.

— Я говорил с ним.

Он подкинул сумку с гвоздями на ладони, точно прикидывая, стоит ли ему снова забираться на дерево и продолжать работу над домом. Взгляд, брошенный на небо, где догорали последние остатки дня, решил дело в пользу приостановки строительства. Дебьер принялся собирать доски, которые разложил перед этим на траве под деревом. Он уносил их в дальний конец лужайки, где аккуратно складывал на синий кусок полиэтилена.

— Мне сказали, что дело между вами зашло несколько дальше разговоров,— сообщил Сент-Джеймс.— Вы с ним, по-видимому, ссорились. Сразу после фейерверков.

Дебьер не отвечал. Он продолжал сносить деревяшки в кучу, просто образцовый дровосек, выполняющий приказ волшебника. Покончив с этим, он тихо сказал:

— Это я д-д-должен был получить чертов заказ. Все это знали. Поэтому когда его п-п-получил кто-то другой...

Вернувшись к сикомору, где ждал его Сент-Джеймс, Дебьер оперся одной рукой на пестрый ствол дерева. Подождал с минуту, словно борясь с внезапно возникшим заиканием.

— Дом на дереве,— сказал он наконец, словно смеясь над самим собой.— Вот все, чего я оказался достоин. Дурацкий дом на дереве.

— Мистер Бруар обещал, что заказ получите вы? — спросил его Сент-Джеймс.

— Вы имеете в виду, говорил ли он об этом открыто? Нет. Это б-б-б...— Его лицо приобрело болезненное выражение.— Это было не в его правилах. Он никогда не давал обещаний. Он только предлагал. Подсказывал возможности. Сделай вот это, друг мой, а там, глядишь, и получится.

— Что это значило в вашем случае?

— Независимость. Собственную фирму. Не быть больше ничьим подручным или рабочей пчелой, трудящейся ради чьей-то славы, но воплощать свои собственные идеи в собственном пространстве. Он знал, что я к этому стремлюсь, и поощрял мои стремления. Ведь он же стал предпринимателем, в конце концов. Почему бы и нам не сделать то же самое?

Дебьер взглянул на кору сикомора и горько усмехнулся.

— Вот почему я ушел на вольные хлеба и основал свою фирму. Он рисковал в своей жизни не раз, думал я. И я тоже рискну. Конечно, мне было не так тяжело решиться, ведь я думал, что мне гарантирован крупный заказ.

— Вы говорили ему, что не позволите вас разорить,— напомнил Сент-Джеймс.

— Это тоже из подслушанного на вечеринке,— отреагировал Дебьер.— Я не помню, что тогда говорил. Помню только, что подошел к рисунку и рассмотрел его внимательно, вместо того чтобы пускать над ним слюни, как все остальные. Я видел, что в нем все не так, и не мог понять, почему Ги выбрал его, хотя он говорил... говорил, что... одним словом, он почти обещал. И я помню, что я п-п-почувствовал...

Он замолчал. Его пальцы так стиснули ветку дерева, что костяшки побелели.

— А что будет теперь, после его смерти? — спросил Сент-Джеймс.— Музей все-таки построят?

— Я не знаю,— сказал он.— Фрэнк Узли говорил, что в завещании о музее ничего не сказано. Не могу себе представить, чтобы Адриан дал денег на строительство, так что остается только Рут, если, конечно, она захочет этим заниматься.

— Рискну предположить, что ее можно уговорить на это.

— Ги ясно давал понять, что придает музею большое значение. И поверьте мне, ей это известно без подсказок.

— Я не имел в виду уговаривать ее строить музей,— сказал Сент-Джеймс.— Я имел в виду, что ее можно уговорить вернуться к вашему проекту. То есть сделать то, от чего отказался, по-видимому, ее брат. Вы с ней говорили? Собираетесь поговорить?

— Собираюсь,— ответил Дебьер.— Мне выбирать не из чего.

— Почему это?

— А вы оглянитесь вокруг, мистер Сент-Джеймс. У меня двое ребятишек, третий на подходе. Жена, которую я уговорил бросить работу и засесть за роман. Заложенный дом и новый офис на Тринити-стрит, где сидит секретарша, которая хочет время от времени получать зарплату. Мне нужен заказ, а у меня его нет... Поэтому я буду разговаривать с Рут. Да. Я постараюсь доказать ей мою правоту. И сделаю для этого все возможное.

Вероятно, осознав, какое множество значений можно извлечь из его последнего утверждения, он поспешно отошел от дерева и вернулся к кучке строительного материала на краю лужайки. Синим полиэтиленом он накрыл деревяшки со всех сторон, в результате чего обнаружилась лежащая под ними веревка. Взяв ее, он обвязал получившуюся стопку для лучшей защиты от дождя и принялся собирать инструменты.

Когда он подобрал молоток, гвозди, уровень и рулетку и понес их в симпатичный сарайчик на краю сада, Сент-Джеймс последовал за ним. Дебьер положил инструменты на верстак, и на нем же Сент-Джеймс развернул принесенные им из Ле-Репозуара чертежи. Он пришел сюда для того, чтобы увидеть, годятся ли придуманные Генри Муленом замысловатые окна для здания, проект которого предпочел Ги Бруар, но теперь он понял, что не только для стекольщика участие в музейном проекте было делом первостатейной важности.

— Вот то, что прислал мистеру Бруару архитектор из Америки. К сожалению, я ничего не понимаю в архитектуре и чертежах. Не могли бы вы взглянуть на них и сообщить мне ваше мнение? Здесь, по-моему, несколько разных проектов.

— Я вам уже все сказал.

— Когда вы на них посмотрите, вам, может быть, будет что добавить.

Листы были крупными, больше ярда в длину и столько же в ширину. Дебьер вздохнул, обозначив тем самым свое согласие посмотреть чертежи, и потянулся за молотком, чтобы прижать им край.

Светокопий среди чертежей не оказалось. Как заметил Дебьер, светокопии давно отправились следом за копировальной бумагой и пишущими машинками. Лежавшие перед ними черно-белые листы выглядели так, словно вышли из какого-то гигантского ксерокса, и, перелистывая их, Дебьер рассказывал Сент-Джеймсу, что они собой представляли: схематические планы каждого этажа; строительные документы, где были особо отмечены потолок, электропроводка, водопровод, строительные секции; план местности с указанием того, где будет находиться здание; рисунок здания в целом.

Перелистывая их, Дебьер качал головой и шептал: «Смешно» и «О чем этот идиот думал?» — указывая на смехотворных размеров комнатки здания. «Как,— вопрошал он, тыкая в одну из них отверткой,— здесь можно разместить галерею? Или зал для экспонатов? Для чего это вообще предназначено? Вы только посмотрите. Три человека здесь разместятся с комфортом, но не более. Камера какая-то, а не комната. И они все такие».

Сент-Джеймс всмотрелся в план-схему, в которую тыкал Дебьер. Заметив, что на чертеже нет ни одной надписи, он спросил архитектора, всегда ли так бывает.

— Разве архитектор не должен подписывать, какая комната для чего? Почему же тогда здесь ничего нет?

— Да кто его знает,— пренебрежительно отозвался Дебьер.— Работали спустя рукава, в этом все дело. Ничего удивительного, раз он умудрился сдать проект, даже не побывав на площадке. Да вы вот сюда взгляните...

Он вытащил один лист и положил его поверх остальных. Постучал по нему отверткой.

— Что это, двор с бассейном, что ли? Жаль, не доведется поговорить с этим болваном. Он, наверное, всю жизнь проектировал дома в Голливуде и считает, что дом нельзя назвать домом, если двадцатилетним красоткам негде погреть задницы на солнышке. Полное пренебрежение к экономии пространства. И вообще весь проект — сплошная катастрофа. Я удивлен, что Ги...

Он нахмурился и вдруг склонился над чертежом, пристально в него вглядываясь. Похоже, он что-то искал, но это что-то явно не было частью строения, так как он изучал не сам чертеж, а углы листа и, не найдя там необходимой детали, просмотрел все края. Со словами «чертовски странно» он сдвинул верхний лист в сторону и взглянул на следующий под ним. Потом на следующий и на следующий. Наконец он поднял голову.

— В чем дело? — спросил Сент-Джеймс.

— Здесь должны быть водяные знаки,— ответил Дебьер.— На всех листах. Но их нет.

— Что это значит?

Дебьер указал на чертежи.

— Когда работа закончена, архитектор ставит на чертежах водяные знаки и свою подпись.

— Это формальность?

— Нет. Без этого нельзя. Иначе чертежи не признаются законными. Чертежи без подписи и печати не одобрит ни комиссия по планировке, ни комиссия по застройке, и, разумеется, не найдется ни одного подрядчика, который согласится строить по ним.

— А если они незаконные, то какие же тогда? — спросил архитектора Сент-Джеймс.

Дебьер еще раз посмотрел на чертежи. Потом снова на Сент-Джеймса.

— Краденые,— ответил он.

Оба в молчании разглядывали чертежи, схемы и рисунки, разбросанные по верстаку. Где-то хлопнула дверь, и до них донесся голос:

— Папа! Мама сделала тебе песочное печенье.

Дебьер вздрогнул. Его наморщенный лоб указывал на то, что архитектор пытается понять непонятное: огромное количество приглашенных, праздник в Ле-Репозуаре, объявление о начале удивительного проекта, грандиозный фейерверк, приглашены все первые лица острова, репортажи в газетах и на телевидении.

Его сыновья продолжали кричать: «Папа! Папа! Иди пить чай!» — но Дебьер их, похоже, не слышал. Он шептал:

— Что же он хотел делать?

Сент-Джеймс подумал, что ответ на этот вопрос может пролить свет и на загадочное убийство.

Найти стряпчего — Маргарет Чемберлен отказывалась думать о нем как об адвокате и называть его так, поскольку в ее намерения входило прибегнуть к его услугам лишь на такой срок, который понадобится, чтобы обстряпать дело о лишении нежданно-негаданно возникших наследников ее бывшего мужа их доли наследства,— оказалось довольно просто. Оставив «рейнджровер» на автостоянке отеля «Эннсплейс», Маргарет и ее сын спустились с одного холма и поднялись на другой. По пути они миновали здание королевского суда, и Маргарет лишний раз убедилась в том, что юристы в этой части города кишмя кишат. По крайней мере, Адриан был в этом уверен. Сама она вновь была бы вынуждена обратиться к телефонному справочнику и карте Сент-Питер-Порта. Ей пришлось бы звонить по телефону и объяснять свое дело заочно, не видя обстановки, в которой принимают ее звонок. Но с Адрианом звонить вообще не было нужды. Она могла штурмовать любую цитадель по своему выбору и нанимать того юриста, который покажется ей наиболее подходящим для ее целей.

В конце концов ее выбор пал на контору Гиббса, Грирсона и Годфри. Три «Г» в одном названии раздражали, зато входная дверь производила впечатление, а надпись на медной табличке, сделанная четкими буквами, наводила на мысль о беспощадности, которая как раз и была нужна Маргарет. Поэтому, не тратя времени на предварительную запись, она вошла и спросила, можно ли видеть кого-нибудь из персонажей, чьими именами называлась контора. Задавая этот вопрос, она задушила в себе желание приказать Адриану встать прямо, сочтя, что рукопашной с этим хулиганом Полом Филдером, в которую он бросился ради ее спокойствия и безопасности, было вполне достаточно.

Как назло, никого из отцов-основателей в конторе в тот день не оказалось. Один года четыре тому назад умер, а двое других отсутствовали по каким-то архиважным адвокатским делам, сообщил им клерк. Но кто-нибудь из младших адвокатов наверняка примет миссис Чемберлен и мистера Бруара.

Маргарет пожелала узнать, что значит «младшие адвокаты».

Ее стали убеждать, что это просто такое выражение.

Младший адвокат оказался младшим только по названию. На самом деле это была женщина средних лет по имени Джудита Краун — мисс Краун, как представилась она им,— с большой бородавкой под левым глазом и несильным запахом изо рта, вызванным, вероятно, недоеденным бутербродом с салями, который лежал на бумажной тарелочке на ее столе.

Пока Адриан слонялся поблизости, Маргарет изложила причину своего прихода: сын, которого обманом лишили наследства, и само наследство, похудевшее по меньшей мере на три четверти.

Мисс Краун сообщила — слишком высокомерно, с точки зрения Маргарет,— что миссис Чемберлен ошибается, такого просто не может быть. Если бы мистер Чемберлен...

Мистер Бруар, перебила ее Маргарет. Мистер Бруар из Ле-Репозуара, приход Святого Мартина. Она — его бывшая жена, а это их сын, Адриан Бруар, старший и единственный наследник мистера Ги Бруара, добавила она с нажимом.

Маргарет была отомщена, увидев, как встрепенулась мисс Краун и как взяла себе этот факт на заметку, пусть даже мысленно. Веки адвокатессы за стеклами очков в золотой оправе чуть заметно дрогнули. Она взглянула на Адриана с интересом. На мгновение Маргарет даже почувствовала благодарность Ги за его вечную тягу к успеху. По крайней мере, имя свое он прославил, и слава эта распространялась и на его сына.

Маргарет изложила мисс Краун ситуацию: состояние поделено на две половины, одну из которых наследуют брат и две сестры, а другую — двое совершенно незнакомых, можно даже сказать, абсолютно чужих людей в лице местных тинейджеров, практически не известных никому из членов семьи. С этим надо что-то сделать.

Мисс Краун покивала, точно мудрая сова, и стала ждать продолжения. Но Маргарет молчала, и тогда она спросила, участвует ли сама бывшая жена в дележе наследства супруга. Нет? Ну тогда,— тут она сложила на столе руки, а губами изобразила ледяную вежливую улыбку,— в завещании нет ничего необычного. Согласно законам острова Гернси, собственность может передаваться по наследству. Половина отходит законным отпрыскам завещателя. В случае отсутствия действительного супруга или супруги вторая половина распределяется в соответствии с волей завещателя. Судя по всему, джентльмен, о котором идет речь, именно так и поступил.

Тут Маргарет ощутила, как Адриан рядом с ней беспокойно завозился, зашарил по карманам и вытащил книжечку со спичками. Она подумала, что он решил закурить, несмотря на отсутствие в комнате пепельницы, но он принялся краем книжки чистить у себя под ногтями. Мисс Краун при виде этого прямо передернуло от отвращения.

Маргарет хотела прикрикнуть на сына, но ограничилась тем, что наступила ему на ногу. Он отодвинулся. Она откашлялась.

Деление наследства согласно завещанию — не единственное, что ее волнует, объяснила она юристу. Гораздо важнее прояснить, куда девалось все то, о чем ни слова не сказано в завещании и что должно составлять основную часть наследства, кто бы его ни получил. В завещании не упомянуто само поместье — дом, его внутреннее убранство и земля, на которой стоит Ле-Репозуар. В нем также не упомянута многочисленная собственность Ги в Испании, Англии, Франции, на Сейшелах и бог знает где еще. В нем не сказано, в чье владение передаются автомобили, яхты, самолет, вертолет, и ни словом не упоминаются миниатюры, статуи, серебряные предметы, картины и монеты, которые долгие годы коллекционировал Ги. Наверняка все это каким-то образом должно отразиться в завещании человека, который был успешным предпринимателем и несколько раз за свою жизнь становился мультимиллионером. Тем не менее его завещание включало в себя только один депозит, один текущий счет и один инвестиционный счет. Как считает уважаемая мисс Краун, произнесла Маргарет с особым нажимом на слове «считает», чем это можно объяснить?

Мисс Краун задумалась и секунды через три спросила, насколько Маргарет уверена в том, что факты именно таковы, как она их излагает. На что Маргарет возмущенно ответила, что она абсолютно уверена и у нее нет привычки бегать по стряпчим...

— Адвокатам,— мурлыкнула мисс Краун.

...не убедившись предварительно, что факты именно таковы, как она их излагает. Как она и говорила с самого начала, по меньшей мере треть собственности Ги Бруара отсутствует, и она намерена разобраться в этом ради Адриана Бруара, наследника, старшего сына, единственного сына его отца.

Тут Маргарет взглянула на Адриана, надеясь услышать хоть слово одобрения или поддержки. Но тот положил лодыжку левой ноги на колено правой, показав при этом изрядный кусок плоти, бледной, как рыбье брюхо, и промолчал. Мать отметила, что он забыл надеть носки.

Джудита Краун взглянула на мертвенно-бледную ногу своего потенциального клиента и тактично воздержалась от содрогания. Обратив все свое внимание на Маргарет, она сказала, что если миссис Чемберлен подождет немного, то она поищет то, что, по ее мнению, сможет им помочь.

Спинной хребет, вот что нам поможет, подумала Маргарет. Будь у Адриана настоящий хребет, а не лапша, все было бы совсем иначе. Но адвокату она сказала: да-да, конечно, все, что может оказаться полезным в их ситуации, они с радостью примут, и если у мисс Краун много своих клиентов, то, может быть, она соблаговолит порекомендовать...

Пока Маргарет произносила эту тираду, мисс Краун вышла. Она бесшумно прикрыла за собой дверь, и почти сразу Маргарет услышала в приемной ее голос:

— Эдвард, где у нас то истолкование «Retrait Linager», которое мы рассылаем клиентам?

Ответ клерка она не расслышала.

Воспользовавшись наступившей паузой, Маргарет прошипела сыну:

— Ты мог бы и поучаствовать. Мог бы и помочь матери.

Некоторое время тому назад, в кухне Ле-Репозуара, она подумала, что ее сын перевернул страницу. Он схватился с Полом Филдером, как человек, который своего не упустит, и она почувствовала, как в ней расцветает надежда... преждевременно, судя по всему. Лепестки опали, не успев раскрыться.

— Мог хотя бы сделать вид, что собственное будущее тебе небезразлично,— добавила она.

— В этом смысле мне за тобой не угнаться, мама,— был его лаконичный ответ.

— Ты меня просто бесишь. Ничего удивительного, что твой отец...

Она замолчала.

Он склонил голову к плечу и сардонически улыбнулся. Но сказать ничего не успел, так как в кабинет вошла Джудита Краун. В руке она держала несколько отпечатанных листков. В них, объяснила она, содержалось истолкование законов «Retrait Linager».

Маргарет интересовало только одно: согласится или не согласится адвокат заняться ее делом, чтобы она, в свою очередь, могла заниматься своим. У нее были большие планы, но рассиживаться по конторам стряпчих да читать истолкования всяких путаных статутов в них не входило. Тем не менее она взяла из рук женщины предложенные листки и полезла в сумку за очками. Пока она занималась этим, мисс Краун объяснила Маргарет и ее сыну особенности закона, который регулировал владение большим поместьем или его продажу на острове Гернси.

Здесь, в отличие от других островов пролива, закон не позволяет людям оставлять своих отпрысков без наследства, сказала она. Более того, здесь нельзя даже продать свою собственность до кончины и надеяться обмануть закон таким способом. Если родитель задумал продать свое поместье, то дети имеют первостепенное право на его приобретение и по той цене, которую за него просит продавец. Но конечно, если они не могут себе такого позволить, то родитель вправе продавать, сколько ему угодно, а также отдавать деньги на сторону или тратить иным способом до смерти. Однако и в том и в другом случае родителю надлежит сначала уведомить своих детей о намерении продать то, что в противном случае составило бы часть их наследства. Совокупность этих мер обеспечивала удержание земельной собственности в пределах одной семьи, при условии, конечно, что семья располагала достаточными средствами, чтобы владеть ею.

— Насколько я понимаю, ваш отец не проинформировал вас о намерении продать поместье до своей смерти,— обратилась мисс Краун прямо к Адриану.

— Разумеется нет! — сказала Маргарет.

Мисс Краун ждала, когда Адриан подтвердит ее заявление. Она сказала, что если дело и вправду обстоит именно так, то отсутствие большой части наследства можно объяснить только одним обстоятельством. Очень простым, кстати.

— А именно? — вежливо поинтересовалась Маргарет.

А именно, что мистер Бруар никогда и не владел той частью собственности, которая, как все считали, ему принадлежит, ответила адвокатесса.

Маргарет уставилась на нее.

— Абсурд какой-то,— сказала она.— Конечно владел. Он владел этим поместьем много лет. И им, и всем остальным. Оно принадлежало ему. Слушайте. Он не был ничьим арендатором.

— Ничего подобного я не утверждаю,— ответила мисс Краун.— Я просто хочу сказать, что все, считавшееся его собственностью, все, приобретенное им за свою жизнь или, по крайней мере, за годы, проведенные на острове, на самом деле приобреталось им для кого-то другого. Или кем-то другим по его указке.

Выслушав это, Маргарет почувствовала, как к ней подступает ужас, который она не хотела даже признавать, а тем более смотреть ему в лицо.

— Это невозможно! — услышала она собственный хрип и тут же почувствовала, как ее бросило вперед, словно ей объявили войну собственные ноги. Не успев опомниться, она уже нависла над столом адвоката, дыша той в лицо.— Да вы с ума сошли, слышите? Вы спятили. Да знаете ли вы, кто он был такой? Вы хотя бы представляете, во что оценивалось его состояние? «Шато Бруар» — слышали когда-нибудь такое название? Англия, Шотландия, Уэльс, Франция. Один бог ведает, сколько у него там было отелей! Настоящая империя, вот что это было такое! И кто еще мог ею владеть, как не Ги Бруар?

— Мама...

Адриан тоже поднялся. Маргарет повернулась и увидела, как он набрасывает кожаный пиджак, очевидно собираясь уходить.

— Мы узнали все, что хотели...

— Ничего мы не узнали! — завопила Маргарет.— Твой отец всю жизнь тебя обманывал, и я не позволю ему обмануть тебя еще раз, после смерти! У него были тайные счета и собственность, не упомянутая в завещании, и я намерена до нее докопаться. Я намерена передать их тебе, и ничто — слышишь, ничто! — меня не остановит.

— Он обхитрил тебя, мама. Он знал...

— Нет, не знал. Ничего он не знал.

И она снова накинулась на адвокатессу, как будто это Джудита Краун нарушила ее планы.

— Тогда кто? — потребовала она ответа.— Кто? Одна из его мелких шлюх? Вы это хотите сказать?

Мисс Краун, похоже, понимала, о чем говорит Маргарет, потому что ответила:

— Это был кто-то, кому он мог доверять, как я считаю. Доверять беспредельно. Человек, который поступил бы с этой собственностью так, как хотел бы он, невзирая на то, кому она принадлежит формально.

Естественно, это могла быть только она. Маргарет поняла это, еще не услышав имени, и ей показалось, будто она знала это с самого начала, еще с тех пор, когда услышала завещание. Во всем божьем свете был только один человек, которому Ги мог доверить все свои приобретения и который хранил бы их сколь угодно долго, а в момент своей смерти, или раньше, если того потребуют обстоятельства, распорядился бы ими согласно его воле.

И почему она раньше об этом не подумала, удивлялась Маргарет.

Ответ был прост. Она не подумала об этом потому, что не знала закона.

Вспыхнув с головы до пят, она вылетела из конторы на улицу. Но поражения не признала. Она еще поборется, и ее сын должен это знать. И она повернулась к нему.

— Мы поговорим с ней немедленно. Она твоя тетка. И она знает, что правильно, а что нет. И если несправедливость того, что было сотворено у нее на глазах, еще не дошла до нее... Он всегда был для нее божеством, не больше и не меньше... А он был безумцем и скрывал это от нее. Он скрывал это от всех, но мы докажем...

— Тетя Рут знала,— без всякого выражения ответил Адриан.— Она знала, чего он хочет. И поддерживала его.

— Не может быть!

Маргарет вцепилась в его руку с силой, которая должна была заставить его понять и увидеть. Пора ему препоясать свои жалкие чресла и отправиться на бой, а если он сам не в силах, то она его заставит.

— Он должен был сказать ей...

«О чем? — спросила она себя.— Что такое мог Ги сказать своей сестре, чтобы заставить ее поверить: все его дела делаются для их же блага — его, ее, его детей и всех остальных? Что он ей сказал?»

— Дело сделано,— возразил Адриан.— Завещания не изменишь. И того, как он его обставил, тоже. Мы вообще ничего не можем сделать, только оставить все как есть.

Он сунул руку в карман пиджака и снова вытащил оттуда спички, но на этот раз вместе с пачкой сигарет. Закурив, он усмехнулся, хотя в выражении его лица ничего веселого не было.

— Добрый старый папик,— сказал он, качая головой.— Всех нас урыл.

От его бесстрастного тона Маргарет содрогнулась. И решила попробовать иначе.

— Адриан, Рут — добрая душа. У нее чистое сердце. Если бы она только знала, как тебе больно...

— Мне не больно.

Краем большого пальца Адриан снял с языка табачную крошку, осмотрел ее со всех сторон и щелчком сбросил на землю.

— Не говори так. Зачем постоянно притворяться, будто...

— Я не притворяюсь. Мне не больно. С чего бы? И потом, ну, чувствовал бы я себя задетым, какое бы это имело значение? Ровным счетом никакого.

— Как ты можешь так говорить? Она твоя тетя. Она тебя любит.

— Она была там,— сказал Адриан.— Она в курсе его намерений. И поверь мне, ни на миллиметр от них не отступит. Особенно теперь, когда она знает, что он хотел извлечь из этой ситуации.

Маргарет нахмурилась. «Она была там». Где? Когда? Из какой ситуации?

Адриан зашагал прочь. Подняв для защиты от холода воротник, он шел в направлении здания королевского суда. Маргарет сразу поняла, что он просто избегает ее расспросов, и насторожилась. Проклятый страх тоже поднял голову. Нагнав сына в одном футе от военного мемориала, она атаковала его прямо под суровым взглядом меланхолического солдата.

— Не смей от меня так уходить. Мы еще не кончили. Из какой ситуации? Чего ты недоговариваешь?

Адриан отшвырнул свою сигарету в направлении пары десятков мотоциклов, которые нестройными рядами стояли недалеко от мемориала.

— Папа не хотел, чтобы я получил его деньги,— сказал он.— Ни сейчас. Ни после. Тетя Рут это знала. Так что даже если мы обратимся к ней, к ее чувству справедливости или честной игры, как ты говоришь, она прежде всего вспомнит, чего хотел он, и поступит соответственно.

— Как она может знать, чего именно хотел Ги в момент своей смерти? — фыркнула Маргарет.— Я, конечно, понимаю, что она должна была знать это раньше, иначе она не могла бы ему помочь. Но в этом все и дело. Раньше. Он хотел этого раньше. Но люди меняются. Меняются их желания. И поверь мне, твоя тетя Рут все поймет, когда мы объясним ей как следует.

— Нет. Так было не только тогда,— сказал Адриан и начал протискиваться мимо нее к автостоянке, где остался их «рейнджровер».

— Черт! Стой, где стоишь, Адриан.

Ее голос дрогнул, она услышала это, разозлилась и обратила свое раздражение на сына.

— Нам надо составить план и выработать правильный метод атаки. Твой отец заварил эту кашу и хотел, чтобы мы, как полагается добрым христианам, подставили вторую щеку, а я говорю тебе — этого не будет. Насколько мы можем судить, в один прекрасный день он в припадке злости сговорился с Рут, а после пожалел об этом, но исправить ничего не успел.

Маргарет перевела дыхание и задумалась над сказанным.

— Кто-то узнал об этом,— продолжала она.— В этом все дело. Кто-то узнал, что он собирался все изменить и оставить все тебе, как положено. А значит, Ги следовало убрать.

— Да не собирался он ничего менять,— отмахнулся Адриан.

— Перестань! Откуда ты знаешь...

— Потому что я у него спрашивал, ясно?

Адриан засунул обе руки в карманы, и вид у него стал совсем несчастный.

— Я у него спрашивал,— повторил он.— И она была там. Тетя Рут. В комнате. Она слышала наш разговор. Она слышала, как я его просил.

— О чем? Изменить завещание?

— Дать мне денег. Она все слышала. Я попросил. Он сказал, что у него нет. Столько, сколько мне было нужно. У него столько не было. Я ему не поверил. Мы поругались. Разъяренный, я вышел, а она осталась с ним.

Он посмотрел на мать, лицо его было спокойно.

— Вряд ли они не поговорили об этом после моего ухода, правда? Она могла бы спросить: «Что нам делать с Адрианом?», а он мог бы ответить: «Оставить все как есть».

Для Маргарет его слова были как вой ледяного ветра.

— Ты снова просил у отца? После того, что случилось в сентябре? Ты снова просил у него денег после того, что случилось?

— Просил. И он отказал.

— Когда?

— Перед вечеринкой.

— Но ведь ты говорил мне, что не просил его ни о чем... с прошлого сентября...

Маргарет увидела, как он снова отворачивается от нее, опустив голову, как делал это сотни раз в детстве после очередного поражения или разочарования. В ней они вызывали ярость, но самую сильную ярость вызывал в ней злой рок, который делал жизнь Адриана такой трудной. Однако кроме этой нормальной материнской реакции она испытывала кое-что еще, и это ей совсем не нравилось. Она даже боялась признаться себе в том, что это было.

— Адриан, ты же говорил...

Мысленно она восстановила в памяти хронологию событий. Что он говорил? Что Ги умер до того, как он успел еще раз попросить у него денег, которые были ему необходимы для открытия собственного бизнеса. С доступом через Интернет, в духе будущего. Если бы ему удалось оседлать эту волну, отец смог бы гордиться тем, что дал жизнь такому прозорливому сыну.

— Ты говорил, что у тебя не было возможности попросить у него денег в последний раз.

— Я тебя обманул,— ответил Адриан спокойно.

Он курил новую сигарету и не смотрел на мать.

Маргарет почувствовала, как у нее пересохло в горле.

— Почему?

Он не ответил.

Ей захотелось встряхнуть его. Ей нужно было вытряхнуть из него ответ, потому что, только зная его, она сможет докопаться до правды и понять, с чем имеет дело, чтобы приготовиться к следующему ходу и к тому, что может последовать за ним. Однако помимо внутренней потребности строить планы, подыскивать предлоги и вообще делать что угодно, чтобы сохранить сына в безопасности, Маргарет испытывала другое, более глубокое чувство.

Если он солгал ей о разговоре с отцом, то, может быть, солгал и кое в чем еще.

———

После разговора с Бертраном Дебьером Сент-Джеймс в задумчивости вернулся в отель. Молодая девушка за стойкой портье передала ему записку, но он даже не развернул ее, поднимаясь по лестнице к себе в номер. Он продолжал размышлять о том, с какой стати Ги Бруар пошел на такие жертвы и расходы единственно ради того, чтобы приобрести набор нелегальных документов. Знал он об этом или его одурачил нечистый на руку американский бизнесмен, за его же деньги подсунувший чертежи, по которым нельзя ничего построить, так как они не имеют законной силы? И что вообще такое незаконные архитектурные чертежи? Плагиат? Можно ли украсть идею у архитектора?

У себя в номере он сразу подошел к телефону, достав из кармана бумажки с информацией, полученной раньше от Рут и детектива Ле Галле. Найдя среди них номер Джима Варда, он набрал его, приводя в то же время свои мысли в порядок.

В Калифорнии было еще утро, и архитектор, судя по всему, только приехал в офис. Женщина, которая сняла трубку, сказала:

— Он как раз входит... Мистер Вард, тут вас спрашивает кто-то с клевым акцентом...— и снова в телефон: — Так откуда вы звоните? И как вас, говорите, зовут?

Сент-Джеймс повторил. Он звонит из города Сент-Питер-Порт на острове Гернси в проливе Ла-Манш, объяснил он.

— Вау,— сказала она.— Подождите секундочку, о'кей?

И прежде чем в трубке зазвучала музыка, Сент-Джеймс услышал:

— Эй, парни, а где у нас Ла-Манш?

Прошло сорок пять секунд, в течение которых Сент-Джеймс развлекался бодрым регги. Потом в трубке что-то щелкнуло, музыка прекратилась, и приятный мужской голос сказал:

— Джим Вард. Чем могу помочь? Это снова насчет Ги Бруара?

— Значит, вы разговаривали с Ле Галле,— сказал Сент-Джеймс и принялся объяснять, кто он такой и какое отношение имеет к ситуации на Гернси.

— Не думаю, что могу вам серьезно помочь,— заметил Вард.— Как я уже говорил тому детективу, который звонил сюда раньше, я видел мистера Бруара только раз. Его предложение показалось мне интересным, но дальше посылки тех образцов дело у нас не зашло. Я ждал, не проявится ли он с чем-нибудь еще. И послал ему по имейлу пару новых фотографий домов, которыми занимаюсь сейчас на севере Сан-Диего. Вот и все.

— А какие образцы вы имеете в виду? — спросил Сент-Джеймс.— То, что у нас тут есть, похоже на полный набор чертежей, я видел их только сегодня. Мы просматривали их с местным архитектором...

— Это и есть чертежи. Полный набор. Я собрал для него все чертежи одного спа-курорта, который сейчас строят здесь на побережье. Там все, кроме восьми с половиной на одиннадцать, толстая такая книжечка. Я сказал ему, что это поможет ему получить представление о том, как я работаю, прежде чем решать, обращаться ли ко мне с чем-нибудь еще. По-моему, странноватый способ знакомиться с архитектором. Но исполнить его просьбу было совсем не трудно, к тому же это экономило мне время на...

Сент-Джеймс перебил его:

— Так вы хотите сказать, что в той посылке были не чертежи музея?

Вард засмеялся.

— Музея? Нет. Это дорогой спа-курорт, из тех, где помешанных на пластической хирургии типов с головы до ног обмазывают всякой всячиной. Когда он попросил меня предоставить ему образец моей работы, как можно более полный набор чертежей и рисунков, достать этот оказалось проще всего. Я сказал ему об этом. Я предупредил его, что, разумеется, к работе над музеем подошел бы совершенно иначе. Но он ответил, что его все устраивает. Пусть это будет что угодно, только от начала до конца, чтобы он мог понять, что перед ним такое.

— Так вот почему они не подписаны,— сказал Сент-Джеймс скорее себе самому, чем Варду.

— Верно. Это просто копии из моего офиса.

Сент-Джеймс поблагодарил архитектора и повесил трубку. Медленно опустился на край кровати и уставился на свои туфли.

В тот момент он чувствовал, будто летит вниз по кроличьей норе. Похоже, Бруар использовал музей как своего рода прикрытие. Но для чего? И еще один вопрос не давал ему покоя: был ли он задуман как прикрытие? И если да, то не мог ли один из потенциальных участников этого проекта — тот, чья судьба так или иначе зависела от его воплощения,— узнать об этом и отомстить Бруару за то, что тот превратил его в свое слепое орудие?

Сент-Джеймс сжал руками виски и потребовал от мозга разобраться во всем немедленно. Но Ги Бруар опережал его ровно на один шаг, как и всех, кто был связан с ним до убийства. И это сводило Сент-Джеймса с ума.

Записку, полученную от портье, он положил на подзеркальник, и, когда стал подниматься с кровати, она бросилась ему в глаза. Развернув бумажку, он увидел, что писала Дебора, и, судя по всему, в жуткой спешке.

«Чероки арестован! — нацарапала она.— Пожалуйста, приходи, как только получишь это».

Слово «пожалуйста» было подчеркнуто дважды, а ниже поспешно нарисована схема пути к дому королевы Маргарет на Клифтон-стрит, куда Сент-Джеймс направился, не мешкая ни минуты.

Он едва успел коснуться костяшками пальцев двери квартиры «Б», как на стук ответила Дебора.

— Слава богу! Как я рада, что ты здесь. Заходи, любимый. Познакомься наконец с Чайной.

Чайна Ривер сидела на диване по-турецки, на ее плечах лежало покрывало, которое она прижимала к себе, словно шаль. Она сказала Сент-Джеймсу:

— Я уже не думала, что встречу вас когда-нибудь. Не думала, что...

Лицо ее исказилось.

— Что случилось? — спросил у Деборы Сент-Джеймс.

— Мы не знаем,— ответила она.— Полицейские не сказали, просто увели его, и все. Поверенный Чайны... ее адвокат... он поехал в полицию, как только мы ему позвонили, и от него до сих пор ничего не слышно. Но, Саймон,— она перешла на шепот,— по-моему, у них что-то есть, они что-то нашли. Что это может быть?

— Его отпечатки на том кольце?

— Чероки даже не знал о нем. Он его вообще не видел. Он удивился не меньше меня, когда мы пришли с этим кольцом в антикварный магазин и нам сказали...

— Дебора,— раздался с дивана голос Чайны.

Оба повернулись к ней. Вид у нее был явно нерешительный. И с таким же явным сожалением она сказала:

— Я... Как я могу...

Похоже, ей пришлось собрать все свои силы, чтобы продолжить:

— Дебора, я показывала это кольцо Чероки сразу, как только купила.

Сент-Джеймс обратился к жене:

— Ты уверена, что он не...

— Дебс не знала. Я ей не сказала. Мне не хотелось говорить, потому что, когда она показала нам это кольцо здесь, в квартире, Чероки промолчал. И вообще повел себя так, как будто не узнает его. Я не могла понять... ну почему он...

Разнервничавшись, Чайна принялась обгрызать кожу вокруг ногтя большого пальца.

— Он не сказал... а я не подумала...

— Они забрали его вещи,— сказала Дебора Сент-Джеймсу.— У него была большая сумка и рюкзак. Ими особенно интересовались. Их было двое — констеблей, я имею в виду,— и они спрашивали: «Это все? Больше у вас ничего нет?» А когда его увели, они вернулись и перерыли все шкафы. Под мебелью смотрели. И даже в мусорном ведре.

Сент-Джеймс кивнул. Он сказал Чайне:

— Я поговорю с детективом Ле Галле прямо сейчас.

— Кто-то спланировал все это с самого начала,— проговорила Чайна.— Рецепт прост: найти двух тупых американцев, которые никогда не были в Европе и даже за пределы Калифорнии не выбирались, разве что автостопом. Предложить им шанс, который подворачивается раз в жизни. Главное, чтобы звучало заманчиво, и не важно, если неправдоподобно, главное, чтобы наживку слопали. Вот мы и попались, голубчики.

Ее голос дрогнул.

— Нас подставили. Сначала меня. Теперь его. И будут говорить, что мы спланировали все это еще до отъезда из дома. А как мы докажем, что это не так? Что мы даже не знали этих людей? Никого из них. Как мы это докажем?

Сент-Джеймсу не хотелось утешать подругу Деборы полагающимися в таком случае словами. По всей видимости, той доставляло странное удовольствие барахтаться в трясине несчастья вместе с братом. Однако суть была в том, кого видели свидетели накануне убийства и что нашли полицейские на месте преступления. К этому следовало прибавить также, кого арестовали и за что.

— Боюсь, в данном случае совершенно ясно, что убийца был только один, Чайна. За Бруаром в бухту шел только один человек, и на песке нашли отпечатки только одной пары ног.

Свет в комнате был плохой, но он увидел, как Чайна сглотнула.

— Тогда нет разницы, кому из нас предъявят обвинение. Мне или ему. Хотя очевидно, что мы были нужны здесь вдвоем, чтобы кто-нибудь из нас наверняка оказался убийцей. Все было запланировано заранее и расписано как по нотам. Вы же понимаете, правда?

Сент-Джеймс молчал. Он понимал, что кто-то очень хорошо все продумал. Он понимал, что преступление не было совершено под влиянием момента. Однако понимал он и то, что, насколько можно было судить по открывшимся обстоятельствам, о поездке американцев — потенциальных козлов отпущения — на Гернси знали только четверо: Ги Бруар, которому они должны были доставить чертежи, адвокат, нанятый им в Америке, и брат и сестра Риверы. Но Бруар был мертв, адвокат — вне подозрений, значит, спланировать убийство мог только кто-то из Риверов. Он или она.

Он осторожно начал:

— Проблема в том, что, по всей видимости, никто не знал о вашем приезде.

— Кто-то должен был знать. Ведь вечеринка была организована заранее... в честь музея...

— Да. Понимаю. Но похоже, Ги Бруар заставил людей поверить в то, что проект, который он избрал, принадлежит Бертрану Дебьеру. А это приводит нас к заключению, что ваш приезд и ваше пребывание в Ле-Репозуаре стали сюрпризом для всех, кроме самого Бруара.

— Но он наверняка кому-то сказал. У любого человека есть кто-то, с кем он может быть откровенен. Как насчет Фрэнка Узли? Они ведь были друзьями. Или Рут? Мог же он сказать родной сестре?

— Не похоже. И даже если сказал, то зачем ей...

— А зачем нам? — Чайна повысила голос.— Да ладно вам! Он сказал кому-то о нашем приезде. Если не Рут или Фрэнку, то кому-то еще... Кто-то знал. Я говорю вам, кто-то знал.

Дебора обратилась к Сент-Джеймсу:

— Он мог сказать миссис Эббот. Анаис. Той женщине, с которой у него были отношения.

— А она разболтала дальше,— подхватила Чайна.— Если так посмотреть, то знать мог кто угодно.

Сент-Джеймсу пришлось признать, что такая возможность не исключена. И даже вероятна. Но главную проблему это не решало: пусть Бруар сообщил кому-то о скором приезде американцев, но зачем ему понадобились фальшивые планы, которые они с собой привезли? Ведь Бруар представил всем акварельное изображение здания как проект будущего музея, хотя сам прекрасно знал, что ничем подобным он не является. Отсюда вопрос: если Бруар поделился с кем-то новостью о приезде Риверов, то сообщил ли он этому человеку о том, что чертежи, которые они везут с собой, сплошная липа?

— Нам обязательно нужно поговорить с Анаис, дорогой,— настаивала Дебора.— И с ее сыном. Он был... Он определенно был очень взволнован, Саймон.

— Вот видите? — опять вступила Чайна.— Вокруг столько людей, кто-то из них наверняка знал о том, что мы приезжаем. Он и спланировал все исподтишка. И вам надо этого человека найти, Саймон. Потому что копы и не почешутся его искать.

Выйдя на улицу, они обнаружили, что начался небольшой дождь. Дебора просунула свою руку Саймону под локоть и прижалась к его боку. Ей хотелось думать, что он истолкует ее поведение как поступок женщины, ищущей защиты у своего мужчины, но она знала, что не в его обыкновении льстить себе таким образом. Он поймет, что она просто не хочет, чтобы он поскользнулся на мокрой от дождя мостовой, и, в зависимости от своего настроения, станет ей потакать или нет.

Неизвестно по какой причине, но возражать он не стал. Не вдаваясь в мотивы ее поведения, он начал:

— То, что он не сказал тебе про это кольцо... Ни про то, что сестра его купила, ни про то, что показывала ему или упоминала о нем, в общем, ничего такого... Подозрительно это выглядит, дорогая.

— Не хочу даже думать о том, что это может значить,— отозвалась она.— Особенно если кольцо покрыто ее отпечатками.

— Хмм. Я так и думал, что рано или поздно ты сама к этому придешь. Не считая твоего замечания о миссис Эббот. У тебя был такой вид...— (Дебора почувствовала на себе его взгляд),— такой вид, как будто ты испугалась.

— Но он же ее брат,— сказала Дебора.— Я и представить себе не могла, чтобы родной брат...

Она умолкла, словно пытаясь избавиться от этой идеи, и не могла. Она засела у нее в голове с тех самых пор, как ее муж заметил, что никто, кроме самих Риверов, не подозревал об их приезде на Гернси. Все, о чем она могла думать, начиная с этого момента, были лишь бесконечные подвиги Чероки Ривера на грани дозволенного законом, о которых она слышала много лет подряд. Всю свою жизнь он был человеком, у которого есть план, и этот план неизменно заключался в том, чтобы разбогатеть легко и быстро. Так было, когда Дебора жила в Санта-Барбаре и Чайна рассказывала ей о похождениях Чероки, начиная с его подростковой авантюры, когда он сдавал свою комнату для свиданий ровесникам за почасовую оплату, и заканчивая процветающей фермой по выращиванию марихуаны, которой он обзавелся в двадцать с небольшим лет. Чероки Ривер, каким его знала Дебора, был прирожденным конъюнктурщиком. Единственный вопрос, требовавший ответа, заключался в том, как квалифицировать ту возможность, которую он увидел в смерти Ги Бруара и не пожелал пропустить.

— Чего я совершенно не могу вынести, так это того, что все это значит для Чайны,— сказала Дебора.— Как он намеревался с ней поступить... Я имею в виду то, что именно она... Не кто-нибудь другой... Это ужасно, Саймон. Родной брат. Как он только мог? Если это он, конечно. Вообще-то я думаю, что этому должно быть какое-то другое объяснение. Мне хочется в это верить.

— Мы поищем его вместе,— успокоил ее Саймон.— Поговорим с Эбботами. И с остальными тоже... Но, Дебора...

Подняв на него глаза, она увидела, что он встревожен.

— Обещай, что будешь готова к худшему,— сказал он.

— Худшее случится, если Чайна предстанет перед судом,— отозвалась Дебора.— А еще хуже будет, если она отправится в тюрьму. Отбывать наказание... за кого-то другого...

Язык прилип у нее к гортани, когда она оценила правоту мужа. Ей показалось, что ее без всякого предупреждения и без подготовки заставили выбирать между «плохо» и «еще хуже». Конечно, прежде всего она поддерживала подругу. Поэтому ей должен был доставлять радость тот факт, что арест по ложному обвинению и само обвинение, которое могло привести Чайну в тюрьму, оказалось — наконец-то — подвергнуто серьезному сомнению. Но как быть, если избавление Чайны пришло вместе с известием о том, что ее родной брат подстроил события, которые привели к ее аресту... Разве можно праздновать ее спасение, узнав такое? И разве сама Чайна оправится когда-нибудь от этого удара?

— Она ни за что не поверит, что это его рук дело,— убежденно сказала Дебора.

— А ты? — спросил Саймон спокойно.

— Я?

Дебора даже остановилась.

Они дошли до поворота на Бертелот-стрит, которая круто уходила вниз, к Хай-стрит и набережной за ней. Узкая улочка блестела от дождя, и ручейки, стекавшие по ней к гавани, уже превращались в настоящие потоки, которые грозили стать еще шире в ближайшие несколько часов. Человеку, нетвердо держащемуся на ногах, ступать на нее было небезопасно, но Саймон решительно направился вниз, пока Дебора раздумывала над его вопросом.

Примерно на середине спуска она увидела отель «Адмирал де Сомаре», окна которого ярко светились в темноте, обещая путнику тепло и уют. Но она знала, что эти дары недолговечны даже в лучшие времена, а уж тем более когда на город падает дождь. Но ее муж направлялся прямо туда. Дебора не стала торопиться с ответом, пока входная дверь отеля не закрылась за ними.

Там она сказала:

— Я как-то не думала об этом, Саймон. И не вполне понимаю, что ты имеешь в виду.

— Именно то, что я сказал. Ты веришь? — спросил он ее.— Сможешь поверить? Когда дело до этого дойдет — если дойдет, конечно,— сможешь ли ты поверить в то, что Чероки Ривер подставил собственную сестру? Ведь это будет значить, что он приезжал в Лондон специально за тобой. Или за мной. Или за нами обоими, если на то пошло. Но не только для того, чтобы сходить в посольство.

— Зачем?

— Зачем мы ему понадобились, хочешь сказать? Чтобы его сестра поверила в то, что он ей помогает. Чтобы ей не пришло в голову заподозрить его в чем-нибудь или, еще хуже, навести на него подозрения полиции. Можно предположить, что он частично облегчал свою совесть, обеспечив Чайне хоть какую-то поддержку, но если он действительно собирался повесить на нее вину за убийство, которое совершил сам, то ни о какой совести говорить не приходится.

— Тебе он не нравится, да? — спросила Дебора.

— Дело не в том, нравится он мне или нет. Дело в фактах, которым приходится смотреть в лицо и принимать их такими, какие они есть.

Дебора понимала, что он прав. Она знала, что бесстрастная оценка Саймоном Чероки Ривера брала начало из двух источников: его познаний в науке, которая основывалась на регулярном изучении уголовных преступлений, и недолгого времени, проведенного им в обществе брата Чайны. Иными словами, Саймон не верил ни в вину Чероки, ни в его невиновность. Но она сама — другой случай.

— Нет,— сказала она.— Я не верю в то, что он это сделал. Просто не верю.

Саймон кивнул. Деборе показалось, что его лицо как-то вдруг помрачнело, но она решила, что виной всему плохое освещение.

— Да. Это меня и беспокоит,— пробормотал он и повел ее за собой в кафе при отеле.

«Ты ведь понимаешь, что это значит, правда, Фрэнк? Конечно понимаешь».

Фрэнк не мог вспомнить, произнес Ги Бруар эти слова на самом деле или он сам прочел их по его лицу. Но так или иначе, в каком-то виде они, безусловно, возникли. Они были не менее реальны, чем имя Г. Х. Узли и адрес Мулен-де-Нио, начертанные надменной арийской рукой на списке продуктов: колбаса, мука, яйца, картофель и бобы. И настоящий табак, чтобы Иуда не ползал больше по придорожным обочинам, не сушил листья, которые удастся там найти, и не сворачивал из них хрупкие сигаретки.

Фрэнку не надо было задавать вопросы, чтобы узнать, какой ценой досталось все это добро. Он и так знал, что трое храбрецов, которые печатали копии «ГСОС» на пишущей машинке при тревожных отблесках тусклой свечи в ризнице Сен Пьер дю Буа, поплатились за это отправкой в трудовые лагеря, тогда как четвертого всего лишь перевезли на корабле во Францию. Трое умерли в лагерях или после них. Четвертый лишь год просидел в тюрьме. По его словам, тот год, проведенный во французской тюрьме, был жесток, полон лишений и во всех отношениях страшен, но этот обман, как понимал теперь Фрэнк, входил в его замысел. Возможно даже, что это был самообман, а не обман, иначе как прожить жизнь, помня, как тебя увозили подальше от Гернси для твоей же собственной безопасности, когда ты выдал своих товарищей... о том, как продолжал шпионить для нацистов по возвращении, обязанный им жизнью... о том, что пошел на предательство только потому, что очень хотелось набить живот, а не из-за веры в какие-то идеалы... Как может человек жить, зная, что его товарищи отдали жизни только за то, чтобы он сам мог нормально питаться?

Со временем мысль о том, что он сам был одним из тех, кого предали, стала для Грэма Узли реальностью. Он просто не мог себе позволить жить по-другому, и если бы кто-нибудь напомнил ему о том, что он и есть предатель, на чьей совести лежит смерть троих достойных людей, его и без того ослабевший разум не выдержал бы и погрузился в полную тьму. Однако именно это случится, как только журналисты начнут читать документы, которые потребуются в подтверждение информации о предателях.

Фрэнк живо представлял себе, во что превратится их жизнь, когда вся эта история просочится в прессу. Газеты будут писать о ней день за днем, потом подхватят теле- и радиостанции. К протестующим возгласам потомков коллаборационистов — в том числе и тех, которые, как Грэм, еще живы,— пресса добавит необходимые факты. Без фактов вся история вообще никуда не попадет, поэтому среди имен предателей, названных в газете, появится имя Грэма Узли. Какая восхитительная ирония судьбы, за которую не преминут ухватиться средства массовой информации всех мастей: человек, вознамерившийся назвать имена негодяев, по вине которых людей депортировали с острова, сажали в тюрьму и убивали, сам оказался первостатейным мерзавцем, которого нужно вывести на чистую воду.

Ги спрашивал Фрэнка о том, что он намерен делать с доказательствами предательства отца, и тот не смог ему ответить. Как Грэм Узли не смог посмотреть в глаза своей совести во время оккупации, так и Фрэнк не находил в себе сил исправить последствия его деяний. Он проклинал тот вечер, когда впервые встретил Ги Бруара на лекции в городе, и горько сожалел о миге, когда заметил в нем интерес к войне, не уступавший его собственному. Не случись этого и не поддайся он тогда необдуманному порыву, все было бы иначе. Этот список и другие бумаги нацистов, написанные для того, чтобы не забыть о тех, кто помогал и оказывал содействие, так и остался бы погребенным в груде документов, ставших частью коллекции, любовно собранной, но не рассортированной, не подписанной и не приведенной в порядок.

Появление в их жизни Ги Бруара изменило все. Энтузиазм, с которым он отстаивал свою идею организовать для хранения коллекции более подходящее место, вкупе с любовью к острову, ставшему для него домом, породили монстра. Этим монстром было знание, а оно требовало признания и действия. Вот по этому замкнутому кругу и бродил сейчас Фрэнк в поисках выхода.

Времени оставалось мало. Когда Ги умер, Фрэнк решил, что они откупились. Но события сегодняшнего дня показали ему обратное. Грэм взял курс на самоуничтожение и решительно ему следовал. Пятьдесят с лишним лет он скрывался, но нынче его убежище разрушено, и негде больше спастись от судьбы, которая его ждет.

Подходя к комоду в своей спальне, Фрэнк едва волочил ноги, точно на них висели кандалы. Взяв оттуда листок, Фрэнк пошел вниз, держа его перед собой, точно священную жертву.

В гостиной по телевизору показывали двух врачей в зеленых халатах, которые суетились над телом пациента в операционной. Фрэнк выключил его и повернулся к отцу. Тот все еще спал, его рот открылся, слюна лужицей стояла во впадине нижней губы.

Фрэнк нагнулся над Грэмом и положил руку ему на плечо.

— Папа, просыпайся. Нам надо поговорить,— позвал он и слегка встряхнул отца.

Глаза Грэма за толстыми стеклами очков открылись. Он смущенно моргнул.

— Я, похоже, задремал, Фрэнки. Который час?

— Поздний,— сказал Фрэнк.— Пора в постель.

— А. Ладно, парень,— согласился Грэм и собрался встать.

— Не сейчас,— остановил Фрэнк.— Взгляни сначала на это, папа.

Он протянул отцу список продуктов, держа его прямо перед слабеющими глазами старика.

Взгляд Грэма скользнул по бумажке, брови насупились.

— И что это такое?

— Это ты должен мне сказать. Здесь твое имя. Видишь? Вот тут. И дата тоже есть. Восемнадцатое августа. Одна тысяча девятьсот сорок третьего. Написано в основном по-немецки. Что ты об этом скажешь, папа?

Отец покачал головой.

— Ничего. Понятия не имею, что это.

Его слова прозвучали искренне, и, без сомнения, он действительно не узнал документ.

— Знаешь, что тут написано? По-немецки, конечно. Перевести можешь?

— Я же вроде не шпрехаю, или как? Никогда не шпрехал и не буду.

Грэм заворочался в кресле, подался вперед и положил руки на подлокотники.

— Погоди, пап,— сказал Фрэнк, чтобы удержать его.— Давай я тебе прочитаю.

— Сам же говоришь, спать пора,— настороженно ответил Грэм.

— Закончим с этим. Здесь сказано: шесть колбас. Два кило муки. Одна дюжина яиц. Шесть кило картошки. Кило бобов. И табак, папа. Настоящий. Двести граммов. Все это дали тебе немцы.

— Фрицы? — сказал Грэм.— Чепуха. Где ты взял... Дайка я посмотрю.

И он слабым движением попытался схватить бумажку.

Фрэнк отодвинул ее подальше, чтобы отец не достал, и сказал:

— Вот что произошло, папа. Наверное, тебе все надоело. Непрестанная борьба за жизнь. Скудный паек. Потом его отсутствие. Ежевика вместо чая. Картофельные очистки вместо хлеба. Ты был голоден, устал, и тебе до смерти надоело есть траву и корешки. И тогда ты назвал имена...

— Я никогда...

— Ты дал им то, чего они хотели, потому что тебе хотелось выкурить нормальную сигарету. И мяса. Господи, как тебе хотелось мяса! И ты знал, как его раздобыть. Вот что случилось. Три жизни в обмен на шесть колбас. Отличная сделка для времени, когда всех кошек съели.

— Это неправда! — запротестовал Грэм.— Спятил ты, что ли?

— Здесь твое имя или нет? А вот тут, внизу страницы, подпись фельдкомманданта Гейне. Вот она. Погляди, папа. Спецпаек для тебя одобрили на самом верху. Подкармливали тебя время от времени, пока не кончилась война. Интересно, если порыться в документах, сколько еще таких записочек можно найти?

— Я не понимаю, о чем ты говоришь!

— Конечно. Ты не понимаешь. Ты заставил себя все забыть. А что еще тебе оставалось, когда они умерли? Этого ты не ожидал, верно? Думал, они просто отсидят свое и вернутся домой. Видишь, как хорошо я о тебе думаю.

— Ты спятил, мальчик. Дай мне встать. Отойди. Отойди, я сказал, а не то я тебе покажу.

Отцовская угроза, которую Фрэнк так редко слышал в детстве, что она почти забылась, неожиданно сработала. Он отступил. И наблюдал, как отец с трудом встает на ноги.

— Я спать иду, вот что,— сказал Грэм сыну.— Хватит с меня твоей чепухи. Завтра у меня много дел, и я собираюсь хорошенько выспаться. И запомни, Фрэнк,— дрожащий палец старика уперся сыну в грудь,— не вздумай стоять у меня на пути. Ты слышишь? Мне есть что рассказать людям, и я расскажу все.

— Да ты меня хотя бы слышишь? — с болью спросил Фрэнк.— Ты сам был одним из них. Ты сдал своих товарищей. Ты пошел к нацистам. Ты заключил с ними сделку. И прожил шестьдесят лет, отрицая это.

— Я никогда...— Грэм шагнул к нему, решительно сжав руку в кулак.— Люди погибли, ты, ублюдок. Хорошие люди — не тебе чета — предпочли умереть, но не подчиниться. О, их предупреждали, конечно. Сотрудничайте, говорили им, крепитесь, главное — выстоять. Король вас бросил, но он не забыл, он помнит, и настанет день, когда все кончится и он снимет перед вами шляпу. А пока делайте вид, как будто подчиняетесь приказам фрицев.

— Вот, значит, как ты себя успокаивал? Ты просто вел себя как парень, который притворяется, что сотрудничает? Сдал своих друзей, посмотрел, как их арестовывают, разыграл шараду с собственной депортацией, зная, что все это сплошной блеф. Кстати, а куда они отправляли тебя, па? Где они тебя спрятали на время твоей «отсидки»? А когда ты вернулся, никто не заметил, что для джентльмена, проведшего год в тюрьме, да еще и в военное время, ты слишком хорошо выглядишь?

— У меня был туберкулез! Мне пришлось лечиться.

— Кто ставил тебе диагноз? Уж не здешний врач, наверное. А если мы проведем анализ — знаешь, такой, который показывает, болел человек когда-нибудь туберкулезом или нет,— какой будет результат? Положительный? Сомневаюсь.

— Ты несешь чушь, ясно? — взвизгнул Грэм.— Чушь, чушь, чушь. Дай эту бумажку сюда. Слышишь, Фрэнк? Дай ее сюда.

— Не дам,— сказал Фрэнк.— И говорить с журналистами не позволю. Потому что если ты скажешь им... папа, если ты им скажешь...

И тут весь ужас происходящего нахлынул на него: жизнь, которая обернулась ложью, и та роль восторженного дурачка, которую он сам играл в ней, ничего не подозревая. Все пятьдесят три года своей жизни он преклонял колена перед храбростью своего отца, и все лишь для того, чтобы узнать: поклоняться золотому тельцу было бы не в пример лучше. Горе, которое обрушила на него запоздалая мудрость, было непереносимо. Ярость, с которой оно мешалось, готова была затопить и расколоть его мозг. Он отрывисто заговорил:

— Я был ребенком. Я верил...

Тут голос изменил ему.

Грэм поддернул штаны.

— Это еще что? Слезы? И больше у тебя за душой ничего нет? Вот нам в свое время было о чем плакать. Пять долгих лет ада на земле, Фрэнки. Пять лет, мальчик мой. Но разве мы лили слезы? Разве мы заламывали руки и спрашивали, что делать? Разве мы сидели как святые и ждали, пока кто-то другой выгонит наци с нашей земли? Да ничего подобного. Мы сопротивлялись, вот что. Мы рисовали знак победы. Мы прятали радиоприемники в кучах навоза. Мы перерезали телефонные провода, снимали уличные знаки и прятали пленных, когда тем удавалось бежать из лагерей. Мы принимали у себя британских солдат, когда те проникали на остров как шпионы, хотя и знали, что за это полагается расстрел без суда и следствия. Но разве мы плакали, как дети? Разве мы лили слезы? Разве мы пускали слюни и размазывали сопли? Ничего подобного. Мы вели себя как мужчины. Потому что мужчинами мы и были.

И он пошел к лестнице.

Фрэнк смотрел на отца в изумлении. Он понял, что версия истории по Грэму Узли прочно укоренилась у того в мозгу и вырвать ее оттуда будет непросто. Доказательства, которое Фрэнк держал в руках, для старика не существовало. Точнее, он не мог позволить ему существовать. Ведь для него признаться в предательстве было все равно что признаться в убийстве хороших людей. А на это он не пойдет. Никогда. И с чего это он, Фрэнк, решил, что отец возьмет и сознается?

Тем временем отец добрался до лестницы и начал подниматься наверх, хватаясь за перила. Фрэнк едва не бросился вперед, чтобы помочь ему, как обычно, но вдруг обнаружил, что не может прикоснуться к отцу. Ему пришлось бы положить правую руку на плечо Грэма, а левой обхватить его за пояс, но сама мысль о таком контакте стала вдруг невыносима. Поэтому он просто стоял и смотрел, как старик ползет вверх по лестнице из семи ступенек.

— Они придут,— сказал Грэм, обращаясь к себе, а не к сыну.— Я ведь позвонил им. Настало время правде выйти наружу, и я все им расскажу. Я назову им все имена. И все получат по заслугам.

Беспомощно, словно маленький мальчик, Фрэнк возразил:

— Но, папа, нельзя же...

— Не смей говорить мне, что можно, а что нельзя! — проревел с лестницы старик.— Да как ты смеешь указывать отцу, что ему делать, а что нет, черт тебя побери? Мы все страдали, да. Многие погибли. И некоторые за это заплатят. И точка. Слышишь меня, Фрэнк? Точка.

Он повернулся. Крепче ухватился за перила. Пошатнулся, поднимая левую ногу на следующую ступеньку. Закашлялся.

И тогда Фрэнк бросился вперед, потому что ответ был прост, он был сутью всего. Его отец говорил то, что считал правдой. Но правда, которую знали они двое — отец и сын,— заключалась в том, что кто-то должен был заплатить.

Добежав до лестницы, он в несколько шагов взлетел по ней. Остановился на расстоянии вытянутой руки от Грэма. И со словами «папа, о папа» уцепился за отвороты отцовских брюк. И дернул за них, быстро и резко. Когда Грэм рухнул вниз, он отошел в сторону.

Голова старика с громким стуком ударилась о ступеньку. Падая, Грэм испуганно вскрикнул. Его тело бесшумно съехало по ступенькам вниз.

21

На следующее утро Сент-Джеймс и Дебора завтракали в отеле у окна, которое глядело на маленький садик, где пышно разросшиеся анютины глазки образовывали вокруг лужайки нарядный бордюр. Они как раз делились друг с другом своими планами на день, когда к ним вышла Чайна, вся в черном, точно призрак.

Она поспешно улыбнулась, как будто извинялась за то, что навязалась им так рано, и сказала:

— Мне надо идти. Заняться чем-нибудь. Не могу сидеть сложа руки. Раньше приходилось, но теперь — нет, а нервы на пределе. Наверняка что-нибудь найдется...

Тут она, наверное, сама заметила, что говорит путано, потому что умолкла, а потом кисло сказала:

— Прошу прощения. Я, наверное, чашек пятьдесят кофе выпила. С трех часов не сплю.

— Выпей апельсинового сока,— предложил ей Сент-Джеймс.— Ты завтракала?

— Аппетита нет,— ответила она.— Кстати, спасибо. Я не поблагодарила вас вчера. Хотя собиралась. Если бы не вы двое... В общем, спасибо.

Она села на стул за соседним столиком и подтащила его к Сент-Джеймсу и его жене. Оглянулась на посетителей за другими столиками: бизнесмены в костюмах и галстуках, с мобильными телефонами, лежащими рядом с ножами и вилками, и дипломатами, которые стояли у их стульев на полу, читали за завтраком газеты. Тишина стояла, как в мужском клубе где-нибудь в Лондоне.

— Как в библиотеке,— прошептала Чайна.

— Банкиры,— ответил ей Сент-Джеймс.— У них головы забиты всякими мыслями.

— Зануды,— сказала Дебора и тепло улыбнулась Чайне.

Чайна взяла сок, который налил ей Сент-Джеймс.

— А я все думаю о том, что если бы произошло то, да если бы это. Я не хотела ехать в Европу, и если бы настояла на своем... Если бы пресекала все разговоры об этом... Если бы в то время у меня была куча работы и я не смогла бы поехать... может быть, и он бы не поехал. И ничего не случилось бы.

— Такие мысли ни к чему хорошему не приведут,— сказала Дебора.— Что-то случается просто потому, что оно случается. Вот и все. И наша задача — не стараться, чтобы оно расслучилось,— Дебора улыбнулась собственному неологизму,— а продолжать жить дальше.

Чайна улыбнулась в ответ.

— По-моему, я уже слышала это раньше.

— Ты давала хорошие советы.

— В прежние времена они тебе не очень-то нравились.

— Ага. Наверное, они казались мне... ну, бездушными, что ли. Так бывает всегда, когда нам хочется, чтобы наши друзья слились с нами в долгом заунывном плаче.

Чайна наморщила нос.

— Не будь к себе так беспощадна.

— И ты тоже.

— О'кей. По рукам.

Две женщины с нежностью смотрели друг на друга. Сент-Джеймс перевел взгляд с одной на другую и понял, что женское общение, которого он не понимал, в разгаре. Закончилось оно тем, что Дебора сказала Чайне Ривер:

— Я по тебе скучала.

А та, мелодично рассмеявшись и склонив голову к плечу, ответила:

— Так тебе и надо.

На этом разговор между ними завершился.

Их обмен репликами напомнил Сент-Джеймсу о том, что у Деборы была своя жизнь, которая отнюдь не исчерпывалась несколькими годами их знакомства. Впервые он осознал ее присутствие, когда ей было семь, и с тех пор его будущая жена всегда была неизменной частью его личной вселенной. И хотя сознание того, что у нее есть своя собственная вселенная, его отнюдь не шокировало, навязчивая мысль о том, что в этой вселенной случалось много событий, не имевших к нему никакого отношения, обескураживала. А уж о том, что многое из этого последнего могло бы иметь к нему отношение, лучше было подумать как-нибудь в другой раз, когда не так много будет поставлено на карту.

— Ты говорила с адвокатом? — спросил он.

Чайна отрицательно покачала головой.

— Его нет. Вообще-то он должен оставаться в участке, пока допрос не кончится. Но раз он мне не звонил...

Она притронулась к лежавшему на решетке тосту таким движением, как будто хотела его съесть, но, наоборот, отпихнула подальше.

— Наверное, допрос затянулся за полночь. Так было и со мной.

— Тогда я начну оттуда,— сказал ей Сент-Джеймс.— А вы двое... Думаю, вам следует навестить Стивена Эббота. Он уже поговорил с тобой один раз, милая,— обратился он к Деборе,— надеюсь, не откажется и во второй.

Он вывел женщин наружу и повел к автостоянке. Там они расстелили на капоте «эскорта» карту и проследили по ней путь к Ле-Гранд-Гавр, широкой полукруглой вмятине на северном берегу острова, где разместились три бухты и одна гавань и откуда целая паутина пешеходных троп вела к башням времен войны и заброшенным фортам. Чайна, как лоцман, поведет Дебору туда, где в деревеньке под названием Ла-Гаренн обосновалась Анаис Эббот. Тем временем

Сент-Джеймс навестит полицейское управление и попытается выведать у Ле Галле как можно больше подробностей касательно ареста Чероки.

Когда с маршрутом его жены и ее подруги все было решено, он пронаблюдал, как они отъезжают прочь. Их машина нырнула на Госпиталь-лейн и покатилась по дороге, ведущей к гавани. Когда она повернула на Сент-Джулиан-авеню, он заметил мелькнувший в окне профиль Деборы. Она улыбалась чему-то, сказанному подругой.

Еще мгновение он стоял и думал о миллионах способов, которые он мог бы пустить в ход, чтобы предостеречь свою жену, если бы только она захотела и смогла его услышать. Дело не в том, что я думаю, сказал бы он ей в качестве объяснения. Дело в том, чего я пока не знаю.

Ле Галле, вот кто сможет восполнить пробелы в его знаниях, с надеждой подумал Сент-Джеймс. И отправился на его поиски.

Главный инспектор только что приехал в управление. Он вышел навстречу Сент-Джеймсу, даже не сняв пальто. Швырнув его на стул в комнате для персонала, он подвел Сент-Джеймса к доске для объявлений, к верхней части которой констебль в форме прикреплял серию цветных фотографий.

— Взгляните,— кивнул на них Ле Галле.

Судя по всему, он был очень доволен собой.

На фотографиях Сент-Джеймс увидел среднего размера коричневую бутылочку из тех, в которых часто продается сироп от кашля. Она валялась среди пожухлой травы и сорняков, в каком-то углублении. На одной из фотографий рядом с бутылочкой лежала пластиковая рулетка, для уточнения размера. Другие показывали ее местоположение относительно ближайшей растительности, поля, на котором она находилась, живой изгороди, отделявшей поле от дороги, и, наконец, самой дороги, с двух сторон затененной деревьями, которую Сент-Джеймс тут же узнал, так как недавно ходил по ней сам.

— Это тропа, которая ведет в бухту,— сказал он.

— Да, верно, это она,— признал Ле Галле.

— Что же это такое?

— В бутылке?

Главный инспектор подошел к столу и взял с него бумажку, по которой прочел:

— Eschscholzia californica.

— Что означает?

— Маковое масло.

— Значит, свой опиат вы получили.

Ле Галле ухмыльнулся.

— Точно.

— А californica означает...

— Именно то, что вы подумали. Бутылка вся в его отпечатках. Здоровых таких. Ясных и красивых. Просто праздник для истомленных работой глаз, скажу я вам.

— Черт,— пробормотал Сент-Джеймс, ни к кому особенно не обращаясь.

— Преступник арестован.

Ле Галле нисколько не сомневался в том, что это правда, как двадцать четыре часа назад не сомневался в том, что арестовал преступницу.

— И как вы это поняли?

Ле Галле взял карандаш и начал тыкать им в фотографии.

— Как она туда попала, хотите вы сказать? Думаю, что так: он не захотел подливать опиат Бруару в термос ни накануне вечером, ни даже рано утром. Кто знает, а вдруг тот ополоснул бы его перед использованием и налил новый чай? Поэтому он решил пойти за ним в бухту. И подлил масло в термос, пока Бруар плавал.

— Рискуя быть увиденным?

— Да какой там риск? Еще даже не рассвело, он и не думал, что в такое время кто-то будет на ногах. Ну а если и будет, то на такой случай он надел плащ своей сестры. Бруар же выплывает далеко из бухты и не обращает внимания на то, что происходит на пляже. Подождать, пока Бруар заплывет подальше в море, Риверу не составило труда. Он прокрался к термосу — он ведь все время шел по пятам за Бруаром и видел, куда тот его положил,— и налил масло внутрь. Потом снова спрятался там, где сидел раньше: между деревьев, за камнями, у закусочной. Подождал, когда Бруар выйдет из воды и начнет пить свой чай, как он делает каждое утро, о чем все знают. Гинкго с зеленым чаем. От этой смеси на груди растут волосы, но, что для Бруара и его подружки всего важнее, в яйцах загорается огонь. Ривер подождал, когда опиат сделает свое дело. Как только это произошло, он на него и набросился.

— А если бы он подействовал не на пляже?

— Какая разница? — Ле Галле выразительно пожал плечами.— До рассвета все равно было далеко, а опиат подействовал бы где-нибудь по дороге. Ривер сделал бы свое дело где угодно, лишь бы это случилось. Случилось на пляже, он засунул ему в горло камень, и дело с концом. Он рассчитывал, что в качестве причины смерти укажут, что жертва поперхнулась инородным объектом, и так оно и было. А от бутылки он избавился, зашвырнув ее в кусты по дороге домой. Не сообразил, что тело проверят на наличие токсинов, какова бы ни была причина смерти.

В этом был смысл. Убийцы всегда допускают какие-нибудь ошибки, благодаря чему в основном и попадаются. На бутылке остались отпечатки пальцев Чероки Ривера, что и привлекло к нему внимание Ле Галле. Но остальные детали этого дела по-прежнему требовали прояснения. За одну из них и уцепился Сент-Джеймс.

— А что вы скажете о кольце? На нем тоже его отпечатки?

Ле Галле покачал головой.

— С него так ни одного приличного отпечатка и не получили. Так, фрагменты одни, в том числе и его.

— И что же?

— Он мог взять его с собой. Быть может, он даже собирался засунуть его Бруару в глотку, вместо камня. Но камень ненадолго сбил нас со следа, а ему это было как раз на руку. Зачем ему, чтобы мы сразу подумали на его сестру? Он не хотел дарить нам это дело вместе с разгадкой. Ему надо было, чтобы мы голову поломали, побегали, прежде чем придем к решению.

Сент-Джеймс задумался над ответом полицейского. Вопреки лояльности его жены к брату и сестре Ривер, он не мог не признать, что в нем все было складно, и все же Ле Галле так спешил закрыть дело, не взваливая вину ни на кого из соотечественников-островитян, что явно чего-то недоговаривал.

— Полагаю, вы понимаете, что все сказанное вами о Чероки Ривере можно сказать и о других. А такие другие, которым смерть Ги Бруара по крайней мере выгодна, есть.

Не дожидаясь ответа Ле Галле, он торопливо продолжил:

— Генри Мулен носит такой же камень на связке ключей и мечтает стать художником по стеклу, с подачи Бруара, но, видимо, так и будет продолжать мечтать. Бертран Дебьер влез в долги, потому что был уверен — заказ на музей достанется ему. А что до самого музея...

Ле Галле взмахнул рукой и перебил его.

— Мулен с Бруаром дружили — неразлейвода. Много лет. Вместе работали, чтобы превратить старое поместье Тибо в Ле-Репозуар. Не сомневаюсь, что именно Генри и подарил ему камень в знак дружбы. Это все равно что сказать человеку: «Теперь ты один из нас, друг». Что до Дебьера, то я представить себе не могу, чтобы Нобби убил того самого человека, которого надеялся переубедить.

— Нобби?

— Бертран.— Ле Галле хватило такта смутиться.— Его кличка. Мы вместе ходили в школу.

Что, по всей видимости, превращало Дебьера в глазах старшего инспектора в еще менее подходящую кандидатуру на роль убийцы, чем любого другого островитянина. Сент-Джеймс пытался нащупать хотя бы маленькую трещинку в броне логики Ле Галле, которая позволила бы ему понять, что он скрывает.

— Но зачем? Какой у Чероки Ривера мог быть мотив? Какой мотив могла иметь его сестра, когда вы считали ее главной подозреваемой?

— Поездка Бруара в Калифорнию. Несколько месяцев назад. Тогда Ривер все и спланировал.

— Зачем?

Терпение Ле Галле лопнуло.

— Слушайте, вы, я не знаю,— раздраженно сказал он.— Мне и не надо этого знать. Мне надо было найти убийцу Бруара, я это сделал. Да, сначала я задержал его сестру, но только на основании улик, которые он же и подбросил. И его я задержал тоже не без основания.

— Но кто-то мог подбросить и эти улики.

— Кто? И зачем?

Ле Галле соскочил с края стола, на котором сидел, и двинулся на Сент-Джеймса несколько более агрессивно, чем того требовала ситуация, так что тот уже приготовился быть вышвырнутым из полицейского управления на улицу.

Он спокойно произнес:

— Со счета Бруара пропали деньги, инспектор. Много денег. Вам это известно?

Ле Галле изменился в лице. Сент-Джеймс поспешил воспользоваться полученным преимуществом.

— Рут Бруар сказала мне об этом. По всей видимости, их выплачивали кому-то постепенно.

Ле Галле задумался. И заговорил, хотя и с меньшей уверенностью, чем раньше:

— Ривер мог...

Сент-Джеймс перебил его:

— Если вы полагаете, что Ривер замешан в этом деле — в афере с шантажом, скажем так,— то зачем ему убивать курицу, несущую золотые яйца? И даже если это так, если Ривер шантажировал Бруара, то, скажите на милость, зачем тому было соглашаться с нанятым в Америке адвокатом, когда он выбрал Ривера на роль курьера? Ведь Кифер не мог не назвать клиенту имя того, кто полетит на Гернси, иначе кого тогда встречали бы в аэропорту? А узнав, что фамилия курьера Ривер, он наверняка отказался бы от его услуг.

— Может быть, когда он узнал, отказываться было поздно,— возразил Ле Галле, но самоуверенности в его голосе заметно поубавилось.

Сент-Джеймс гнул свое.

— Инспектор, Рут Бруар понятия не имела о том, что ее брат спускает свое состояние. И я думаю, что никто другой этого тоже не знал. По крайней мере, сначала. Разве это не наводит вас на мысль, что кто-то мог убить его только для того, чтобы помешать ему растратить все без остатка? А если это кажется вам маловероятным, то как вам идея о противозаконной деятельности Бруара? И разве отсюда не вытекает, что у кого-то другого мог быть железный мотив для убийства, в отличие от Риверов?

Ле Галле молчал. От Сент-Джеймса не укрылось, что новая информация о жертве преступления, которую должен был добыть он сам, слегка пришибла главного инспектора. Он взглянул на доску, где серия фотографий коричневой бутылки, содержавшей некогда опиат, торжественно извещала о том, что убийца найден. Потом перевел взгляд на Сент-Джеймса и, казалось, задумался, принять или не принять вызов, который бросил ему этот человек. Наконец он сказал:

— Ладно. Идемте со мной. Надо позвонить.

— Кому?

— Тем, кто заставляет банкиров говорить.

Чайна оказалась превосходным лоцманом. По указателям на домах она читала названия улиц, которые они проезжали, двигаясь по эспланаде на север, и, не сделав ни одного лишнего поворота, они добрались до Вейл-роуд в северной части Бель-Грев-Бей.

Миновав квартал с бакалейной лавкой, парикмахерской, автомастерской и светофором — вещью на этом острове редкой, они взяли курс на северо-запад. На Гернси пейзажи меняются быстро, поэтому, не проехав и полумили, они оказались в сельской местности. Об этом им сообщили акры парников, в стеклах которых, подмигивая, отражалось утреннее солнце и поля, раскинувшиеся за ними. Еще через четверть мили Дебора вдруг опознала местность и удивилась, что не сделала этого раньше. С опаской взглянув на подругу, сидевшую на пассажирском сиденье, она по выражению лица Чайны увидела, что та тоже поняла, где они находятся.

Вдруг, когда они поравнялись с поворотом к тюрьме, она попросила:

— Притормози здесь, ладно?

На обочине той же дороги, ярдах в двадцати от поворота, Дебора нашла площадку для автомобилей и остановилась, а Чайна вышла из машины и направилась к зарослям боярышника и терновника, которые служили изгородью. За ней, немного в стороне от дороги, стояли два здания, в которых и располагалась тюрьма. Бледно-желтые стены и красная черепичная крыша делали ее похожей скорее на школу или больницу. И только металлические решетки на окнах выдавали истину.

Дебора подошла к подруге. Вид у Чайны был замкнутый, и Дебора не решилась прервать ход ее мыслей. Просто стояла рядом и молчала, страдая от собственной беспомощности, особенно когда вспоминала, с какой нежностью заботилась эта женщина о ней в час нужды.

Первой заговорила Чайна.

— Он не выдержит. Нет, черт возьми, не выдержит.

— Да и никто бы не выдержал.

Дебора представила себе, как закрывается тюремная дверь, поворачивается в замке ключ и тянется время: дни складываются в недели, недели в месяцы, месяцы в годы.

— Для Чероки ничего страшнее быть не может,— сказала Чайна.— Мужчины вообще хуже это переносят.

Дебора посмотрела на нее. Она вспомнила слышанный много лет назад от Чайны рассказ о том, как та единственный раз навещала своего отца в тюрьме.

— Глаза,— сказала она тогда.— Они у него так и бегали. Мы сидели за столом, и когда кто-то проходил у него за спиной, он оборачивался с таким видом, словно ждал, что его пырнут ножом. Или что похуже.

В тот раз он отсидел пять лет. Как выразилась тогда Чайна, система пенитенциарных учреждений штата Калифорния приняла ее родителя в вечные объятия.

— Он не знает, чего ждать там, внутри,— произнесла Чайна, имея в виду Чероки.

— До этого не дойдет,— заверила ее Дебора.— Мы скоро во всем разберемся, и вы поедете домой.

— Знаешь, раньше я всегда страдала от нашей бедности. От того, что приходится откладывать каждый цент в надежде скопить четвертак. Я все это ненавидела. В школе мне приходилось работать только ради того, чтобы купить себе пару туфель в магазине вроде «Кей-Марта». Сколько столиков я обслужила, чтобы заработать на поступление в Брукс! А еще эта квартира в Санта-Барбаре! Помнишь, как там было сыро, Дебс? Господи, как я все это ненавидела. Но сейчас я согласилась бы жить так до конца своих дней, только бы выбраться отсюда. Конечно, он меня бесит. Я стала бояться подходить к телефону — а вдруг это Чероки с очередным «Чайн! Слушай, у меня классный план», что почти всегда значило, что он куда-то впутался или хочет попросить у меня денег. Но теперь... в эту минуту... Я отдала бы все, что угодно, лишь бы мой брат был рядом, и мы вместе стояли бы на пирсе в Санта-Барбаре, и он делился бы со мной своей очередной авантюрой.

Не раздумывая, Дебора обняла подругу. Чайна стояла неподвижно, как скала, но Дебора прижималась к ней до тех пор, пока не почувствовала ответное движение.

— Мы его вытащим,— пообещала она.— Мы вас обоих вытащим. И вы поедете домой.

Они вернулись к машине. Пока Дебора выруливала со стоянки и возвращалась на основную дорогу, Чайна сказала:

— Если бы я знала, что они придут за ним... Наверное, я говорю как святая. Но я ничего такого не имею в виду. Просто я бы лучше сама за него отсидела.

— Никто не будет нигде сидеть,— отчеканила Дебора.— Саймон об этом позаботится.

Чайна развернула карту и посмотрела в нее, точно сверяясь с маршрутом.

— Он совсем не похож на...— осторожно сказала она.— Он не такой, как... Я бы не подумала...

Она умолкла. Потом добавила:

— По-моему, он очень милый, Дебора.

Дебора поглядела на нее и закончила мысль:

— Но он совсем не похож на Томми, да?

— Ничего общего. Мне кажется... не знаю... ты с ним как будто не очень свободно себя чувствуешь? Верно? Не так свободно, как с Томми. Я помню, как вы с ним смеялись. И попадали во всякие передряги. И делали глупости. Но с Саймоном я ничего такого представить не могу.

— Правда?

Дебора заставила себя улыбнуться. Подруга не ошибалась, ее отношения с Саймоном были совсем другими, нежели с Томми, и все же Деборе показалось, будто замечание Чайны направлено против ее мужа, и она тут же почувствовала себя обязанной его защитить — чувство, которое ей совсем не нравилось.

— Может быть, это потому, что ты видишь нас за серьезным делом?

— А по-моему, дело тут ни при чем,— заметила Чайна.— Ты же сама говоришь, он не похож на Томми. Может, это из-за его... ну, ноги? Из-за нее он серьезнее смотрит на жизнь?

— Вероятно, у него просто больше причин быть серьезным.

Дебора понимала, что это не совсем так. Как следователь по делам об убийстве, Томми сталкивался по работе с такими вещами, которые Саймону и не снились. Но ей хотелось найти способ объяснить подруге, что между любовью к человеку, почти безраздельно занятому собственными мыслями, и человеку открытому, темпераментному, интересующемуся жизнью во всех ее проявлениях, большой разницы нет. Просто Томми мог себе все это позволить, вот и все, хотелось сказать Деборе в защиту мужа. И не потому, что он богат, а просто потому, что он такой, какой есть. И то, какой он есть, придает ему уверенность, которой не обладают другие люди.

— Ты имеешь в виду его увечье? — спросила Чайна минуту спустя.

— Что?

— Какие у Саймона причины для серьезности?

— Знаешь, об этом я даже не думаю,— сказала ей Дебора. Смотрела она прямо на дорогу, чтобы подруга не прочитала по ее лицу, что это ложь.

— А-а. Понятно. Ты с ним счастлива?

— Очень.

— Ну что ж, повезло тебе.

Внимание Чайны снова привлекла карта.

— На ближайшем перекрестке не сворачиваем,— сказала она отрывисто.— На следующем направо.

Она направляла их к северной оконечности острова, в места, совершенно не похожие на те приходы, где расположились Сент-Питер-Порт и Ле-Репозуар. Гранитные утесы гернсийского юга на севере сменили дюны. Крутые, поросшие деревьями спуски в бухты уступили место пологим песчаным пляжам, а из растительности, защищавшей землю от ветров, остались только песколюб и вьюнок, которые росли на сыпучих песках, да молочай и овсяница там, где дюны утратили свою подвижность.

Их маршрут пролегал по северному берегу Ле-Гранд-Гавр, огромной открытой бухты, где на берегах пережидали зиму маленькие лодки. По одну сторону водного простора скромные белые домики Ле-Пикереля стояли вдоль дороги, уводившей на запад, к целой серии бухт, которыми так примечательны низинные части Гернси. По другую сторону влево уходила Ла-Гаренн, названная так из-за кроличьих нор, в которых обитал когда-то главный деликатес острова. Сегодня это была узенькая полоска мостовой, огибавшая восточный склон Ле-Гранд-Гавр.

Там, где Ла-Гаренн поворачивала, следуя изгибу береговой линии, они нашли дом Анаис Эббот. Он стоял посреди большого участка земли, отделенного от дороги теми же серыми грандиоритовыми блоками, из которых было сложено и само здание. Перед домом был разбит обширный сад с петляющей тропой к крыльцу. На ступеньках, сложив под арбузными грудями руки, стояла сама Анаис. Она увлеченно беседовала о чем-то с лысеющим мужчиной с кейсом под мышкой, а тот, в свою очередь, прилагал немало усилий, чтобы не опускать взгляд ниже ее подбородка.

Пока Дебора ставила машину на обочине через дорогу от дома, мужчина протянул Анаис руку. Та взяла ее и встряхнула, точно заключив с ним какую-то сделку, и мужчина, развернувшись, спустился с крыльца и пошел по выложенной камнем тропинке между кустами хебе и лаванды. Анаис провожала его глазами, а поскольку его автомобиль оказался припаркованным как раз перед Дебориным, то хозяйка дома увидела двух своих следующих посетительниц, когда те выходили из «эскорта». Ее тело заметно напряглось, выражение лица, мягкое и открытое в присутствии мужчины, изменилось, глаза превратились в щелки, пока она вычисляла, что нужно этим двум женщинам, приближавшимся к ней.

Точно защищаясь, она подняла руку к горлу.

— Кто вы? — спросила она у Деборы. Затем перевела взгляд на Чайну: — Почему вы не в тюрьме? Что это значит? — И наконец задала вопрос обеим: — Что вы здесь делаете?

— Чайну отпустили,— ответила Дебора и представилась, объяснив свое присутствие туманным намерением «во всем разобраться».

Анаис переспросила:

— Отпустили? Что это значит?

— Это значит, что Чайна невиновна, миссис Эббот,— сказала Дебора.— Она ничего не сделала мистеру Бруару.

При упоминании этого имени глаза Анаис наполнились слезами.

— Я не могу говорить с вами. Я не знаю, что вам нужно. Оставьте меня.

И она сделала движение, чтобы уйти.

Чайна остановила ее:

— Анаис, подождите. Нам надо поговорить...

Женщина стремительно обернулась.

— Мне не о чем говорить с вами. Я не хочу вас видеть. Разве вы не достаточно натворили? Вам этого мало?

— Мы...

— Нет! Я видела, как вы себя с ним вели. Думали, я ничего не заметила? А я заметила. Да, заметила. Я знаю, чего вы добивались.

— Анаис, он просто показывал мне дом. Поместье. Хотел, чтобы я увидела...

— Хотел, хотел,— фыркнула Анаис, но голос ее дрогнул, и слезы, стоявшие в глазах, покатились по щекам.— Вы знали, что он мой. Вы это знали, видели, вам говорили об этом все кругом, но вы все равно продолжали гнуть свое. Вы решили его соблазнить и ни минуты не тратили впустую...

— Я только снимала,— сказала Чайна.— Мне не хотелось упускать шанс поснимать для одного американского журнала. Я сказала ему об этом, и моя идея ему понравилась. Мы не...

— Да как вы смеете отрицать! — Ее голос поднялся до крика.— Он совсем от меня отвернулся. Он говорил, что не сможет, но я-то знала, что он не хотел... Я потеряла все. Все.

Она реагировала так бурно, что Деборе на мгновение показалось, будто, покинув свой «эскорт», они оказались в другом измерении, и она поспешила вмешаться:

— Нам нужно поговорить со Стивеном, миссис Эббот. Он здесь?

Анаис попятилась к двери.

— Что вам нужно от моего сына?

— Он вместе с мистером Бруаром ходил смотреть военную коллекцию Фрэнка Узли. Мы хотим спросить его о ней.

— Зачем?

Дебора не собиралась ничего больше ей говорить, а уж тем более то, что могло навести женщину на мысль, будто ее сын в какой-то степени несет ответственность за убийство

Ги Бруара. Она и так уже была на грани, а от такого сообщения могла и вовсе неизвестно что выкинуть. Поэтому Дебора предпочла выбрать нечто среднее между правдой, кривдой и уклончивостью.

— Нам нужно знать, что он может вспомнить.

— Зачем?

— Он дома, миссис Эббот?

— Стивен никому не сделал зла. Как вы посмели хотя бы предположить...— Анаис распахнула дверь.— Убирайтесь из моего дома. Если вам нужно с кем-то поговорить, сходите к моему адвокату. Стивена здесь нет. Он не будет говорить с вами ни сейчас, ни потом.

Она вошла в дом и захлопнула за собой дверь, но взгляд выдал ее раньше. Он был направлен туда, откуда они пришли, к церковному шпилю, поднимавшемуся над склоном холма в полумиле от дома.

Туда они и направились. Возвращаясь из Ла-Гаренн, они не выпускали шпиль из виду. Вскоре показалась ограда кладбища, спускавшегося по склону холма вниз, а на его вершине — церковь Сен Мишель де Валь, на островерхой башне которой часы с синим циферблатом и без минутной стрелки показывали — похоже, вечно — шесть часов. Решив, что Стивен Эббот, наверное, внутри, они толкнули церковную дверь.

За ней, однако, была тишина. Колокольные веревки неподвижно висели у мраморной купели, а с витражного окна на алтарь, украшенный ветвями остролиста, смотрел распятый Христос. Никого не было ни в приделе, ни в часовне Архангелов, примыкавшей к алтарю, где мерцающая свеча указывала на присутствие Святого Духа.

Они вернулись на кладбище.

— Наверное, она нас обманула,— предположила Чайна.— Об заклад бьюсь, что он в доме.

Вдруг Дебора увидела на той стороне улицы пруд. С дороги они не заметили его из-за камышей, но отсюда, с вершины небольшого холма, пруд у дома с красной крышей был как на ладони. Какой-то человек бросал в воду палки, а у его ног равнодушно лежала собака. Приглядевшись, они увидели, что это мальчик, и заметили, как он подпихнул собаку к пруду ногой.

— Стивен Эббот,— мрачно заметила Дебора.— Вне всякого сомнения, развлекается.

— Милый парнишка,— ответила Чайна, когда они возвращались к машине и переходили дорогу.

Когда они вышли из густых зарослей на берег пруда, он как раз зашвырнул в воду еще одну палку.

— Ну давай,— сказал он собаке, которая мялась на берегу и с видом раннего христианского мученика глядела на воду.— Ну давай же! — прикрикнул на нее Стивен Эббот.— Ты что, вообще ничего не умеешь?

Он швырнул еще одну палку, потом еще, словно вознамерившись доказать свое превосходство над существом, которое не думало ни о подчинении, ни о заключенной в нем благодати.

— По-моему, она просто не хочет промокнуть,— сказала Дебора.— Здравствуй, Стивен. Ты меня помнишь?

Стивен оглянулся на нее через плечо. Затем увидел Чайну. Его глаза широко открылись, но только на мгновение, после чего лицо снова стало замкнутым, а взгляд — жестким.

— Глупая псина,— сказал он.— Такая же глупая, как и весь этот дурацкий остров. Как все остальное. До чертиков глупая.

— Похоже, ей холодно,— заметила Чайна.— Она вся дрожит.

— Думает, я его вздую. А я и вздую, если он не оторвет свою задницу от берега. Бисквит! — заорал он.— А ну, давай! Полезай в воду и притащи сюда эту дурацкую палку.

Пес повернулся спиной.

— Этот кусок дерьма к тому же глухой,— сказал Стивен.— Но он знает, чего я добиваюсь. Он знает, чего я от него хочу. А раз знает, что для него хорошо, то сделает.

Оглядевшись вокруг, он поднял с земли камень и взвесил его на ладони, прикидывая, какой урон можно им нанести.

— Эй! — крикнула Чайна.— Оставь пса в покое.

Стивен взглянул на нее с презрением, швырнул камень и крикнул:

— Бисквит! Ты, бесполезный кусок дерьма! А ну, вставай!

Камень угодил псу прямо по голове. Тот взвизгнул, вскочил на ноги и бросился в камыши, где заметался, поскуливая.

— Все равно это пес моей сестры,— сказал Стивен с пренебрежением.

Отвернулся и стал бросать в воду камни, но недостаточно быстро, и Дебора успела заметить его мокрые глаза.

Чайна, с выражением ярости на лице, шагнула к нему и начала:

— Слушай, ты, ублюдок маленький...

Дебора протянутой рукой остановила подругу.

— Стивен,— мягко произнесла она.

Но он перебил ее.

— «Выведи собачку»,— просит она меня,— с горечью сказал он.— «Просто погуляй с ним, дорогуша». Я говорю, пусть Джемайма гуляет. Это же ее пес. Но нет. Она не может. Уточка занята, воет у себя в комнате, ей, видите ли, жалко уезжать из этой чертовой дыры.

— Уезжать?

— Мы съезжаем. Агент по недвижимости сидит в гостиной и делает вид, будто его совершенно не интересуют материны сиськи. Несет какую-то фигню насчет «достижения обоюдовыгодного соглашения», хотя на самом деле ему до смерти хочется ее скорее трахнуть. Собака лает на него, Утка бьется в истерике, потому что ей совсем не улыбается жить с бабушкой в Ливерпуле, но я-то тут при чем? Я готов ехать куда угодно, только бы не торчать больше на этой навозной куче. Вот я и притащил эту глупую псину сюда, но что я поделаю, если я не Утка, а его никто другой не устраивает?

— А почему вы уезжаете?

По голосу подруги Дебора поняла, о чем та думает. Она и сама думала о том же, о цепи обстоятельств, которые привели семейство Эббот к нынешнему положению вещей.

— Это же очевидно,— ответил Стивен, но, прежде чем пуститься в объяснения, спросил: — А что вам вообще-то надо?

Он бросил взгляд на заросли тростника и камышей, где затих, найдя убежище, Бисквит.

Дебора спросила у него про Мулен-де-Нио. Ходил ли он туда с мистером Бруаром?

Да, один раз.

— Мама так много говорила об этой коллекции, но на самом деле я пошел туда только потому, что она настаивала.— Он подавил смешок.— Так мы собирались заарканить глупую корову. Как будто он серьезно... Картинка была еще та. Я, Ги, Фрэнк, его папаша, которому миллион лет, среди всего этого барахла. Оно там повсюду. В коробках. В мешках. В шкафах. В ведрах. Где угодно. Сплошная трата времени.

— И что ты там делал?

— Делал? Они перебирали шапки. Шапки, кепки, шлемы, все такое. Кто что когда носил, как и почему. Глупость такая... Жалко было тратить на это время. Так что я пошел в долину, погулять.

— Значит, сам ты эти вещи не трогал? — спросила Чайна.

Стивену в ее вопросе что-то показалось подозрительным, потому что он вдруг спросил:

— А вам-то что? И что вы вообще тут делаете? Вам разве не в тюрьме полагается сидеть?

Дебора вмешалась снова:

— А кто еще был с вами в тот день? Ну, когда вы ходили смотреть коллекцию?

— Никого. Только Ги и я.

Его внимание снова привлекла Дебора и тема, которая, похоже, не выходила у него из головы.

— Я же говорил, это был наш опыт по накидыванию лассо. Я должен был делать вид, будто готов из кожи выпрыгнуть от счастья, что в нем на пятнадцать минут взыграли отцовские чувства. Он должен был убедиться, что я больше гожусь ему в сыновья, чем этот жалкий псих Адриан, который даже из университета сбежал потому, что там не было мамочки, которая водила бы его за ручку. Глупая затея, чертовски глупая. Как будто он и впрямь собирался на ней жениться.

— Зато теперь все кончилось,— сказала ему Дебора.— Вы возвращаетесь в Англию.

— Только потому,— ответил он,— что она не получила того, чего хотела от Бруара.

Он бросил презрительный взгляд в направлении Ла-Гаренн.

— Как будто из этого могло что-то выйти. Подумать только, она надеялась выжать из него что-нибудь! Я пытался вразумить ее, но она же не слушает. Всякий, у кого есть мозги, видел, что ему было надо.

— Что? — хором спросили Чайна и Дебора.

Стивен ответил им тем же презрительным взглядом, которым одарил перед тем свой дом и скрывавшуюся в нем мать.

— Он брал свое, где хотел,— коротко ответил он.— Сколько раз я пытался ей сказать, но она не слушала. Она и представить себе не могла, что пошла ради него на такие жертвы — под нож легла и все такое, за его деньги, правда,— а он все это время тискал другую. «Это твое воображение,— говорила она мне.— Милый, ты все придумываешь, потому что тебе самому немного не повезло, правда? Ничего, настанет время, и у тебя тоже будет девушка. Вот увидишь. Чтобы у такого большого, красивого, здорового парня, как ты, не было девушки?» Господи, господи, что за глупая корова!

Чтобы понять, есть ли у них повод для обвинения, Дебора перебрала в памяти все детали: мужчина, женщина, мальчик и мать.

— А кто была та, другая женщина, ты знаешь, Стивен?

Чайна взволнованно сделала к нему шаг — наконец они до чего-то добрались,— и Дебора жестом остановила ее, чтобы подруга, желая как можно быстрее добраться до сути дела, не напугала мальчишку.

— Конечно знаю. Синтия Мулен.

Дебора взглянула на Чайну, та покачала головой. Дебора спросила у Стивена:

— Синтия Мулен? Кто это?

Оказалось, они вместе учились. Девушка-подросток из школы дальнейшего образования.

— Но откуда тебе это известно? — спросила Дебора, а когда он выразительно округлил глаза, догадалась: — Мистер Бруар увел ее у тебя? Ведь так?

— Где эта глупая собака? — прорычал он в ответ.

Когда и на третье утро в доме брата никто не взял трубку, Валери Даффи не выдержала. Как только Кевин занялся работой, а Рут закончила завтракать, сама Валери улучила часок, села в машину и поехала в Ла-Корбьер. Она знала, что ее не хватятся.

Подъехав к Ракушечному дому, Валери сразу увидела разгромленный сад и испугалась, так как знала, что это ее брат натворил в припадке ярости. Генри был хорошим человеком, верным другом, заботливым братом и любящим отцом, но, к сожалению, заводился с полоборота и, заведясь, не мог остановиться, пока не выпустит весь пар. С тех пор как они оба стали взрослыми, она никогда не видела его в таком состоянии, зато знала, что он может натворить. Однако он никогда еще не направлял свой гнев на живое существо, хотя именно этого она боялась в тот день, когда он пек для своей младшей дочери лепешки, а она приехала сообщить ему о том, что Ги Бруар регулярно спит с его старшей.

Как еще положить этому конец, она не знала. Разговоры с Синтией ни к чему не привели: они как встречались, так и продолжали встречаться.

— Мы любим друг друга, тетя Вэл,— заявила она, глядя на нее наивными, широко раскрытыми глазами женщины, только что и не без удовольствия расставшейся с девственностью.— Разве ты никогда не любила?

Ничто не могло убедить девушку в том, что мужчины, подобные Ги Бруару, не влюбляются. Даже услышав о шашнях Ги с Анаис Эббот, девушка и глазом не моргнула.

— Да, мы говорили с ним об этом. Он вынужден поступать так,— сказала Синтия.— Иначе люди подумают, что у нас с ним что-то есть.

— А разве это не так? Синтия, да ему шестьдесят восемь лет! Господи, да он в тюрьму за это может сесть!

— Ах нет, тетя Вэл. Мы подождали, пока я стану совершеннолетней.

— Подождали?

В памяти Валери пронеслись годы, когда ее брат работал на Ги Бруара, каждый раз приводя с собой в Ле-Репозуар то одну, то другую из своих дочерей, так как считал, что должен общаться с девочками индивидуально, чтобы возместить отсутствие матери, сбежавшей со звездой, которая некогда блистала на небосклоне рок-музыки, но ныне угасла.

Синтия приходила с отцом чаще других. Валери даже не задумывалась об этом до тех пор, пока однажды не заметила взгляд, которым обменялся с ее племянницей Ги Бруар, потом увидела случайную ласку — его пальцы коснулись ее голой руки,— а в один прекрасный день прокралась за ними, и слушала, и ждала, а когда ее племянница вышла, она приперла ее к стенке и узнала правду.

Она не могла скрыть это от Генри. Особенно когда стало ясно, что отговорить Синтию свернуть с того пути, который она выбрала, невозможно. И вот последствия того, что она натворила, повисли над ней, словно нож гильотины, готовый обрушиться на ее голову по первому знаку палача.

Она пробиралась через печальные остатки того, что было когда-то фантастическим садом. Машина Генри стояла у дома, недалеко от амбара, где он занимался изготовлением своих стеклянных поделок, но сейчас дверь амбара была заперта и на ней висел большой замок, поэтому Валери проследовала к дому. У парадной двери она остановилась, собираясь с духом, прежде чем постучать.

Она твердила себе, что это ее брат. Ей нечего опасаться, а тем более ждать от него чего-либо плохого. Вместе они пережили тяжелое детство в доме изверившейся в людях, брошенной неверным мужем матери, чья история повторилась затем в жизни Генри. Поэтому их объединяла не только одна кровь. Их объединяли незабываемые воспоминания, и ничто не могло быть важнее, чем их умение находить опору друг в друге и заботиться друг о друге, обретенное после того, как отец исчез из их жизни физически, а мать — духовно. Им удалось сделать так, что это перестало иметь значение. Они поклялись, что не позволят ошибкам родителей повлиять на их жизнь. И никто не виноват в том, что это им не удалось,— они, как могли, старались.

Дверь распахнулась раньше, чем она успела постучать, и на пороге возник ее брат с корзиной грязного белья под мышкой. Такого мрачного выражения лица, как в тот миг, она давно у него не видела. Со словами:

— Вэл, какого черта тебе тут нужно? — он зашагал в сторону кухни, где у него была пристройка, служившая прачечной.

Идя за ним, она невольно отметила, что Генри стирает так, как учила его она. Белье аккуратно разделено на кучки по цвету: белое, черное и цветное, полотенца лежат отдельно.

Когда он заметил, что она наблюдает за ним, на его лице мелькнуло выражение, которое иначе как ненавистью к себе трудно было назвать.

— Некоторые уроки не забываются,— сказал он ей.

— Я звонила. Почему ты не отвечал? Ты ведь был дома, правда?

— Не хотел.

Он открыл стиральную машину с бельем и начал перекладывать его в сушку. Рядом в раковине что-то мокло, из крана с ритмичным стуком падали в таз капли воды. Генри заглянул в него, плеснул немного отбеливателя и энергично помешал большой деревянной ложкой.

— Для бизнеса это плохо,— заметила Валери.— Кто-нибудь может позвонить, чтобы дать тебе работу.

— Для этого есть мобильник,— сказал он ей.— По делу звонят на него.

Валери ругнулась про себя, услышав эту новость. О мобильнике-то она и не подумала. Почему? Да потому, что была слишком напугана, встревожена и замучена чувством вины и не думала ни о чем, кроме того, как бы успокоить свои расшатанные нервы. Вслух она произнесла:

— Ах да. Мобильник. О нем я не подумала.

— Вот именно,— сказал он и принялся запихивать следующую порцию стирки в машину. Это оказались девчачьи одежки: джинсы, джемперы, носки.— Ты не подумала, Вэл.

Презрение в его голосе уязвляло, но она решила, что не позволит ему запугать ее и выгнать из дома.

— Где девочки, Гарри?

Услышав это уменьшительное имя, он поднял голову. На миг маска презрения слетела с его лица, и перед ней снова был тот мальчик, которого она держала за руку, когда они переходили через эспланаду, чтобы искупаться в бухточках пониже Хавлет-Бей.

«Тебе от меня не спрятаться, Гарри»,— хотелось ей сказать. Но она ждала его ответа.

— В школе. Где им еще быть?

— Я спрашивала о Син,— уточнила она.

Он не ответил.

— Гарри, ты же не можешь держать ее под замком...

Он наставил на нее указательный палец и сказал:

— Никого здесь под замком не держат. Слышишь меня? Никого.

— Значит, ты ее выпустил. Я заметила, что на окне больше нет решетки.

Вместо ответа он потянулся за порошком и начал посыпать им одежду. Он не отмерял его, а просто сыпал и сыпал, не сводя с нее глаз, словно ждал, примет ли она его вызов и решится ли предложить совет. Но однажды, всего однажды, она это уже сделала, Господи, помоги ей. И вот пришла убедиться, что ничего страшного не случилось после ее слов: «Генри, ты должен что-то сделать».

— Значит, она куда-то ушла?

— Из комнаты не выходит.

— А замок с двери ты снял?

— Какой в нем теперь прок?

— Какой прок?

По телу пробежала дрожь. Она обхватила себя руками, чтобы ее унять, хотя в доме не было холодно.

— Никакого проку,— повторил Генри и, словно желая раздобыть какое-то подтверждение своим словам, шагнул к раковине с замоченным бельем и что-то из нее вынул.

Это оказались женские трусики, с которых на пол натекла целая лужа, пока он держал их на весу. Валери увидела след от пятна, все еще заметный, несмотря на замачивание и отбеливание. И почувствовала, как ее затошнило, когда она поняла, почему брат держал взаперти свою дочь.

— Значит, она не...— сказала Валери.

— Хоть одно утешение.— Он дернул головой в сторону спален.— Но выходить не хочет. Можешь поговорить с ней, если есть желание. Только она заперла дверь изнутри и воет, точно кошка, у которой утопили котят. Дурочка несчастная.

Он захлопнул крышку стиральной машины, нажал несколько кнопок и оставил агрегат заниматься своим делом.

Валери подошла к комнате племянницы. Постучала, назвала свое имя и добавила:

— Это тетя Вэл, дорогая. Ты мне откроешь?

Но Синтия внутри молчала. Валери тут же подумала самое худшее. Она закричала:

— Синтия? Синтия! Дай мне с тобой поговорить. Открой дверь, пожалуйста.

И снова ответом ей было молчание. Мертвое молчание. Нечеловеческое молчание. Валери показалось, что есть только один способ заставить семнадцатилетнюю девочку перейти от кошачьих завываний к полной тишине. Она заспешила назад к брату.

— Нам надо войти в ее спальню,— сказала она.— А вдруг она что-нибудь с собой...

— Чепуха. Выйдет, когда будет готова.— И он горько рассмеялся.— Может, ей там понравилось.

— Генри, нельзя же позволить ей...

— Не указывай, что мне нельзя, а что можно! — заорал он.— Никогда больше не смей мне ничего советовать! Посоветовала уже, хватит. Свое дело сделала. С остальным я справлюсь по-своему.

Этого она больше всего и боялась: что ее брат справится. Ведь то, с чем он собирался справляться, выходило далеко за пределы сексуальной активности его дочери. Будь это какой-нибудь парнишка из колледжа, Генри просто предостерег бы ее об опасности, даже позаботился бы о том, чтобы все меры, предохраняющие от неприятных последствий случайного секса, такого желанного для Синтии в силу своей новизны, были приняты. Но он столкнулся с чем-то большим, нежели зарождение сексуального влечения у молодой девушки. Речь шла о соблазнении и предательстве столь глубоком, что, когда Валери впервые рассказала брату о нем, он ей сначала даже не поверил. Не мог поверить. Отшатнулся, услышав, словно животное, оглушенное ударом по голове.

— Послушай меня, Генри,— сказала она в тот раз.— То, что я говорю,— правда, и если ты ничего не предпримешь, один бог знает, что станет с девочкой.

Именно тогда она и произнесла эти роковые слова: «Если ты ничего не предпримешь». Теперь, когда роману пришел конец, ей надо было узнать, что же именно он предпринял.

Генри долго смотрел на нее, и его «по-своему» звенело в тишине, точно колокола церкви Святого Мартина. Валери поднесла руку ко рту и прижала к зубам губы, как будто это могло заставить ее замолчать и не произносить то, что было у нее на уме, то, чего она больше всего боялась.

Генри прочел ее мысли так же легко, как и всегда. Оглядел с головы до ног и спросил:

— Чувство вины замучило, да, Вэл? Не волнуйся, старушка.

— О Гарри, слава богу, а то я уже...— начала было она, но он перебил ее, закончив свое признание:

— Не ты одна мне про них рассказывала.

22

Рут вошла в спальню брата впервые со дня его смерти. Она решила, что пришло время разобрать одежду. Никакой необходимости в этом не было, просто ей хотелось найти себе занятие. И лучше, чтобы оно имело отношение к Ги, позволяя ей снова почувствовать его вселяющее уверенность присутствие, не сталкиваясь с доказательствами его нечестности.

Подойдя к гардеробу, она сняла с плечиков его любимый твидовый пиджак. Помедлив минуту, чтобы снова вдохнуть знакомый запах лосьона, сунула руку в каждый карман по очереди и извлекла из них носовой платок, пачку мятных леденцов, ручку и вырванный из спирального блокнота листок бумаги, совсем свежий, еще не обтрепавшийся по краям. Он был свернут в крохотный прямоугольник, который Рут и развернула.

«С + Г = любовь навеки» — было написано, без сомнения, рукой подростка.

Рут торопливо скомкала бумажку и поймала себя на том, что озирается по сторонам, словно боится, как бы ее кто-нибудь не увидел, какой-нибудь ангел мщения в поисках доказательства, на которое она только что натолкнулась.

Хотя она сама меньше всего нуждалась в каких-либо доказательствах в тот момент. Да и вообще когда-нибудь. Разве нужны доказательства тому, кто знает страшную правду, потому что видел ее своими глазами?

Рут почувствовала, как на нее накатила та же немощь, которую она ощутила в день, когда неожиданно рано вернулась с собрания самаритян. Тогда ее боли еще не были диагностированы. Она всем говорила, что это артрит, глушила боль аспирином и надеялась на лучшее. Но в тот день боль стала вдруг нестерпимой, так что не оставалось ничего другого, кроме как отправиться домой и лечь в постель. Поэтому она ушла с собрания задолго до его конца и поехала в Ле-Репозуар.

Подъем по лестнице дался ей с трудом: воля боролась с болезнью. Выиграв битву, Рут поплелась по коридору к своей спальне, по соседству со спальней брата. Она уже положила руку на ручку двери, как вдруг услышала смех. Затем девичий голос воскликнул:

— Перестань, Ги! Щекотно!

Рут застыла, как соляной столп, потому что узнала этот голос и, узнав, не могла отойти от двери. Она не могла двинуться с места, потому что не могла поверить. По этой причине она сказала себе, что есть, наверное, очень простое объяснение тому, как в спальне ее брата оказалась девочка-подросток.

Если бы ей удалось быстро убраться от двери, то она бы, наверное, так и продолжала в это верить. Но не успела она даже подумать о том, чтобы исчезнуть, как дверь соседней спальни распахнулась. Оттуда вышел Ги, запахивая халат на голое тело, и, обращаясь к кому-то в комнате, сказал:

— Тогда попробуем шарфиком Рут. Тебе понравится.

Тут он повернулся и увидел сестру. К его чести — единственное, что в той ситуации могло послужить к его чести,— кровь мгновенно отхлынула от его разгоряченных щек, и они стали белыми. Рут сделала к нему шаг, но он схватил дверь за ручку и захлопнул. Пока они с сестрой смотрели друг на друга, Синтия Мулен из-за двери звала:

— В чем дело? Ги?

— Отойди, братец,— попросила Рут.

— Господи, Рут. Почему ты дома? — хрипло ответил Ги.

— Наверное, потому, что должна была увидеть.

И она протиснулась мимо него в комнату.

Он даже не попытался ее остановить, и теперь это ее удивляло. Он словно хотел, чтобы она увидела девушку на кровати — тонкую, нагую, свежую, прекрасную и такую неиспорченную — и бахрому, которой он дразнил ее и оставил лежать у нее на бедре.

Она сказала Синтии Мулен:

— Одевайся.

— И не подумаю!

Так они и застыли все трое, словно актеры в ожидании следующей реплики, которая все не звучала: Ги у двери, Рут возле гардероба, девушка на кровати. Синтия посмотрела на Ги и подняла бровь, а Рут удивилась, как это у молоденькой девушки, застигнутой в щекотливом положении, хватает духу вести себя так, словно она знает, что последует затем.

— Рут,— многозначительно произнес Ги.

— Нет,— ответила Рут и снова обратилась к девушке: — Одевайся и вон из этого дома. Видел бы тебя сейчас твой отец...

Больше она ничего сказать не успела, потому что к ней подошел Ги и обнял за плечи. И снова произнес ее имя. А потом тихонько шепнул — она даже не поверила своим ушам:

— Рути, нам нужно побыть сейчас одним, если ты не возражаешь. Как видишь, мы не знали, что ты придешь домой так рано.

Именно разумность этого утверждения Ги в обстоятельствах, всякую разумность отрицавших, и подтолкнула Рут к двери. Когда она вышла в коридор, Ги шепнул ей:

— Поговорим с тобой позже,— и закрыл дверь.

Но в последний момент Рут успела услышать, как он сказал, обращаясь к девушке:

— Похоже, придется обойтись без шарфа.

Старые половицы заскрипели под его ногами, и застонала старинная кровать, когда он улегся на нее рядом со своей любовницей.

Некоторое время спустя — ей оно показалось часами, хотя на самом деле прошло, вероятно, минут двадцать пять,— зажурчала и умолкла вода, загудел фен. Рут лежала на кровати и вслушивалась в эти звуки, такие простые и домашние, что она даже подумала, а не привиделось ли ей это все.

Но Ги не позволил ей обмануть саму себя. Он пришел сразу после ухода Синтии. Уже стемнело, но Рут еще не зажигала свет. Она предпочла бы навсегда остаться в темноте, но Ги и этого не дал. Подойдя к тумбочке у кровати, он сам включил ночник.

— Я знал, что ты не уснешь,— сказал он.

Он долго смотрел на нее, потом прошептал: «Моя дорогая сестра» — с такой печалью в голосе, что Рут приготовилась было выслушивать его извинения.

Но ошиблась.

Он подошел к низкому, очень мягкому креслу и опустился в него. Рут подумала, что вид у ее брата какой-то восторженный, словно он вознесся в другое измерение.

— Это она,— сказал он таким тоном, словно речь шла о священной реликвии.— Она пришла ко мне наконец. Представляешь, Рут? После стольких лет. Это определенно она.

Он встал, словно не в силах сдержать эмоции. И заходил по комнате. Продолжая говорить, он касался то шторы на окне, то края вышивки на стене, то угла комода, то кружева на коврике.

— Мы собираемся пожениться,— сказал он.— Я говорю это не потому, что ты застала нас сегодня... вот так. Я хотел сказать тебе после ее дня рождения. То есть мы хотели тебе сказать. Вместе.

Ее дня рождения. Рут уставилась на брата. Она чувствовала себя заблудившейся в неузнаваемом мире, где царил один закон: если тебе чего-то хочется, бери; оправдываться будешь позже, да и то если тебя застукают.

— Через три месяца ей будет восемнадцать. Мы решили устроить по этому поводу обед... Ты, ее отец и сестры. Может, и Адриан приедет из Англии. Мы решили, что я положу кольцо к ее прочим подаркам, а когда она откроет коробочку...

По его лицу расплылась ухмылка. Вид у него, не могла не признать Рут, был совсем мальчишеский.

— Вот это будет сюрприз. Ты никому не проболтаешься?

— Это же...— начала Рут, но запнулась, не найдя нужных слов.

Ее воображение нарисовало ей картину того, что она хотела бы сказать, но эта картина была так ужасна, что она отвернулась в страхе.

— Рут, тебе нечего бояться. Этот дом всегда был и останется твоим. Син это знает и не возражает. Ты для нее как...

Но он не закончил свою мысль: она сделала это за него.

— Как бабушка,— подсказала она.— А ты тогда кто?

— Возраст любви не помеха.

— О господи! Да ты ее на пятьдесят лет...

— О нашей разнице в годах мне все известно,— отрезал он.

Он вернулся к кровати и стоял, глядя на нее сверху вниз. Вид у него стал озадаченный.

— Я думал, ты обрадуешься. За нас двоих. За то, что мы любим друг друга. И хотим жить вместе.

— Сколько? — спросила она.

— Никто не знает, сколько кому отпущено.

— Я имею в виду, как давно. Сегодня... Это же не... Она так по-хозяйски себя вела.

Ги ответил не сразу, и у Рут взмокли ладони, когда она поняла, что означает это промедление. Она сказала:

— Скажи мне. Не скажешь ты, я спрошу у нее.

— На ее шестнадцатый день рождения, Рут.

Все оказалось хуже, чем она думала, потому что это могло значить только одно: ее брат стал любовником девушки в тот самый день, когда она стала совершеннолетней. Стало быть, он положил на нее глаз бог знает как давно. Он все спланировал, он тщательно организовал ее соблазнение. Господи, подумала она, когда Генри узнает... когда он догадается обо всем, как только что догадалась она...

Немеющими губами она спросила:

— А как же Анаис?

— Что Анаис?

— Ты ведь говорил то же самое о ней. Разве не помнишь? Ты сказал: «Это она». И ты в это верил. Так почему же ты думаешь...

— Теперь все по-другому.

— Ги, все всегда бывает по-другому. Для тебя все по-другому. Но это только сперва, пока все ново.

— Ты не понимаешь. Да и как тебе понять? Мы с тобой пошли в жизни разными путями.

— И каждый свой шаг ты делал у меня на глазах,— сказала Рут,— а это...

— Что-то большее,— перебил он ее.— Глубокое. Преображающее. Если я окажусь таким дураком, что брошу ее и нашу любовь, то заслужу вечное одиночество.

— Но как же Генри?

Ги отвел глаза.

И тут Рут увидела: Ги хорошо знает, что ради Синтии играл своим другом, Генри Муленом, как пешкой. Она увидела, что каждый раз, когда Ги говорил: «Надо пригласить Генри, пусть он этим займется», имея в виду то или иное хозяйственное дело, он на самом деле подбирался к его дочери. Она не сомневалась, что ее настойчивость наверняка заставит его придумать какое-нибудь оправдание и махинации, совершенной им по отношению к Генри, и очередному заблуждению касательно женщины, которая якобы завоевала его сердце. Он в самом деле верил, что Синтия Мулен была та самая. Но то же он говорил сначала о Маргарет, потом о Джоанне, а потом обо всех маргарет и джоаннах, что были после, включая Анаис Эббот. А о женитьбе на этой последней маргарет-джоанне он заговорил лишь потому, что она в свои восемнадцать лет хотела его и это тешило его мужское самолюбие. Однако придет время, когда его снова потянет налево. Или ее. Неважно, кого из них, все равно кому-то будет больно. Они просто уничтожат друг друга. Рут должна была это предотвратить.

Поэтому она поговорила с Генри. Рут убеждала себя, что идет на этот шаг только ради того, чтобы уберечь Синтию от разбитого сердца, и даже сейчас ей нужно было верить в это. Интрижка ее брата с девушкой-подростком была более чем аморальна и неэтична, и тому были тысячи разных причин. Если самому Ги не хватает мудрости и смелости мягко свести их отношения на нет и отпустить девушку на свободу, дать ей нормальную жизнь и будущее, значит, ей самой придется сделать так, чтобы у него просто не осталось выбора.

Она решила открыть Генри Мулену только часть правды: о том, что Синтия, вероятно, немного увлеклась Ги. Слоняется по Ле-Репозуару, вместо того чтобы проводить время с друзьями или за книжками, изобретает предлоги для того, чтобы заглянуть в поместье и повидаться с теткой, ходит за Ги хвостом. Рут назвала это влюбленностью и намекнула, что Генри, возможно, следует поговорить с девушкой.

Он поговорил. Синтия отвечала ему с искренностью, которой Рут от нее не ожидала. Она спокойно объяснила отцу, что это не увлечение и не детская влюбленность. Папе не о чем беспокоиться. Ведь она и его друг собираются пожениться, потому что любят друг друга уже два года.

И тогда Генри ворвался в Ле-Репозуар и застал Ги на опушке тропического сада, где тот кормил уток. С ним был Стивен Эббот, но Генри это нисколько не волновало. Он двинулся на Ги с криком:

— Ты, жалкий кусок слизи! Я убью тебя, негодяй! Отрежу твой член и запихну его тебе в глотку! Да сгноит Господь тебя в аду! Ты прикасался к моей дочери!

Стивен бегом прибежал за Рут, лопоча что-то несвязное. Разобрав имя Генри Мулена и слова «орет что-то про Син», она бросила все и последовала за ним в сад. Пересекая крокетную лужайку, она сама слышала звуки бури. На бегу Рут лихорадочно озиралась по сторонам, ища кого-нибудь, кто мог бы вмешаться, но машины Кевина и Валери не было на месте, а это значило, что предотвратить насилие предстояло им со Стивеном.

В том, что насилия не миновать, Рут не сомневалась. Как глупо было с ее стороны полагать, что отец может спокойно смотреть соблазнителю дочери в глаза, не испытывая желания удушить его, вышибить из него дух.

Еще не добежав до тропического сада, она услышала удары. Генри бесновался и хрипел, утки верещали, но Ги был нем. Как могила. Вскрикнув, она бросилась к нему через кусты.

Трупы валялись повсюду. Кровь, перья, смерть. Генри стоял среди убитых уток, все еще сжимая в руках доску, которой он их перебил. Его грудь вздымалась, а по искаженному рыданиями лицу текли слезы.

Подняв трясущуюся руку, он ткнул пальцем в Ги, который стоял у пальмы, как громом пораженный, а у его ног лежал лопнувший мешок с утиным кормом.

— Не подходи,— зашипел на него Генри.— Тронешь ее опять — будешь следующим.

В спальне Ги Рут словно переживала все заново. Ответственность за все произошедшее тяжким грузом лежала на ее плечах. Одного желания сделать всем хорошо оказалось мало. Она не уберегла Синтию. И не спасла Ги.

Медленно она свернула пиджак. Потом так же медленно повернулась и направилась к гардеробу за следующей вещью.

Когда она снимала с вешалки брюки, дверь спальни распахнулась и на пороге возникла Маргарет Чемберлен.

— Я хочу поговорить с тобой, Рут. Вчера вечером, после обеда, ты от меня улизнула — у тебя был тяжелый день, артрит замучил, надо отдохнуть... как удачно. Но теперь ты от меня не спрячешься.

Рут прервала свое занятие.

— Я и не пряталась.

Презрительно фыркнув, Маргарет вошла в комнату. Вид у нее, отметила про себя Рут, был потрепанный. Ее французский пучок сбился набок, из его обычно гладкой волны торчали прядки. Украшения, вопреки обыкновению, не подходили к платью, которое было на ней, и еще она забыла солнечные очки, которые вечно торчали у нее на макушке при любой погоде.

— Мы ходили к поверенному,— объявила она.— Адриан и я. Ты, конечно, это предвидела.

Рут бережно положила брюки на кровать.

— Да,— сказала она.

— Очевидно, и он тоже. Вот почему он позаботился о том, чтобы нас отфутболили на дальних подступах.

Рут ничего не сказала.

Рот Маргарет превратился в тонкую полоску. Злобно улыбаясь, она спросила:

— Разве не так, Рут? Или Ги не знал, как я отреагирую на то, что он обездолил собственного сына?

— Маргарет, он его не обездолил...

— Давай не будем притворяться. Он изучил законы этого жалкого прыща на теле океана, притворяющегося островом, и выяснил, что произойдет с его собственностью, если при покупке он не будет записывать все на тебя. Он понял, что не сможет ничего даже продать, не сообщив предварительно Адриану, а потому позаботился о том, чтобы ничего не иметь. Превосходный план, Рути. Надеюсь, ты получила удовольствие, разрушая надежды единственного племянника. Потому что именно этого вы и добились.

— Никто не собирался ничего разрушать,— спокойно сказала Рут.— Ги устроил все таким образом не потому, что не любил своих детей и хотел досадить им.

— А кажется, будто хотел, или я не права?

— Пожалуйста, Маргарет, послушай. Ги не...

Рут замешкалась, не зная, как объяснить поступки брата его бывшей жене, как сказать, что все не так просто, как кажется, как заставить ее понять, что то, какими Ги хотел видеть своих детей, было частью самого Ги.

— Он не верил в наследство. Вот и все. Он сделал себя сам, начав с нуля, и хотел, чтобы его дети повторили его путь. Чтобы они испытали такое же удовольствие. Чтобы обрели то чувство уверенности, которое приходит только...

— Какая несусветная чушь,— отмахнулась Маргарет.— Просто ни в какие ворота не лезет. И ты знаешь это, Рут. Чертовски хорошо знаешь.

Она остановилась, чтобы успокоиться и привести в порядок мысли, словно считала, что сможет вырубить топором то, что написано пером.

— Рут,— сказала она, с видимым усилием сохраняя спокойствие,— главный смысл жизни в том и состоит, чтобы дать своим детям то, чего у тебя не было. А не в том, чтобы поставить их в те же обстоятельства и смотреть, как они будут выкарабкиваться. Зачем тогда вообще стараться сделать свое будущее лучше настоящего, если знаешь, что все бесполезно?

— Не бесполезно. Речь идет об учебе. О росте. Только принимая вызов обстоятельств, можно научиться их преодолевать. Ги верил, что борьба формирует характер. Он сам боролся, и это пошло ему на пользу. Этого же он хотел и для своих детей. Он не желал, чтобы они оказались в положении, когда им не придется работать. Он не хотел, чтобы они оказались перед соблазном не делать ничего всю оставшуюся жизнь.

— Ага. Но тех двоих это не касается. Их, значит, соблазнять можно, потому что они по какой-то причине не должны бороться. Так?

— Девочки Джоанны находятся в том же положении, что и Адриан.

— Я говорю не о дочерях Ги, и ты это прекрасно знаешь. Я говорю о тех двоих. Филдере и Мулен. Учитывая их происхождение, они получили по целому состоянию. Каждый. Что ты можешь сказать об этом?

— Они — особый случай. Они другие. Они были лишены преимуществ...

— Ну конечно. Лишены. Зато теперь они своего не упустят, правда, Рути?

Маргарет расхохоталась и шагнула к распахнутому гардеробу. Там она стала перебирать кашемировые свитера, которые Ги предпочитал носить вместо рубашек и галстуков.

— Они были особыми для него,— сказала Рут.— Наверное, их можно было назвать его приемными внуками. Он был для них кем-то вроде наставника, а они...

— Мелкие воришки,— сказала Маргарет.— Но надо позаботиться о том, чтобы они получили награду, несмотря на их липкие пальчики.

Рут нахмурилась.

— Воришки? О чем ты?

— А вот о чем: я застала протеже Ги — или мне лучше называть его внуком, Рут? — когда он воровал из этого дома. Вчера утром, вот когда это было. В кухне.

— Пол, наверное, проголодался. Валери иногда подкармливает его. Вот он и пришел за печеньем.

— И сунул его в свой рюкзак? А когда я попыталась посмотреть, что он там стянул, он натравил на меня свою шавку. Почему бы тебе не отдать ему столовое серебро, Рут? Или одну из статуэток Ги? Или какое-нибудь украшение? Или что еще он там вчера спер? Он побежал, когда увидел нас — меня и Адриана,— а если ты думаешь, что он ни в чем не виновен, то спроси у него, почему он так вцепился в этот рюкзак и сопротивлялся, когда мы пытались посмотреть, что у него там.

— Я тебе не верю,— сказала Рут.— Пол никогда ничего у нас не возьмет.

— Неужели? Ну тогда давай попросим полицию, пусть они пошарят в его рюкзаке сами.

Маргарет подошла к прикроватному столику и взяла оттуда телефонный справочник. Словно искушая, она протянула его золовке.

— Я позвоню им или ты сделаешь это сама? Если мальчик ни в чем не виноват, то бояться ему нечего.

Банк Ги Бруара находился на Ле-Полле, узкой улочке, которая ответвлялась от Хай-стрит и шла параллельно нижней части северной эспланады. Относительно небольшая тенистая улочка была с двух сторон застроена домами, самым старым из которых было не менее трехсот лет. Они служили напоминанием о переменчивой природе городов повсюду в мире: некогда роскошный жилой дом восемнадцатого века — сплошь отшлифованный гранит с пилястрами по углам — в двадцатом веке превратился в отель, тогда как соседняя парочка домов девятнадцатого века из непонятно какого камня стала магазинами одежды. Изогнутые стеклянные витрины, модные в Эдвардианскую эпоху, напоминали о расцвете торговли, который можно было наблюдать здесь перед Первой мировой, а рядом с ними вставали современные постройки лондонского финансового учреждения.

Банк, который разыскивали Сент-Джеймс и Ле Галле, оказался в самом конце Ле-Полле, недалеко от таксопарка, переходившего в набережную. Пришли они туда в сопровождении сержанта Марша из отдела по борьбе с мошенничеством, моложавого человека с антикварными бакенбардами, который, обращаясь к старшему инспектору, прокомментировал:

— Здесь нужна хорошая бомба, так ведь, сэр?

Ле Галле язвительно ответил:

— Дик, я хочу, чтобы у них с самого начала появилось желание сотрудничать с нами. Нам это сэкономит время.

— Думаю, что посетителя из отдела по борьбе с мошенничеством для этого вполне достаточно, сэр,— ответил Марш.

— Я привык страховать риски, прежде чем биться об заклад, парень. И я не из тех, кто пренебрегает своими привычками. Финансовый отдел развяжет им языки, можно не сомневаться. Но посетители из отдела по борьбе с мошенничеством? Тут не только языки, тут и кишки развяжутся.

Сержант Марш улыбнулся и округлил глаза.

— Вам, парням из убойного, развлечений не хватает.

— Ничего, Дик, мы их находим, где можем.

Потянув на себя тяжелую стеклянную дверь, он пропустил Сент-Джеймса вперед.

Управляющим директором банка оказался человек по фамилии Робийяр, и, как выяснилось, Ле Галле был ему хорошо знаком. Когда они вошли в его офис, тот встал со своего кресла.

— Луи, как жизнь? — Он протянул главному инспектору руку.— Нам не хватало тебя на футболе. Как лодыжка?

— В порядке.

— Значит, в выходные будем ждать тебя на поле. Вид у тебя такой, словно ты истосковался по упражнениям.

— Всё круассаны по утрам. Доконают они меня когда-нибудь,— признался Ле Галле.

Робийяр засмеялся.

— Только толстяки умирают молодыми.

Ле Галле представил ему своего спутника со словами:

— Мы пришли поболтать насчет Ги Бруара.

— А-а.

— Он ведь держал свои деньги здесь?

— И его сестра тоже. А что, со счетами не все чисто?

— Похоже на то, Давид. Извини.

Ле Галле объяснил, что они уже знали: сначала клиент продает большой портфель акций и закладных, потом в несколько приемов забирает деньги из банка, и все это за относительно короткий срок. Дело кончилось тем, заключил он, что банковский счет клиента сильно похудел. Теперь этот клиент мертв — о чем Робийяр наверняка слышал, если не оглох за последние несколько недель,— а поскольку он не просто умер, а был убит...

— Нам нужно увидеть все,— закончил Ле Галле.

Робийяр выглядел задумчивым.

— Конечно нужно,— сказал он.— Только использовать банковскую документацию в качестве улики... Тебе понадобится ордер бейлифа. Полагаю, ты не забыл об этом.

— Разумеется нет,— ответил Ле Галле.— Но в данный момент мы просто хотим знать, и ничего больше. Куда уходили эти деньги, к примеру, и как?

Робийяр обдумывал просьбу. Остальные ждали. Ле Галле объяснил Сент-Джеймсу, что одного звонка из Службы финансового контроля достаточно, чтобы получить от банка всю информацию в общих чертах, но лично он предпочитает индивидуальный подход. Так будет не только эффективнее, но и быстрее. Предполагалось, что финансовые учреждения должны докладывать в СФК обо всех подозрительных операциях, если та запросит у них такую информацию. На самом деле они не очень-то с этим спешили. У них всегда были наготове десятки отговорок. По этой причине он и запросил помощи у отдела по борьбе с мошенничеством в лице сержанта Марша. Ги Бруар слишком давно умер, чтобы они могли прохлаждаться и ждать, пока банк исполнит все па ритуального танца вокруг того, чего недвусмысленно требует закон.

Наконец Робийяр сказал:

— Ну, если вы не будете забывать о том, что касается использования улик...

Ле Галле постучал себя по виску пальцем.

— Затвердил намертво, Давид. Дай нам все, что можешь.

Управляющий директор лично отправился выполнять его просьбу, оставив их наслаждаться видом гавани и пирса Святого Юлиана, открывающимся из окна.

— В приличный телескоп отсюда видна Франция,— заметил Ле Галле.

— Только кому она нужна? — ответил Марш, и оба усмехнулись, как местные жители, чье гостеприимство по отношению к туристам порядком поизносилось с годами.

Минут через пять к ним вернулся Робийяр с компьютерной распечаткой в руках. Жестом он показал на небольшой переговорный стол, куда они сели. Опустившись на стул, он положил распечатку перед собой.

— У Ги Бруара был в нашем банке крупный счет. Не такой крупный, как у его сестры, но вполне достаточный. В последние месяцы какие-то деньги поступали на его счет и какие-то с него исчезали, но, учитывая, кто такой был мистер Бруар — «Шато Бруар», объемы бизнеса, во главе которого он стоял,— никаких вопросов движение капиталов на его счете не вызывало.

— Сообщение принято,— сказал Ле Галле и обратился к Маршу: — Понял, Дик?

— Сотрудничество идет по плану,— ответил тот.

Сент-Джеймсу оставалось только восхищаться тем, как отлажено взаимодействие между разными ведомствами в маленьком городке. Он хорошо представлял, как усложнилась бы вся процедура, если бы заинтересованные стороны начали настаивать на присутствии адвокатов, наличии ордеров, выданных главой местной судебной системы, или предписания СФР. Он приготовился наблюдать дальнейшее развитие событий, и оно не замедлило наступить.

— Он послал множество телеграфных переводов в Лондон,— сказал Робийяр.— Все они поступали в один и тот же банк, на один и тот же счет. Первый ушел...— он заглянул в распечатку,— чуть больше восьми месяцев назад. Другие следовали за ним всю весну и лето, каждый раз сумма оказывалась больше предыдущей, пока все не завершилось последним, самым крупным платежом первого октября. Первый перевод был на сумму пять тысяч фунтов. Последний — на двести пятьдесят тысяч.

— На двести пятьдесят тысяч? И каждый раз деньги поступали на один и тот же счет? — сказал Ле Галле.— Господи милостивый, Давид, кто тут заправляет вашей лавочкой?

Робийяр вспыхнул.

— Я ведь говорил, Бруары — одни из самых крупных наших вкладчиков. Он владел бизнесом, подразделения которого были во всех частях света.

— Да он же уволился, черт возьми!

— Да, это так. Но понимаешь, если бы деньги переводил кто-то, кого мы не так хорошо знали,— если бы деньги то поступали, то уходили со счетов какого-нибудь иностранца, к примеру,— то мы бы немедленно об этом сигнализировали. Но в данной ситуации не было ничего странного. Я и сейчас не вижу в ней ничего необычного.

Он оторвал от распечатки желтый липучий листок.

— Имя получателя — «Интернэшнл аксесс». Адрес зарегистрирован в Бракнелле. Честно говоря, я предполагал, что это какая-то новая компания, которую финансировал Бруар. Спорю, что вы именно это и обнаружите, когда займетесь ими вплотную.

— Чего тебе очень хотелось бы,— вставил Ле Галле.

— Больше я ничего не знаю,— ответил Робийяр.

Ле Галле не поддался.

— Не знаешь или не хочешь говорить, Давид?

Тут Робийяр сложил поверх распечатки ладони.

— Слушай, Луи. Во всем этом чертовом деле нет ни одной зацепки, которая говорила бы, что оно не то, чем кажется.

Ле Галле потянулся к листку.

— Хорошо. Посмотрим.

Выйдя из банка, трое мужчин остановились у булочной, и Ле Галле с вожделением уставился на шоколадные круассаны, выставленные в ее витрине.

— Здесь есть над чем поразмыслить, сэр,— произнес сержант Марш.— Но поскольку Бруар умер, я не думаю, что кто-нибудь в Лондоне станет надрываться над этим делом.

— Это мог быть вполне законный перевод,— заметил Сент-Джеймс.— Сын, Адриан Бруар, насколько я понимаю, живет в Англии. И другие дети тоже. Нельзя исключать возможность, что «Интернэшнл аксесс» принадлежит кому-то из них, а Бруар просто делал, что мог, чтобы поддержать компанию.

— Инвестируемый капитал,— кивнул сержант Марш.— Нам надо, чтобы кто-то в Лондоне поговорил с этим банком. Я позвоню в СФР и замолвлю словечко, но, скорее всего, они затребуют ордер. Я имею в виду банк. Если вы позвоните в Скотленд-Ярд...

— У меня есть кое-кто в Лондоне,— вмешался Сент-Джеймс.— Он работает в Ярде. И может помочь. Я позвоню ему. А пока...

Он взвесил все, что ему удалось узнать за последние несколько дней. И проследил все концы, тянувшиеся от каждого полученного им фрагмента информации.

— Я займусь Лондоном, если вы не возражаете,— предложил он Ле Галле.— После чего, по-моему, надо будет поговорить по душам с Адрианом Бруаром.

23

— Вот такие дела, парень,— сказал Полу отец.

Он стиснул сыну лодыжку и нежно улыбнулся, но Пол видел в его глазах сожаление. Он заметил его прежде, чем отец позвал его наверх, в спальню, «потолковать по душам». Перед этим зазвонил телефон, Ол Филдер взял трубку и сказал:

— Да, мистер Форрест, сэр. Мальчик рядом со мной,— а потом долго слушал, и удовольствие на его лице медленно сменилось сначала тревогой, а затем и откровенным разочарованием.— Ну что же,— сказал он, когда адвокат закончил свою речь,— это тоже неплохая сумма, и, бьюсь об заклад, наш Поли ею не побрезгует.

После этого разговора он и попросил Пола пойти с ним наверх, пропустив мимо ушей комментарий Билли:

— Что там у нас новенького? Не бывать нашему Поли вторым Ричардом Брэнсоном?

Они поднялись в спальню, где Пол уселся на кровать, прижавшись спиной к изголовью. Его отец сел на край и начал объяснять ему, что сумма наследства, которая, по предварительным предположениям мистера Форреста, должна была составить семьсот тысяч фунтов, на самом деле оказалась равной шестидесяти тысячам. Это, конечно, не так много, как они надеялись сначала, но тоже не кот чихнул. Есть много способов потратить эти деньги: пойти в технический колледж, а оттуда в университет, путешествовать. Можно купить машину и отправить старый велик на свалку. Или открыть небольшое дело, если будет желание. Можно даже купить где-нибудь коттедж. Правда, небольшой и совсем не красивый, но ничего, над ним можно будет поработать, подлатать его, так что, когда он женится, у него уже будет свое уютное гнездышко... Мечты, мечты, так ведь? Но в них есть своя прелесть. Да и куда мы без них?

— Ты ведь еще не начал строить планы, как потратить деньги, а, сынок? — добродушно спросил Ол Филдер, закончив свое объяснение, и потрепал сына по ноге.— Нет? Я так и думал, сынок. Ты у нас парень разумный. Хорошо, что их оставили тебе, Поли, а не... Ну, ты меня понимаешь.

— Вот это новость так новость, а? Смех, да и только.

Пол поднял голову и увидел брата, который, как всегда, явился незваным. Билли стоял в дверях, прислонившись к косяку. В руке у него было пирожное, с которого он слизывал глазурь.

— Похоже, что наш Поли остается-таки с нами, а не уезжает куда-нибудь вести красивую жизнь. Ну, что я могу сказать, мне это по душе, да. Я и представить себе не мог, как мы тут будем обходиться без Поли, кто будет по ночам дрочить в его постели.

— Хватит, Билл.— Ол Филдер встал и потянулся.— Надеюсь, у тебя, как и у всех нас, найдутся сегодня утром какие-нибудь дела.

— Надеешься, говоришь? — отозвался Билли.— Зря. Никаких дел у меня нету. Думаешь, я такой, как ты, да? А мне не так-то легко найти работу.

— Просто ты не пытаешься,— сказал Ол Филдер своему сыну.— В этом вся разница между нами.

Пол переводил взгляд с отца на брата. Потом опустил глаза и взглянул себе на колени. Брюки на них светились — казалось, тронь, и ветхая ткань расползется.

«Ношу давно,— подумал он,— других нету».

— Ах вот, значит, как? — переспросил Билли таким тоном, что Пол мигнул, зная, что брат воспринял совершенно безобидный комментарий отца как приглашение к скандалу.

Он месяцами носил в себе злость, дожидаясь повода, чтобы излить ее наружу. А когда отец нанялся дорожным рабочим, а Билли остался дома зализывать раны, все стало еще хуже.

— Вся разница, говоришь? И другой, значит, нет?

— Ты сам знаешь, Билл.

Билли шагнул в комнату. Пол вжался в кровать. Ростом Билли не уступал отцу, и, хотя Ол Филдер превосходил его в весе, он был слишком мягок по сравнению с сыном. К тому же он не мог тратить силы на драки. Каждый день он выкладывался на работе и вообще драчливым никогда не был.

Это и было в глазах Билли главным недостатком отцовского характера: отсутствие боевого духа. Все держатели прилавков на рынке Сент-Питер-Порта получили предупреждение: город отказывается возобновлять с ними договор аренды, так как здание рынка подлежит модернизации — то есть в нем откроют модные бутики, антикварные магазины, кофейни и сувенирные лавки. А все мясники, рыботорговцы и зеленщики вольны либо дожидаться истечения аренды, либо катиться на все четыре стороны уже сейчас. Власть имущим было безразлично, как именно они уберутся оттуда, все сразу или по одному, лишь бы все прошло чинно-благородно.

— Мы будем драться,— заявил тогда за обедом Билли.

Ночь за ночью вынашивал он свой план. Если они проиграют, то сожгут рынок дотла, потому что всякий, кто покусится на семейный бизнес Филдеров, должен за это заплатить.

Но отец не согласился. Ол Филдер всегда был человеком миролюбивым.

Таким он оставался и сейчас, хотя у Билли, который стоял перед ним, кулаки так и чесались и он только искал повода, чтобы затеять драку.

— Пошел бы ты лучше работать, Билл. Давно пора найти себе занятие,— сказал отец.

— А у меня была работа,— отозвался тот.— И у тебя тоже. И у моего деда и прадеда.

Ол покачал головой.

— Прошло то время, сынок.— И шагнул к двери.

Билли схватил его за руку.

— Ты,— заявил он отцу,— бесполезный кусок дерьма,— и прикрикнул на Пола, который издал приглушенный протестующий вопль: — А ты помалкивай, вонючка мелкая!

— Я ухожу на работу, Билл,— сказал отец.

— Никуда ты не пойдешь. Я хочу говорить с тобой, ясно? Сейчас. Пора тебе увидеть, что ты натворил.

— Всему когда-то приходит конец,— напомнил Ол Филдер сыну.

— Всему пришел конец, потому что ты не сопротивлялся,— шел в наступление Билли.— У нас было все. Работа. Деньги. Собственное дело. Его оставил тебе дед. А он получил его от своего отца, который его создал. И что же, ты за него боролся? Пытался его спасти?

— У меня не было возможности. Ты знаешь это, Билл.

— Я должен был унаследовать наше дело, как до меня его унаследовал ты. Вот что я должен был делать сейчас.

— Извини,— произнес Ол.

— Извини? — Билли дернул отца за руку.— Да на кой черт мне твои извинения? Что они меняют?

— Что тебе тогда нужно? — спросил Ол Филдер.— И отпусти мою руку.

— Почему это? Боишься, больно будет? Потому и подраться отказался? Боялся, вдруг тебя заметут? Да еще отшлепают? Синяков наставят?

— Мне на работу пора, парень. Дай мне пройти. Отцепись, Билли.

— Отцеплюсь, когда сам захочу. И ты пойдешь, когда я тебе позволю. А сейчас мы с тобой разговариваем.

— Что толку? Все равно все останется как есть.

— Не говори так! — Билли повысил голос.— Никогда не говори так при мне! Я с десяти лет готовился стать мясником. Я учился нашему делу. Я хорошо учился, отец. Много лет. Руки, одежда у меня всегда были в крови, от меня даже пахло кровью, и мне дали кличку «Убийца с большой дороги». Ты знал об этом, отец? Но я не возражал, потому что у меня было свое место в жизни. И я готовился его занять. Раньше у меня был прилавок, а теперь нет ничего, ни с чем я остался. Это ты позволил, чтобы у меня все отняли, потому что боялся, как бы тебе не намяли бока. Так что мне делать? Скажи, отец?

— В жизни всякое случается, Билл.

— Только не со мной! — заорал Билли.

Он выпустил руку отца и толкнул его изо всех сил. Толкнул раз, другой, третий, а Ол Филдер стоял не шевелясь.

— Дерись со мной, подонок! — выкрикивал Билли при каждом толчке.— Дерись! Дерись же!

Пол со своей кровати видел их как сквозь туман. Где-то в доме лаял Табу, раздавались голоса.

«Телик,— подумал он. И еще: — Где мама? Неужели она не слышит? Почему не идет их разнимать?»

Хотя она все равно не сможет. Да и никто не сможет, ни сейчас, ни после. Билли всегда нравилось насилие, подспудно связанное с профессией мясника. Он любил большие тесаки, которые одним ударом отсекали мясо от кости или дробили кость на части. Когда это занятие ушло из его жизни, он несколько месяцев подряд изнемогал от желания изрубить что-нибудь в куски или превратить в фарш. Потребность в разрушении копилась в нем долгие месяцы и готова была выплеснуться наружу.

— Я не буду драться с тобой, Билли,— сказал Ол Филдер, когда сын толкнул его в последний раз.

Он по-прежнему стоял вплотную к кровати и сейчас опустился на нее.

— Я не буду драться с тобой, сынок.

— Проиграть боишься? Ну давай. Вставай.

И Билли резко ударил отца рукой в плечо. Ол Филдер поморщился. Билли невесело усмехнулся.

— Вот так-то. Ну что, теперь будешь? Вставай, дерьмо. Вставай. Вставай же.

Пол обнял отца, чтобы спрятать его в безопасном месте, которого не было. Тогда Билли набросился на него.

— Брысь отсюда, вонючка. Брысь. Слышишь? У нас свои счеты.

Схватив отца за подбородок, он повернул его голову набок, чтобы Пол ясно видел его лицо.

— Посмотри на эту морду,— велел Билли.— Жалкий червяк. Ни с кем драться не хочет.

Лай Табу стал громче. Голоса приближались.

Билл снова повернул отца лицом к себе, ущипнул его за нос и дернул за уши.

— Ну, что тебе еще сделать, а? — дразнил он его.— Что я должен сделать, чтобы ты стал мужиком, отец?

Ол оттолкнул его руки.

— Хватит!

Голос отца стал громким.

— Как, уже? — засмеялся Билли.— Полно, папа. Мы же только начали.

— Я сказал, хватит! — рявкнул Ол Филдер.

Билли, который этого и добивался, заплясал от радости. Сжав кулаки, он расхохотался, торжествующе молотя ими по воздуху. Потом повернулся к отцу и запрыгал перед ним, имитируя движения боксера на ринге. И сказал:

— Ну что, где сойдемся? Тут или на улице?

Он бросился к кровати, нанося короткие отрывистые удары по воздуху. Но лишь один из них, отцу в висок, достиг цели, прежде чем комната вдруг наполнилась людьми. Дверь с грохотом распахнулась, и люди в синей форме ворвались внутрь, за ними вошла Мейв Филдер с дочкой на руках. По пятам за ней вбежали младшие мальчишки с тостами в руках и с перемазанными вареньем лицами.

Пол решил, что они пришли разнимать отца и брата. Кто-то ухитрился позвонить в участок, полицейские оказались поблизости и явились в рекордно короткий срок. Слава богу, они обо всем позаботятся и заберут с собой Билли. Его упрячут за решетку, и в доме наконец-то воцарится мир.

Но все оказалось совсем иначе. Один из полицейских, обращаясь к Билли, спрашивал:

— Пол Филдер? Ты Пол Филдер?

А другой надвигался на брата.

— Что здесь происходит, сэр? — спросил он у отца.— Какие-то проблемы?

Ол Филдер ответил отрицательно. Никаких проблем, просто семейные неурядицы, с которыми они разберутся сами.

Констебль хотел знать, кто из двоих его сын Пол.

— Они спрашивают Поли, Ол,— сказала Мейв Филдер мужу,— а зачем, не говорят.

Билли ликовал.

— Попался, воришка,— сказал он Полу.— Что, приставал к парням в общественном туалете? Говорил я тебе, не торчи там все время!

Пол заерзал на кровати. Один из его братишек держал за ошейник Табу. Пес все время лаял, и констебль сказал:

— Да заткните вы эту псину!

— А пушка у вас есть? — спросил Билли со смехом.

— Билл! — воскликнула Мейв. И тут же: — Ол? Ол? В чем дело?

Но Ол Филдер, естественно, понимал не больше остальных.

Табу продолжал лаять. Он вертелся, пытаясь вырваться из рук ребенка.

Констебль скомандовал:

— Уймите этого пса немедленно!

Пол знал, что Табу просто хочет на свободу. Чтобы убедиться, что с Полом все в порядке.

Другой констебль сказал:

— Ну-ка, дай я.— И схватил пса за ошейник, чтобы увести прочь.

Табу оскалил зубы. И цапнул полицейского. Тот вскрикнул и отвесил ему пинка. Пол соскочил с кровати и бросился к псу, но Табу уже с визгом летел вниз по лестнице.

Пол хотел было броситься за ним, но обнаружил, что его схватили. Мать кричала:

— Что он сделал? Что? — а Билли хохотал как сумасшедший.

Ища, на что бы опереться, Пол заскреб ногами по полу и случайно зацепил одного из констеблей. Тот хрюкнул и ослабил хватку. Этой секунды хватило Полу, чтобы схватить рюкзак и броситься к двери.

— Остановите его! — раздался чей-то крик.

Это было совсем не трудно. В комнату набилось столько людей, что бежать, а тем более прятаться было просто негде. Поэтому скоро Пола вели вниз по лестнице к выходу.

С этого момента он существовал словно в калейдоскопе меняющихся картинок. Он слышал, как его мать без конца спрашивала полицейских, что им нужно от ее малыша Поли, слышал, как отец сказал:

— Мейв, возьми себя в руки, девочка.

Он слышал смех Билли и отдаленный лай Табу, видел соседей, которые сбежались посмотреть. Над ними он увидел небо, прояснившееся впервые за много дней, и словно нарисованные углем ветви деревьев, которые окружали покрытую комьями смерзшейся грязи автостоянку.

Не успел он понять, что происходит, как его запихали на заднее сиденье полицейского автомобиля, где он уселся, прижимая к груди рюкзак. Ногам было холодно, и, поглядев вниз, он понял, что не обул ботинки. На нем были его потрепанные комнатные туфли, и никто не подумал подождать, пока он накинет куртку.

Дверца машины захлопнулась, двигатель взревел. Пол слышал непрекращающиеся вопли матери. Когда машина тронулась с места, он вывернул шею, глядя назад. Его семья скрывалась вдали.

Откуда-то из-за спин родни и соседей выскочил Табу и понесся за ними. Он яростно лаял, его уши развевались на ветру.

— Вот глупая псина,— проворчал полицейский, который был за рулем.— Заблудится еще...

— Не наша проблема,— отозвался другой.

С Буэ они повернули на Питроннери-роуд. Когда, достигнув Ле-Гранд-Буэ, машина начала набирать скорость, Табу все еще отчаянно гнался за ней.

Дебора и Чайна не сразу нашли дом Синтии Мулен в Ла-Корбьере. Им сказали, что он носит название Ракушечного дома и они никак его не пропустят, хотя он и стоит на тропинке не шире велосипедного колеса, которая сама является ответвлением другой тропки, петляющей между земляных насыпей и живых изгородей. Лишь с третьей попытки они наконец заметили оклеенный ракушками почтовый ящик и решили, что искомый дом обнаружен. Дебора свернула на подъездную дорожку, и оттуда они увидели, что весь сад усыпан осколками раковин.

— Дом, некогда известный как Ракушечный,— пробормотала она.— Неудивительно, что мы его не сразу заметили.

Похоже, дом был пуст: машины не видно, амбар по соседству заперт, шторы на окнах с переплетами в виде ромбиков опущены. Но, выбравшись из машины на усыпанную осколками дорожку, они увидели молодую женщину, сидевшую на корточках в дальнем конце того, что было когда-то ракушечным садом. Она обнимала верхушку декоративного колодца из цемента, покрытого панцирем из ракушек, ее длинные белые волосы стелились по его краю. Она походила на Виолу после кораблекрушения* и даже не обернулась, когда Дебора и Чайна подошли к ней.

Зато заговорила:

— Уходи. Видеть тебя не могу. Я позвонила бабушке, и она сказала, что я могу приехать к ней на Олдерни. Она меня звала, и я поеду.

— Вы Синтия Мулен? — спросила у девушки Дебора.

Вздрогнув, та подняла голову. Посмотрела на Чайну, на Дебору, словно пытаясь угадать, кто они. Потом устремила взгляд за их спины, точно убеждаясь, что они одни. Никого не увидев, она обмякла. Лицо приняло привычное выражение отчаяния.

— Я думала, это отец,— сказала она глухо и опустила голову на край колодца.— Я хочу умереть.

И снова вцепилась в стенки колодца, точно надеялась усилием воли заставить свое тело перестать жить.

— Мне это чувство знакомо,— сказала Чайна.

---

* Виола — героиня комедии Шекспира «Двенадцатая ночь, или Что угодно».

— Оно не знакомо никому,— возразила Синтия,— потому что это мое чувство. А он радуется. Говорит: «Живи дальше спокойно. Сделанного не воротишь». Но все не так. Это для него все кончилось. А для меня нет. И никогда не кончится. Я никогда не забуду.

— Вы хотите сказать, что все кончилось между вами и мистером Бруаром? — спросила ее Дебора.— Потому что его больше нет?

При упоминании имени Бруара девушка снова подняла голову.

— Кто вы?

Дебора объяснила. По дороге из Ле-Гранд-Гавр Чайна рассказала ей, что, гостя в Ле-Репозуаре, ни разу не слышала даже намека на роман Ги Бруара с Синтией Мулен. Насколько ей было известно, единственной любовницей Бруара числилась Анаис Эббот. «Оба вели себя соответственно»,— сказала она. Из чего было ясно, что эта девушка выпадала из картины до приезда Риверов на остров. Оставалось только выяснить, почему и по чьей инициативе.

Губы Синтии задрожали, уголки рта поползли вниз, когда Дебора представила ей Чайну и объяснила цель их приезда в Ракушечный дом. Когда она закончила, первые слезы уже бежали по щекам девушки. Она даже не пыталась их остановить. Они падали на ее серую водолазку, словно само горе оставляло на ней крохотные овальные следы.

— Я этого хотела,— говорила она, плача.— И он тоже. Он никогда не говорил мне, и я не говорила, но мы оба знали. Один раз перед этим он посмотрел на меня, и я поняла, что между нами все изменилось. Я видела по его лицу, что это будет значить для него, и все такое, и сказала ему: «Ничего не надо». И он так улыбнулся, как будто прочитал мои мысли и они ему понравились. В конце концов, так было бы даже легче. Тогда нам оставалось бы только пожениться.

Дебора взглянула на Чайну. Одними губами та прошептала изумленное: «Вот это да». У Синтии Дебора спросила:

— Вы с Ги Бруаром были помолвлены?

— Были бы,— сказала она.— А теперь Ги... О Ги!

Она плакала не стесняясь, точно маленькая девочка.

— У меня ничего не осталось. Был бы у меня хоть ребеночек, вот было бы хорошо. Но теперь он правда умер, совсем умер, а я этого не вынесу, я его ненавижу. Ненавижу. Я его ненавижу. Он говорит: «Выходи. Живи, как жила раньше. Можешь ходить, куда захочешь» — и делает вид, как будто не молился об этом, не боялся, что я убегу и спрячусь где-нибудь до тех пор, пока не родится ребенок и он ничего не сможет поделать. Он говорит, что ребенок испортил бы мне жизнь, как будто она и так не испорчена. И он этому радуется. Да, радуется. Он радуется.

Обхватив обеими руками колодец, она уткнулась в его шершавый край и зарыдала.

Дебора подумала, что ответ на свой вопрос они определенно получили. Характер отношений между Ги Бруаром и Синтией Мулен был ясен, как небо в безоблачный день. А «он», которого так ненавидела девушка, был, конечно же, ее отцом. Дебора представить себе не могла, кто еще принимал бы в ее судьбе такое участие, если не этот презренный «он».

— Синтия, можно, мы проводим тебя в дом? — спросила Дебора.— На улице холодно, а ты в одном свитере...

— Нет! Я никогда туда не вернусь! Буду сидеть здесь, пока не умру. Я так хочу.

— Вряд ли твой папа это допустит.

— Он хочет этого не меньше меня. «Отдай колесо,— говорит он мне.— Ты не достойна его покровительства, девочка». Как будто из-за этого со мной должно было что-то случиться. Или как будто я стала бы думать, что он хотел этим сказать на самом деле. «Ты мне не дочь»,— вот что он хотел этим сказать, а я должна была понять его без слов. Только мне на него плевать, ясно? Плевать.

Дебора в некотором недоумении посмотрела на Чайну. Та пожала плечами, показывая, что тоже ничего не поняла. Речь явно шла о чем-то таинственном. Без помощи им было не разобраться.

— Я и так уже отдала его Ги,— сказала Синтия.— Несколько месяцев назад. И сказала, чтобы он всегда носил его с собой. Глупо, я знаю. Ведь это обыкновенный камень, и ничего больше. Но я сказала ему, что он хранит того, кто его носит, и он, наверное, поверил, потому что я сказала... я сказала...

Ее всхлипывания возобновились.

— А он не помог. Обыкновенный бестолковый камень.

Невинность, чувственность, наивность и уязвимость удивительным образом сочетались в этой девушке. Дебора могла понять, чем она так привлекала мужчину, который хотел наставить ее в мирской жизни и одновременно сохранить от нее, посвятив попутно в кое-какие из мирских наслаждений. Отношения с Синтией Мулен позволяли человеку более взрослому выразить себя во всех смыслах, что для одержимого жаждой превосходства Ги Бруара было непреодолимым соблазном. Вообще-то Дебора видела в этой девочке себя: такой бы она стала, если бы не сбежала в Америку, где прожила три года, предоставленная самой себе.

Именно поэтому она опустилась рядом с девушкой на колени и принялась гладить ее по голове.

— Синтия, мне так жаль, что на твою долю выпало такое. Но пожалуйста, давай пойдем в дом. Сейчас тебе хочется умереть, но так будет не всегда. Поверь мне. Я знаю.

— И я,— подключилась Чайна.— Серьезно, Синтия. Она говорит правду.

Заложенная в их словах идея сестринского понимания всех женщин на земле, похоже, достигла слуха девушки. Она не стала сопротивляться, когда ей помогли подняться на ноги, и, едва встав, промокнула глаза рукавом свитера и жалобно сказала:

— Мне надо высморкаться.

Дебора ответила:

— В доме наверняка что-нибудь для этого найдется.

Они довели ее до двери. Там она встала как вкопанная, и Дебора начала бояться, что им не удастся завести ее внутрь, но, когда она крикнула, чтобы кто-нибудь открыл им, и не получила ответа, Синтия согласилась войти в дом. Там она высморкалась в кухонное полотенце, вошла в гостиную, свернулась калачиком в старом мягком кресле, положила голову на подлокотник и стянула со спинки старое вязаное покрывало, которым укрылась.

— Он сказал, что мне придется сделать аборт.— Она говорила как во сне.— Сказал, что будет держать меня взаперти до тех пор, пока не узнает наверняка, надо его делать или нет. Он говорил, что не допустит, чтобы я убежала куда-нибудь и там родила ублюдка этого ублюдка. Я сказала ему, что никакого ублюдка я бы не родила, потому что к тому времени мы бы давно поженились, и тогда он совсем взбесился. «Будешь сидеть тут до тех пор, пока я не увижу кровь,— сказал он мне.— А насчет Бруара мы еще посмотрим».

Взгляд Синтии был прикован к стене напротив, где висели семейные фото. В центре находился снимок мужчины — наверное, ее отца,— сидевшего в окружении трех девочек. Отец производил впечатление честного и благонамеренного человека. Девочки были серьезны и неулыбчивы.

— Он никогда не понимал, чего мне хотелось. Для него это не имело значения. А теперь у меня ничего нет... Остался бы мне хоть ребеночек...

— Поверь мне, я понимаю,— сказала Дебора.

— Мы любили друг друга, а он этого не понял. Он сказал, что меня соблазнили, но это не так.

— Конечно не так,— согласилась Дебора.— Это никогда не бывает так, правда?

— Правда. И у нас так не было.

Синтия зажала угол покрывала в кулаке и поднесла его к подбородку.

— Я сразу заметила, что нравлюсь ему, и он понравился мне тоже. Больше ничего не было. Мы просто нравились друг другу. Он говорил со мной. Я говорила с ним. И он меня видел. Я была для него не как стул или какая-нибудь мебель. Я была для него настоящей. Он сам мне это говорил. И со временем случилось все остальное. Но ничего такого, к чему я не была бы готова. Ничего такого, чего я не хотела бы. Потом про нас узнал отец. Как, не знаю. Он все нам испортил. Превратил все в грязь и гадость. Выставил все так, как будто Ги сделал это просто для смеха. Как будто он заключил с кем-то пари, что будет моим первым мужчиной, и обещал показать простыни.

— Отцы всегда боятся, как бы их дочерей кто-нибудь не обидел,— вставила Дебора.— Вряд ли он хотел...

— Ну конечно, хотел. Да и все равно Ги был таким.

— Он что, уложил тебя в постель на пари?

Чайна обменялась загадочным взглядом с Деборой. Синтия поспешила ее поправить:

— Он хотел, чтобы я узнала, как это бывает. Он знал, что я еще никогда... Я ему говорила. Он всегда говорил мне о том, как важно для женщины почувствовать в первый раз... как это он говорил... ликование. Да, ликование. И я почувствовала. Именно это. В первый раз. И всегда.

— Поэтому ты к нему привязалась,— вздохнула Дебора.

— Я хотела, чтобы он жил вечно, со мной. Мне было наплевать, что он старше. Какая разница? Ведь мы были не просто двумя телами, которые перепихивались в кровати. Мы были двумя душами, которые нашли друг друга и не собирались расставаться никогда, что бы ни случилось. Так и было бы, если бы... если бы он...

Синтия положила голову на подлокотник и снова заплакала.

— Я тоже хочу умереть.

Дебора подошла к ней. Погладив девушку по голове, она сказала:

— Как я тебе сочувствую. Потерять сначала мужчину, а потом обнаружить, что даже не можешь родить от него... Тебе, наверное, сейчас очень тяжело.

— Ужасно,— всхлипывала та.

Чайна осталась на своем месте, в нескольких футах от них. Она скрестила на груди руки, словно защищаясь от натиска эмоций Синтии.

— Сейчас тебе это, наверное, не поможет,— сказала она,— но знай, что рано или поздно ты с этим справишься.

Более того, настанет день, когда ты почувствуешь себя лучше. В будущем. Ты ощутишь себя совершенно другим человеком.

— Я не хочу.

— Конечно не хочешь. Никто этого не хочет. Мы всегда влюбляемся как дурочки, а если теряем любовь, то готовы зачахнуть и умереть от горя. Только ни один мужчина этого не стоит, кто бы он ни был. И вообще, в реальном мире так не бывает. Сначала мы барахтаемся, как можем. Но постепенно выплываем к берегу. И вот уже снова стоим на земле.

— Я не хочу на землю!

— Пока нет,— мягко поправила Дебора.— Сейчас тебе хочется горевать. Глубина твоего горя показывает глубину твоей любви. Но если со временем ты сумеешь забыть горе, это сделает твоей любви честь.

— Правда?

Голос девушки прозвучал так по-детски, и выглядела она совсем ребенком, так что Деборе захотелось немедленно броситься на ее защиту. В одну секунду она постигла все чувства ее отца, когда тот узнал, что Ги Бруар овладел ею.

— Я в это верю,— сказала Дебора.

Она видела, что Чайна пододвигается к двери.

Они оставили Синтию Мулен в кресле, под пледом, где она, положив голову на подлокотник, размышляла об их последних словах. Выплакавшись, она обессилела, но успокоилась. Они посоветовали ей немного поспать. Может быть, во сне она увидит Ги.

Шагая по усеянной осколками раковин дорожке к машине, Чайна и Дебора сначала молчали. Остановившись, они оглядели сад, который выглядел так, словно на него наступил рассеянный великан, и Чайна просто заметила:

— Грязь какая.

Дебора взглянула на подругу. Она знала, что та говорит не об истреблении фантастических украшений, оживлявших когда-то лужайку и клумбы перед домом.

— Да, умеют люди сами себе подкладывать мины,— отозвалась она.

— Больше похоже на атомную бомбу, по-моему. Ему ведь было под семьдесят. А ей... сколько? Семнадцать? Это же форменное растление малолетних. Но нет, об этом он позаботился, правда?

Отрывистым движением, так напоминавшим ее брата, она провела рукой по своим коротким волосам.

— Мужчины — свиньи. Если среди них есть хоть один порядочный, мне бы чертовски хотелось на него посмотреть. Просто пожать ему руку. Поздороваться, черт возьми. Просто убедиться в том, что не для каждого из них предел мечтаний — хороший здоровый трах. А то как заладят свое: «Ты моя единственная» да «Я люблю тебя». И почему женщины до сих пор на это дерьмо покупаются?

Она поглядела на Дебору и прежде, чем та успела ответить, продолжила:

— О, извини. Не обращай внимания. Вечно я забываю. По тебе-то мужики не топтались.

— Чайна, это...

Но та лишь отмахнулась.

— Прости меня. Прости. Прости. Зря я... Просто, когда я посмотрела на нее... услышала все это... забудь.

И она поспешила к машине.

Дебора последовала за ней.

— Каждый из нас сам справляется со своей болью. Ничего не поделаешь, боль — побочный продукт бытия.

— Совсем не обязательно.— Чайна открыла дверцу машины и забралась на свое место.— Просто бабам надо быть поумнее.

— Нас воспитывают с верой в сказку,— сказала Дебора.— О том, что любовь хорошей женщины может спасти несчастного мужчину. С самой колыбели этой выдумкой пичкают.

— Но в нашем-то сценарии несчастного мужчины нет и в помине,— заметила Чайна, кивнув в сторону дома.— Так чего она в него втюрилась? Ну да, конечно, он весь такой очаровательный. Приличный. В отличной форме, так что на вид ему и не дашь семидесяти. Но чтобы согласиться на такое... ну, в смысле, в качестве первого мужчины... Ведь как ни крути, он ей в дедушки годится. В прадедушки даже.

— Кажется, она его все-таки любила.

— Голову на отсечение даю, его банковский счет сыграл в ее любви не последнюю роль. У него красивый дом, красивое поместье, красивая машина, что ни возьми, все красивое. С ним она стала бы хозяйкой имения. Он катал бы ее по всему свету, куда она захочет. Покупал бы любые шмотки. Хочешь бриллианты? Получи. Пятьдесят тысяч пар туфель? Пожалуйста. «Феррари»? Нет проблем. Спорю, что именно это делало Ги Бруара таким привлекательным в ее глазах. Да ты посмотри вокруг. Посмотри, как она жила всю жизнь. Соблазнить ее было легче легкого. Любую девушку, которая родилась и выросла в таком месте, как это, ничего не стоит соблазнить. Ясное дело, бабы всегда клюют на идиота в несчастье. Но помани любую хорошими деньгами, и она еще как поведется.

Дебора слушала и чувствовала, как часто бьется сердце где-то в горле.

— Ты правда так считаешь, Чайна?

— Можешь не сомневаться, так оно и есть. И мужики об этом прекрасно знают. Потряси мошной, и увидишь, что будет. Бабы начнут слетаться, как мухи на липучку. Для большинства из нас деньги важнее, чем то, может ли мужик на ногах стоять. Главное, был бы богат да дышал еще, остальное не важно. Мы готовы подписать контракт. Но сначала мы назовем это любовью. Будем ему рассказывать, как мы счастливы, когда он рядом. Будем уверять, что, когда мы вместе, кругом поют птички, и земля трепещет у нас под ногами, и сразу наступает весна. Но стоит отбросить эту мишуру, и останется одно — деньги. Пусть у мужика воняет изо рта, пусть у него одна нога и член давно отсох, мы все равно будем любить его, лишь бы денежки давал.

Дебора не могла ответить. Слишком многое из того, о чем говорила Чайна, могло быть отнесено и к ней, причем не только к ее роману с Томми, начавшемуся, когда она покинула Лондон и с разбитым сердцем явилась в Калифорнию много лет тому назад, но и к браку, случившемуся через полтора года после разрыва с Томми. Со стороны все выглядело именно так, как описывала Чайна: немаленькое состояние Томми играло роль главной приманки; куда более скромные доходы Саймона тем не менее обеспечивали ей тот уровень свободы, который многие женщины ее возраста никак не могли себе позволить. На самом деле это была лишь видимость; деньги как гарант безбедного существования иногда напоминали ей паутину, специально сотканную вокруг нее с целью удержать ее на месте... чтобы она перестала быть сама себе хозяйкой... ведь от нее никто ничего не требовал... Какое все это имеет значение, когда ей так повезло в жизни: один раз с богатым любовником, второй — с обеспеченным мужем?

Дебора проглотила все молча. Она знала, что сама выбрала свою жизнь. И еще она знала, что Чайне о ее жизни почти ничего не известно.

— Да. Верно,— согласилась она.— Что для одной женщины — любовь всей жизни, для другой только приглашение к кормушке. Давай вернемся в город. Саймон наверняка уже поговорил с полицией.

24

Единственное преимущество близкой дружбы с исполняющим обязанности суперинтенданта уголовного отдела полиции заключалось в том, что друзья могли говорить с ним когда угодно. Минуты не прошло, как Сент-Джеймс услышал в трубке слегка насмешливый голос Томми, который спросил:

— Что, Дебора таки вытащила тебя на Гернси? Я и не сомневался.

— Она как раз не хотела, чтобы я ехал,— ответил Сент-Джеймс.— Мне стоило труда убедить ее в том, что игра в «Мисс Марпл едет в Сент-Питер-Порт» никому не принесет пользы.

Линли усмехнулся.

— И дела у вас...

— Движутся, но не так быстро, как мне хотелось бы.

И Сент-Джеймс посвятил друга в подробности частного расследования, которое они с Деборой пытались провести, не путаясь в то же время под ногами у местной полиции.

— Не знаю, как долго еще у меня хватит сил терпеть сомнительную силу моей репутации,— закончил он.

— Отсюда и звонок? — сказал Линли.— Я говорил с Ле Галле, когда Дебора приходила в Ярд. Он ясно дал понять: ему не нужно, чтобы столица вмешивалась в его дела.

— Это тут ни при чем,— поспешил заверить его Сент-Джеймс.— Просто я хочу попросить тебя сделать пару звонков.

— Кому? — спросил Линли осторожно.

Сент-Джеймс объяснил. Когда он закончил, Линли сказал ему, что по всем вопросам, касающимся банковского дела в Англии, следует обращаться в Управление по финансовым услугам, специально для этого созданный орган. Он попытается выжать информацию из банка, на счета которого поступали переводы с Гернси, но они могут затребовать ордер, а на это понадобится время.

— Все еще может оказаться вполне законным,— ответил ему Сент-Джеймс.— Мы знаем, что получателем была группа компаний под названием «Интернэшнл аксесс» в Бракнелле. Может быть, с них тебе и начать?

— Не исключено, что так и придется поступить. Я посмотрю, что мне удастся сделать.

Закончив разговор, Сент-Джеймс спустился в фойе отеля, где стал убеждать портье непременно сообщить ему о любом звонке из Лондона, где бы он в это время ни находился, и неожиданно для себя обнаружил, что давно задолжал плату за мобильный телефон. Девушка за стойкой как раз записала все, что он ей сказал, и не слишком довольным голосом обещала передать ему любое сообщение, когда Дебора и Чайна вернулись из своей поездки в Ле-Гранд-Гавр.

Все трое отправились в гостиную отеля, где заказали по чашке утреннего кофе и принялись обмениваться информацией. Дебора, как сразу заметил Сент-Джеймс, поспешила сделать выводы, хотя и довольно реалистические, из того, что они узнали. Зато Чайна даже не пыталась подать добытые ими факты так, чтобы повлиять на его представление об этом деле, и это вызвало в нем искреннее восхищение. Он не был уверен, что на ее месте смог бы оставаться столь же осмотрительным.

— Синтия Мулен говорила о каком-то камне,— закончила свой рассказ Дебора.— Она сказала, что подарила его Ги Бруару. Для защиты, так она объяснила. А ее отец потребовал у нее этот камень назад. Вот я и подумала, а не тот ли это камень, которым его удушили? Мотив у него — серьезнее некуда, я имею в виду ее отца. Он даже запер ее в доме и держал под замком до тех пор, пока у нее не начались месячные и он не убедился, что она не беременна от Ги Бруара.

Сент-Джеймс кивнул.

— Ле Галле предположил, что кто-то собирался удушить Бруара тем перстнем с черепом и костями, но передумал, когда выяснилось, что он носит при себе камень.

— И этот кто-то — Чероки? — Чайна не стала ждать ответа.— Но зачем ему это понадобилось, они не знают, как не знали этого и тогда, когда пытались навесить дело на меня. А разве им не обязательно искать объяснение, Саймон? Чтобы концы сошлись с концами?

— В идеале, конечно, должны.

Он хотел было рассказать остальное — о том, что полиция нашла кое-что не менее значимое, чем мотив,— но решил повременить. Дело было не в том, что он подозревал в совершении этого преступления Чайну Ривер или ее брата. Скорее он подозревал всех и потому привычно предпочитал не раскрывать карты.

Прежде чем он продолжил, приняв решение не выдавать пока всей правды, заговорила Дебора.

— Вряд ли Чероки мог знать, что у Ги Бруара есть этот камень.

— Ну, он мог его увидеть,— ответил Сент-Джеймс.

— Как? — возразила Дебора.— Синтия сказала, что Бруар носил его с собой. Наверное, он клал его в карман, а не носил в ладони.

— Да, скорее всего,— кивнул Сент-Джеймс.

— А вот Генри Мулен знал, что этот камень у него есть. Он совершенно недвусмысленно потребовал, чтобы дочь его вернула, так она говорила. И если она сказала ему, что отдала свой амулет, или талисман, или что там еще, тому самому человеку, против которого ополчился ее отец, то разве не мог он пойти к нему и потребовать камень назад?

— Никаких доказательств того, что он этого не делал, нет,— согласился Сент-Джеймс.— Но пока мы не узнали все наверняка...

— Валить все будем на Чероки,— закончила Чайна спокойно.

И посмотрела на Дебору, точно говоря: «Видишь?»

Идея разделиться и играть в игру «мальчики против девочек», которую предполагал этот взгляд, Сент-Джеймсу не импонировала.

— Мы просто пытаемся не упускать из виду ни одну из возможностей. Вот и все,— заметил он.

— Мой брат этого не делал,— сказала Чайна с нажимом.— Слушайте, у нас есть Анаис Эббот с мотивом. У нас есть Генри Мулен, тоже с мотивом. Даже у Стивена Эббота и то мотив, если он в самом деле хотел залезть Синтии под юбку или отвадить Бруара от матери, и, поверь мне, когда мы встретили его сегодня утром, он вел себя чертовски странно. Так при чем тут Чероки? Ни при чем. А почему? Да потому, что он этого не делал. Он знал всех этих людей не больше, чем я.

Дебора добавила:

— Ты же не станешь сбрасывать со счетов все, что указывает на Генри Мулена, только потому, что это Чероки на пользу, верно? Ведь нет ни малейших указаний на то, что он хотя бы косвенно причастен к смерти Ги Бруара.

Похоже, она прочла что-то по лицу Саймона, когда делала свое последнее замечание, потому что тут же добавила:

— Или все-таки есть? Должно быть, иначе с чего бы они его арестовали? Конечно есть. О чем я только думаю? Ты ведь был в полиции. Что они тебе сказали? Все дело в кольце?

Сент-Джеймс взглянул на Чайну, которая вся подалась вперед, чтобы ничего не упустить, а потом снова на жену. Покачав головой, он начал:

— Дебора,— и тут же со вздохом, выражавшим всю степень его вины, закончил: — Прости меня, любимая.

Дебора вытаращила глаза, понимая, что хочет сказать и чего добивается ее муж. Она отвела от него взгляд, и Сент-Джеймс заметил, как она прижала ладони к коленям, словно надеясь сдержать таким образом переполнявший ее гнев. По всей видимости, Чайна тоже заметила это, потому что тут же встала, хотя и не успела пригубить свой кофе.

— Пойду узнаю, дадут ли мне поговорить с братом,— сказала она.— Или найду Холберри и пошлю весточку с ним. Или...

Она замешкалась, ее взгляд устремился к двум женщинам, которые зашли отдохнуть после утренней пробежки по магазинам, нагруженные пакетами от «Маркса и Спенсера». Наблюдая, как они устраиваются за столиком, слушая их беззаботный смех и болтовню, Чайна совсем сникла. Она обратилась к Деборе:

— Увидимся позже, ладно?

Кивнула Сент-Джеймсу и взялась за пальто.

Дебора окликнула подругу, когда Чайна вихрем вылетала из зала, но та не обернулась. Тогда она напустилась на мужа.

— Это что, было так необходимо? — спросила она.— Взял бы уж тогда и назвал его убийцей. К тому же ты считаешь, что она тоже в этом замешана, так? Потому и не хочешь при ней говорить о том, что тебе удалось узнать. Ты думаешь, они убийцы. Оба. Или один из них. Ты ведь так думаешь, правда?

— У нас нет доказательств того, что это не так,— ответил Сент-Джеймс, хотя собирался говорить совершенно о другом.

Он реагировал на обвиняющий тон жены, прекрасно понимая, что его реакция — это пустое раздражение, которое приведет лишь к новой ссоре.

— Как ты можешь так говорить? — продолжала Дебора.

— Дебора, а как ты можешь говорить иначе?

— Я же рассказала тебе все, что нам удалось узнать, и это не имеет ни малейшего отношения к Чероки. Или к Чайне.

— Не имеет,— согласился он.— То, что вы узнали, к ним не относится.

— А то, что узнал ты, относится. Ты это хочешь сказать? И как полагается хорошему маленькому детективу, ты все держишь при себе. Ну что же, прекрасно. Похоже, мне пора собирать чемодан. Похоже, мне пора предоставить тебе...

— Дебора.

— ...закончить дело, как ты считаешь нужным, ведь ты все равно уже все решил.

И она, как до нее Чайна, взялась за пальто. Но запуталась в рукавах и не сумела разыграть драматическую сцену ухода до конца, что она, вне всякого сомнения, собиралась сделать.

— Дебора. Сядь и послушай.

— Не говори со мной так. Я не ребенок.

— Так не веди себя как...

Вовремя сдержавшись, он поднял обе руки ладонями к ней в жесте, который словно призывал: «Давай перестанем». Усилием воли он заставил себя успокоиться и говорить здраво.

— Неважно, во что именно я верю.

— Так значит, ты...

— И,— прервал он ее решительно,— неважно, во что веришь ты. Факты — вот единственное, что имеет значение. Чувствам нет места в такой ситуации, как наша.

— Господи боже, так ты и впрямь принял решение? На каком основании?

— Никакого решения я не принимал. У меня нет на это права, но даже если бы оно было, моего мнения все равно никто не спрашивает.

— Ну и?

— Дело принимает нехороший оборот. Вот так.

— Что ты узнал? Что они нашли?

Не дождавшись ответа, она воскликнула:

— Боже мой, так ты и мне не веришь? Что, по-твоему, я сделаю с твоей информацией?

— А что бы ты сделала, если бы она указывала на то, что брат твоей подруги виновен?

— Что за вопрос? По-твоему, я побегу ему об этом рассказывать?

— Кольцо...— Сент-Джеймсу не хотелось это говорить, но пришлось.— Оказалось, он узнал его сразу, как только увидел, но ничего не сказал. Как ты объяснишь это, Дебора?

— Разве я должна что-то объяснять? Это его дело. Он и объяснит.

— Ты до такой степени в него веришь?

— Он не убийца.

Но факты утверждали обратное, хотя Сент-Джеймс никак не мог осмелиться раскрыть их. Eschscholzia californica, бутылочка в траве, отпечатки на бутылочке. И все, что произошло в округе Ориндж, штат Калифорния.

Он еще раз все взвесил. На Ривера указывало все. Кроме одной маленькой детали: денег, которые уходили с Гернси в Лондон.

Маргарет стояла у окна и резко вскрикивала каждый раз, когда какая-нибудь птица приближалась к дому. Она дважды звонила в полицию с требованиями сообщить, когда они наконец займутся «этим жалким воришкой», и теперь ждала прибытия того, кто выслушает ее историю и примет надлежащие меры. В это время Рут пыталась сосредоточить свое внимание на пяльцах.

Однако с Маргарет это было практически невозможно.

— Через час ты запоешь новую песню о его невиновности.

Или:

— Я вам покажу, что значит честь и правда.

Пока они ждали, эти и подобные им ремарки сыпались из нее с интервалами в несколько минут. Рут не знала, чего они ждут, потому что после первого звонка в полицию невестка сообщила ей лишь одно:

— Они уже занимаются его делом.

Время тянулось, и Маргарет все сильнее впадала в ажитацию. Она почти убедила себя в необходимости позвонить в полицию еще раз и потребовать от властей немедленных действий, когда к дому подкатил черно-белый автомобиль и она воскликнула:

— Взяли!

Маргарет бросилась к дверям. Рут, с трудом поднявшись с кресла, заковыляла за ней, изо всех сил стараясь не отстать. Ее невестка выскочила на улицу, где констебль в форме открывал заднюю дверь автомобиля. Маргарет отпихнула его и встала между ним и пассажиром. Когда из дома вышла Рут, Маргарет уже грубо выволакивала Пола Филдера из машины за воротник.

— Думал, тебе удастся сбежать, да? — спрашивала она.

— Послушайте, мадам,— вмешался констебль.

— Дай сюда рюкзак, воришка ты этакий!

Пол извивался в ее руках и прижимал рюкзак к груди. Он пинал ее лодыжки.

— Он снова убегает! — закричала она и тут же потребовала от полицейского: — Да сделайте же что-нибудь, черт вас возьми. Отнимите у него рюкзак. Оно у него там.

Второй констебль, сидевший за рулем, обернулся к ней.

— Вы препятствуете...

— Если бы хоть один из вас делал свою работу как полагается, я бы не препятствовала, черт побери!

— Отойдите, мадам,— сказал первый констебль.

Рут заметила:

— Маргарет, ты его только пугаешь. Пол, милый, зайди, пожалуйста, в дом. Констебль, проводите его, пожалуйста.

Маргарет с неохотой выпустила мальчика, и Пол бросился к Рут. Его руки были протянуты к ней, намерения ясны. Она, и только она, получит рюкзак.

Взяв рюкзак в одну руку, другую продев Полу под локоть, Рут повела его и констеблей в дом. Она постаралась, чтобы все выглядело как можно более дружески. Мальчика трясло как в лихорадке, и ей хотелось сказать ему, что бояться нечего. Сама мысль о том, что он мог украсть из Ле-Репозуара хотя бы одну вещь, была просто смехотворна.

Она жалела о том, что мальчика так напугали, и знала, что присутствие Маргарет только усугубит его испуг. Рут поняла, что зря позволила Маргарет позвонить в полицию. Но что ей оставалось делать? Запереть невестку на чердаке или перерезать телефонные провода?

Сделанного не воротишь, но надо было постараться, чтобы Маргарет не присутствовала при разговоре, который и без того обещал быть тяжелым. Поэтому, едва они вошли в холл, Рут сказала:

— Сюда, пожалуйста. Пол, констебли, вы не могли бы пройти пока в утреннюю комнату? Она вон там, сразу за той лестницей у камина.

Увидев, что Пол не спускает глаз с рюкзака, она похлопала по нему и ласково добавила:

— Сейчас я его принесу. Иди с ними, дорогой. Они тебе ничего не сделают.

Когда констебли с Полом вошли в утреннюю комнату и закрыли за собой дверь, Рут обратилась к невестке.

— До сих пор я не мешала тебе делать то, что ты считала нужным. Теперь ты не мешай мне.

Но Маргарет не была дурой. Она сразу смекнула, откуда дует ветер, грозящий разрушить ее планы возвращения денег сыну путем уличения в краже мальчишки, который их у него отнял. Она потребовала:

— Открой рюкзак и сама убедишься.

— Я сделаю это в присутствии полиции,— ответила Рут.— Если он что-нибудь взял...

— То ты всегда найдешь ему оправдание,— сказала Маргарет с горечью.— Еще бы. Ты же всем находишь оправдание. Это твой стиль жизни, Рут.

— Мы поговорим позже. Если есть о чем.

— Ты не запретишь мне войти туда. Ты не имеешь права.

— Верно. Зато полиция имеет. И запретит.

Маргарет высокомерно выпрямила спину. Рут видела, что она поняла свое поражение, но мечется в поисках последнего слова, которое выразило бы все страдания, причиненные ей презренными Бруарами как ныне, так и прежде. Но, так ничего и не найдя, она резко повернулась и вышла. Рут подождала, пока ее шаги затихнут на лестнице.

Войдя в утреннюю комнату, где ее дожидались два констебля и Пол Филдер, она нежно улыбнулась мальчику.

— Садись, дорогой. Пожалуйста,— обратилась она к полицейским и указала на диван и два кресла.

Пол выбрал диван, и она опустилась с ним рядом. Похлопала его по руке и шепнула:

— Мне ужасно жаль, что так получилось. Просто она сильно переживает.

— Послушайте. Этого парня обвиняют в воровстве...

Рут подняла руку, чтобы констебль замолчал.

— Уверена, что это не более чем плод воспаленного воображения моей невестки. У нас ничего не пропало, по крайней мере, я ничего не заметила. А этого мальчика я пустила бы в любое помещение этого дома в любое время дня и ночи. Какие бы ценности там ни находились.

В подтверждение своих слов она вернула мальчику рюкзак, даже не открыв его, и добавила:

— Единственное, о чем я сожалею, так это о неудобствах, которые были причинены всем. Маргарет тяжело переживает кончину моего брата. И ведет себя сейчас не вполне разумно.

Она думала, что на этом все и закончится, но ошиблась. Пол подтолкнул к ней рюкзак.

— В чем дело, Пол, я не понимаю?

Тогда он расстегнул его и вынул какой-то цилиндрический предмет, что-то свернутое в трубочку. Озадаченная Рут перевела взгляд на мальчика. Оба констебля поднялись на ноги. Пол буквально всунул предмет ей в руки, но, увидев, что она не знает, как с ним поступить, снова забрал его. Развернув трубку, которая превратилась в лист бумаги, он расстелил его на ее коленях.

Она взглянула на бумагу и воскликнула:

— О боже мой!

И вдруг все поняла.

Ее взор затуманился, и она тут же простила брату все: тайны, которые он хранил от нее, ложь, которую он ей говорил. Его манипуляции людьми. Его потребность доказывать свое мужество. Его страсть соблазнять. Она снова превратилась в маленькую девочку, и старший брат сжимал ей руку. «Не бойся,— говорил он ей тогда.— Никогда не бойся. Мы вернемся домой».

Один из констеблей что-то объяснял, но Рут едва различала его голос. С трудом сдержав поток нахлынувших на нее воспоминаний, она умудрилась произнести:

— Пол это не крал. Он хранил это для меня. И собирался мне отдать. Скорее всего, в мой день рождения. Ги не хотел, чтобы с этой вещью что-нибудь случилось. Вот он и отдал ее на хранение Полу. Да, так оно и было.

Больше она ничего сказать не могла. Эмоции захлестывали ее, она была поражена поступком брата и тем, какие немыслимые трудности он преодолел ради нее, их семьи и их наследия. Она прошептала констеблям:

— Мы причинили вам массу беспокойства. Примите мои извинения.

Этого хватило, чтобы те ушли.

Рут и Пол остались сидеть на диване. Мальчик подвинулся ближе к ней. Пальцем он показывал на здание, изображенное художником, крохотные фигурки строителей, трудившихся над ним, и божественную женщину на первом плане, чьи глаза были прикованы к страницам огромной книги, лежащей у нее на коленях. Складки голубого платья скрывали фигуру. Волосы были отброшены назад, точно ими играл ветерок. Ее красота нисколько не померкла за те шестьдесят лет, что прошли с тех пор, как Рут видела ее в последний раз: нестареющая и совершенная, она словно застыла во времени.

На ощупь Рут взяла ладонь Пола в свои. Ее трясло, она не могла говорить. Но прочие способности ей не отказали, и она не замедлила этим воспользоваться. Приложив его руку к своим губам, она встала.

Знаком показала ему следовать за ней. Она отведет его наверх, чтобы он увидел все своими глазами и понял, какой необычайный подарок он ей только что преподнес.

Валери нашла записку, вернувшись из Ла-Корбьера. В ней было всего два слова, написанные четким почерком Кевина: «Выступление Черри». Краткость свидетельствовала о степени его недовольства.

Это ее слегка кольнуло. Рождественский концерт у девочек в школе просто вылетел у нее из головы. Они с мужем договорились, что вместе пойдут поаплодировать вокальным усилиям шестилетней племянницы, но желание знать, в какой степени она сама была виновна в гибели Ги Бруара, вытеснило из ее памяти все остальное.

Не исключено, что Кевин даже напоминал ей о концерте за завтраком, но она его просто не услышала. Она была занята составлением собственных планов на день: когда и как улизнуть в Ракушечный дом, чтобы ее не хватились в поместье, и что сказать Генри, когда она придет туда.

Когда Кевин вернулся домой, она стояла у плиты и снимала жир с куриного бульона. На рабочем столе рядом с ней лежал новый рецепт супа. Она вырезала его из журнала в надежде, что Рут соблазнится новым блюдом и поест.

Кевин в расстегнутом жилете и с ослабленным галстуком остановился в дверях и наблюдал за ней. Валери заметила, как расфрантился ее муж ради рождественского спектакля младших школьников, и от этого ей стало еще хуже: он был такой красивый, жаль, что ее рядом не было.

Взгляд Кевина скользнул по дверце холодильника, на которой он оставил свою записку.

— Прости меня,— извинилась Валери.— Я забыла. Черри справилась?

Муж кивнул. Он снял галстук, свернул его в кольцо и положил на кухонный стол, рядом с миской нечищеных грецких орехов. Снял пиджак, затем жилет. Пододвинул стул и сел.

— Мэри Бет в порядке? — спросила Валери.

— Не хуже, чем можно было надеяться, учитывая, что это ее первое Рождество без него.

— И твое тоже.

— Со мной все иначе.

— Да, наверное. И все-таки девочкам повезло, что у них есть ты.

Между ними легла тишина. Булькал бульон. Снаружи, недалеко от кухонного окна, зашуршал под колесами автомобиля гравий. Валери выглянула и увидела полицейскую машину, покидавшую поместье. Нахмурившись, она вернулась к бульону и добавила в него рубленый сельдерей. Бросила горстку соли и стала ждать, когда заговорит муж.

— Машина сдохла, когда я собрался в город,— сказал он.— Пришлось взять «мерседес» Ги.

— Ты в нем, наверное, был как картинка, весь такой нарядный. Мэри Бет понравился шикарный выезд?

— Я приехал один. Слишком поздно было за ней заезжать. Я и так опоздал к началу. Тебя ждал. Думал, что ты вот-вот вернешься. Пошла в аптеку за лекарствами для большого дома или еще за чем-нибудь.

Она еще раз провела шумовкой по поверхности бульона, снимая несуществующую пленку жира. Рут не станет есть суп, если в нем будет слишком много жира. Увидит прозрачные кружочки на поверхности и сразу отодвинет тарелку.

Поэтому Валери придется быть внимательной. Ей придется быть бдительной. Ей придется отдать бульону все свое внимание.

— Черри по тебе скучала,— настаивал Кевин.— Она ждала, что ты придешь.

— А Мэри Бет про меня, конечно, не спрашивала?

Кевин не ответил.

— Что ж...— весело сказала Валери.— Как там ее окна, Кев? Больше не протекают?

— Где ты была?

Она подошла к холодильнику и заглянула в него, пытаясь сообразить, что ответить. Пока она притворялась, будто осматривает содержимое холодильника, мысли роились в голове, как мошки над перезрелым фруктом.

Стул Кевина со скрежетом проехал по полу, когда он встал. Подойдя к холодильнику, он захлопнул дверцу. Валери вернулась к плите, он пошел за ней. Она взяла шумовку, чтобы снова заняться бульоном, но он забрал ее из рук жены. И аккуратно опустил в подставку, рядом с другой кухонной утварью.

— Пора нам поговорить.

— О чем?

— Думаю, ты знаешь.

Но она предпочла сделать вид, будто ничего не понимает. Выбора у нее не было. Оставалось только сбивать его со следа. Хотя она и знала, что это грозит ей ужасным риском повторить судьбу матери, стать очередной жертвой рока, который, казалось, тяготел над их семьей. Все детство и юность она прожила с сознанием того, как глубоко несчастна ее мать, и потому, выйдя замуж, делала все возможное, чтобы никогда не увидеть спину супруга, уходящего из ее жизни навсегда. Так было с ее матерью. Так было с ее братом. Но она дала себе клятву, что с ней этого не случится. Она верила, что тот, кто трудится не покладая рук и всем жертвует ради любви, заслуживает хотя бы верности. Так она прожила долгие годы, уверенно принимая ответную любовь. Но вот рискует потерять ее ради того, кому сейчас нужна ее защита.

Она собралась с силами и сказала:

— Ты скучаешь по нашим мальчикам, правда? Дело отчасти в этом. Мы вырастили отличных сыновей, но теперь у них своя жизнь, а тебе не хватает ребятишек. С этого все и началось. Я заметила это еще тогда, в первый раз, когда девочки Мэри Бет пили у нас чай.

На мужа она не смотрела, и он ничего не говорил. В другой ситуации она истолковала бы его молчание как знак согласия и оставила бы этот разговор. Но сейчас, когда прекращение одного разговора было чревато началом другого, она не могла себе этого позволить. Все темы были для них одинаково опасны, и она выбрала эту, потому что рано или поздно они все равно пришли бы к ней.

— Разве не так, Кевин? Разве не так у вас все началось?

Несмотря на то что тему разговора выбрала она сама и сделала это хладнокровно, стремясь замаскировать и навеки спрятать другое, опасное знание, ей все равно вспомнилась мать, ее слезы и мольбы не покидать ее, обещания сделать все, что отец захочет, стать такой, какой он пожелает ее видеть, даже похожей на ту, другую. Она обещала себе, что если и у них с Кевином до этого дойдет, то она никогда не будет вести себя так, как ее мать тогда.

— Валери.— Голос Кевина вдруг охрип.— Что с нами стало?

— А ты не знаешь?

— Объясни мне.

Она поглядела на него.

— Еще есть «мы»?

Вид у него сделался до того озадаченный, что ей захотелось закончить разговор на этих самых словах и не пересекать грань, к которой они подошли так близко. Но поступить так было не в ее власти.

— О чем ты говоришь? — спросил он.

— О выборе,— ответила она.— О том, что настает время, когда мы уходим от выбора. Или делаем выбор и уходим от кого-то. Вот что с нами случилось. Я долго наблюдала за тем, как мы к этому шли. Пыталась делать вид, что не смотрю, глядела сквозь пальцы, глядела в другую сторону. Но все остается как есть, и ты прав. Нам пора потолковать.

— Вэл, ты говорила...

Но она пресекла его попытку двинуться в новом направлении.

— Если муж уходит от жены, значит, между ними образовалась пустота.

— Уходит от жены?

— Да, где-то образовалась пустота. В отношениях. Сначала я думала, что ты вполне можешь играть роль их отца, не становясь им. Дашь девочкам все, что дают дочерям отцы, а мы с тобой как-нибудь с этим справимся. Займешь в их жизни место, которое занимал Кори. Это можно. Я не обижусь.

Сглотнув, она пожалела, что затеяла этот разговор. Однако выбора в данной ситуации у нее было не больше, чем у мужа.

— Я подумала,— продолжала она,— когда стала размышлять об этом, Кев: для жены Кори делать то же самое тебе не обязательно.

— Погоди-ка. Ты думала... что Мэри Бет... и я?

Он выглядел потрясенным. В другое время у нее отлегло бы от сердца, но теперь ей надо было дожать его, чтобы в его голове осталась лишь одна мысль: жена подозревает его в том, что он влюбился во вдову своего брата Кори.

— Разве не так все было? — спросила она его.— И разве сейчас все по-другому? Я хочу знать правду, Кев. По-моему, у меня есть на это право.

— Все хотят знать правду,— сказал Кевин.— Но я не уверен, что всякий имеет на нее право.

— Даже жена? — сказала она.— Ответь мне, Кевин. Я хочу знать, что происходит.

— Ничего,— сказал он.— Понять не могу, как ты вообще могла поверить, будто что-то происходит.

— Ее девочки. Ее звонки. То ей нужно одно, то другое. Ты ей помогаешь, а сам скучаешь по мальчикам и хочешь... Я ведь вижу, что ты скучаешь по ним, Кев.

— Конечно скучаю. Я ведь их отец. Разве это не нормально? Но это вовсе не значит... Вэл, Мэри Бет для меня как сестра. Не больше, но и не меньше. Я думал, что уж ты-то меня поймешь. И это было все?

— В смысле?

— Твое молчание. Секреты. Как будто ты от меня что-то скрываешь. Я ведь прав, да? Ты что-то скрываешь? Ты всегда все мне рассказывала и вдруг перестала. Когда я спрашивал...— Он взмахнул рукой и тут же безвольно опустил ее.— Ты не отвечала. Вот я и подумал...

Он отвернулся и стал глядеть в бульон с таким видом, как будто это было ведьмино варево.

— Что подумал? — спросила она, потому что рано или поздно она все равно узнает, а если он скажет сейчас, то она будет все отрицать и тема перейдет в разряд закрытых.

— Сначала,— сказал он,— я решил, что ты все рассказала Генри, хотя и обещала мне помалкивать. Я подумал: господи Иисусе, не иначе она рассказала своему брату про Син и теперь боится, что это он прикончил Бруара, а мне не рассказывает, потому что я предостерегал ее с самого начала. Но потом я решил, что тут кое-что другое, похуже. В смысле, похуже для меня.

— Что же?

— Вэл, я же знал его привычки. У него была эта Эббот, но она была не в его вкусе. У него была Син, но Син ведь просто девчонка. А ему нужна была женщина, которая ведет себя, как положено женщине, и знает все, что положено знать женщине, такая, которой он был бы нужен не меньше, чем она ему. А ты как раз такая женщина, Вэл. И он это знал. Я видел, что он знает.

— И ты подумал, что мистер Бруар и я...

Валери не верила своим ушам, и не только потому, что ему вообще могло прийти такое в голову, но и потому, что ей несказанно повезло. Вид у него был такой жалкий, что у нее даже сердце заныло. И в то же время ей хотелось расхохотаться при мысли о том, что Ги Бруару могла приглянуться именно она, с ее загрубевшими от работы руками и познавшим материнство телом, которого не касался нож пластического хирурга.

«Дурачок ты, ему нужны были молодость и красота взамен его собственных»,— хотелось ей сказать своему мужу. Вместо этого она произнесла:

— Милый, с чего это, скажи на милость, ты так решил?

— Секретничать не в твоих привычках,— ответил он.— Если дело было не в Генри...

— Конечно нет,— сказала она и улыбнулась мужу, рискуя, что тот заметит ее ложь.

— Тогда что еще это могло быть?

— Но решить, что между мистером Бруаром и мной... Неужели ты думал, что он мне интересен?

— А я не думал. Я просто видел. Он был такой, какой был, а у тебя появились от меня секреты. У него были деньги, а мы с тобой богатыми уж точно никогда не будем, и, кто знает, может, для тебя это важно. А ты... Ну, тут все ясно.

— В смысле?

Он развел руками. По его лицу было видно, что сейчас он выскажет самую разумную часть фантазии, с которой жил все это время.

— Кто отказался бы попытать счастья с тобой, будь у него хотя бы слабая надежда?

Она почувствовала, как все ее тело потянулось к нему: вопрос, который он только что задал, выражение его лица, движение рук — все ее смягчило. Смягчились ее глаза, ее лицо. Она шагнула к нему.

— Кевин, в моей жизни всегда был только один мужчина. Не многие женщины могут это сказать. И совсем не многие могут этим гордиться. Я говорю это и этим горжусь. В моей жизни всегда был и есть только ты.

Она ощутила, как его руки сомкнулись вокруг нее. Без всякой нежности он притянул ее к себе. И обнимал без всякого желания. Надежности, вот чего он искал, и она знала это, потому что надежность была нужна и ей.

К счастью, больше он ее ни о чем не спрашивал.

Поэтому она ничего и не сказала.

Маргарет поставила на кровать свой второй чемодан и стала выгребать в него одежду из комода. По прибытии она разложила все очень тщательно, но теперь ей не было никакого дела до того, как все будет лежать в чемодане. Хватит с нее этого острова, и Бруаров тоже хватит. Один бог знает, когда следующий рейс на Англию, но она его не пропустит.

Что она могла, то сделала: и для сына, и для бывшей золовки, и для всех остальных, черт их дери. Но то, как обошлась с ней Рут, не пустив в утреннюю комнату, переполнило чашу ее терпения сильнее, чем разговор с Адрианом, последовавший затем.

— Вот что думает Рут,— объявила она.

В поисках сына она заходила в его спальню, но та оказалась пуста. Маргарет обнаружила Адриана на верхнем этаже дома, в галерее, где Ги хранил часть коллекции скульптур, собранной им за много лет, а также почти все картины. Подумать только, что все это могло бы принадлежать Адриану... должно было принадлежать Адриану... И не важно, что все холсты были современные — красочные кляксы и фигуры, выглядящие так, словно их пропустили через кухонный комбайн,— все равно они должны были что-то стоить, и их хозяином должен был стать ее сын, а от мысли, что Ги посвятил последние годы своей жизни сознательному обиранию собственного сына, Маргарет просто пылала. Она поклялась отомстить.

Адриан был в галерее и ничего не делал. Просто сидел, развалившись в кресле. В комнате было холодно, и, чтобы согреться, он надел кожаный пиджак. Руки засунул в карманы, а ноги вытянул вперед. В такой позе часто сидят футбольные фанаты, наблюдая, как их любимую команду планомерно уничтожают на поле, только Адриан смотрел не в телевизор. Его взгляд был прикован к каминной полке. На ней стояло с полдюжины семейных фотографий, в том числе Адриан с отцом, Адриан со сводными сестрами, Адриан с тетей.

Окликнув его, Маргарет продолжила:

— Слышал, что я сказала? Она думает, что ты не имеешь права на его деньги. По ее словам, он тоже так думал. Она говорит, что он не верил в наследование. Так она выражается. Как будто мы в это поверим. Да если бы твоему отцу кто-нибудь оставил хорошее большое наследство, неужели бы он от него отвернулся? Неужели сказал бы: «О господи, нет, спасибо. Я этого не заслуживаю. Лучше отдайте его кому-нибудь другому, чья духовная чистота не пострадает от внезапно свалившихся на него денег». Нисколько на него не похоже. Лицемеры они оба. Все, что он сделал, задумано только для того, чтобы через тебя наказать меня, а она потакает его планам и сидит довольная, как слизняк в салате. Адриан! Ты меня слушаешь? Ты слышал хотя бы слово из того, что я сказала?

Она уже подумала, не перешел ли он в одно из своих пограничных состояний, что так на него похоже. Давай-давай, погрузись в себя на длительный период ложной кататонии, милый. А с твоими проблемами пусть мамочка разбирается.

Наконец Маргарет просто устала от всего этого: устала от вечных телефонных звонков из школ, в которых Адриан не успевал; устала от сестер Сан, убеждавших ее в том, что «с мальчиком все в полном порядке, мадам»; устала от психологов, которые с сочувствующими лицами информировали ее о том, что она просто обязана предоставить мальчику больше свободы, если хочет увидеть улучшение; устала от мужей, не способных взять под свое широкое крыло пасынка с таким количеством проблем; устала наказывать братьев Адриана, когда те измывались над ним; устала читать нотации учителям, когда те не понимали его; устала переругиваться с докторами, когда те оказывались бессильны помочь; устала выбрасывать щенков и котят, когда он в них разочаровывался; устала умолять работодателей дать ему третий или четвертый шанс; устала уговаривать квартирохозяек; устала подыскивать потенциальных подружек и манипулировать ими... И все это ради этой минуты, когда он должен был хотя бы послушать ее, выжать из себя хоть одно доброе слово, сказать ей: «Мама, ты сделала все, что могла», или хотя бы хмыкнуть, показывая, что он ее слышит. Но нет, она слишком много от него хочет, ведь это значит сделать над собой усилие, проявить находчивость, притвориться, будто у него есть своя жизнь, своя, а не продолжение ее собственной, но, бога ради, разве даже на такую малость мать не имеет права? Разве мать не имеет права знать, что ее дети выживут, когда ее не станет?

Но со старшим сыном она даже в этом не была уверена. И когда Маргарет это поняла, ее решимость дала трещину.

— Адриан! — закричала она, а когда он не ответил, размахнулась и изо всех сил ударила его по щеке.— Я тебе не мебель! Отвечай мне немедленно! Адриан, если ты не...

И она снова занесла руку.

Он перехватил ее, когда ладонь уже приближалась к его лицу. Крепко держа мать за запястье, он встал, ни на миг не ослабляя хватки. Потом отшвырнул ее так, словно она была каким-то мусором.

— Вечно ты все портишь. Ты мне надоела. Уезжай домой.

— Боже мой,— ужаснулась она.— Да как ты смеешь...

Но больше ничего произнести не успела.

— Хватит,— сказал он и вышел из галереи.

Тогда она и вернулась в свою комнату, где достала из-под кровати чемоданы. Первый она уже уложила и трудилась над вторым. Она уедет. А его предоставит своей судьбе. Пусть справляется с жизнью сам, раз он этого хочет, а она посмотрит, как это у него получится.

На подъездной аллее хлопнули одна за другой две автомобильные дверцы, и Маргарет поспешила к окну. С тех пор как отъехала полицейская машина, не прошло и пяти минут, и Маргарет видела, что этого мальчишку, Филдера, они с собой не взяли. Она надеялась, что полицейские нашли какой-нибудь повод запереть негодника и вернулись за ним. Но внизу стоял темно-синий «форд-эскорт», пассажир и водитель которого вышли из салона и переговаривались через капот.

Пассажира она узнала: это был тот самый похожий на аскета инвалид, который приходил на поминки Ги и все время простоял у камина. Его спутницей и водителем была какая-то рыжеволосая женщина. Маргарет стало интересно, чего они хотят и к кому приехали.

Ответ она узнала довольно скоро. По аллее, со стороны бухты, поднимался Адриан. Незнакомцы стояли лицом в том направлении, откуда он приближался, из чего Маргарет заключила, что они, вероятно, видели его, подъезжая, и ждут, когда он подойдет.

Она тут же насторожилась. Несмотря на недавнюю решимость предоставить сына его судьбе, разговор Адриана с незнакомцами, когда дело об убийстве его отца еще не закрыто, был для нее сигналом опасности.

В руках Маргарет держала ночную рубашку, которую собиралась положить в чемодан. Швырнув ее на кровать, она заспешила прочь из комнаты.

Подбегая к лестнице, она услышала голос Рут, доносившийся из-за двери кабинета Ги. Она решила, что позже непременно разберется с золовкой, которая не позволила ей задать этому маленькому отродью взбучку в присутствии полиции. Теперь у нее было дело поважнее.

Оказавшись на улице, она сразу увидела, что тот человек и его рыжая спутница идут навстречу ее сыну. Она окликнула их:

— Эй, подождите. Подождите. Может быть, я могу вам помочь? Я Маргарет Чемберлен.

Она заметила выражение, которое скользнуло по лицу Адриана и тут же исчезло, и распознала в нем легкое презрение. Ей хотелось тут же бросить его: видит бог, он заслужил, чтобы его оставили выплывать в одиночку,— но она обнаружила, что не в силах уйти, пока не узнает, зачем явились эти двое.

Догнав посетителей, она представилась еще раз. Мужчина сказал, что его зовут Саймон Олкорт Сент-Джеймс, его сопровождает Дебора, его жена, а пришли они затем, чтобы повидать Адриана Бруара. При этих словах он кивнул сыну Маргарет тем особым кивком, который сообщает человеку: «Я вас знаю», лишая его возможности скрыться, если он это задумал.

— А по какому делу? — осведомилась Маргарет любезно.— Кстати, я его мать.

— Вы не могли бы уделить нам несколько минут? — спросил Олкорт Сент-Джеймс у Адриана, точно не понял довольно ясного намека его матери.

Внутренне ощетинившись, она, однако, старалась говорить с той же любезностью, что и прежде.

— Прошу нас извинить. У нас совсем нет времени. Я улетаю в Англию, а Адриан должен отвезти меня в аэропорт, так что...

— Идемте внутрь,— сказал Адриан.— Там поговорим.

— Адриан, дорогуша,— заворковала Маргарет.

Ее устремленный на сына пристальный взгляд телеграфировал: «Перестань валять дурака. Мы же понятия не имеем, что это за люди».

Не обратив на нее никакого внимания, он двинулся к входной двери. Ей оставалось только последовать за ним со словами:

— Ну хорошо. Несколько минут у нас, пожалуй, найдется.

Надо было создать впечатление, будто она и ее сын выступают единым фронтом.

Будь на то воля Маргарет, она вынудила бы посетителей изложить свое дело в каменном холле, где температура была противоестественно низкой, а вдоль стен стояли твердые деревянные стулья, которые наверняка отбили бы у них желание затягивать разговор. Однако Адриан повел их наверх, в гостиную. У него хватило такта не просить ее выйти, и она уселась на один из диванов, чтобы не дать им забыть о своем присутствии.

Сент-Джеймс — именно так он попросил себя называть, услышав из ее уст свою двухпалубную фамилию,— похоже, не возражал против ее присутствия при разговоре. Не возражала и его жена, которая без приглашения уселась рядом с Маргарет на диван и на протяжении всей беседы молчала, внимательно наблюдая за всеми, словно ей поручили следить за реакцией собеседников. Что касается Адриана, то его визит двух совершенно незнакомых людей, кажется, нисколько не встревожил. Не проявил он никакой тревоги и тогда, когда Сент-Джеймс заговорил о деньгах, огромных суммах, которые пропали со счетов его отца.

Маргарет потребовалось несколько минут, чтобы понять, какова связь между фактами, которые излагал Сент-Джеймс, и наследством Адриана, уменьшившимся в десятки раз. Оно и прежде было жалким сравнительно с тем, что Адриан должен был получить, если бы хитроумие Ги не лишило сына возможности воспользоваться его богатством, а теперь оказывалось, что там и пользоваться-то особо нечем.

Маргарет воскликнула:

— Неужели вы хотите нам сказать...

— Мама,— перебил ее Адриан.— Продолжайте,— обратился он к Сент-Джеймсу.

По-видимому, лондонец явился не только для того, чтобы проинформировать Адриана о перемене в положении его дел. Последние восемь-девять месяцев Ги переводил телеграфом деньги с Гернси, сказал им Сент-Джеймс, который желал знать, что Адриану известно о том, почему его отец пересылал большие суммы денег на счет какой-то фирмы в Лондоне с адресом в Бракнелле. Он сообщил, что по его просьбе в Англии кто-то уже выясняет обстоятельства этого дела, но, может быть, мистер Бруар окажет им любезность и облегчит задачу, сообщив детали, которые ему, возможно, известны?

Намек был прозрачнее воздуха швейцарских гор, и, прежде чем Адриан успел заговорить, Маргарет сказала:

— А в чем именно состоит ваша задача, мистер Сент-Джеймс? Честно говоря — не сочтите, пожалуйста, за грубость,— я не понимаю, почему мой сын должен отвечать на ваши вопросы, о чем бы ни шла в них речь.

Любой на месте Адриана понял бы, что надо держать язык за зубами, но только не ее сын.

— Понятия не имею, зачем моему отцу понадобилось пересылать деньги куда бы то ни было.

— Значит, он посылал их не вам? Тогда, может быть, у него были на то личные причины? Или он хотел открыть дело? Или зачем-либо еще? Может, в уплату долга?

Адриан извлек из кармана джинсов смятую пачку сигарет. Вытащил одну и закурил.

— Моих деловых начинаний отец не поддерживал,— объяснил он.— Как и других моих дел. Я просил, чтобы он мне помог. Он отказался. Вот и все.

Маргарет внутренне сморщилась. Если бы он мог себя слышать. Если бы он мог видеть себя со стороны. И зачем рассказывать им то, о чем они не спрашивали? Ясное дело, чтобы мать позлить. Она ведь наговорила ему всякой всячины, а тут такая прекрасная возможность поквитаться, вот он и воспользовался ею, не думая, какие последствия могут иметь его слова. Он кого хочешь с ума сведет, сыночек этот.

Сент-Джеймс сказал ему:

— Значит, к фирме «Интернэшнл аксесс» вы, мистер Бруар, не имеете никакого отношения?

— А что это? — спросила Маргарет осторожно.

— Фирма — получатель всех переводов мистера Бруара-старшего. Как выяснилась, общая сумма полученных ими денежных переводов составила более двух миллионов фунтов стерлингов.

Маргарет изо всех сил делала вид, будто она очень заинтересована, но нисколько не поражена услышанным, но на самом деле у нее было такое чувство, словно стальной обруч сдавил ей нутро. Усилием воли она сдержалась и не взглянула на сына. Если Ги и впрямь посылал ему деньги, подумала она, и Адриан солгал ей... Ведь именно так, «Интернэшнл аксесс», должна была называться компания, которую задумал ее сын. Это вполне в его духе — придумать название для компании раньше, чем она начала существовать. Но так ли это? Его детище, блестящая идея, способная принести миллионы, если только отец согласится профинансировать проект. Но Адриан утверждал, что отец отказался выступить в роли инвестора, проще говоря, не дал на всю затею ни пенса. А что, если он врал и Ги все это время давал ему деньги?

Все, что могло бросить на Адриана хотя бы слабую тень подозрения, следовало отметать немедленно.

— Мистер Сент-Джеймс,— обратилась к гостю Маргарет,— уверяю вас, что если Ги и посылал деньги кому-то в Англию, то получал их не Адриан.

— Нет?

Голос Сент-Джеймса в приятности не уступал ее собственному, но от Маргарет не ускользнул взгляд, которым они обменялись с женой, и смысл их переглядываний ей тоже был вполне ясен. В лучшем случае им покажется любопытным тот факт, что мать отвечает за взрослого сына, вполне способного говорить за себя. В худшем они решат, что она любопытная стерва, которая сует нос не в свое дело. Ну и пусть думают, что хотят. У нее есть заботы поважнее, чем переживать из-за того, что о ней подумают совершенно чужие люди.

— Думаю, что сын рассказал бы мне об этом. Он все мне рассказывает,— подчеркнула она.— А поскольку я ничего не слышала от него о том, что отец посылает ему деньги, значит, никаких денег Ги не посылал. Вот и все.

— Вот как? — переспросил Сент-Джеймс и поглядел на Адриана.— Мистер Бруар? Быть может, тому были другие причины, не делового характера?

— Об этом вы уже спрашивали,— напомнила Маргарет.

— Но кажется, не получили ответ,— вежливо сказала миссис Сент-Джеймс.— Во всяком случае, не полный.

Маргарет особенно ненавидела таких баб: сидит себе вся в кудрях, розовая, как фарфоровая кукла, и помалкивает. Радуется, наверное, что все ее видят, но никто не слышит, эдакая викторианская женушка, которая научилась, ни во что не вмешиваясь, наблюдать течение английской жизни.

— Послушайте,— начала Маргарет, но Адриан ее перебил.

— Отец не давал мне никаких денег,— заявил он.— Ни для каких целей.

— Ну вот,— встряла Маргарет,— если это все, вы нас извините, потому что нам надо еще многое успеть до моего отъезда.

И она начала подниматься. Ее остановил следующий вопрос Сент-Джеймса:

— В таком случае, мистер Бруар, может быть, их получал кто-нибудь другой? Кто-то в Англии, кого вы знаете и кому ваш отец мог захотеть помочь? Кто-то связанный с группой «Интернэшнл аксесс»?

Это был предел. Разве они не рассказали этому типу все, что ему было нужно? Теперь он должен убраться.

— Если Ги и посылал кому-то деньги,— сказала она высокомерно,— то наверняка какой-нибудь женщине. Я бы предложила вам поискать в этом направлении. Адриан, милый, ты не поможешь мне с чемоданами? Нам пора выезжать.

— Какой-то конкретной женщине? — спросил Сент-Джеймс.— Я в курсе его отношений с миссис Эббот, но поскольку она здесь, на Гернси... Нет ли в Англии кого-то, с кем нам следовало бы поговорить?

Маргарет поняла, что, пока они не назовут имя, им от него не избавиться. И лучше им самим вспомнить это имя, чем позволить этому типу узнать все по своим каналам, а потом использовать для того, чтобы запятнать репутацию Адриана. Если они назовут имя сами, то это прозвучит вполне невинно. Если это сделают чужие люди, то все будет выглядеть так, словно им есть что скрывать. Она обратилась к Адриану, стараясь, чтобы ее голос звучал небрежно, хотя и самую малость нетерпеливо, давая непрошеным гостям понять, что они отнимают у нее время:

— Ах да... Была, кажется, какая-то молодая женщина, с которой ты приезжал в прошлом году к отцу. Ну, та, которая играла в шахматы. Как ее звали? Кэрол? Кармен? Нет. Кармел. Точно. Кармел Фицджеральд. Ги еще увлекся ею. У них даже был небольшой роман, как я припоминаю. Конечно, после того как твой отец убедился, что она и ты не... ну, в общем, ты понимаешь. Ее ведь так, кажется, звали?

— Папа и Кармел...

Маргарет продолжала трещать, надеясь, что Сент-Джеймсы все поймут.

— Ги питал к женщинам слабость, а поскольку Кармел и Адриан не были парой... Дорогой, быть может, он увлекся Кармел сильнее, чем ты подумал? Я помню, как тебя это забавляло. «Кармел стала папиным "ароматом месяца"», — вот как ты говорил. Я помню, мы еще смеялись этой шутке. Но неужели увлечение твоего отца этой девушкой и впрямь оказалось таким серьезным? Ты, кажется, говорил, что для нее это не больше чем эскапада, но, может быть, с его стороны все было гораздо серьезнее? Правда, на него это не очень похоже, ведь он никогда не покупал внимание женщин за деньги, но, с другой стороны, раньше у него не было такой необходимости. А в ее случае... Дорогой, что ты об этом думаешь?

Маргарет затаила дыхание. Она знала, что говорила слишком долго, но тут уж ничего не поделаешь. Надо же было дать сыну понять, в каком ключе ему следует говорить о взаимоотношениях отца с женщиной, на которой он сам должен был жениться. Ему оставалось только принять у нее эстафетную палочку и продолжить: «А, папа и Кармел. Это было забавно. Вам надо поговорить с ней, если вас интересует, куда подевались отцовские деньги». Но ничего такого он не сказал.

— Это вряд ли Кармел,— заявил он.— Они с отцом едва знали друг друга. Он ею не интересовался. Она не в его вкусе.

Маргарет не выдержала.

— Но ты же говорил...

Он взглянул на нее.

— Ничего такого я тебе не говорил. Ты все выдумала. И не случайно. Все так логично связывается, правда?

Маргарет видела, что те двое не понимают, о чем говорят мать и сын, но им страшно хочется это узнать. Новость, сообщенная Адрианом, настолько ее ошарашила, что она никак не могла решить, поговорить ей с сыном сейчас или подождать, пока они останутся одни. Господи, в чем же еще он ей солгал? И что подумают лондонцы, если она произнесет слово «ложь» в их присутствии? Какие выводы они сделают?

— Я, видимо, поспешила с выводами,— заговорила она.— Твой отец вечно... Ну, ты знаешь, какой он был с женщинами. Вот я и подумала... Но я, наверное, неправильно поняла... Но ведь ты говорил, что для нее это эскапада, или не говорил? А может, ты говорил о ком-то другом, а я решила, что это о Кармел?

Адриан ехидно улыбался, не без удовольствия наблюдая, как его мать открещивается от всего, что совсем недавно с такой уверенностью утверждала. Позволив ей еще немного потрепыхаться, он перебил ее:

— Не знаю, был ли у отца кто-нибудь в Англии, но здесь, на острове, роман у него точно был. Не знаю с кем, но моя тетя в курсе.

— Это она сама вам сказала?

— Я слышал, как они из-за этого ссорились. Похоже, девушка была совсем молоденькая, потому что тетя Рут грозила рассказать обо всем ее отцу. Она сказала, что если иного способа заставить отца отпустить девушку на свободу не существует, то она пойдет на это.— Он улыбнулся невесело и добавил: — Тот еще был тип, мой отец. Немудрено, что кто-то его в конце концов прикончил.

Маргарет закрыла глаза, страстно желая провалиться сквозь землю, и призвала проклятия на голову своего сына.

25

Сент-Джеймсу и его жене не пришлось долго разыскивать Рут Бруар. Она нашла их сама. Она вошла в гостиную, буквально пылая от возбуждения.

— Мистер Сент-Джеймс, какая удача. Я звонила вам в отель, но мне сообщили, что вы поехали сюда.

Не обращая внимания на племянника и невестку, она стала просить Сент-Джеймса пойти с ней, потому что все стало вдруг кристально ясно и она хотела ему обо всем рассказать.

— Мне подождать там? — спросила Дебора, кивнув в сторону улицы.

Но Рут, узнав, кто она такая, пригласила и ее пойти с ними.

Маргарет Чемберлен тут же заявила протест:

— В чем дело, Рут? Если речь идет о наследстве Адриана...

Но Рут продолжала делать вид, будто не замечает невестку, и так далеко зашла, что даже закрыла дверь у нее перед носом, хотя та еще не закончила говорить.

— Вы должны извинить Маргарет,— сказала она Сент-Джеймсу.— Она не совсем...— Тут она выразительно пожала плечами, а потом добавила: — Пойдемте же. Я в кабинете Ги.

Добравшись туда, она не стала тратить время на преамбулы.

— Я знаю, что он сделал с деньгами,— сказала она.— Вот. Взгляните. Сами увидите.

На письменном столе ее брата лежала картина. Двадцать четыре дюйма по вертикали, восемнадцать по горизонтали, края прижаты книгами, снятыми с полок. Рут коснулась ее робко, словно то был объект поклонения.

— Ги все же удалось вернуть ее домой.

— Что это? — спросила Дебора, становясь рядом с Рут и разглядывая картину.

— «Красавица с пером и книгой»,— ответила Рут.— Она принадлежала моему деду. До него ею владел его отец, а перед ним его отец и так далее, насколько я знаю. Со временем она должна была перейти к Ги. Так что я думаю, он потратил все деньги на ее поиски. Больше ничего...

Ее голос изменился, и Сент-Джеймс увидел, что глаза Рут Бруар за круглыми стеклами очков полны слез.

— Это все, что от них осталось. Вот видите.

Она сняла очки, вытерла глаза рукавом толстого свитера и подошла к столику, который стоял между двумя креслами в другом конце комнаты. Взяла с него фотографию и вернулась к гостям.

— Вот,— сказала она.— Вот они все, на этом снимке. Maman дала его нам в ночь побега, потому что на нем были они все. Вот они, видите? Grandpère, grandmère, Tante Эстер, Tante Бекка, их мужья, совсем еще молодые, наши родители, мы. Gardez-la...

Тут она сообразила, что воспоминания унесли ее в другую страну и в другое время. И снова перешла на английский:

— Прошу прощения. Она сказала: «Храните ее до тех пор, пока мы не встретимся снова, по ней вы нас узнаете, когда увидите». Мы не знали, что этого никогда не случится. А теперь смотрите. На фотографию. Вот она, над сервантом. «Красавица с книгой и пером», там она всегда и висела. Видите крошечные фигурки за ее спиной, вдалеке... они строят церковь. Какую-то громадную готическую штуковину, которую меньше чем за сто лет не построишь, а она сидит такая... ну, невозмутимая. Как будто знает об этой церкви что-то такое, чего мы никогда не узнаем.

Рут нежно улыбалась картине.

— Милый, милый брат,— прошептала она по-французски,— ты никогда не забывал.

Сент-Джеймс встал рядом с женой и тоже поглядел на фотографию. Он увидел, что перед ними на столе лежала та же картина, которая была на снимке, а саму фотографию он заметил еще в прошлый раз, когда разговаривал с Рут в этой комнате. На ней была изображена еврейская семья в полном составе, собравшаяся на пасхальный обед. Все радостно улыбались в камеру, пребывая в гармонии с миром, который вскоре их уничтожит.

— А что произошло с картиной?

— Мы так и не узнали,— сказала Рут.— Мы могли только предполагать. Когда закончилась война, мы ждали. Сначала думали, что они приедут за нами, наши родители. Мы ведь не знали. Сначала не знали. И ждали довольно долго, потому что надеялись... С детьми так часто бывает, правда? Но в конце концов мы все-таки узнали.

— Что они умерли,— прошептала Дебора.

— Что они умерли,— повторила Рут.— Они слишком задержались в Париже. Потом поехали на юг, думая, что там с ними ничего не случится, а там их след потерялся. Они ехали в Лаворетт. Но от правительства Виши там было не скрыться. Они выдавали евреев по первому требованию. В каком-то смысле они были еще хуже нацистов, ведь они предавали собственных граждан, каковыми и были евреи во Франции.

Она протянула руку за фотографией, которую все еще держал Сент-Джеймс, и говорила, не отрывая от нее взгляда.

— В конце войны Ги было двенадцать, а мне девять. Много лет прошло, прежде чем он смог поехать во Францию и узнать, что стало с нашей семьей. Из последнего письма, которое у нас было, мы знали, что они оставили все имущество, взяв лишь по чемодану с одеждой каждый. Так что «Красавица с книгой и пером», как и остальные вещи, осталась на хранении у нашего соседа, Дидье Бомбара. Он сказал Ги, что нацисты пришли и забрали у него все, потому что это было имущество евреев. Но он мог и солгать. Мы это знали.

— Как же тогда вашему брату удалось ее найти? — спросила Дебора.— Столько лет спустя?

— Он был очень целеустремленным человеком, мой брат. Он не колеблясь нанял бы столько людей, сколько ему понадобится для того, чтобы найти картину и приобрести ее.

— «Интернэшнл аксесс»,— вставил Сент-Джеймс.

— Что это? — спросила Рут.

— Туда шли деньги, которые ваш брат переводил со своих счетов здесь, на Гернси. Это компания в Англии.

— А-а. Ну, значит, так оно и есть.

Она потянулась за маленькой лампочкой, которая освещала край письменного стола, и повернула ее так, чтобы свет падал на картину.

— Думаю, они ее и нашли. Очень вероятно, учитывая, какое громадное количество произведений искусства ежедневно покупается и продается в Англии. Когда вы поговорите с ними, они, наверное, расскажут вам о том, как они ее выследили и сколько человек трудилось, чтобы вернуть ее нам. Частные сыщики, скорее всего. Может быть, работники какой-нибудь галереи. Ему ведь наверняка пришлось ее выкупать. Не могли же они просто так взять и отдать ее.

— Но ведь она ваша...— сказала Дебора.

— А чем мы могли это доказать? Ведь у нас не было ничего, кроме этой фотографии, а кто, поглядев на снимок семейного обеда, решится утверждать, что картина, которая изображена на заднем плане,— вот это самое полотно? — Она указала на лежавшую перед ними картину.— Других документов у нас не было. Да их и вообще не было. Просто она — «Красавица с пером и книгой» — всегда принадлежала нашей семье, и никакого способа доказать это не было.

— А показания людей, видевших ее в доме вашего деда?

— Полагаю, никого из них уже нет в живых,— сказала Рут.— И кроме того, я все равно не знаю никого, кроме мсье Бомбара. Поэтому у Ги не было иного способа ее вернуть, кроме как перекупить у последних владельцев, что он и сделал, можете не сомневаться. Думаю, что это был его подарок на мой день рождения: возвращение в семью единственной вещи, которая от нее осталась. Пока я жива.

В молчании они смотрели на холст, расстеленный на столе. В том, что картина была старой, сомневаться не приходилось. Сент-Джеймсу она напомнила работы старых голландских или фламандских мастеров. В ее завораживающей, вневременной красоте была, вне всякого сомнения, сокрыта аллегория, ясная когда-то как живописцу, так и заказчику.

— Интересно, кто она? — спросила Дебора.— Наверняка из хорошей семьи, судя по платью. Материя очень тонкая, правда? И книга. Такая огромная. Иметь такую книгу... даже просто уметь читать в то время... Наверное, она была богатой. Может быть, даже королевой.

— Она просто дама с пером и книгой,— ответила Рут.— Мне этого достаточно.

Сент-Джеймс оторвался от созерцания картины и спросил у Рут Бруар:

— Как случилось, что вы обнаружили ее сегодня утром? Она была здесь, в доме? Среди вещей вашего брата?

— Она была у Пола Филдера.

— Мальчика, чьим наставником был ваш брат?

— Он отдал ее мне. Маргарет решила, что он что-то украл, потому что он никому не давал свой рюкзак. Но в нем оказалась картина, и он тут же отдал ее мне.

— Когда это было?

— Сегодня утром. Полицейские привезли его из Буэ.

— Он еще здесь?

— Где-нибудь в парке, наверное. А что? — Лицо Рут стало серьезным.— Вы же не думаете, что он украл ее, правда? Потому что это не так. На него это совсем не похоже.

— Можно, я возьму ее с собой, мисс Бруар? — Сент-Джеймс коснулся края картины.— Ненадолго. Обещаю, что с ней ничего не случится.

— Зачем?

Вместо ответа он лишь добавил:

— Если вы не возражаете. Вам не о чем волноваться. Я скоро ее верну.

Рут взглянула на картину так, словно очень не хотела с ней расставаться, что, вне всякого сомнения, так и было. Однако она почти сразу кивнула и убрала книги с краев холста.

— Надо найти ей хорошую раму,— сказала она.— И подходящее место в доме.

Она передала холст Сент-Джеймсу. Взяв у нее картину, он резко переключился на другую тему.

— Полагаю, вы знали, что у вашего брата была связь с Синтией Мулен, мисс Бруар?

Рут выключила лампу на столе и повернула ее так, как она стояла прежде. Он решил, что ответа не будет, но она все-таки заговорила:

— Я застала их вместе. Он сказал, что собирался рассказать мне обо всем позже. Сказал, что женится на ней.

— Вы ему не поверили?

— Слишком часто, мистер Сент-Джеймс, мой брат заявлял, что наконец-то нашел «ее». «Она — та самая»,— говорил он обычно. «Эта женщина, Рут, определенно та самая, которая мне нужна». И он всегда верил в то, что говорил... потому что, как многие люди, всегда принимал бегущие по коже мурашки сексуального влечения за любовь. Проблема Ги была в том, что он был не в состоянии пойти дальше. Поэтому когда влечение угасало — а это рано или поздно случается,— он думал, что это смерть любви, не понимая, что это лишь возможность ее начала.

— Вы говорили с отцом девушки об этом? — спросил Сент-Джеймс.

Рут шагнула к модели военного музея, стоявшей посреди комнаты на своем столе. И смахнула с ее крыши несуществующую пыль.

— Он не оставил мне выбора. Он отказывался расстаться с ней. А это было неправильно.

— Почему?

— Она еще совсем девочка, почти ребенок. У нее нет опыта. Я никогда не возражала, когда он баловался с женщинами постарше, именно потому, что они были старше. Они знали, что делали, хотя могли не знать, что делал он. Но Синтия... Это было слишком. С ней он перегнул палку. Мне оставалось только пойти к Генри. Я просто не знала, как еще уберечь их обоих. Ее — от разбитого сердца, а его — от позора.

— Но и этот способ оказался нехорош, правда?

Она повернулась к модели спиной.

— Генри не убивал моего брата, мистер Сент-Джеймс. Он его пальцем не тронул. У него была такая возможность, но он не смог заставить себя воспользоваться ею. Поверьте мне. Не такой он человек.

Сент-Джеймс видел, насколько необходимо Рут Бруар верить в это. Стоит ей дать волю своим мыслям, и она окажется лицом к лицу с виной, которая ее просто раздавит. А ей и так приходится терпеть страшные муки.

— Вы уверены в том, что именно вы видели из окна в то утро, когда умер ваш брат, мисс Бруар?

— Я видела ее,— сказала она.— Она шла за ним. Я ее видела.

— Вы видели кого-то,— мягко поправила ее Дебора.— Кого-то в черном. Издалека.

— Ее не было в доме. Она шла за ним. Я это знаю.

— Арестован ее брат,— сообщил Сент-Джеймс.— Похоже, полиция считает, что раньше они допустили ошибку. Может быть, и вы видели не Чайну Ривер, а ее брата? Он мог надеть ее плащ, и всякий, кто раньше видел ее в этом плаще, увидев в нем его... Неудивительно, что вы решили, будто видите Чайну.

Произнося это, Сент-Джеймс избегал смотреть на жену, зная, как она отреагирует на любой намек на то, что кто-то из Риверов замешан в преступлении. Но были вопросы, которые требовали ответов, невзирая на чувства Деборы.

— Может быть, обыскивая дом, вы искали и Чероки Ривера? — спросил он у Рут.— Может быть, вы проверили и его спальню, а не только ее?

— Я проверила только ее спальню,— возразила Рут Бруар.

— А комната Адриана? Там вы не искали? Или комната вашего брата? Чайны там не было?

— Адриан не... Ги и эта женщина никогда... Ги не...

Голос Рут замер.

Другого ответа Сент-Джеймсу и не было нужно.

Когда дверь гостиной закрылась за посетителями, Маргарет, не откладывая в долгий ящик, принялась выяснять отношения с сыном. Правда, он попытался последовать примеру гостей и покинуть комнату, но она встала в дверях, как стена, и преградила ему путь.

— Сядь, Адриан. Нам надо поговорить.

Она услышала в своем голосе угрозу и пожалела, что не может контролировать себя, но ее запасы материнской нежности, и без того не бесконечные, порядком поистощились за последнее время, а кроме того, настала пора взглянуть фактам в лицо: Адриан был трудным ребенком с того самого дня, когда впервые увидел свет, а трудные дети часто превращаются в трудных взрослых.

Она долго считала своего сына жертвой обстоятельств и списывала на это его многочисленные странности. Ощущение опасности, вызванное присутствием в его жизни мужчин, которые его не понимали, она долгие годы считала причиной снохождения и заторможенного состояния, из которого ее сына не могло вывести ничто, кроме торнадо. Страхом, что его бросит мать, выходившая замуж не один, а целых три раза, оправдывала его неспособность жить своей жизнью. Травма, перенесенная в раннем детстве, делала понятным тот кошмарный инцидент с публичной дефекацией, результатом которого стало его исключение из университета. Любым его выходкам Маргарет неизменно находила оправдание. Единственное, чего она не могла понять, так это намеренного обмана той самой женщины, которая пожертвовала своей жизнью ради того, чтобы его существование стало более приятным. И за это она требовала компенсации. Если не в виде мести, которой она так жаждала, то хотя бы в виде объяснения.

— Садись,— приказала она.— Ты никуда не пойдешь. Нам надо кое-что обсудить.

— Что? — спросил он, и Маргарет с негодованием отметила, что его голос прозвучал не настороженно, а раздраженно, словно она покушалась на его драгоценное время.

— Кармел Фицджеральд,— сказала она.— Я намерена докопаться до сути.

Он встретил ее взгляд, и она увидела, что наглец принял вызывающий вид, словно подросток, пойманный за запретным делом, которое ему страшно хотелось совершить именно по причине его запретности, чтобы тем самым без слов выразить свой протест. Маргарет почувствовала, как у нее зачесались ладони: так ей хотелось пощечиной стереть с его физиономии это выражение — верхняя губа чуть приподнята, ноздри раздуваются. Она сдержалась и подошла к стулу.

Он остался стоять у двери, но из комнаты не вышел.

— Кармел. Ладно. И что ты хочешь о ней знать?

— Ты говорил мне, что она и твой отец...

— Ты все выдумала. Ни фига подобного я тебе не говорил.

— Не смей выражаться...

— Ни фига подобного,— повторил он.— Ни хрена подобного, мамочка. Ни хренашечки.

— Адриан!

— Ты все придумала. Всю свою жизнь ты только и делала, что сравнивала меня с ним. А раз так, то с чего бы кому-то предпочесть сына отцу?

— Это неправда!

— Но как это ни смешно, она предпочитала меня. Даже когда он был рядом. Ты скажешь, это потому, что она была не в его вкусе и сама это понимала: не блондинка, не покладистая, как он любил, и не слишком потрясенная его деньгами и властью. Однако все дело в том, что он сам ее не впечатлил, как ни старался. Она знала, что все эти умные разговоры, анекдоты, наводящие вопросы, которые задают, глядя женщине в глаза,— просто игра, и ничего больше. Он не нуждался в ней, то есть не по-настоящему, но если бы захотел, то приударил бы за ней как следует, как делал всегда. Вторая натура. Ты знаешь. Кому и знать, как не тебе? Вот только она не хотела.

— Так зачем же, спрашивается, ты говорил мне... зачем намекал... И не отрицай. Ты ведь намекал. Зачем?

— Ты уже сама все к тому времени вычислила. У нас с Кармел все кончилось после того, как мы съездили сюда, навестить его, и по какой же причине? По той, что я застал его, когда он запускал руки под юбку моей девушке...

— Прекрати!

— И вынужден был положить всему конец. Или она сама так решила, предпочтя его мне. Это было единственное, что ты могла предположить, не так ли? Потому что если это было не так, если отец не отбивал ее у меня, то была другая причина, и тебе не хотелось думать какая, ведь ты надеялась, что все позади.

— Ты болтаешь чушь.

— А произошло вот что, мама. Кармел была согласна практически на что угодно. Сама она не красавица, да и не умница. Она понимала, что ей еще повезет, если удастся подцепить хотя бы одного парня за всю жизнь, а ей хотелось замуж. Выйдя замуж, она не стала бы бегать за мужиками. Короче говоря, вариант она была беспроигрышный. Ты это понимала. Я это понимал. Все это понимали. Даже Кармел. Мы были созданы друг для друга. Возникла лишь одна проблема: компромисс, на который она не смогла пойти.

— Какой еще компромисс? О чем ты?

— Ночной компромисс.

— Ночной? Ты ходил во сне? Она испугалась? Она не поняла, что такие вещи...

— Я писал в постель,— перебил он.

Его лицо пылало от унижения.

— Ясно тебе? Довольна? Я писал в постель.

Отвечая, Маргарет всеми силами старалась сдержать отвращение и не дать ему прозвучать в ее голосе:

— Такое тоже со всяким могло случиться. Перебрал с выпивкой накануне... Или кошмар приснился... Или просто с непривычки в чужом доме...

— Каждую ночь, что мы были здесь,— отчеканил он.— Каждую. Она меня жалела, но, вполне естественно, дала после этого задний ход. Даже терпению похожей на мышь любительницы шахмат, которой в жизни ничего не светит, приходит конец. Она готова была мириться с хождением во сне. С ночной испариной. С кошмарами. Даже с моими периодическими загулами. Но спать в моей моче она отказалась, и я не могу ее в этом винить. Я сам в ней сплю тридцать пять лет, и мне порядком надоело.

— Но у тебя же все прошло! Я знаю, что прошло! То, что произошло здесь, в доме твоего отца, это не норма, это отклонение. Больше этого не случится, ведь твой отец умер. Я позвоню ей. Я все ей объясню.

— Что, так приспичило?

— Ты заслуживаешь...

— Давай не будем лгать. Кармел была твоим последним шансом сбыть меня с рук, мама. Но все сложилось не так, как ты надеялась.

— Неправда!

— Вот как? — И он насмешливо покачал головой, забавляясь.— А я-то думал, тебе надоела ложь.

И он снова направился к выходу, который на этот раз никто не загораживал.

Открыл дверь и бросил через плечо, выходя из гостиной:

— С меня хватит.

— Что значит «хватит»? Адриан, ты не можешь...

— Могу,— ответил он.— И сделаю. Я такой, какой есть, то есть нам обоим придется это признать: такой, каким ты хотела меня видеть. Полюбуйся, до чего ты нас довела, мама. Вот до чего: нам с тобой некуда деться друг от друга.

— Так это я во всем виновата? — спросила она, задыхаясь от возмущения при мысли о том, как он истолковывал каждый ее продиктованный любовью шаг.

Ни тебе спасибо за то, что защищала его, ни благодарности за то, что направляла его, ни признательности за то, что оберегала. Господи боже, она, как верный часовой, день и ночь стояла на страже его интересов, и вот он проходит мимо и даже головы в ее сторону не повернет.

— Адриан, это я во всем виновата? — переспросила она, не получив ответа.

Но все, что она услышала, был громкий грубый смех. Закрыв дверь у нее перед носом, ее сын отправился по своим делам.

— Чайна говорит, что у нее с ним ничего не было,— сказала Дебора мужу, едва они вышли на аллею перед домом. Каждое свое слово она взвешивала.— Но может быть... она просто не хотела мне говорить. Может быть, ее смущало то, что она, отскочив от Мэтта, рикошетом влетела в новый роман. Вряд ли она этим гордилась. Не по каким-то моральным причинам, а потому... в общем, это довольно грустно. Иногда... иногда это бывает необходимо. А она всегда это ненавидела. Ненавидела быть в нужде. Ненавидела то, как это ее характеризовало.

— Это объяснило бы, почему ее не было в комнате,— согласился Саймон.

— И еще это дает шанс кому-то другому — кому-то, кто знал, где она,— взять ее плащ, то кольцо, несколько ее волосинок, туфли... Это было бы совсем просто.

— Но сделать это мог только один человек,— напомнил Саймон.— Ты ведь понимаешь, правда?

Дебора отвела взгляд.

— Не могу поверить, что это Чероки. Саймон, есть другие, те, у кого была возможность и, главное, мотив. Адриан, раз. Генри Мулен, два.

Саймон помолчал, наблюдая за тем, как крохотная птичка прыгала в ветвях каштана. Потом скорее выдохнул, чем произнес ее имя, и Дебора остро почувствовала все различие их положений. Он что-то знал. Она ничего не знала. Очевидно, его информация имела какое-то отношение к Чероки.

Все это заставило Дебору ожесточиться, несмотря на его нежный взгляд. Не без некоторой натянутости она спросила:

— Так что же дальше?

Безропотно приняв перемену как в ее голосе, так и в настроении, он ответил:

— Кевин Даффи, полагаю.

Сердце подпрыгнуло у нее в груди, когда она услышала о том, что их поиски обретают новое направление.

— Значит, ты все-таки думаешь, что это кто-то другой.

— Я думаю, что неплохо бы с ним поговорить.

В руках Саймон держал холст, взятый у Рут, и теперь его взгляд устремился к нему.

— А пока не могла бы ты разыскать Пола Филдера, Дебора? По-моему, он где-то рядом.

— Пола Филдера? Зачем?

— Мне хочется знать, откуда у него эта картина. Получил ли он ее на хранение от Ги Бруара или увидел, взял и отдал Рут только тогда, когда его поймали?

— Не представляю себе, как он мог ее украсть. Что он собирался с ней делать? Уж если подросток украдет, то наверняка что угодно, но не картину.

— Это верно. С другой стороны, на обычного подростка он не похож. Кроме того, у меня сложилось впечатление, что его семья едва сводит концы с концами. Может быть, он решил продать картину какому-нибудь торговцу антиквариатом в городе. В этом надо разобраться.

— Думаешь, если я его спрошу, он все мне расскажет? — сказала Дебора с сомнением.— Не могу же я обвинить его в краже.

— Я думаю, что тебе кто угодно расскажет о чем угодно,— ответил ее муж.— И Пол Филдер не исключение.

На этом они расстались, Саймон двинулся к коттеджу Даффи, а Дебора осталась у машины, пытаясь решить, откуда начать поиски Пола Филдера. Вспомнив все, что выпало на его долю за день, она подумала, что сейчас он наверняка отсиживается в каком-нибудь тихом, спокойном уголке. Например, в одном из садов. Придется проверить их один за другим.

Начала она с тропического сада, поскольку он был ближе других к дому. Там в пруду мирно плавали немногочисленные утки, в ветвях вяза звенел хор жаворонков, но никто не смотрел на первых и не слушал вторых, поэтому она повернула в сад скульптур. Именно там похоронили Ги Бруара, и, увидев открытую калитку в окружавшей могилу ограде, Дебора поняла, что мальчик, скорее всего, за ней.

Так оно и оказалось. Пол Филдер сидел на холодной земле возле могилы своего наставника. Его ладонь нежно гладила землю у корней незабудок, посаженных по краю могилы.

Дебора шла через сад, направляясь к нему. Гравий хрустел под ее ногами, но она и не пыталась скрыть свое присутствие. Однако мальчик даже не поднял головы.

Дебора увидела, что вместо ботинок на нем комнатные шлепанцы, да и те на босу ногу. По одной из его худых лодыжек размазалась земля, а края синих джинсов испачкались и обтрепались. Одет он был явно не по погоде. Дебора не могла понять, почему он не дрожит от холода.

По замшелым ступеням она поднялась к могиле. Но не пошла к мальчику, а направилась к беседке за его спиной, где под зимним жасмином стояла каменная скамья. Желтые цветы наполняли воздух нежным ароматом. Вдыхая его, она наблюдала за тем, как мальчик гладит цветы.

— Тебе, наверное, сильно его недостает,— сказала она наконец.— Ужасно, когда теряешь того, кого любишь. Особенно друга. Людям всегда кажется, что они так мало пробыли вместе. По крайней мере, мне всегда так казалось.

Мальчик склонился над незабудкой и оторвал увядший лепесток. Покатал его между большим и указательным пальцами.

Однако по тому, как дрогнули его ресницы, Дебора поняла, что он слушает. И продолжала говорить:

— По-моему, самое главное в дружбе — это свобода быть самим собой. Настоящий друг всегда принимает тебя таким, какой ты есть, со всеми твоими тараканами. Когда тебе хорошо, он рядом. Когда тебе плохо, он тоже рядом. На него можно положиться, он никогда не подведет.

Пол отшвырнул свою незабудку. И выдернул несуществующий сорняк.

— Друг желает тебе только добра,— говорила Дебора.— Даже когда ты сам не знаешь, в чем оно заключается. Наверное, именно таким другом был для тебя мистер Бруар. Тебе повезло, что он был в твоей жизни. Ужасно, наверное, его потерять.

Тут Пол встал на ноги. Вытер ладони о джинсы. Боясь, как бы он не сбежал, Дебора заговорила быстрее, надеясь завоевать доверие неразговорчивого парнишки.

— Когда кто-нибудь уходит вот так... особенно так... я имею в виду то, как ужасно он ушел... как он умер — мы готовы сделать все, что угодно, только бы вернуть человека. Но это невозможно, и, когда мы это понимаем, нам хочется сохранить что-то, принадлежавшее ему, чтобы связь между нами не прерывалась как можно дольше. Пока мы сами не захотим ее прервать.

Пол переступил обутыми в шлепанцы ногами по гравию. Вытер нос рукавом фланелевой рубашки и метнул на Дебору настороженный взгляд. Но тут же отвернулся и уставился на калитку ярдах в тридцати от них. Дебора захлопнула ее, когда вошла, и теперь молча корила себя за то, что сделала. Вдруг он решит, что она заперла его здесь? И не будет говорить.

— У викторианцев была на этот счет отличная идея. Они делали украшения из волос умерших. Ты знал об этом? Звучит ужасно, но если подумать, то, наверное, очень неплохо иметь что-нибудь — брошку или медальон — с частичкой того, кого ты когда-то любил. Жаль, что сейчас так не делают, ведь людям все равно хочется иметь что-нибудь на память об умерших, а если ничего нет... что же делать, приходится брать самим.

Пол перестал переминаться, он стоял совершенно неподвижно, как статуя, и только на щеке заалело пятно, точно след от пощечины.

— Интересно, не так ли произошло с картиной, которую ты отдал мисс Бруар. Быть может, мистер Бруар показал ее тебе потому, что хотел сделать сестре сюрприз. Наверное, он сказал, что это тайна между вами. Поэтому ты был уверен, что больше никто о картине ничего не знает.

Краска залила щеки мальчика и поползла к ушам. Он снова взглянул на Дебору и отвел глаза в сторону. Его пальцы теребили край рубахи, высунувшийся с одной стороны из-за пояса джинсов и оказавшийся таким же поношенным, как и они.

— А потом, когда мистер Бруар так внезапно умер, ты решил оставить картину себе в память о нем. Ведь только ты и он знали о ней. Так кому от этого хуже? Так все было?

Мальчик моргнул, словно его ударили. И выкрикнул что-то нечленораздельное.

— Ничего страшного,— поспешила заверить Дебора.— Картину ведь вернули. Мне просто интересно...

Он повернулся на цыпочках и побежал. Когда Дебора поднялась со скамьи и окликнула его, он уже оставил ступеньки позади и мчался по усыпанной гравием дорожке. Она подумала, что потеряла его, но он вдруг остановился посреди сада рядом с огромной бронзовой статуей, изображавшей сидящую на корточках обнаженную женщину с огромным животом, тяжелыми болтающимися грудями и меланхолическим выражением лица. Он повернулся к Деборе, и она увидела, что он кусает свою нижнюю губу и смотрит на нее. Тогда она сделала шаг вперед. Он не шелохнулся. Она стала приближаться к нему осторожно, точно он был олененком, которого она боялась спугнуть. Когда между ними осталось всего каких-то десять ярдов, он снова бросился наутек. Снова встал, на этот раз у калитки сада, и оглянулся на нее. Открыл и не стал закрывать калитку. И двинулся на восток, но шагом, а не бегом.

Дебора поняла, что это приглашение следовать за ним.

26

Сент-Джеймс застал Кевина Даффи дома. Точнее, за домом, где тот трудился в огороде, находившемся в состоянии зимнего покоя. Кевин ворошил землю чем-то вроде огромных вил, но остановился, едва увидев Сент-Джеймса.

— Вэл ушла в большой дом,— сказал он.— Вы найдете ее на кухне.

— Вообще-то я хотел поговорить с вами,— ответил Сент-Джеймс.— У вас не найдется минутки?

Взгляд Кевина упал на холст, который Сент-Джеймс держал в руках, но если он и встречал этот предмет раньше, то виду не подал.

— Считайте, что я вам ее подарил,— ответил он.

— Вы знали о том, что Ги Бруар был любовником вашей племянницы?

— У меня две племянницы, мистер Сент-Джеймс, одной из них восемь лет, другой — шесть. Ги Бруар состоял в разнообразных отношениях с разнообразными людьми. Но педофилия среди его интересов не числилась.

— Я имел в виду племянницу вашей жены, Синтию Мулен,— поправился Сент-Джеймс.— Вы знали, что у Синтии был роман с Бруаром?

Кевин промолчал, но взглянул в сторону большого дома, что само по себе могло служить ответом.

— Вы говорили с Бруаром об этом? — спросил Сент-Джеймс.

И снова молчание.

— А с отцом девушки?

— Тут я ничем не могу вам помочь,— ответил наконец Даффи.— Это все, что вы хотели у меня спросить?

— Вообще-то нет,— сказал Сент-Джеймс.— Я пришел услышать ваше мнение вот об этом.

И он осторожно развернул холст.

Кевин Даффи вогнал вилы зубцами в землю и оставил их так. Он приблизился к Сент-Джеймсу, вытирая руки о штаны, и, взглянув на картину, со свистом втянул воздух.

— Очевидно, мистер Бруар не остановился ни перед чем, чтобы вернуть это,— произнес Сент-Джеймс.— Его сестра рассказала мне, что картина пропала у них в сороковые годы. Она не знает ни когда эта картина попала в их семью, ни где она оказалась после войны, ни как ее брат получил ее обратно. Вот я и подумал, не сможете ли вы хотя бы отчасти пролить свет на ее историю.

— Откуда мне...

— В вашей гостиной две полки книг и видеофильмов по живописи, мистер Даффи, а на стене висит диплом по истории искусств. Это и навело меня на мысль, что вы можете поведать об этой картине больше, чем обыкновенный садовник.

— Я не знаю, где она была,— ответил тот.— И как он ее вернул — тоже.

— Вот видите, значит, кое-что вам все-таки известно,— указал Сент-Джеймс.— Так откуда она взялась?

Кевин Даффи не сводил с картины глаз.

— Идемте со мной,— пригласил он, повернулся и пошел в коттедж.

У дверей он сбросил заляпанные грязью башмаки и провел Сент-Джеймса в гостиную. Повернув выключатель, зажег на потолке лампы, которые осветили полки с книгами, и взял очки с подлокотника потертого кресла. Просмотрев свою коллекцию томов по искусству, он нашел нужный. Снял его с полки, сел и открыл указатель. Обнаружив в нем то, что искал, он начал перелистывать страницы, пока не остановился на одной. Долго смотрел на нее, прежде чем показать книгу Сент-Джеймсу.

— Смотрите сами,— обратился он к гостю.

То, что открылось взору Сент-Джеймса, оказалось вовсе не репродукцией картины — хотя именно ее он ожидал увидеть, наблюдая за Даффи,— а рисунком, скорее даже наброском будущего полотна. Он был частично закрашен, как будто художник хотел посмотреть, какие цвета будут лучше смотреться вместе. Однако цветным он сделал только платье женщины, выбрав для него тот самый оттенок, который использовал потом в картине. Возможно, позже решение нашлось само собой, и он не стал заполнять цветом остальное, а сразу взялся за тот самый холст, что Сент-Джеймс держал теперь в руках.

Композиция рисунка из книги и все фигуры на нем полностью совпадали с теми, что были на картине, переданной Полом Филдером Рут Бруар. На обоих дама с пером и книгой спокойно сидела на переднем плане, пока человек двадцать рабочих у нее за спиной таскали огромные камни, которым суждено было стать частью огромного готического собора. Единственное различие между эскизом и законченной работой заключалось в том, что по краю первого кто-то написал: «“Святая Варвара”, собственность Королевского музея изящных искусств города Антверпена».

— Ага,— протянул Сент-Джеймс задумчиво.— Да. Я сразу понял, что это вещь значительная.

— Значительная? — Священный трепет мешался в голосе Кевина Даффи с недоверием.— Да у вас в руках Питер де Хоох!* Семнадцатый век. Один из трех мастеров Дельфта. Полагаю, никто даже не подозревал о существовании этой картины до настоящей минуты.

Сент-Джеймс бросил еще один взгляд на то, что было у него в руках.

— Боже милостивый! — поразился он.

— Просмотрите хоть все книги по истории искусств, какие найдете, и нигде не встретите даже упоминания об этой картине,— продолжал Кевин Даффи.— Только рисунок, эскиз. И все. Никто не знает, что де Хоох вообще ее нарисовал. Религиозные сюжеты не были его сильной стороной, поэтому все решили, что он просто побаловался с этим рисунком и забросил его.

— Никто не знал,— пробормотал Сент-Джеймс.

Он видел, что свидетельство Даффи подтверждает слова Рут. Она говорила, что картина была в их семье всегда, никто даже не помнил, как она к ним попала. Передавалась из поколения в поколение от отца к сыну — семейная реликвия. Потому-то, наверное, никому и в голову не пришло пойти с этой картиной к специалистам и выяснить, что это такое. Как сказала Рут, это была просто семейная картина, изображавшая красивую даму с книгой и пером. Сент-Джеймс рассказал Кевину Даффи, как назвала картину Рут.

---

* Хоох Питер де (1629–1684) — голландский живописец, мастер бытового жанра.

— Это не перо,— отозвался тот.— Она держит пальмовую ветвь. Пальмовая ветвь — символ мученичества. Это же религиозный сюжет.

Вглядевшись, Сент-Джеймс увидел, что это и правда небольшая пальмовая ветвь, но ему было понятно, почему ребенок, неискушенный в тонкостях живописной символики того времени, мог принять ее за длинное изящное перо.

— Рут рассказала мне, что ее брат ездил в Париж, когда вырос, после войны. Его целью было забрать вещи, принадлежавшие семье, но они все пропали. Полагаю, что и картина в их числе.

— Картина в первую очередь,— согласился Даффи.— Нацисты твердо намеревались вернуть себе все, что они именовали «арийским искусством». У них это называлось «репатриацией». На самом деле эти выродки просто хватали все, что под руку попадало.

— Рут, кажется, считает, что их сосед, некий мсье Дидье Бомбар, имел доступ к их вещам. Если картина хранилась у него, а сам он не был евреем, то как тогда полотно оказалось у нацистов?

— Способов было немало. Среди них и обыкновенная кража. Но были и французские посредники, торговцы антиквариатом, которые скупали вещи для немцев. Да и немецкие торговцы давали в парижских газетах объявления о том, что в таком-то отеле тогда-то будет находиться потенциальный покупатель, просьба приносить картины и прочее. Ваш мсье Бомбар мог продать картину и так. Если он не знал, что это такое, то вполне мог отнести ее кому-нибудь из них, получить свои пару сотен франков и радоваться.

— А потом? Куда она девалась потом?

— Кто знает? — ответил Даффи.— В конце войны союзники организовали специальные команды по поиску художественных ценностей и возвращению их законным владельцам. Но вернуть их было непросто. Один только Геринг вывозил шедевры эшелонами. К тому же миллионы людей погибли, целые семьи исчезли, не оставив наследников, и некому было заявлять свои права на предметы искусства.

Ну а те, кто выжил, но не мог доказать свои права на ту или иную вещь, могли считать, что им не повезло.

Он покачал головой.

— То же случилось и с ней, наверное. А может быть, какой-нибудь нечистый на руку парень из армии союзников засунул ее в свой вещмешок и принес домой вместо сувенира. Или какой-нибудь коллекционер-одиночка из Германии купил ее во время войны у французов и сумел сохранить, когда появились союзники. Суть в том, что если вся семья погибла, то кто мог сказать, кому что принадлежало? И сколько лет было Ги Бруару в то время? Двенадцать? Четырнадцать? В конце войны он вряд ли помышлял о том, чтобы вернуть собственность своего семейства. Наверняка он задумался об этом лишь много лет спустя, но поезд уже ушел.

— А сколько лет понадобилось, чтобы найти ее,— сказал Сент-Джеймс.— Не говоря уже об армии историков искусства, реставраторов, работников музеев и аукционных домов, сыщиков.

«Плюс небольшое состояние»,— добавил он про себя.

— Ему еще повезло, что он вообще ее нашел,— заметил Даффи.— Некоторые шедевры так и затерялись во время войны и никогда больше не всплыли. Из-за других до сих пор идут споры. Ума не приложу, как мистеру Бруару вообще удалось доказать, что эта картина его.

— Похоже, он просто купил ее, не пытаясь ничего доказывать,— объяснил Сент-Джеймс.— С его банковских счетов пропала огромная сумма. Ее перевели в Лондон.

Даффи приподнял бровь.

— Вот как? — В его голосе звучало сомнение.— Скорее всего, он купил ее на распродаже какого-нибудь поместья. Или она всплыла в каком-нибудь антикварном магазине где-нибудь в глухой деревне или на блошином рынке. И все же трудно поверить, что никто не заподозрил ее истинной ценности.

— Ну, знатоков живописи не так уж и много.

— Дело не только в этом,— ответил Даффи.— Сразу ведь видно, что вещь старинная. Не может такого быть, чтобы, пока она переходила из рук в руки, никому в голову не пришло показать ее экспертам.

— Но если ее и впрямь украли в конце войны? Какой-нибудь солдат прибрал к рукам... Где? В Берлине? Мюнхене?

— В Берхтесгадене? — предположил Даффи.— У всех нацистских бонз были там дома. А в конце войны союзники там кишмя кишели. Всем хотелось урвать свой кусок.

— Хорошо. В Берхтесгадене,— согласился Сент-Джеймс.— Какой-нибудь солдат умыкнул картину, пока вокруг шли грабежи. Привез ее домой, в Хакни, повесил в гостиной над диваном и думать забыл. Там она и висела до его смерти, а потом перешла к его детям. Тех родительское барахло всегда раздражало, и они все продали. С аукциона. На распродаже. Где угодно. Кто-то ее купил. И снова выставил на продажу. На Портобелло-роуд, к примеру. Или в Бермондси. Или в Камденском пассаже. Или даже в деревне, как вы предположили. Люди Бруара искали ее годами, и, как только она появилась, они тут же ее схватили.

— Полагаю, так все и было,— кивнул Даффи.— Нет. Уверен, что иначе быть просто не могло.

Столь решительное утверждение Даффи заинтриговало Сент-Джеймса.

— Почему? — спросил он.

— Потому что у мистера Бруара не было другого способа вернуть эту картину. Доказать, что она принадлежит ему, он не мог. Значит, остается только покупка. Купил он ее не на «Кристис» и не на «Сотбис», стало быть...

— Погодите,— перебил его Сент-Джеймс.— А почему не на «Кристис» или «Сотбис»?

— Ее бы перекупили. Кто-нибудь из Гетти, у них же карман бездонный. Или какой-нибудь арабский нефтяной магнат. Да мало ли кто.

— Но у Бруара были деньги...

— Таких денег у него не было. Точнее, было, но недостаточно. На «Кристис» и «Сотбис» сразу поняли бы, что за эту картину будут драться коллекционеры всего мира.

Сент-Джеймс взглянул на полотно: размеры восемнадцать на двадцать четыре дюйма, холст, масло, рука гениального мастера, несомненно. Он медленно произнес:

— О какой сумме мы говорим, мистер Даффи? Сколько, по-вашему, стоит эта картина?

— Я бы сказал, десять миллионов фунтов, самое малое,— ответил ему Кевин Даффи.— И это еще до начала торгов.

Пол вел Дебору куда-то в обход большого дома, и сначала она думала, что он держит путь к конюшням. Но он даже не взглянул в их сторону, пересек двор, который отделял конюшни от дома, и углубился в заросли кустарника.

Последовав за ним, Дебора очутилась на широком лугу, за которым начиналась вязовая роща. Пол как раз скрылся между деревьями, и она прибавила шагу, чтобы не потерять его. Подойдя к деревьям, она увидела, что через рощу ведет хорошая тропа, упругая от покрывавшего ее ковра из палых листьев. Дебора шла по ней до тех пор, пока впереди между стволами не замелькала круглая земляная насыпь. Она увидела Пола, который взбирался на нее. Она испугалась, как бы не упустить его совсем, но на самом верху он остановился. Оглянулся, словно проверяя, не отстала ли она, подождал, пока она подойдет к насыпи, протянул ей руку и помог перебраться на другую сторону.

За насыпью Дебора увидела, что подробно и заботливо распланированные парки Ле-Репозуара уступали там место широкому заброшенному лугу, где сорняки, кусты и ежевика разрослись так, что человеку было по пояс. Протоптанная сквозь них тропинка вела к странному земляному кургану. Она ничуть не удивилась, когда Пол, спрыгнув на землю, припустил прямо к нему. Добежав до кургана, он повернул направо и скрылся за его основанием. Она поспешила за мальчиком.

Ей было непонятно, как странный холм может стать хранилищем картины, но тут она увидела дорожку из камней, заботливо выложенную вокруг кургана. Только тогда она поняла, что холм перед ней не настоящий, а выстроенный руками человека в доисторические времена.

Тропа вокруг была так же хорошо утоптана, как и та, что вела от насыпи, и, обогнув холм по периметру, Дебора увидела Пола Филдера, который возился над комбинацией замка в старой покосившейся дубовой двери, преграждавшей доступ внутрь кургана. Похоже, он услышал ее шаги, потому что прикрыл плечом замок, не давая ей разглядеть шифр. В замке что-то щелкнуло, крякнуло, и вот Пол открыл ногой дверь, засовывая замок в карман. Открывшееся в склоне холма отверстие оказалось совсем небольшим, высотой не более трех с половиной футов. Пол пригнулся, бочком протиснулся под притолоку и скрылся в темноте.

Деборе оставалось либо бежать докладывать обо всем Саймону, как подобает послушной маленькой женушке, либо нырнуть за мальчиком в глубину холма. Она выбрала последнее.

Ступив за дверь, она оказалась в узком, пропахшем сыростью проходе, тяжелый земляной потолок словно придавил ее к полу, от которого его отделяли всего каких-то пять футов. Но ярдов через шесть проход стал шире и выше, плавно перейдя в центральный зал, слабо освещенный сочившимся снаружи дневным светом. Дебора выпрямилась, моргая, и стала ждать, когда глаза привыкнут к полумраку. Когда это произошло, она увидела, что стоит в большой камере. Все в ней — пол, стены и потолок — было сложено из плотно подогнанных друг к другу кусков гранита, а один камень, словно часовой, стоял чуть в стороне, и воображению рисовался воин в полном вооружении, готовый отразить вторжение чужаков. Другой кусок гранита, поднимавшийся над полом дюйма на четыре, служил чем-то вроде алтаря. Рядом с ним стояла свеча, незажженная. Мальчика нигде не было видно.

На мгновение Деборе стало страшно. Ей показалось, что она заперта в этом холме и никто не знает, куда она отправилась. Замысловато выругав себя за то, что слепо доверилась этому Полу Филдеру, она успокоилась и окликнула мальчика. В ответ где-то чиркнула спичка. Из отверстия в покореженной стене справа вырвался луч света. Поняв, что там еще одна камера, она двинулась туда.

Обнаруженный ею проем в ширину был дюймов десять, не больше. Она пролезла в него, почти касаясь холодной и влажной поверхности внешней стены, и увидела, что вторая камера была снабжена множеством свечей и небольшой походной кроватью. В изголовье лежала подушка; в ногах стояла резная деревянная шкатулка; а посередине сидел Пол Филдер с коробком спичек в одной руке и горящей свечой в другой. Он начал пристраивать ее в нишу между двумя камнями внешней стены. Когда это ему удалось, он зажег другую свечу и стал капать воском на пол, чтобы поставить ее.

— Это ваш тайник? — спокойно спросила его Дебора.— Здесь ты нашел картину, Пол?

Это казалось ей маловероятным. Похоже, тайник был предназначен для чего-то иного, и Дебора догадывалась для чего. Ее догадку подтверждало присутствие кровати, а то, что она увидела, протянув руку к шкатулке и открыв крышку, устранило последние сомнения.

Шкатулка была полна презервативов: ребристых, гладких, цветных и с запахом. Их количество позволяло предположить, что тайник использовался для занятий сексом регулярно. Да, лучшее место для свиданий придумать было трудно: скрытое от посторонних глаз, возможно, всеми забытое и в то же время вполне романтическое для девушки, считавшей, что ее свела с возлюбленным сама судьба. Так вот, значит, где Ги Бруар и Синтия Мулен предавались радостям плоти. Непонятным оставалось только одно: зачем он приводил сюда еще и Пола Филдера.

Дебора взглянула на мальчика. При свете свечи фарфоровая гладкость его кожи и крутые завитки волос вокруг лица, делавшие его похожим на херувимов с полотен Ренессанса, еще сильнее бросались в глаза. В нем определенно было что-то женственное, а тонкие черты и хрупкое сложение подчеркивали это. И хотя Ги Бруар слыл завзятым бабником, Дебора не спешила сбрасывать со счетов вероятность того, что Пол Филдер также был объектом его желаний.

Мальчик смотрел в открытую шкатулку, которую Дебора поставила себе на колени. Задумчиво он зачерпнул оттуда горсть маленьких хрустящих пакетиков и смотрел, как они лежат на его раскрытой ладони. Дебора негромко спросила:

— Пол, вы с мистером Бруаром были любовниками?

Он швырнул презервативы обратно в шкатулку и захлопнул крышку.

Посмотрев на него, Дебора повторила свой вопрос.

Мальчик резко отвернулся, задул обе свечи и выскользнул через пролом в камнях наружу.

Пол твердил себе, что не будет плакать, потому что это ничего не значит. Почти ничего. Ведь он был мужчиной, а Пол слышал от Билли, от отца, по телику, от парней в школе — когда ходил туда — и изредка украдкой читал в «Плейбое», что мужчины делают это постоянно. А то, что он делал это здесь, в секретном месте, о котором знали только они двое... Ведь здесь он это делал, да? Иначе зачем тут эти блестящие пакетики, если он никого сюда не приводил, если он не приводил женщину, которая была важна для него настолько, что он даже показал ей их с Полом потайное место?

«Сумеешь сохранить нашу тайну, Пол? Я проведу тебя внутрь, если ты пообещаешь мне, что никому не расскажешь о нашем убежище, ладно? Мне кажется, о нем давно все забыли. И пусть так и будет дальше. Хочешь туда? Обещаешь?»

И он, конечно, обещал, что сохранит тайну. Обещал и сохранил.

Он видел кровать, но решил, что мистер Ги иногда на ней отдыхает, или молится, или размышляет, или берет ее с собой в походы. Деревянную шкатулку он тоже видел, но никогда не открывал, потому что родители и грубый жизненный опыт научили его никогда не трогать чужого. По правде говоря, он едва не остановил эту рыжеволосую леди, когда она открыла ее сама. Но та поставила ящичек себе на колени и открыла крышку, прежде чем он успел вырвать шкатулку из ее рук и убрать подальше. А когда он увидел, что там внутри...

Пол был неглуп. Он знал, для чего нужны эти квадратные штучки. И протянул за ними руку, желая убедиться, что они настоящие и не растают как во сне. Но они не только не растаяли, а лежали в его ладони, ощутимо указывая, чем это место было для мистера Ги на самом деле.

Рыжая леди заговорила, но слов он не расслышал, только голос, и комната вдруг закружилась вокруг него. Он почувствовал, что ему надо бежать, стать невидимкой, поэтому он задул свечи и выскочил из камеры.

Но уйти далеко он, разумеется, не мог. Ведь замок был у него и он был ответствен... Не мог же он просто оставить дверь открытой. Ее следовало запереть, ведь он обещал мистеру Ги...

И нечего тут плакать, плакать глупо. Мистер Ги был мужчиной, а у мужчин есть свои потребности, которые они удовлетворяют, где могут, вот мистер Ги и удовлетворял их здесь, и делу конец. К нему, Полу, и к их с мистером Ги дружбе все это не имело ни малейшего отношения. Они стали друзьями с самого начала и оставались ими до самого конца, и даже тот факт, что он делил это место еще с кем-то, ничего не меняет, так? Так ведь?

В конце концов, что говорил мистер Ги?

«Это будет нашей с тобой тайной».

Разве он говорил, что никто и никогда ее больше не узнает? Разве он намекал, что в его жизни никогда не будет человека, важного настолько, чтобы получить доступ в их убежище? Нет, не говорил. И он не лгал. Значит, нечего расстраиваться... и слезы лить тоже нечего...

«Как тебе это нравится, маленькая задница? Как он тебе дает, а?»

Вот что думал про них Билли. Но ничего подобного никогда не было. Если Пол и хотел стать ближе к предмету своего обожания, то это было желание уподобиться ему, а не слиться с ним воедино. А желание уподобиться возникало из того, чем они делились здесь.

«Тайное место, тайные мысли. Место, где можно поговорить или побыть. Вот для чего оно, мой принц. За этим я прихожу сюда».

Как оказалось, не только. Но Пол решил, что убежище все равно останется для него священным, пока он сам не начнет думать о нем иначе.

— Пол? Где ты?

Он слышал, как она выкарабкивается из внутренней камеры. Двигалась она на ощупь, поскольку свечи не горели. Но как только она доберется до большой камеры, все будет нормально. Свеча не горела и здесь, но через открытую дверь снаружи падал луч света, который рассеивался, словно туман, попадая внутрь холма.

— Ты здесь? — спросила она.— А, вот ты где. Ну ты меня и напугал! Я думала...

Она негромко рассмеялась, но Пол понял, что она боится и стыдится своего страха. Это чувство было ему хорошо знакомо.

— Зачем ты меня сюда привел? — спросила она его.— Из-за... ну, из-за той картины?

Он почти забыл. Увидел шкатулку, раскрытую, полную этих штуковин, которые все ему рассказали... И почти забыл. А он хотел, чтобы она узнала и поняла, потому что кто-то ведь должен. Мисс Рут не верила, что он мог украсть из Ле-Репозуара хоть что-нибудь, но другие всегда будут его подозревать, если он не объяснит, как к нему попала эта картина. А он не вынесет этого, не вынесет подозрения, ведь Ле-Репозуар — его единственное убежище на всем острове, которое он не хотел и не мог потерять, потому что невыносимо сидеть дома с Билли или торчать в школе, слушая насмешки и зубоскальство и зная, что ему некуда больше пойти и не на что надеяться. Но и рассказывать кому-либо из поместья о том, где он нашел картину, ему тоже нельзя, потому что иначе он выдаст секрет дольмена, который поклялся хранить. Вот и выходило, что рассказать он мог только незнакомке, которой все равно, ведь она скоро уедет и не вернется сюда никогда.

Только теперь... Он не мог показать ей место, где была картина. Там скрывался его собственный секрет. А показать было нужно, поэтому он встал на колени перед низким алтарем, прямо напротив трещины, которая тянулась по всей его задней поверхности у самого основания. Взял из углубления свечу и зажег. Потом показал леди, куда смотреть.

— Здесь? — спросила она.— Картина лежала здесь?

Ее взгляд устремился на Пола, и тот почувствовал, что она изучает его лицо, поэтому торжественно кивнул. Он показал ей, как картина могла лежать там и оставаться невидимой для всякого, кто не обошел бы алтарный камень сзади и не опустился бы перед ним на колени, как это сделал Пол.

— Как странно,— тихо сказала леди.

Но ее улыбка, когда она посмотрела на него, была доброй. Она добавила:

— Спасибо тебе, Пол. Знаешь, по-моему, ты и не думал оставлять картину себе, я права? По-моему, ты совсем не такой человек.

— Мистер Узли, сделать переход как можно менее болезненным для вас — это наша работа,— сказала девушка Фрэнку.

В ее голосе было куда больше сочувствия, чем он мог рассчитывать, глядя на столь юное существо.

— Мы здесь для того, чтобы помочь вам пережить потерю. Поэтому все, что вы хотите уладить с моргом, мы для вас уладим. Мы здесь для вашего удобства. Прошу вас, пользуйтесь этим.

По мнению Фрэнка, она была слишком молода, чтобы заправлять встречами и церемониями и вообще предлагать услуги, предоставляемые похоронным бюро Маркхэма и Свифта. На вид ей было не больше шестнадцати, хотя на самом деле могло оказаться за двадцать, а представилась она как Арабелла Агнесс Свифт, старшая правнучка основателя фирмы. Тепло пожав ему руку, она провела его в свой офис, который, учитывая настроение убитых горем людей, обычно приходивших туда, был отделан совсем не по-офисному. Больше всего он походил на типичную бабушкину гостиную с гарнитуром мягкой мебели из трех предметов, кофейным столиком и семейными фотографиями на полке фальшивого камина, в котором горел электрический огонь. Нашелся среди них и снимок самой Арабеллы. На нем она была изображена в мантии выпускницы университета. Собственно, именно этот снимок и выдал Фрэнку ее истинный возраст.

Она вежливо ждала его ответа. Обтянутый кожей том скромно лежал на столе, вне всякого сомнения скрывая под своим переплетом фотографии гробов, из которых предлагалось выбирать скорбящим родственникам. Раскрытый отрывной блокнот она положила себе на колени, когда садилась на диван рядом с Фрэнком, но ручку в руки не взяла. Настоящий современный профессионал до мозга костей, нисколько не похожий на мрачных диккенсовских персонажей, которые рисовались его воображению, когда он еще только готовился переступить порог похоронного бюро.

— Мы могли бы провести церемонию прямо здесь, в нашей часовне, если вы предпочитаете,— сказала она вполне доброжелательно.— Не все же регулярно посещают церковь. Некоторые придерживаются агностических взглядов.

— Нет,— ответил Фрэнк наконец.

— То есть вы хотите церковную службу? Позвольте, я запишу ее название. И имя священника, если не возражаете.

— Не надо церемонии,— сказал Фрэнк.— И похорон не надо. Он бы этого не хотел. Я хочу, чтобы его...

Фрэнк остановился. «Я хочу» звучало как-то неуместно.

— Он предпочитал кремацию. Вы ведь это делаете, правда?

— О да. Делаем, конечно,— заверила его Арабелла.— Мы все организуем и привезем тело прямо в государственный крематорий. Вам надо будет только забрать урну. Позвольте, я вам покажу...

Она наклонилась вперед, и он ощутил запах ее духов, приятный аромат, вероятно утешавший тех, кто в этом нуждался. Даже ему, не искавшему сочувствия, эти духи напомнили запах материнской груди.

«И как только эти парфюмеры узнают, какой именно аромат способен проделывать с вами такие штуки?» — подумал он.

— Есть несколько разновидностей,— продолжала Арабелла.— Ваш выбор должен быть продиктован тем, что вы хотите сделать с прахом. Некоторые люди находят утешение в том, чтобы хранить его дома, тогда как другие...

— Не надо никакой урны,— перебил ее Фрэнк.— Я возьму прах как он есть. В коробке. Или в пакете. Ну, в чем он бывает.

— Да, конечно.

Ее лицо было абсолютно бесстрастно. Комментировать то, как любящие родственники усопших поступают с их останками, не входило в ее служебные обязанности, и она свое дело знала туго. Возможно, выбор Фрэнка и не принесет Маркхэму и Свифту тех барышей, к которым они привыкли, но это уже не его, Фрэнка, проблемы.

Итак, организационные вопросы были решены быстро и без суеты. Фрэнк глазом не успел моргнуть, как снова сидел за рулем своего «пежо», направляясь вниз по Брок-роуд, а потом вверх, к гавани Сент-Сэмпсон.

Все оказалось куда проще, чем он ожидал. Сначала он вышел из дома и направился к соседним коттеджам, проверить их содержимое и запереть двери на ночь. Вернувшись, он подошел к отцу, который неподвижно лежал у лестницы, разбросав ноги и руки.

— Папа! Господи! — воскликнул он.— Я же просил тебя никогда не подниматься...

И бросился рядом с ним на колени. Оказалось, что тот еще дышит, пусть и едва заметно. Фрэнк встал, походил взад и вперед по комнате, посмотрел на часы. Выждав минут десять, он подошел к телефону и набрал номер «скорой помощи». Рассказал о случившемся. И стал ждать.

Грэм Узли умер раньше, чем «скорая» добралась до Мулен-де-Нио. Когда его душа покинула бренное тело и предстала перед судом Всевышнего, Фрэнк обнаружил, что плачет от жалости к ним обоим и скорби о потерянном,— за этим занятием и застали его санитары: он плакал, точно ребенок, положив себе на колени голову отца с синяком в том месте, где его лоб коснулся ступеньки.

Следом приехал врач Грэма и похлопал Фрэнка по плечу огромной лапой. Старик не мучился, заявил доктор Ланглуа. Вероятно, когда он пытался взобраться по лестнице, у него случился сердечный приступ. Такое напряжение в его-то годы, чего вы хотите. Но, учитывая, как мало изменилось его лицо... Скорее всего, он был без сознания, когда ударился о ступеньки, и вскоре умер, не успев понять, что с ним случилось.

— Я отлучился, только чтобы запереть коттеджи на ночь,— объяснял Фрэнк, чувствуя, как засыхающие на щеках слезы превращаются в соль, которая начинает щипать растрескавшуюся кожу вокруг глаз.— А когда вернулся... Я ведь говорил ему, чтобы он даже не пытался...

— Они терпеть не могут покровительства, эти старики,— сказал Ланглуа.— Я постоянно с этим сталкиваюсь. Знают, что уже не так резвы, как когда-то, но не хотят быть обузой для окружающих, поэтому и не просят помочь, когда им что-нибудь нужно.

Он сжал плечо Фрэнка.

— Вряд ли ты мог что-нибудь тут поделать, Фрэнк.

Он подождал, пока придут санитары с носилками, но не ушел и после того, как они унесли тело. Фрэнк почувствовал себя обязанным предложить ему чаю, а когда доктор сознался, что не отказался бы и от капельки виски, принес бутылку «Обан» и на два пальца наполнил стакан, после чего проследил, как доктор с наслаждением выпил.

Прежде чем уйти, Ланглуа заметил:

— Как бы мы ни готовились, но родители всегда уходят неожиданно. Хотя ему было... сколько? Девяносто?

— Девяносто два.

— Девяносто два. Он был готов к смерти. Они все такие. Их поколение, я имею в виду. Они приготовились умирать еще пятьдесят лет тому назад. Пари держу, что каждый день, прожитый после сорокового года, он считал даром небес.

Фрэнку отчаянно хотелось остаться одному, но Ланглуа продолжал разглагольствовать о том, что ему меньше всего хотелось слышать: такие люди, как Грэм Узли, сейчас больше не рождаются; Фрэнк должен радоваться, что ему так повезло с отцом, который к тому же пробыл с ним так долго; Грэм гордился таким сыном, как Фрэнк, с которым он прожил в мире и согласии до самой смерти; нежная и неустанная забота Фрэнка так много значила для старика...

— Никогда не забывай об этом,— торжественно призвал его Ланглуа.

После этого он наконец удалился, а Фрэнк поднялся в свою спальню, где сначала сел на постель, потом лег и стал с сухими глазами дожидаться наступления будущего.

Теперь, добравшись до Саут-Ки, он обнаружил, что попал в ловушку. Поток машин сзади увеличивался по мере того, как любители ходить по магазинам покидали коммерческие кварталы города и разъезжались по домам, а впереди до самой Бульвер-авеню стояла огромная пробка. Там, на перекрестке, грузовик с прицепом поворачивал на Саут-Ки, но заложил слишком крутой угол и застрял, собрав вокруг себя множество машин, которые пытались проехать мимо, но не могли, потому что места было мало, да еще и зеваки набежали со своими советами. Видя это, Фрэнк резко вывернул руль своего «пежо» влево. Выбравшись из потока машин на край набережной, он припарковался лицом к воде и вышел из машины.

В это время года всего несколько лодок покачивались на воде у полированной стены гранитной набережной, зато на лизавших ее волнах в декабре не было бензиновых пятен, которыми они изобилуют в разгар лета, в сезон легкомысленных лодочников-любителей, этого вечного проклятия гернсийских рыбаков. Из противоположного конца гавани, от северной оконечности моста, неслась какофония звуков, производимых рабочими судоверфи: там стучали молотками, проводили сварку, скребли и проклинали суда, вытащенные из воды на зиму для тщательной проверки. Хотя Фрэнк хорошо знал, что означает каждый звук и какое отношение он имеет к работе на верфи, его воображение превращало их в нечто иное: стук молотков стал ритмичным маршем подкованных сапог по булыжной мостовой, металлический скрежет — лязгом взводимых затворов, ругань — понятным на любом языке приказом «пли!».

Он никак не мог выкинуть из головы истории отца, даже теперь, когда это было особенно необходимо: он слушал их пятьдесят три года, они всегда повторялись, но никогда не приедались, но вот настал момент, когда он больше не хотел их знать. А они все продолжали приходить на ум, хотел он того или нет. Двадцать восьмое июня одна тысяча девятьсот сорокового года, шесть пятьдесят пять пополудни. Ровно гудя двигателями, приближались самолеты, и по мере их приближения росла паника и сумятица среди тех, кто собрался в гавани Сент-Питер-Порта, чтобы, по обыкновению, проводить почтовый пароход, и тех, кто дожидался своей очереди на разгрузку помидоров, привезенных на машинах к причалам торговых судов... Гавань была полна людьми, и, когда шесть самолетов пролетели над ней, все, кто там был, оказались либо ранены, либо убиты. Зажигательные бомбы сыпались на грузовики, которые тут же взлетали к небесам, пулеметы косили людей без разбора. Мужчин, женщин и детей.

Потом начались депортации, допросы, казни и отправки в лагеря. А еще немедленная зачистка всех, в чьих жилах текла хотя бы капля еврейской крови. И бесконечные прокламации и мандаты. Нарушишь один — попадешь на каторжные работы, нарушишь другой — познакомишься с расстрельной командой. В газетах была цензура, в кино — цензура, на радио — цензура, в мозгах и то цензура.

Рыночные спекулянты беззастенчиво наживались на бедах сограждан. Фермеры, у которых были радиоприемники, прятали их в амбарах, вдруг становясь героями. Целый народ принужден был вести существование, давно забытое цивилизованным миром,— люди рылись на помойках в поисках еды и растопки, а гестаповцы шныряли меж ними, подсматривая и подслушивая, готовые броситься на всякого, кто делал хоть одно неверное движение.

«Люди умирали, Фрэнки. Вот здесь, на этом острове, люди страдали и гибли от рук гуннов. Но находились и такие, которые боролись как могли. Так что смотри, никогда не забывай об этом. И гордись своими предками, сынок. Они были среди тех, кто знавал худшие времена и выжил, чтобы рассказать о них другим. Не всякий паренек на этом острове может похвастать тем же, Фрэнк».

Голос и эти воспоминания. Они буквально пропитаны отцом. Фрэнк понял, что ему от них не избавиться. Голос и воспоминания будут преследовать его до конца дней. Он может утопиться в Лете, но это не поможет ему забыть.

Считается, что отцы не должны лгать своим сыновьям. Если уж они решили стать отцами, то обязаны передавать детям истины, усвоенные ими на собственном опыте. Кому же еще доверять человеку, как не собственному отцу?

К этому все и свелось для Фрэнка, пока он стоял в одиночестве на набережной и глядел в воду, видя в ней отражение истории, беспощадно вылепившей по своему образу и подобию целое поколение островитян. Все свелось к доверию. Он подарил его своему отцу — единственный дар, который может принести ребенок огромному и неприступному родителю. Грэм радостно принял его детский дар и грубо им злоупотребил. Их отношения, построенные на лжи, походили на хрупкую решетку из клея и соломы. Неудивительно, что первый же порыв ветра ее разметал. Постройка оказалась настолько неустойчивой, что ее будто не было вовсе.

Прожить более полувека, притворяясь, будто не имеешь отношения к смерти ни в чем не повинных людей... Фрэнк не был уверен, что ему удастся когда-нибудь восстановить теплое чувство, которое он испытывал к отцу раньше, и победить отвращение, оставшееся в нем после смерти Грэма Узли. Он знал, что сейчас он на это не способен. Может быть, когда-нибудь... Когда ему самому будет столько же, сколько было его отцу... Если в таком возрасте он начнет смотреть на жизнь по-другому...

Цепочка машин у него за спиной пришла наконец в движение. Он развернулся и увидел, что грузовик на перекрестке ухитрился выбраться из тупика, в который сам себя загнал. Тогда Фрэнк снова сел в машину и влился в поток автомобилей, покидающих Сент-Сэмпсон. Вместе с ними он добрался до Сент-Питер-Порта, где набрал скорость, миновав промышленную зону на Бульвер-авеню, и вырвался оттуда на дорогу, которая описывала вытянутый полумесяц вдоль берега Бель-Грев-Бей.

До возвращения домой ему надо было сделать еще одно дело, поэтому он продолжал ехать на юг, между морем, раскинувшимся по левую руку от него, и Сент-Питер-Портом, вздымавшимся, точно серая ступенчатая крепость, по правую руку. Проехав под деревьями Ле-Валь-де-Терр, он вырулил на Форт-роуд и подкатил к дому Дебьеров всего минут на пятнадцать позже, чем было условлено.

Он предпочел бы избежать еще одного разговора с Нобби. Но архитектор позвонил сам и так настаивал на встрече, что привычное чувство вины перед ним заставило Фрэнка ответить: «Очень хорошо, я заеду» — и назвать время, когда он сможет появиться.

Нобби сам открыл ему дверь и проводил Фрэнка на кухню, где, при явном отсутствии жены, готовил мальчикам чай. В комнате было непереносимо жарко, так что лицо Нобби лоснилось от пота. В воздухе висел тяжелый запах подгоревших рыбных палочек. Из гостиной доносились звуки компьютерной игры: ритм задавали взрывы, отмечавшие очередную удачу искусного игрока в борьбе против плохих парней.

— Каролина в городе,— пояснил Нобби.

Он выдвинул из духовки противень и склонился над ним. На противне дымился набор рыбных палочек, и запах в кухне стал еще отвратительнее. Нобби скорчил гримасу.

— И как они это едят?

— Что детям радость, то родителям смерть,— констатировал Фрэнк.

Поставив противень на стол, Нобби деревянной ложкой переложил его содержимое на тарелку. Вытащил из холодильника пакет мороженых чипсов, высыпал их на противень и задвинул в духовку. На плите бурно кипела кастрюля. Пар валил из нее и столбом вставал над плитой, точно призрак миссис Битон*.

Нобби помешал варево и вынул ложку гороха на пробу. Горошины были неестественно зелеными, точно их покрасили. Взглянув на них с сомнением, Нобби отправил их назад в кипящую воду.

— Вообще-то этим должна заниматься она,— покачал головой горе-повар.— У нее лучше получается. А я в таких делах безнадежен.

Фрэнк знал, что бывший ученик вызвал его не для того, чтобы получить от него мастер-класс по кулинарии, но знал он и то, что в такой жаре ему долго не продержаться. Поэтому он молча взял дуршлаг, откинул на него содержимое кастрюли, прикрыл горох и отвратительные рыбные палочки фольгой, чтобы они не остыли, пока будет готовиться картошка. Сделав это, он открыл окно и спросил у хозяина, который накрывал меж тем стол для сыновей:

— Так зачем ты хотел меня видеть, Нобби?

— Она в городе,— ответил он.

— Ты уже говорил.

---

* Автор пособия по кулинарии и домоводству, изданного в Англии в XIX веке.

— Надеется получить работу. Спроси меня где.

— Ладно. Где?

Нобби невесело рассмеялся.

— В Бюро консультации населения. Спроси меня какую.

— Нобби...

Фрэнк устал.

— Писать их чертовы брошюры.

Нобби снова хохотнул, на этот раз пронзительно и истерично.

— Она ушла из «Архитектурного обозрения», а поступает в Бюро консультации населения. А все благодаря мне. Это я уговорил ее бросить работу. Пиши свой роман, говорил я ей. Борись за свою мечту. Делай как я.

— Мне жаль, что так случилось,— сказал Фрэнк.— Ты даже не знаешь, как мне жаль.

— Нет, конечно. Куда мне. Но вот что самое поганое: все было зря. С самого начала. Ты уже понял? Или ты знал?

Фрэнк нахмурился.

— В каком смысле? Что было...

Нобби снял передник жены, свернул его и повесил на спинку стула. Вид у него был безумный, словно ему доставлял удовольствие их разговор и то, что он поведал своему гостю дальше. Планы, которые по заказу Ги были привезены из Америки, оказались фальшивыми, сказал он. Он видел их собственными глазами, и они незаконны. Насколько он мог судить, к музею они не имели никакого отношения. Что Фрэнк Узли об этом скажет?

— Он и не собирался строить музей,— проинформировал его Нобби.— Это была такая игра, вроде боулинга. А мы были его кеглями. Ты, я, Генри Мулен и всякий, кто еще оказался бы втянутым в этот план. Подать нам надежду, а потом смотреть, как мы корчимся под обломками, когда она рухнет. Вот какая была у него задумка. Однако очередь дошла только до меня. Тут старина Ги скопытился, оставив вас думать да гадать, как бы построить музей без его «благословения». Но я хочу, чтобы вы знали. А то ведь жалко будет, если никто, кроме меня, не узнает, какое необычное чувство юмора было у нашего Ги.

Фрэнк пытался переварить новую информацию. Все в ней противоречило тому, что он знал о Ги как посторонний и испытал лично как его друг. Конец мечтам о музее положила смерть Ги и его завещание. Но чтобы он не собирался его строить... Фрэнк даже в мыслях не мог такого допустить. Ни сейчас и никогда вообще. Слишком дорого он заплатил за это.

— Те планы...— попытался сформулировать он.— Которые привезли американцы...

— Сплошная липа,— ответил Нобби любезно.— Я их видел. Тот тип из Лондона приносил их мне. Не знаю, кто их начертил и для чего они предназначены, но уж точно не для музея в переулке рядом с церковью Спасителя.

— Но он же должен был...

«Что? — подумал Фрэнк.— Что он был должен? Знать, что кто-нибудь начнет разглядывать эти планы? Когда? В ту ночь?»

Ги показал публике мастерски выполненный рисунок здания и объявил, что это и есть выбранный им проект, но никто даже не подумал потребовать предъявить чертежи.

— Его, наверное, обманули,— предположил Фрэнк.— Я знаю точно, что он собирался строить этот музей.

— На какие деньги? — усмехнулся Нобби.— Как ты сам заметил, Фрэнк, в завещании он не оставил ни пенни на строительство чего бы то ни было и не дал Рут никаких указаний на этот счет на случай, если с ним что-нибудь случится. Нет. Ги никто не дурачил. А вот он нас надул. Всех. И мы ему подыграли.

— Тут должна быть какая-то ошибка. Недопонимание. Быть может, он неудачно вложил деньги в последнее время и потерял капитал, который намеревался отдать на строительство. Вряд ли ему приятно было в этом признаваться... Он боялся потерять лицо в глазах сограждан, вот и продолжал делать вид, будто ничего не случилось, чтобы никто не догадался...

— Ты так думаешь? — Нобби даже не пытался скрыть свое недоверие.— Ты в самом деле так думаешь?

— Как же иначе можно объяснить... Колеса уже завертелись, Нобби. Он не мог не чувствовать ответственности. Ты оставил работу и открыл фирму. Генри вложил деньги в производство стекла. О музее писали газеты, люди ждали, когда он откроется. Если он и впрямь потерял деньги, то ему оставалось только сознаться или притворяться, будто все остается как было, в надежде, что если он затянет дело, то люди постепенно остынут и все забудется.

Нобби у стола скрестил на груди руки.

— Ты и в самом деле так думаешь? — Его интонация яснее слов говорила, что вчерашний ученик стал хозяином положения.— Ну что ж. Понимаю. Тебе сейчас особенно хочется в это верить.

Фрэнку показалось, что он увидел, как прозрение вспышкой осветило лицо Нобби: тот понял, что он, обладатель тысяч и тысяч нежно любимых предметов времен последней войны, совсем не хочет, чтобы его коллекция увидела свет. Но это было просто невозможно, Нобби Дебьер ничего не мог об этом знать. Это было слишком деликатное дело для того, чтобы Нобби мог вот так взять и догадаться. Ему было известно только то, что Фрэнк Узли, как и многие другие, возлагал свои надежды на проект, который лопнул, как мыльный пузырь, разочаровав всех.

— У меня голова пошла кругом,— признался Фрэнк.— Просто не могу поверить. Должно быть какое-то объяснение.

— Я только что дал его тебе. Жаль, правда, что Ги так и не дождался плодов своих махинаций. Смотри, что я тебе покажу.

Нобби подошел к рабочему столу, на который в этом доме, кажется, складывали почту. Вообще-то в жилище Дебьеров это было единственное неубранное место, где кипы писем перемешались с журналами, каталогами и телефонными справочниками. Из-под этой кучи Нобби Дебьер извлек одинарный листок и подал его Фрэнку.

Фрэнк увидел, что это была копия рисунка для рекламного объявления. На нем карикатурный Нобби Дебьер стоял за кульманом, к которому были прикреплены чертежи. Пол вокруг ног карикатурного героя устилали наполовину развернутые рулоны ватмана, на которых виднелись другие чертежи. Рекламное объявление представляло новое предприятие, которое именовалось «Ремонт, переоборудование и перепланировка Бертрана Дебьера» и располагалось тут же, на Форт-роуд.

— Секретаршу мне пришлось, разумеется, уволить,— сказал Нобби с принужденной веселостью, от которой мурашки побежали по коже Фрэнка.— Так что она теперь тоже без работы, что наверняка бесконечно обрадовало бы старину Ги, доживи он до этого.

— Нобби...

— А я буду работать дома, что просто отлично, особенно если учесть, что Каролина, скорее всего, будет проводить значительную часть времени в городе. Я сжег мосты, уволившись из фирмы, но, без сомнения, со временем меня возьмут куда-нибудь еще, если, конечно, от моей репутации еще что-то осталось. Да. Видишь, как замечательно все устраивается, правда?

Забрав у Фрэнка рекламу, он смял ее и сунул под телефонный справочник.

— Мне очень жаль,— сказал Фрэнк.— То, как все вышло...

— Безусловно, к лучшему,— ответил Нобби.— Для некоторых.

27

Сент-Джеймс нашел Рут Бруар в оранжерее. Помещение оказалось просторнее, чем ему запомнилось со дня похорон. Воздух был теплым и влажным. Неудивительно, что по стеклам стекала вода. Капли с окон и из поливальной системы падали на широкие листья тропических растений и кирпичную дорожку между ними, создавая неумолчную музыку.

Рут Бруар сидела в середине стеклянного павильона, где кирпичная дорожка расширялась, образуя круглую площадку, на которой помещались шезлонг, белое плетеное кресло, такой же стол и небольшой пруд с лилиями. Рут устроилась в шезлонге, ее ноги покоились на гобеленовой подушке. На столе рядом с ней стоял поднос с чаем. На коленях лежал раскрытый альбом с фотографиями.

— Извините, что так жарко,— сказала Рут, кивком указав на включенный электрический камин, который стоял на кирпичах, добавляя жары оранжерейному климату.— Мне с ним лучше. На самом деле он ничего, конечно, не меняет, но кажется, как будто наоборот.

Она скользнула взглядом по картине, которую он держал в руках свернутой, но ничего не сказала, а пригласила его взять кресло и сесть поближе, чтобы она могла показать ему, «какими мы были».

Альбом оказался своего рода документом, отражавшим пребывание Бруаров в Англии во время войны, когда их отдали в приемные семьи. На снимках были изображены мальчик и девочка на фоне военного и послевоенного Лондона, всегда вместе, всегда серьезные. Дети росли, но торжественное выражение их лиц практически не менялось от снимка к снимку, где они были запечатлены на фоне двери, или ворот, или в саду, или у камина.

— Он никогда меня не забывал,— рассказывала Рут Бруар, переворачивая страницы.— Мы не всегда жили в одной семье, и я страшно боялась, когда он уходил: а вдруг он не вернется, вдруг с ним что-нибудь произойдет, а мне не скажут. Или он просто возьмет и перестанет приходить. Но он говорил, что этого не будет, а если что-нибудь случится, я узнаю. Почувствую, так он говорил. Почувствую, как что-то сдвинулось со своего места во вселенной, а до тех пор волноваться не о чем.

Она закрыла альбом и отложила его в сторону.

— А я ничего не почувствовала, понимаете? Когда он пошел в бухту, мистер Сент-Джеймс, я не почувствовала совсем ничего.

Сент-Джеймс протянул ей картину.

— Но какая удача, что она наконец нашлась,— сказала Рут негромко, беря полотно в руки.— В какой-то мере она возвращает мне семью.

Положив картину поверх альбома, она взглянула на гостя.

— Что-нибудь еще?

Он улыбнулся.

— Вы уверены, что вы не ведьма, мисс Бруар?

— Абсолютно,— ответила она.— Вам ведь еще что-то нужно от меня?

Он признался, что это так. Из ее слов и поведения ему стало ясно, что она не имеет представления о стоимости картины, которую разыскал для нее брат. Но он и не стремился это изменить. Почему-то он понимал, что картина не станет для нее ценнее, даже если она узнает, что это работа мастера.

— Возможно,— начал он,— вы правы в том, что большую часть своих денег ваш брат потратил на поиски этой картины. Но я бы хотел убедиться в этом, просмотрев его бухгалтерию. Вы ведь храните записи дома?

Она ответила, что да, Ги хранил всю свою бухгалтерию у себя в кабинете. Если мистер Сент-Джеймс не откажется последовать за ней, она с удовольствием проводит его туда. С собой они захватили картину и альбом, хотя было совершенно ясно, что Рут Бруар по простоте душевной так и оставила бы их лежать в оранжерее, если бы не он.

В кабинете брата она прошла по комнате и включила все лампы, чтобы разогнать сумрак угасающего зимнего дня. Затем, к удивлению Сент-Джеймса, из шкафа рядом с письменным столом достала обтянутую кожей бухгалтерскую книгу, которой мог пользоваться еще Боб Крэтчит*. Заметив реакцию Сент-Джеймса, она улыбнулась.

— Все, что касалось управления отелями, было у нас в компьютере,— пояснила она.— Но в отношении личных финансов Ги был старомоден.

---

* Персонаж повести Ч. Диккенса «Рождественская песнь».

— Да, вид у нее...

Сент-Джеймс запнулся в поисках подходящего эвфемизма.

— Старомодный,— подсказала она.— Не похоже на Ги. Но он так и не поладил с компьютерами. Кнопочные телефоны и микроволновки — дальше этого его доверие к техническому прогрессу не зашло. Однако разобраться в его записях совсем не трудно, вот увидите. Ги отлично вел дела.

Как только Сент-Джеймс уселся за стол и раскрыл гроссбух, Рут вытащила еще пару таких же. Каждый, объяснила она, содержал отчет о расходах ее брата за три года. Они были невелики, так как большая часть денег была записана на ее имя и средства на содержание поместья всегда снимались с ее счетов.

Завладев самым последним гроссбухом, Сент-Джеймс перелистал его, чтобы посмотреть, каков был последний год жизни Ги Бруара. Очень скоро он увидел, что все его расходы подчинялись определенному принципу, который носил имя Анаис Эббот. Бруар то и дело выкладывал денежки, оплачивая за свою возлюбленную все, начиная с пластических операций и кончая налогом на собственность, закладными на дом, каникулами в Швейцарии и Белизе и обучением ее дочери в школе моделей в Лондоне. Помимо этого в расходах значилась покупка одного «мерседеса-бенц», десяти статуй, внесенных в реестр по имени скульптора и названию, заем Генри Мулену, обозначенный как «горн», и еще несколько займов или подарков сыну. Сравнительно недавно он приобрел участок земли у церкви Святого Спасителя и заплатил Бертрану Дебьеру, а также компаниям «Дизайн шкафов» Де Картере, «Тиссье электрик» и «Водопроводные работы» Бертона-Терри.

Из этих последних записей Сент-Джеймс сделал вывод, что какое-то время назад Бруар действительно собирался построить военный музей и даже нанять Бертрана Дебьера в качестве архитектора. Однако девять месяцев назад все платежи, хотя бы отдаленно напоминавшие расходы по строительству общественного здания, полностью прекратились.

Тогда же подробные записи, которые вел Бруар до этого, сменились столбцами цифр, заполнявшими конец одной страницы и начало другой и объединенными фигурной скобкой, без указания получателя. Тем не менее Сент-Джеймс догадывался, что это была «Интернэшнл аксесс». Цифры совпадали с теми, которые предоставили в банке Ле Галле. Он отметил, что последний платеж — самый крупный — был отправлен с Гернси в тот самый день, когда на остров прибыли Риверы.

Сент-Джеймс попросил у Рут Бруар калькулятор, и она тут же вытащила его из ящика в письменном столе брата. С его помощью Саймон сложил все цифры, которые обозначали суммы, отправленные неизвестному получателю. Получилось чуть больше двух миллионов фунтов.

— С какой суммы начал ваш брат, когда вы поселились здесь? — спросил он у Рут.— Вы, кажется, рассказывали, что он почти все отписал вам, но кое-что оставил на личные расходы? Вы знаете сколько?

— Полтора миллиона фунтов,— сказала она.— Он считал, что при правильном вложении на безбедную жизнь ему хватит и процентов с этого капитала. А что? Что-нибудь...

«Не так»,— хотела закончить она, но сдержалась, поскольку в этом не было необходимости.

С момента смерти ее брата в его финансовых делах не так было практически все.

Телефонный звонок избавил Сент-Джеймса от необходимости отвечать. Рут подняла трубку с аппарата на столе и почти сразу передала ее гостю.

— Портье в твоем отеле тебя невзлюбила,— сообщил ему Томас Линли из Лондона.— Она советует тебе приобрести мобильный телефон. Это ее слова, я только передаю.

— Понятно. Ну что, нарыл что-нибудь?

— И не говори. Загадочное дело, хотя не думаю, что тебя это сильно обрадует. Скорее ты решишь, что это только палка тебе в колеса.

— Дай-ка я угадаю. В Бракнелле нет компании «Интернэшнл аксесс».

— В яблочко. Я позвонил старому приятелю из Хендона. Он там в отделе нравов работает. Так вот, он прогулялся по адресу, который числится за «Интернэшнл аксесс», и обнаружил там солярий. Открылся он восемь лет тому назад и с тех пор процветает: видно, в Бракнелле отбоя нет от желающих позагорать.

— Учту на будущее.

— И они там понятия не имели, о чем им толковал мой человек. Пришлось снова поговорить с банком. Я напомнил им про Управление по финансовым услугам, и они согласились предоставить мне кое-какую информацию по счетам этой самой «Интернэшнл аксесс». Оказалось, что деньги, поступавшие на них с Герней, через сорок восемь часов переводились дальше, в Джексон-Хайтс в Квинсе, Нью-Йорк.

— Джексон-Хайтс? Это что...

— Название места, а не имя получателя.

— А имя ты из них вытряс?

— «Валера и сын».

— Тоже фирма?

— Видимо, да. Только не знаю какая. И банк тоже не знает. Они не вправе задавать подобные вопросы и тэ дэ, и тэ пэ. Однако похоже... короче, ты понимаешь, на что это похоже: такие вещи всегда вызывают у американского правительства зверский аппетит.

Сент-Джеймс изучал рисунок ковра у себя под ногами. Он вспомнил о Рут Бруар, лишь когда поднял глаза и увидел ее рядом. Лицо ее было серьезно, но больше он ничего на нем не прочел.

Он повесил трубку после того, как Линли заверил его в том, что нужные колеса уже вертятся и в фирму «Валера и сын» уже дозваниваются, однако предупредил, чтобы Сент-Джеймс не слишком рассчитывал на помощь из-за океана.

— Если наше дело таково, каким кажется, то мы упремся в стену, не заручившись мощной поддержкой с той стороны. Кого-нибудь вроде Международной налоговой службы, ФБР, полиции Нью-Йорка.

— Да уж, они помогут,— кисло заметил Сент-Джеймс.

Линли усмехнулся.

— Я буду на связи.

И повесил трубку.

Поговорив с Линли, Сент-Джеймс на минуту задумался, стараясь понять, что же он узнал. Он сравнил новую информацию с тем, что ему было известно, и выводы, к которым он пришел, совсем ему не понравились.

— В чем дело? — наконец не выдержала Рут Бруар.

Он пошевелился.

— Я вот подумал, а не сохранилась ли у вас упаковка, в которой прибыли из Америки чертежи музея, мисс Бруар?

Когда Дебора вышла из кустарника, то не сразу разглядела мужа. Смеркалось, к тому же она задумалась о том, что видела в доисторическом кургане, который показал ей Пол Филдер. Более того, она размышляла о том, откуда мальчик знает код и почему он так упорно загораживал его спиной от ее взгляда.

Поэтому она заметила Саймона лишь тогда, когда почти уткнулась в него носом. С граблями в руках он ворошил что-то у трех пристроек, ближайших к большому дому. Рылся он в мусоре, вывалив для этого на землю содержимое четырех контейнеров.

Когда она окликнула его, он замер.

— Решил сменить профессию? — спросила она.

— А что, это мысль,— улыбнулся он.— Только я бы специализировался на мусоре поп-звезд и политиков. Что ты выяснила?

— Все, что ты хотел знать, и даже больше.

— Пол рассказал тебе про картину? Молодец, дорогая.

— Я бы не стала утверждать, что Пол вообще умеет говорить,— отметила она.— Зато он показал мне место, где нашел картину, правда, я сначала подумала, что он хочет меня там запереть.

И она рассказала про курган, про то, где он находится, и как запирается дверь, и что хранится в двух его камерах из камня.

— Презервативы, складная кровать,— закончила она.— Понятно, зачем Ги Бруар ходил туда, Саймон. Хотя, честно говоря, мне не ясно одно, почему он не крутил свои амуры в доме.

— Там ведь почти всегда была его сестра,— напомнил ей Сент-Джеймс.— А поскольку амуры он крутил с подростком...

— С двумя, если Пол Филдер был одним из них. Полагаю, так оно и было. Гадость какая, правда?

Она оглянулась на кустарник, лужайку, тропу, ведущую через рощу.

— Да уж,— констатировала она,— можешь мне поверить, глаза они никому не мозолили. Чтобы найти этот дольмен, надо точно знать дорогу.

— А он показал тебе где?

— Где он нашел картину?

Саймон кивнул, и Дебора объяснила.

Ее муж слушал, опираясь на грабли, словно отдыхающий фермер. Когда она закончила свое описание алтарного камня и трещины за ним, он уточнил, находится ли трещина в полу или нет, и, услышав утвердительный ответ, покачал головой.

— Этого не может быть, Дебора. Картина стоит целое состояние.

И рассказал ей все, что узнал от Кевина Даффи.

— И Бруар наверняка знал это,— закончил он.

— Знал, что это де Хоох? Но откуда? Ведь картина хранилась в их семье десятилетиями, она передавалась от отца к сыну как семейное достояние. Откуда ему было знать? Ты бы на его месте знал?

— Нет. Но он не мог не знать, сколько он отдал, чтобы вернуть ее, а сумма была в районе двух миллионов фунтов. Никогда не поверю, что, потратив столько денег и пойдя на такие жертвы, он хотя бы на пять минут оставил ее внутри холма.

— Но ведь он запирается!

— Дело не в этом, дорогая. Речь идет о полотне семнадцатого века. Он не оставил бы его в тайнике, где ему могли повредить холод или сырость.

— Значит, по-твоему, Пол лжет?

— Я ничего такого не говорил. Я только выразил сомнение в том, что Бруар оставил картину в доисторическом холме. Если он и впрямь хотел припрятать ее до дня рождения своей сестры, как она утверждает, то нашел бы дюжину мест в собственном доме, где это можно было сделать, не подвергая картину опасности.

— Значит, кто-то другой...

— К сожалению, иные версии не имеют смысла.

И он снова взялся за грабли.

— Что же ты тогда ищешь?

Она услышала дрожь в своем голосе, и по тому, как он взглянул на нее потемневшими от тревоги глазами, поняла, что он тоже это заметил.

— То, в чем она попала на Гернси,— ответил он.

Он продолжал разгребать мусор до тех пор, пока не обнаружил то, что ему, по-видимому, было нужно. Это оказалась трубка тридцати шести дюймов в длину и восьми дюймов в диаметре. Оба ее конца закрывали металлические окружности, которые плотно надвигались на края трубки и надежно смыкались вокруг них.

Саймон выкатил ее из мусора и неуклюже наклонился. Когда он повернул находку набок, на ней обнаружился длинный надрез. Он превратился в настоящую дырку с оборванными краями там, где кто-то сорвал внешнюю оболочку трубки, открыв внутреннюю структуру футляра. У них в руках была трубка с потайной вставкой внутри, и не надо было быть Эйнштейном, чтобы понять, для чего использовался этот тайник.

— Ага,— выдохнул Саймон и поглядел на Дебору.

Она знала, что у него на уме, потому что те же мысли роились у нее в голове, хотя ей не хотелось об этом думать.

— Можно, я взгляну?

Она взяла трубку у него из рук, радуясь, что он отдал ее без комментариев.

Осмотрев футляр, Дебора убедилась в самом главном: попасть во внутренний отдел можно было только через внешнюю оболочку. Металлические кольца с обеих сторон были приделаны так крепко, что сорвать их означало бы полностью испортить футляр и его содержимое. Кроме того, любой, будь то получатель груза или таможенный чиновник, взглянув на футляр, сразу понял бы, что с ним что-то делали. Однако на кольцах не было ни царапины. Дебора сказала об этом мужу.

— Я вижу,— ответил он.— А ты поняла, что это значит, или нет?

Дебору разозлил и сам вопрос, и его настойчивость.

— Что? Тот, кто привез это на Гернси, не знал...

— Не открывал его,— перебил он.— Но это вовсе не означает, что этот человек не знал, что внутри, Дебора.

— Как ты можешь так говорить?

Она почувствовала себя очень несчастной. Внутренний голос и все ее инстинкты кричали «нет!».

— Из-за дольмена. Из-за того, что она лежала в дольмене. Ги Бруара убили из-за этой картины, Дебора. Это единственный мотив, который все объясняет.

— Слишком легко,— возразила она.— Это означает, что кто-то хочет нас в этом убедить. Нет! — вскрикнула она, когда он хотел заговорить.— Послушай меня, Саймон. Потвоему, они знали, что везут?

— Один из них, не оба.

— Хорошо. Один знал. Но если это так... если они хотели...

— Он. Если он хотел,— вставил ее муж негромко.

— Да. Отлично. Но ты не принимаешь во внимание других возможностей. Если он...

— Чероки Ривер, Дебора.

— Да. Чероки. Если он хотел забрать эту картину себе, если он знал, что она внутри футляра, зачем ему вообще было везти ее на Гернси? Почему просто не скрыться с ней?

Какой смысл в том, чтобы привезти ее сюда и здесь украсть? Нет, этому должно быть какое-то другое объяснение.

— Какое?

— Я думаю, ты знаешь. Ги Бруар открыл посылку и показал картину кому-то еще. Этот человек его и убил.

Адриан на большой скорости мчался по разделительной полосе. Он обгонял все машины подряд, ни на секунду не сбрасывая скорость. Короче говоря, делал все возможное, чтобы вывести Маргарет из себя, но она твердо решила не поддаваться на провокацию. Ее сыну явно не хватало утонченности. Он хотел заставить ее возражать против его манеры езды, с тем чтобы и дальше продолжать ехать, как ему нравится, и раз и навсегда утвердить свою свободу от нее. Прямо как десятилетний мальчишка, который решил «всем показать».

Адриан и так уже порядком ее разозлил. Маргарет пришлось призвать на помощь всю свою силу воли, чтобы не наброситься на него. Зная сына, она понимала, что раз он решил молчать, то будет молчать, ведь сейчас ему кажется, что поделиться с ней — значит признать ее победу. Какую победу, она понятия не имела и сказать не могла. Ведь она никогда не хотела для своего старшего сына ничего, кроме нормальной жизни, успешной карьеры и семьи.

Разве она хочет слишком многого? Сама Маргарет так не считала. Однако за последние несколько дней поняла, что, сколько бы она ни пыталась помогать Адриану, сколько бы ни вмешивалась ради его блага, сколько бы ни закрывала глаза на его снохождение и ночное недержание, все ее попытки столь же уместны, как жемчуг в свином корыте.

Ну и ладно, подумала она. Так тому и быть. Но она уедет с Гернси не раньше, чем разберется с одним вопросом. Хочет скрытничать — пускай. В конце концов, запирательство можно принять за многообещающий признак запоздалого отрочества. Но пристрастие к вранью до добра не доведет, ни сейчас, ни потом. Ведь ко лжи прибегают лишь слабые натуры, те, кому не дано повзрослеть.

Возможно, Адриан обманывал ее всю жизнь, и не только словом, но и делом. А она была так озабочена тем, чтобы держать его подальше от разлагающего влияния отца, что безоговорочно принимала его версию любых событий: от щенка, якобы случайно утонувшего как раз накануне ее второй свадьбы, до причины, по которой расстроилась его последняя помолвка.

А в том, что он продолжает врать и сейчас, Маргарет не сомневалась ни секунды. Но такой лжи, как эта история с «Интернэшнл аксесс», она еще никогда от него не слышала.

— Ведь он послал эти деньги тебе, правда? — спросила она.— Еще осенью. Интересно, на что ты их потратил?

Она не удивилась, когда Адриан ответил:

— О чем ты?

Тон у него был безразличный. Нет. Скорее скучающий.

— Проспорил? Проиграл в карты? Или вложил по-глупому? Я знаю, что никакой «Интернэшнл аксесс» не существует, потому что ты больше года просидел дома, а выходил только затем, чтобы навестить Кармел или съездить к отцу. Но может, все дело в ней? Может, ты купил ей машину? Драгоценности? Дом?

Он вытаращил глаза.

— Ну конечно. Именно это я и сделал. Она ведь согласилась за меня выйти, а все потому, что я сорил деньгами, не считая.

— Я не шучу,— сказала Маргарет.— Ты лгал мне о том, что просил у отца денег, ты лгал о Кармел и ее связи с твоим отцом, ты ввел меня в заблуждение, заставив считать, будто у тебя и женщины, которая согласилась стать твоей женой, были «разные цели»... Был ли случай, когда ты мне не лгал?

Он бросил на нее взгляд.

— Какая разница?

— Что значит — какая разница?

— Какая разница, лгал я тебе или нет. Ты все равно видишь только то, что хочешь видеть. А я облегчаю тебе задачу.

Он обогнал мини-фургон, который загораживал им дорогу. Обгоняя, он непрерывно жал на клаксон и вернулся на свою полосу, когда от встречного автобуса их, как ей показалось, отделяли считаные дюймы.

— Как ты можешь так говорить? — напустилась на него Маргарет.— Большую часть моей жизни я провела...

— Живя моей жизнью.

— Не в этом дело. Я не могла стоять в стороне, как и любая мать на моем месте. Я беспокоилась...

— Как бы все не пошло по-моему.

— А в благодарность,— продолжала Маргарет, решительно настроившись не дать Адриану вырвать у нее из рук нить разговора,— я не получаю от тебя ничего, кроме лжи. Но я на это не согласна. И я требую и настаиваю на том, чтобы ты сказал мне всю правду. Немедленно.

— Потому что у тебя есть на это право?

— Вот именно.

— Так я и думал. А не потому, что тебе это по-настоящему интересно.

— Как ты смеешь так говорить со мной! Я приехала сюда ради тебя. Я согласилась еще раз пережить кошмарные воспоминания о моем первом браке...

— Ой, я тебя умоляю,— фыркнул он.

— ...ради тебя. Чтобы убедиться, что ты получишь наследство, ведь я знала, он ни перед чем не остановится, чтобы лишить тебя денег. Другого способа наказать меня у него не осталось.

— А какой ему интерес тебя наказывать?

— Он верил, что я выиграла. И не мог смириться со своим проигрышем.

— Что ты выиграла?

— Тебя. Я не давала ему видеться с тобой ради твоего блага, но он отказывался это понять. Он считал, что это всего лишь месть с моей стороны. Да и как он мог считать иначе, ведь для него это значило бы иначе взглянуть на свою жизнь и на то влияние, которое его пример мог бы оказать на единственного сына, если бы я позволила. А этого ему не хотелось. Не хотелось смотреть. Вот он и обвинил меня в том, что я вас разлучила.

— Чего ты, разумеется, не делала,— сардонически заметил Адриан.

— Разумеется, именно это я и сделала. А как бы ты поступил на моем месте? Бесконечная череда любовниц. Бесконечная череда содержанок, это когда он уже женился на Джоанне. Да один бог знает, чем он еще развлекался. Может быть, оргиями. Или наркотиками. Выпивкой. Некрофилией или другим каким скотством, откуда мне знать. Конечно, я стремилась защитить тебя от всего этого. Я и сейчас поступила бы точно так же. И я была права.

— Вот почему я всем тебе обязан,— подвел итог Адриан.— Картина ясна. Так скажи мне,— он взглянул на нее, пока они стояли на перекрестке, дожидаясь своей очереди влиться в движение на дороге, которая вела к аэропорту,— что именно ты хочешь знать?

— Что стало с его деньгами? Не с теми, на которые он покупал все то, что записывал на имя Рут, а с другими, с теми, которые он сохранил, потому что у него ведь их куры не клевали. Не мог он обделывать свои амурные делишки и содержать такую дорогую женщину, как Анаис Эббот, на подачки, что давала ему Рут. Да она бы и не стала спонсировать его любовниц, слишком она для этого строга. Так что же, ради всего святого, случилось с деньгами? Либо он отдал их тебе раньше, либо они спрятаны где-то, и я хочу знать где, потому что иначе я буду продолжать поиски сама. Он отдал их тебе?

— Не надо ничего продолжать,— был его лаконичный ответ.

Они подъезжали к аэропорту, где как раз снижался самолет, возможно, тот самый, который, заправившись, оторвется через час от взлетной полосы и понесет Маргарет обратно в Англию. Адриан свернул к терминалу и остановил машину прямо у входа, вместо того чтобы поставить ее на какой-нибудь из стоянок через дорогу.

— Оставь,— сказал он.

Она пыталась прочесть что-нибудь по его лицу.

— Это значит...

— Это значит то, что значит,— сказал он.— Денег больше нет. Ты их не найдешь. И не пытайся.

— Откуда ты... Значит, он отдал их тебе? И все это время они были у тебя? Но если так, то почему же ты не сказал? Адриан, мне нужна правда, наконец.

— Ты зря тратишь время. Вот тебе вся правда.

Он толкнул дверь машины наружу и пошел к багажнику «рейнджровера». Холодный ветер ворвался в салон, пока он вытаскивал ее чемоданы и, не особо церемонясь, швырял их прямо на обочину. Потом подошел к ее двери. Похоже, разговор был окончен.

Маргарет вышла, плотнее запахиваясь в пальто. Здесь, на самом открытом месте острова, порывы ледяного ветра сбивали с ног. Ничего, зато до Англии долечу быстрее, понадеялась она. А там и сын последует за ней. У нее не было сомнений на этот счет, что бы Адриан ни думал о сложившейся ситуации и как бы ни вел себя сейчас. Он вернется. Таков был закон мира, в котором они оба жили, мира, который она создала для них сама.

— Когда ты вернешься домой? — спросила она.

— Не твое дело, мама.

Он выудил из кармана свои сигареты и сделал пять попыток закурить на ветру. Любой бросил бы это безнадежное дело уже после второй погасшей спички, но только не ее сын. По крайней мере, в этом он очень походил на свою мать.

— Адриан, моему терпению наступает конец.

— Поезжай домой,— ответил он ей.— Нечего было приезжать.

— Что же ты тогда собираешься делать? Раз уж не едешь домой вместе со мной.

Он без всякой радости улыбнулся, широкими шагами обходя машину. И через капот ответил:

— Я что-нибудь придумаю, поверь.

———

Сент-Джеймс расстался с Деборой, едва они вскарабкались от автостоянки к отелю. Всю дорогу от Ле-Репозуара она пребывала в задумчивости. Машину она вела со своей обычной аккуратностью, но, несмотря на это, он видел, что ее голова занята совсем не ситуацией на дороге и даже не направлением, в котором они двигались. Он знал, что она обдумывает свою версию того, как бесценное полотно попало в доисторическую постройку из земли и камней. И не винил ее за это. Он и сам думал над тем же, хотя бы потому, что сбрасывать эту версию со счетов было нельзя. Он понимал, что если предрасположенность его жены видеть хорошее в каждом человеке приводит порой к тому, что она не замечает главного, то и его собственная склонность не доверять всем и каждому иногда мешает видеть вещи в их истинном свете. Вот почему всю дорогу от Сент-Питер-Порта они ехали молча. И только у входа в отель Дебора повернулась к нему с таким видом, словно приняла какое-то решение.

— Я не буду пока заходить. Прогуляюсь немного.

Ответил он не сразу. Последствия неосторожно произнесенного слова были ему хорошо известны. Но и об опасности молчания в ситуации, когда Дебора, будучи заинтересованной стороной, знает слишком много, он тоже не забывал.

— Куда ты пойдешь? — осторожно спросил он.— Может, лучше выпьем? Чаю или еще чего-нибудь?

Выражение ее глаз тут же изменилось. Она поняла, что он хотел сказать на самом деле, несмотря на попытки замаскировать свои намерения.

— Может, мне вооруженного телохранителя нанять, Саймон?

— Дебора...

— Я скоро вернусь,— бросила она и зашагала прочь, но не туда, откуда они только что пришли, а в сторону Смит-стрит, которая вела на Хай-стрит и дальше, к гавани.

Ему оставалось только отпустить ее, признав, что в данный момент об истинных причинах гибели Ги Бруара ему известно столько же, сколько ей. У него не было ничего, кроме подозрений, которые она, кажется, решила ни в коем случае не разделять.

Войдя в отель, он услышал, как его окликнули, обернулся и увидел портье, которая стояла за стойкой с листком бумаги в руке.

— Сообщение из Лондона,— сказала она, подавая ему бумажку вместе с ключами от комнаты.

Он заметил на листке надпись «Супер Линели», которая, несомненно, обозначала должность его друга в Нью-Скотленд-Ярде, но до того походила на личную характеристику, что наверняка позабавила бы исполняющего обязанности суперинтенданта, несмотря на ошибку в фамилии.

— Он сказал, что вам пора обзавестись мобильным телефоном,— добавила девушка многозначительно.

Поднявшись к себе, Сент-Джеймс не сразу перезвонил Линли. Сначала он подошел к телефону, который стоял на столике у окна, и набрал совершенно другой номер.

Когда на том конце сняли трубку, Сент-Джеймс узнал, что Джим Вард отбыл на встречу партнеров. К сожалению, встреча проводилась не в офисе, а в отеле «Ритц Карлтон».

— На побережье,— не без важности добавила женщина, которая идентифицировала себя как «Саутби, Стрейндж, Виллоу и Вард. Кристал слушает».— В данный момент все они недоступны,— добавила она.— Но вы можете оставить сообщение.

Сент-Джеймс не мог ждать, когда его сообщение дойдет до архитектора, и потому спросил у молодой женщины, произношение которой заставляло подозревать, что она жует стебелек сельдерея, не окажет ли она ему услугу.

— Сделаю все, что смогу,— ответила та жизнерадостно.— Я сама учусь на архитектора.

Фортуна улыбнулась ему, когда он спросил Кристал о чертежах, которые Джим Вард отправил на Гернси. Документы покинули офис Саутби, Стрейнджа, Виллоу и Варда не так давно, и по счастливому стечению обстоятельств именно Кристал отвечала тогда за почту, «Ю-пи-эс», «Федэкс»,

«Ди-эйч-эл» и даже интернет-рассылку чертежей. А поскольку тот случай совсем не походил на их обычную процедуру, то она все прекрасно помнит и с удовольствием все ему объяснит, «если только он подождет минутку, а то на параллельной линии звонок».

Он подождал, и через некоторое время ее жизнерадостный голос снова зазвучал в трубке. При нормальном ходе вещей, рассказала она ему, чертежи ушли бы через Интернет к другому архитектору за океаном, который занимался бы проектом на месте. Но в том случае мистер Вард посылал просто образцы своих работ, а значит, никакой спешки не было. Поэтому она упаковала их как обычно и отдала адвокату, который явился за ними. Ей сказали, что так мистер Вард условился с заокеанским клиентом.

— Это был мистер Кифер? — спросил ее Сент-Джеймс.— Мистер Уильям Кифер? Это он за ними приходил?

Имени она не помнит, сказала Кристал. Но кажется, фамилия была другая. Хотя... погодите. Если подумать как следует, то, кажется, тот парень вообще никак не назвался. Просто сказал, что пришел забрать чертежи, которые отправляются на Гернси, так что пусть она их ему выдаст.

— А что, их так и не получили? — спросила она озабоченно.

Нет, все в порядке, чертежи дошли.

— Как они были упакованы? — спросил Сент-Джеймс.

Как обычно, ответила она. В большой почтовый футляр из толстого картона.

— Может быть, их повредили по дороге? — спросила она так же озабоченно.

Не физически, успокоил ее Сент-Джеймс. Поблагодарив Кристал, он задумчиво повесил трубку. Набрал еще один номер и добился немедленного успеха, спросив Уильяма Кифера. Менее чем через тридцать секунд адвокат из Калифорнии был у телефона.

И оспорил версию событий, изложенную Кристал. По его словам, за чертежами он никого не посылал. Мистер Бруар особо предупредил, что чертежи доставит к нему в офис представитель архитектурной фирмы, как только они будут готовы. А когда это произойдет, ему останется только найти курьеров, которые повезут документы из Калифорнии на Гернси. Так и произошло, так он и поступил.

— А вы не помните, как выглядел человек, который принес чертежи от архитектора? — спросил Сент-Джеймс.

— Я его не видел. Или ее. Или кто там это был,— ответил Кифер.— Чертежи просто оставили у секретаря. Я забрал их, когда вернулся с обеда. Они были упакованы, снабжены ярлыком, в общем, готовы к отправке. Но может быть, она помнит... Подождите минуточку, пожалуйста.

Однако Сент-Джеймс развлекался записанной на телефон мелодией больше минуты: Нил Даймонд издевался над английским языком, подыскивая кошмарные рифмы. Когда телефон снова ожил, Сент-Джеймс обнаружил, что на этот раз говорит с некоей Черил Беннет.

Чертежи от архитектора принес в офис мистера Кифера мужчина, сообщила она ему. А на вопрос, не бросилось ли ей что-нибудь в глаза в его внешности, она, хихикнув, ответила:

— Еще как бросилось. Таких, как он, в округе Ориндж не часто увидишь.

— Каких?

— Да растаманов*.

Человек с чертежами был карибского типа, пояснила она.

— Дреды по самое это самое. Сандалии, джинсы до колен и гавайская рубаха. Я еще подумала, странный он для архитектора-то. Но может, он у них посыльным работает или еще кем.

В заключение она добавила, что он не представился. Они вообще не разговаривали. Он был в наушниках и слушал музыку. Он и сам походил на Боба Марли.

Сент-Джеймс поблагодарил Черил Беннет за помощь и вскоре повесил трубку.

---

* Речь идет о растафари — секте ямайских негров.

Подошел к окну и стал изучать вид Сент-Питер-Порта. Он думал о том, что сказала Черил и какое это может иметь значение. В конце концов он пришел к выводу, что все узнанное ими до сих пор на самом деле не то, чем кажется.

28

Дебору раздражало недоверие Саймона, а еще больше то, что он наверняка говорит себе сейчас: сама, мол, виновата, не отнесла кольцо в участок, когда я просил. И то, что он сомневается в ней, никак не связано с текущей ситуацией. Правда в том, что Саймон не доверяет ей потому, что он не доверяет ей вообще. Такова его непроизвольная реакция на любое происшествие, требующее от нее взрослого мышления, на которое она, по его мнению, неспособна. А такая реакция, разрушающая отношения, неизбежна, когда выходишь замуж за человека, который когда-то был тебе вторым отцом. В их ссорах он не всегда занимал положение родителя. Но его склонность изображать из себя отца, пусть и не часто, бесила ее до такой степени, что она готова была назло ему сделать все наоборот.

Вот почему она свернула к дому королевы Маргарет, вместо того чтобы полюбоваться на витрины Хай-стрит, подняться по склону холма к Кэнди-гарденс, прогуляться до замка Корнет или поглазеть на украшения, выставленные за стеклами ювелирных магазинов в коммерческой аркаде. Однако визит на Клифтон-стрит не дал никаких результатов. Никто не ответил на ее стук в дверь квартиры «Б». Тогда она спустилась по лестнице, которая вела к рынку, твердя себе, что вовсе не ищет Чайну, а если и так, то что в этом особенного? Они давние подруги, и Чайна ждет не дождется известия о том, что ситуация, в которой оказались она и ее брат, скоро разрешится благополучно для них обоих.

Деборе очень хотелось принести ей такую весть. Это было наименьшее, что она могла сделать для возвращения долга.

Чайны не оказалось ни на старом рынке у подножия лестницы, ни в продуктовом магазине, где Дебора повстречала их с братом раньше. Но стоило Деборе расстаться с мыслью найти Чайну, как она тут же увидела ее: Чайна собственной персоной показалась из-за поворота с Хай-стрит на Смит-стрит.

Дебора начала подниматься вверх по склону, смирившись с неизбежным возвращением в отель. Возле уличного автомата она остановилась, чтобы купить газету, а когда убирала кошелек обратно в сумку, заметила Чайну, которая вышла из магазина на середине холма и пошла наверх, туда, где Смит-стрит, достигнув высшей точки, расширялась, образуя небольшую площадь с мемориалом Первой мировой.

Дебора окликнула подругу. Чайна обернулась и стала всматриваться в толпу хорошо одетых бизнесменов, мужчин и женщин, которые тоже поднимались наверх, закончив трудовой день в банковских учреждениях внизу. Она приветственно подняла руку и стала ждать, когда Дебора подойдет к ней.

— Как дела? — спросила она, когда Дебора приблизилась настолько, чтобы расслышать ее слова.— Что-нибудь новенькое?

— Пока не знаем,— уклончиво ответила Дебора и, чтобы увести разговор в другую сторону, подальше от риска поделиться подробностями с обеспокоенной подругой, спросила: — А ты что делаешь?

— Кэнди,— ответила Чайна.

Дебора сразу подумала о Кэнди-гарденс, но никакого смысла в этом не увидела, поскольку Чайна была очень далеко оттуда. Но потом ее мозг точно сделал маленький шажок в сторону, к чему она привыкла, живя в Америке, где ей постоянно приходилось в уме переводить с английского Чайны на свой собственный. Она поняла.

— А-а, сласти.

— Я искала «Крошку Рут» или «Сладкие пальчики».

Чайна похлопала по своей объемистой сумке, в которую, очевидно, уложила покупки.

— Его любимые. Но их нигде не оказалось, поэтому я купила то, что удалось найти. Надеюсь, мне дадут его увидеть.

Чайна рассказала, что в ее первый визит на Госпиталь-лейн увидеться им не дали. Оставив Дебору и ее мужа, она сразу отправилась в полицию, но к брату ее не пустили. Оказалось, что, пока подозреваемого допрашивают, его имеет право видеть только адвокат. Странно, что она забыла об этом, ведь ее и саму задерживали для допроса. Тогда она позвонила Холберри. Он пообещал сделать все возможное для того, чтобы устроить ей встречу с братом, и это навело ее на мысль пойти поискать его любимые шоколадки. Теперь она идет передать их ему. Она бросила взгляд в сторону площади и перекрестка за ней, чуть выше того места, где они стояли.

— Хочешь пойти со мной?

Дебора ответила согласием. И они вдвоем отправились в полицию, которая оказалась всего в двух минутах ходьбы от места, где они повстречались.

Неприветливый констебль за конторкой у входа сообщил им, что мисс Ривер нельзя видеть своего брата. Когда Чайна сказала, что Роджер Холберри специально договорился о посещении для нее, констебль ответил, что лично ему Роджер Холберри ничего такого не говорил, а потому, если леди не возражают, он продолжит заниматься своим делом.

— Позовите вашего главного,— велела ему Чайна.— Следователя. Ле Галле. Холберри, скорее всего, с ним разговаривал. Он обещал, что договорится. Слушайте, ну мне же надо увидеться с братом, как вы не понимаете?

Констебль был непоколебим. Если бы Роджер Холберри действительно с кем-то договорился, проинформировал он Чайну, то этот человек, будь он хоть старший инспектор Ле Галле, хоть царица Савская, наверняка позаботился бы о том, чтобы на пропускном пункте об этом знали. А поскольку ничего подобного не произошло, то по закону никто, кроме адвоката подозреваемого, не имеет права к нему входить.

— Но ведь Холберри и есть его адвокат,— возмутилась Чайна.

Констебль улыбнулся, демонстрируя высшую степень недружелюбия.

— Но с вами я его не вижу,— ответил он, подчеркнуто глядя куда-то поверх ее плеча.

Чайна уже заготовила горячую реплику, начинавшуюся со слов: «Слушай, ты, мелкий...», когда вмешалась Дебора. Она невозмутимо спросила у констебля:

— Может быть, вы не откажетесь передать мистеру Риверу немного сладкого?

Но Чайна перебила ее резким «забудь» и вышла из участка, так и не передав свою посылку.

Дебора обнаружила подругу во дворе, служившем заодно и автостоянкой, где она сидела на краю большого декоративного вазона и со злостью обрывала листья с растущего в нем куста. Когда Дебора подошла к ней, Чайна сказала:

— Ублюдки. Что я, по их мнению, могу сделать? Выкрасть его, что ли?

— Может быть, нам самим поговорить с Ле Галле?

— Да, уж он с радостью нас пропустит!

Чайна швырнула оборванные листья на землю.

— Ты не спрашивала адвоката, как он там?

— «При сложившихся обстоятельствах лучшего и желать нельзя»,— процитировала Чайна.— Он, конечно, думал, что мне от этого станет легче, но эти слова могут означать все, что угодно, мне ли не знать. Да в этих камерах от страха обделаться можно, Дебора. Голые стены, голый пол и деревянная лавка, которую они гостеприимно превращают в кровать, если посетителю приходится задержаться на ночь. Унитаз из нержавейки. Раковина из нержавейки. И такая огромная неподвижная синяя дверь. И ни тебе журнала, ни книги, ни плаката на стене, ни радио, ни кроссворда, ни даже колоды карт. Да он с ума там сойдет. Он же не готов... он не из тех... Господи, как я была рада, когда выбралась оттуда! Мне нечем было там дышать. В тюрьме и то было бы легче. И ведь ему никак...

Казалось, она усилием воли заставила себя говорить медленнее.

— Мне придется вызвать сюда мать. Он хотел, чтобы она приехала, и если я это для него сделаю, то не буду так сильно корить себя за радость от того, что там кто-то другой, а не я. Господи, и что я за скотина такая?

— Радоваться тому, что ты не в тюрьме, вполне естественно для человека,— сказала Дебора.

— Если бы я только могла увидеть его, убедиться, что с ним все в порядке.

Чайна шевельнулась на краю вазона, и Дебора подумала, что ее подруга собирается снова атаковать неприступную твердыню полицейского управления. Но Дебора знала, что это бесполезно, и потому не двинулась с места.

— Давай пройдемся.

И они направились назад тем же путем, которым пришли, обогнув военный мемориал и двигаясь прямо к дому королевы Маргарет. Дебора слишком поздно поняла, что этот маршрут ведет их прямо к королевскому Дворцу правосудия, у крыльца которого Чайна замешкалась, глядя на впечатляющий фасад здания, служившего домом всей судебной машине острова. Прямо над ними, хлопая на ветру, развевался флаг Гернси: три льва на красном поле.

Не успела Дебора предложить подруге пойти дальше, как Чайна уже стала подниматься по ступеням к парадной двери. Открыв, она вошла внутрь, так что Деборе ничего не оставалось, как только поспешно последовать за ней.

Она нашла Чайну в фойе, где та просматривала указатель. Услышав шаги Деборы, она сказала:

— Тебе не обязательно оставаться. Ничего со мной не случится. Тебя, наверное, Саймон ждет.

— Я хочу остаться,— возразила Дебора.— Чайна, все будет в порядке.

— Все и так в порядке,— ответила та и зашагала через фойе, мимо деревянных дверей с прозрачными стеклянными вставками, на которых были написаны названия различных департаментов, скрывавшихся внутри.

Она поднялась по роскошной лестнице, вдоль которой на обшитой дубом стене золотыми буквами были выписаны фамилии старейших семейств острова, и этажом выше нашла то, что, по-видимому, искала — зал заседаний суда.

Зал явно был не тем местом, где Чайне следовало искать утешения, и то, что она вообще пришла сюда, подчеркивало их с братом несхожесть. Когда его ни в чем не повинная единокровная сестра сидела в тюрьме, кипучая натура Чероки проявлялась в действии — у него всегда был наготове очередной план, который он стремился воплотить в жизнь. Дебора подумала, что авантюризм Чероки, так часто приводивший в отчаяние его сестру, имел свои преимущества, одним из которых было неумение поддаваться унынию.

— Не стоило тебе сюда сейчас приходить,— сказала Дебора Чайне, когда та уселась на стул в конце зала, как можно дальше от судейского кресла.

Чайна, точно не слыша ее, заговорила:

— Холберри рассказывал мне, как тут у них проходят заседания суда. Когда я думала, что окажусь на скамье подсудимых, мне захотелось знать, как все будет, вот я и попросила его рассказать.

Она смотрела прямо перед собой, точно воочию видела то, что описывала.

— И вот какая штука: присяжных у них нет. В отличие от нас. Я имею в виду, от Америки. Людей не сажают на скамью присяжных и не задают им разные вопросы, чтобы убедиться, что никто из них не принял заранее решения послать подсудимого на электрический стул. Здесь все присяжные профессионалы. Работа у них такая. Но я не понимаю, как они могут быть всегда беспристрастными. Разве никто не может поговорить с ними заранее, повлиять на них? Или они могут прочитать о деле в газетах. Даже провести собственное расследование, если на то пошло. Но здесь все не так, как дома.

— Да, это пугает,— согласилась Дебора.

— Дома я бы знала, что делать, потому что там я знаю, как все работает. Мы бы нашли кого-нибудь, кто знает, как найти присяжных и отобрать лучших из них. Мы бы дали интервью в газеты. Поговорили бы с телерепортерами или еще с кем-нибудь. Мы повлияли бы на общественное мнение, так что, если бы дело дошло до суда...

— До которого дело не дойдет,— встряла Дебора решительно.— Не дойдет. Ты мне веришь?

— ...то мы, по крайней мере, знали бы, что люди думают по этому поводу и как они настроены. Он ведь не один. У него есть я. Ты. Саймон. Вместе мы могли бы что-нибудь сделать. Правда? Если бы все было как дома...

Дома, подумала Дебора. Она знала, что ее подруга права. Будь она дома, ее испытания не были бы так мучительны, ведь там знакомые люди, знакомые предметы и, что важнее всего, сама процедура и то, к чему она вела, тоже было знакомо.

Дебора понимала, что не может предложить подруге чувство уверенности, которое приходит со знанием, ведь здесь все вокруг говорило о неизвестном и потому пугающем будущем. Все, что она могла,— лишь сделать окружающую обстановку чуть менее враждебной и уж тогда попытаться утешить женщину, которая в свое время послужила таким утешением ей.

И в тишине, последовавшей за репликой Чайны, она шепнула:

— Эй, подруга...

Чайна посмотрела на нее.

Дебора улыбнулась и сказала то, что могла бы сказать сама Чайна и наверняка сказал бы ее брат:

— Ну и депрессняк здесь. Давай-ка валить отсюда потихому.

Несмотря на свое настроение, подруга Деборы улыбнулась ее словам.

— Ага. Точно. Валим.

Когда Дебора встала и протянула Чайне руку, та взяла ее. И не отпускала до тех пор, пока они, выйдя из зала суда и спустившись по лестнице, не оказались на улице.

Второй за день разговор с Линли поверг Сент-Джеймса в задумчивость. Как сообщил ему суперинтендант Нью-Скотленд-Ярда, получить информацию у фирмы «Валера и сын» оказалось совсем не трудно. Тот, кто ответил на его звонок за океаном, явно не знал всей подоплеки дела. Он не только радостно завопил: «Эй! Отец! Звонят из Скотленд-Ярда! Представляешь?» — когда Линли назвал себя, предварительно убедившись, что позвонил в квартал Джексон-Хайтс в Нью-Йорке, но и весьма кстати оказался чрезвычайно разговорчивым, когда его спросили, чем, собственно, занимается компания «Валера и сын».

С акцентом, достойным «Крестного отца», его собеседник — Чиз Валера, так он представился,— сообщил Линли, что «Валера и сын» обналичивают чеки, дают взаймы и рассылают денежные переводы по всему свету. А что? Хотите послать сюда чуток деньжат? Сделаем. Переведем ваши деньги в доллары. Что у вас там, в Шотландии, ходит-то? Франки? Кроны? Или перешли на евро? Мы все принимаем. Не бесплатно, конечно.

Беспредельно болтливый и, очевидно, столь же бестолковый да еще и доверчивый Валера-сын объяснил, что он и его отец пересылают деньги партиями по девять тысяч девятьсот девяносто девять долларов.

— Девяносто девять центов накиньте, если хотите,— хохотнул он,— но, по мне, это называется искушать судьбу.

Так делается специально для придирчивых индивидов, которые не желают, чтобы в один прекрасный день в их дверь постучали федералы,— а это, несомненно, случится, если когда-нибудь «Валера и сын» задекларируют телеграфные переводы на сумму от десяти тысяч долларов и больше, как того требует «дядюшка Сэмюель и его вашингтонские прихвостни». Так что если кто-нибудь в Шотландии очень хочет послать кому-нибудь в США что-нибудь в районе десяти тысяч баксов, то «Валера и сын» с радостью выступят посредниками в этой операции, не безвозмездно, разумеется. В США, где политики стоят на подхвате, лоббисты подают, выборы всегда на носу, а капиталисты спятили, ничего не бывает безвозмездно.

— А что происходит, если сумма перевода превышает девять тысяч девятьсот девяносто девять долларов и девяносто девять центов? — поинтересовался Линли.

— Ну, тогда «Валера и сын» обо всем докладывают федералам.

— И что делают те?

— Интересуются, когда есть чем. Например, если ваша фамилия Готти, то интерес возникает очень даже просто. А если вы недавно разбогатевший Джо Шмо, то чуть помедленнее.

— Было очень интересно,— сказал Линли Сент-Джеймсу в конце своего доклада.— Мистер Валера готов был продолжать до бесконечности, так его восхитил звонок аж из самого Скотленд-Ярда.

Сент-Джеймс усмехнулся.

— Но он все-таки заткнулся?

— По всей видимости, на сцену вышел мистер Валера-отец. В трубке раздался какой-то шум, похожий на выражение неудовольствия, а потом короткие гудки.

— Томми, я перед тобой в долгу,— сказал Сент-Джеймс.

— Слава богу, что ты, а не Валера-отец.

Теперь в своем номере Сент-Джеймс обдумывал следующий ход. Он пришел к выводу, что, не привлекая внимания ни одного из агентств правительства Соединенных Штатов, он в одиночку должен будет так или иначе разнюхать все недостающие факты и без посторонней помощи выкурить убийцу Ги Бруара из норы. Разработав несколько способов справиться с проблемой, он выбрал один и спустился в фойе.

Там он задал вопрос, можно ли воспользоваться компьютером отеля. Портье, которая невзлюбила его еще раньше за то, что он заставил ее разыскивать его по всему острову, выслушала его просьбу без большого восторга. Она втянула нижнюю губу под выпирающие верхние зубы и ответила, что об этом ему придется справиться у мистера Алиара, управляющего отелем.

— Обычно мы не предоставляем постояльцам такой услуги... Люди, которым нужен компьютер, привозят их с собой. Разве у вас нет ноутбука?

«Или мобильника?» — подразумевалось в ее вопросе, хотя ничего такого она не добавила.

«Получил?» — было написано у нее на лице, когда она уходила на поиски мистера Алиара.

Сент-Джеймс проторчал в фойе добрых десять минут, когда похожий на бочонок человек в двубортном пиджаке наконец вышел к нему из-за двери, что вела в святая святых отеля. Он представился мистером Алиаром — Феликсом Алиаром — и спросил, чем может быть полезен.

Сент-Джеймс изложил свою просьбу более подробно. Рассказывая, он вручил управляющему свою визитку, а также упомянул имя главного инспектора Ле Галле в надежде сойти за легального участника расследования.

Мистер Алиар, оказавшийся человеком куда более учтивым, чем портье, согласился предоставить Сент-Джеймсу доступ к компьютерной системе отеля. Для этого он пригласил постояльца в офис за конторкой портье. Там двое служащих сидели за машинами, а еще одна девушка отправляла по факсу какие-то документы.

Алиар посадил Сент-Джеймса за свободный компьютер и сказал девушке с факсом:

— Пенелопа, этот джентльмен поработает за твоей машиной.

И со словами: «Наш отель всегда рад угодить постояльцам» — он вышел, улыбаясь патентованно фальшивой улыбкой.

Сент-Джеймс поблагодарил его и, не тратя времени даром, вошел в Интернет.

Начав с «Интернэшнл геральд трибьюн», он загрузил их веб-сайт, на котором узнал, что любую статью более чем двухнедельной давности можно прочесть лишь на том сайте, с которого она взята. Это его не удивило, учитывая характер сообщения, которое он искал, и ограниченную тематику газеты. Тогда он перешел к «Ю-эс-эй тудэй», но там печатали только большие истории, так или иначе связанные с основной темой выпуска: правительственные дела, международные происшествия, громкие убийства, героические поступки.

Тогда он выбрал «Нью-Йорк таймс» и напечатал в окошке поиска «Питер де Хоох». Когда это ничего не дало — «Санта-Барбара». Но когда и это не принесло никаких результатов, он начал сомневаться в правильности теории, которая возникла у него, когда он впервые услышал о существовании фирмы «Валера и сын» в Джексон-Хайтс в Нью-Йорке, и окрепла, когда он узнал о том, чем занимается эта компания.

В запасе оставался только один вариант, «Лос-Анджелес таймс», к чьим архивам он и обратился. Как и прежде, он ограничил интересовавший его период последними двенадцатью месяцами и ввел имя «Питер де Хоох». Менее чем через пять секунд экран монитора моргнул и выдал список статей, в которых упоминался художник: пять на этой странице и еще сколько-то в запасе.

Он выбрал первую и стал ждать, когда компьютер ее загрузит. Сначала на экране появился заголовок: «Воспоминания одного отца».

Сент-Джеймс проглядел статью. Отдельные фразы так и бросались ему в глаза, словно набранные более крупным шрифтом. И только наткнувшись на слова «награжденного ветерана Второй мировой войны», он начал читать внимательно. Речь шла о проведенной давным-давно, но до тех пор неслыханной операции по пересадке сердца, легких и почек, которая имела место в госпитале «Санта-Клара» города Санта-Ана. Пациентом был пятнадцатилетний мальчик по имени Джерри Фергюсон. Его отец Стюарт и был тем самым награжденным ветераном, о котором шла речь в статье.

Продавец автомобилей Стюарт Фергюсон — такова была его профессия — очевидно, провел остаток своих дней, изыскивая способ расплатиться с клиникой, в которой спасли жизнь его сыну. «Санта-Клара», благотворительная больница, основным принципом которой было не отказывать тем, кто нуждался в помощи, не требовала оплаты счета за лечение, составлявшего более двухсот тысяч долларов. Рядовой продавец автомобилей, обремененный четырьмя детьми, не мог и надеяться скопить такую сумму, поэтому перед смертью Стюарт Фергюсон завещал больнице единственную потенциально ценную вещь, которой владел,— картину.

«Мы и понятия не имели...— цитировало издание слова его вдовы.— Стю точно ничего не знал... Он говорил, что получил ее во время войны... Как сувенир... Вот все, что я о ней знаю».

«Я думал, что это просто старая картина,— дал свой комментарий Джерри Фергюсон после того, как полотно было оценено специалистом из музея Гетти.— Она висела у папы и мамы в спальне. И знаете, мне она никогда особенно не нравилась».

Итак, похоже было, что восхищенные сестры милосердия, чья клиника существовала буквально на медные деньги, неустанно собираемые ими в виде пожертвований, вдруг унаследовали бесценное произведение искусства. Историю сопровождала фотография, на который повзрослевший Джерри Фергюсон и его мать были запечатлены в момент передачи картины «Святая Варвара» Питера де Хооха сестре Монике Кейси, чей кислый вид объяснялся, вероятно, тем, что тогда она и понятия не имела, какой ценности касаются ее благочестивые руки.

Когда позднее мать и сына спросили, не жалеют ли они о том, что пришлось расстаться со столь ценной вещью, то женщина сказала: «Мы удивились, узнав, что такая дорогая вещь так долго хранилась в нашем доме». Ответ сына звучал достойно: «Отец хотел, чтобы так было, и мне этого достаточно».

Сестра Кейси, в свою очередь, заявила, что их «сердца трепещут от благодарности» и что картину продадут с аукциона, как только она будет приведена в надлежащий вид. А до тех пор, сообщила она репортерам, сестры милосердия поместят картину де Хооха «куда-нибудь в надежное место».

«Видно, место оказалось недостаточно надежным»,— подумал Сент-Джеймс.

С этого все и началось.

Он щелкнул на продолжение истории и нисколько не удивился, узнав, какой оборот приняли события в Санта-Ане, Калифорния.

Быстро пролистав их — для того чтобы проследить путь «Святой Варвары» Питера де Хооха из больницы «Санта-Клара» в дом Ги Бруара, много времени не потребовалось,— он распечатал то, что было ему нужно.

Потом соединил распечатки скрепкой. И поднялся наверх обдумывать свой следующий шаг.

Дебора заваривала чай, а Чайна то брала трубку телефона, то снова опускала ее на место, иногда набрав несколько цифр, а иногда не дойдя и до этого. На обратном пути в дом королевы Маргарет она приняла решение позвонить матери. Должна же та узнать, что происходит с Чероки, сказала Чайна. Но когда настал момент истины, как она его называла, ей не хватало сил исполнить задуманное. Она набирала код международной связи. Набирала единицу для звонка в США. И даже код округа Ориндж в Калифорнии. Но на этом у нее сдавали нервы.

Пока Дебора отмеряла заварку, Чайна объяснила причину своих колебаний. Оказалось, всему виной детское суеверие.

— Я все боюсь сглазить его своим звонком.

Дебора вспомнила, что уже слышала такое от нее раньше. Не говори, что фотосессия или экзамен пройдут нормально, а то провалишься, потому что сама себя сглазишь. Не говори, что ждешь звонка от парня, а то сглазишь и он не позвонит. Не радуйся, когда быстро едешь по одному из огромных калифорнийских шоссе, а то сглазишь и через десять минут нарвешься на аварию и пробку в четыре мили длиной. Дебора называла такое извращенное мышление законом Чайналенда и, живя с Чайной в Санта-Барбаре, сама привыкла следить за своим языком, чтобы ненароком чего-нибудь не сглазить.

— А что еще ты можешь сглазить? — спросила она.

— Сама не знаю. Просто чувство такое. Как будто я позвоню ей и расскажу, что случилось, а она приедет и все сразу станет еще хуже.

— Но ведь это же нарушение основного закона Чайналенда,— заметила Дебора.— По крайней мере, как я его помню.

И она включила электрический чайник.

Услышав от Деборы это давно забытое слово, Чайна улыбнулась, точно помимо своей воли.

— Почему? — спросила она.

— Ну, насколько я помню порядок вещей в Чайналенде, если хочешь попасть в мишень, целься в другую сторону. Не позволяй судьбе догадаться о том, что ты задумала, а не то она тотчас вмешается и все испортит. Выбирай обходные пути. Подкрадывайся к цели незаметно.

— Бросайся на мерзавку стремглав,— добавила Чайна.

— Вот именно.— Дебора достала из шкафа кружки.— Поэтому в данном случае мне кажется, что тебе необходимо позвонить матери. У тебя просто нет выбора. Если ты позвонишь ей и потребуешь, чтобы она приехала на Гернси...

— У нее даже паспорта нет, Дебс.

— Тем лучше. Значит, ей будет стоить неимоверного труда добраться до острова.

— Не говоря уже о деньгах.

— Ммм. Да. Это практически гарантирует успех.— Дебора прислонилась к кухонному столу.— Паспорт придется делать быстро. А для этого ей надо будет поехать... куда?

— В Лос-Анджелес. Федеральное здание. Рядом с шоссе на Сан-Диего.

— За аэропортом?

— Намного дальше. За Санта-Моникой.

— Прекрасно. Столько кошмарных пробок. Столько сложностей. Значит, сначала она поедет туда и сделает себе паспорт. Потом купит билеты. Полетит в Лондон, а уж оттуда на Гернси. И вот, преодолев столько трудностей, переволновавшись...

— Она приезжает сюда и узнает, что все уже утряслось.

— Причем, возможно, всего за час до ее приезда.— Дебора улыбнулась.— И — вуаля. Закон Чайналенда в действии. Такие сложности, такие расходы. И все напрасно.

У нее за спиной со щелчком выключился чайник. Она налила кипятка в большой зеленый заварник, поставила его на стол и сделала Чайне знак, что можно садиться.

— А если ты ей не позвонишь...

Чайна оставила телефон и вошла в кухню. Дебора ожидала, что подруга закончит ее мысль. Но Чайна села за стол, взяла кружку и стала медленно вертеть ее между пальцев.

— Я давно бросила так думать,— проговорила она.— Да и вообще это была просто игра. Но она перестала работать. Или это я перестала работать. Не знаю.

Она отодвинула кружку в сторону.

— Все началось с Мэтта. Я тебе рассказывала? Когда мы были подростками. Я проходила мимо его дома, и, когда не смотрела в его сторону и даже не думала о нем, он всегда оказывался там: возился в гараже, или подстригал лужайку для матери, или еще что-нибудь делал. Но стоило мне бросить в ту сторону хоть один взгляд или подумать о нем, даже просто вспомнить его имя, и его там не оказывалось. Это всегда срабатывало. Тогда я и стала продолжать. Если я буду делать вид, что нисколько им не интересуюсь, то он заинтересуется мной. Если я не захочу с ним встречаться, он захочет встречаться со мной. Если я буду думать, что он никогда даже не поцелует меня на прощание, то он обязательно поцелует. У него просто не будет выбора. Он будет умирать от отчаяния. Подсознательно я всегда знала, что на самом деле так не бывает: нельзя думать и говорить нечто прямо противоположное тому, чего ты на самом деле хочешь,— но, раз начав видеть мир в таком свете, играть в эту игру, я уже не могла остановиться. В конце концов я, разумеется, пришла к такому выводу: если я буду строить планы жизни с Мэттом, этого никогда не случится. Поэтому надо делать вид, что он мне не нужен, и тогда он сам прибежит как миленький и будет просить руку и сердце.

Дебора разлила чай и мягко подтолкнула кружку назад к Чайне.

— Мне жаль, что все так вышло. Я знаю, как ты его любила. И чего хотела. На что надеялась. Чего ждала. Как угодно.

— Да. Вот именно, как угодно. Точнее не скажешь.

Сахар стоял посреди стола в стеклянном дозаторе. Чайна схватила его и перевернула вверх дном над своей чашкой, так что белые гранулы посыпались в чай, точно снег. Когда Дебора решила, что чай превратился в пойло, Чайна отставила сахар в сторону.

— Мне очень жаль, что все вышло не так, как ты хотела,— сказала Дебора.— Но может быть, еще не все потеряно.

— То есть у меня выйдет так же, как у тебя? Нет. Я не из таких. Я не умею приземляться на все четыре лапы. Никогда не умела. И уже не научусь.

— Ты же не знаешь...

— С одним мужчиной у меня все кончено, Дебора,— перебила Чайна нетерпеливо.— Надеюсь, ты мне веришь? И у меня нет в запасе второго, пусть даже увечного, который ждет не дождется, когда можно будет выйти на сцену и продолжить с того места, где остановился предыдущий.

Дебора даже моргнула, так больно уязвили ее слова старинной подруги.

— Вот, значит, как ты видишь мою жизнь... то, что случилось... как все произошло... Вот, значит, как... Чайна, это несправедливо.

— Неужели? Я, значит, маялась с Мэттом, который то уходил, то приходил. Туда-сюда. Классный секс сегодня, разрыв со скандалом завтра. Он вновь возвращается с обещанием, что «теперь все будет по-другому». Мы падаем в постель и трахаемся так, что чуть мозги не вылетают. А через три недели снова ссоримся из-за какой-нибудь ерунды. Он обещает прийти в восемь, а сам появляется только в одиннадцать тридцать и не звонит, не предупреждает, что придет поздно, а когда он заявляется, я уже сыта всем этим по горло и говорю ему: ну все, с меня хватит, все, убирайся. Десять дней спустя он звонит. И говорит: «Слушай, детка, дай мне еще один шанс, я не могу без тебя». И я ему верю. То ли потому, что дура такая, то ли ни на что больше не надеюсь, и все начинается снова. А ты в это время развлекалась со своим чертовым герцогом, ни больше ни меньше, или кто он там. А как только он навсегда покинул сцену, на ней тут же появился Саймон, и десяти минут не прошло. Вот я и говорю, ты всегда приземляешься на все четыре лапы.

— Но ведь ничего похожего не было,— возразила Дебора.

— Нет? Так расскажи мне, что было. Сделай так, чтобы это было похоже на нас с Мэттом.

Чайна потянулась за чашкой. Но пить не стала.

— Не получится, верно? — констатировала она.— Потому что у тебя все было по-другому.

— Мужчины не...

— Я не о мужчинах говорю. Я говорю о жизни. О том, как она обошлась со мной. И о том, как она вечно обходится с тобой.

— Ты видишь только внешнюю сторону,— не сдавалась Дебора.— И сравниваешь то, какой моя жизнь кажется снаружи, с тем, как ты чувствуешь себя изнутри. Но это бессмысленно. Чайна, у меня ведь даже матери не было. Ты же знаешь. Я выросла в чужом доме. Первую половину жизни я провела, пугаясь собственной тени, в школе меня дразнили за рыжие волосы и веснушки, а дома я даже попросить о чем-нибудь не смела, ни у кого, в том числе у собственного отца. И испытывала просто болезненную благодарность ко всякому, кто хотя бы гладил меня по голове, как собаку. До четырнадцати лет у меня и друзей не было, только книги да третьесортный фотоаппарат. Я жила в чужом доме, где мой отец был чуть лучше прислуги, и думала: «Ну почему он не сделал хоть какую-нибудь карьеру? Почему не стал доктором, дантистом или банкиром? Почему он не ходит по утрам на работу, как все папы? Почему...»

— Господи, да мой отец вообще в тюрьме сидел! — закричала Чайна.— Он и сейчас там же. За наркоторговлю. Ты меня слышишь? Тебе понятно? Мой отец — грязный торговец дурью. А моя мать... Как бы тебе понравилось, если бы вместо матери у тебя была мисс Американское Красное Дерево? Которая спасала бы пятнистых сов или трехногих земляных белок. Боролась против строительства дамб, шоссе или бурения нефтяных скважин, но ни разу, ни одного разу не вспомнила про твой день рождения, не собрала тебе в школу завтрак и не позаботилась о том, чтобы у ее ребенка была хоть одна приличная пара обуви. А уж про такие вещи, как игра Малой лиги, собрание девочек-скаутов или учительская конференция, нечего и говорить, на них она никогда не тратила время, потому что, видит бог, угроза вымирания одуванчиков может поставить на край гибели всю экосистему. Так что не смей, слышишь, не смей сравнивать свою убогую жизнь сопливой дочки дворецкого в чьем-то там особняке с моей!

Дебора судорожно вздохнула. Похоже, говорить было больше не о чем.

Чайна, отвернувшись, сделала большой глоток.

Деборе хотелось возразить, что не от нас зависит, какие карты мы получаем при рождении, и потому значение имеет лишь то, как мы их разыграем, а не то, что мы имеем на руках с самого начала. Но она сдержалась. Не упомянула и о том, что давным-давно, когда умерла ее мать, она узнала, что даже из самого горького горя может произойти что-то хорошее. Потому что не хотела показаться самодовольной, поверхностной моралисткой. А еще ей не хотелось обсуждать их с Саймоном брак, которого не было бы, если бы его родители не решили, что ее убитого горем отца надо отослать из Саутгемптона подальше. Не поручи они тогда Джозефу Коттеру следить за перестройкой запущенного родового гнезда в Челси, она никогда бы не оказалась под одной крышей с человеком, которого полюбила, за которого в конце концов вышла замуж и с которым делила свою жизнь. Но в разговоре с Чайной упоминать о таких вещах было небезопасно. Ей и без того сейчас туго приходилось.

Дебора понимала, что могла бы умерить тревоги Чайны, поделись она с подругой информацией — о дольмене, о коде на его двери, о картине внутри его, о состоянии почтового туба, в котором ничего не подозревающий Чероки Ривер провез контрабанду сначала в Великобританию, а потом на Гернси. Но понимала она и то, что долг перед мужем обязывал ее молчать. Поэтому просто сказала:

— Я знаю, что тебе страшно, Чайна. Но все будет в порядке. Поверь.

Чайна продолжала смотреть в другую сторону. Дебора увидела, что ей трудно глотать.

— В тот самый миг, когда мы ступили на землю этого острова,— снова заговорила Чайна,— мы стали игрушками в чьих-то руках. Как я жалею, что мы не отдали эти дурацкие чертежи и не убрались отсюда подальше! Так нет же. Втемяшилось мне делать об этом доме статью. Все равно ее никто не купит. Глупость какая-то. Тупость. Типичная для Чайны провальная идея. И вот... Я нам обоим все испортила, Дебора. Он-то хотел уехать. И с радостью уехал бы. Потому что только этого ему и хотелось. Но я подумала: вот шанс сделать несколько удачных снимков, собрать статью из ничего. Вот это-то и было самое глупое, потому что когда же мне удавалось продать статью, сделанную из ничего? Никогда. Господи, и что я за неудачница такая?

Это было уже слишком. Дебора встала и подошла к стулу, на котором сидела подруга. Встав у нее за спиной, она обняла Чайну, прижалась щекой к ее макушке и сказала:

— Перестань. Перестань сейчас же. Я клянусь тебе...

Но не успела она закончить, как за их спинами распахнулась входная дверь и поток ледяного декабрьского воздуха ворвался в квартиру. Они обернулись, и Дебора сделала шаг к двери, чтобы закрыть ее. Но застыла, увидев того, кто вошел.

— Чероки! — воскликнула она.

Вид у него был жалкий: небритый, одежда измятая, но на лице тем не менее сияла улыбка. Он поднял руку, предупреждая их восклицания и вопросы, и снова вышел за дверь. Рядом с Деборой медленно встала Чайна. Она замерла, схватившись обеими руками за спинку стула.

Чероки появился снова. В руках он держал спортивные сумки, которые забросил в квартиру. Затем откуда-то из куртки достал две тонкие синенькие книжицы с золотым тиснением на обложке. Одну бросил сестре, а другую поцеловал.

— Наш обратный билет,— пояснил он.— Давай-ка свалим отсюда по-тихому, Чайн.

Она посмотрела на него, потом на паспорт в своих руках.

— Что...— начала она, но тут же бросилась через всю комнату обнимать его.— Что случилось? Что?

— Понятия не имею, да я и не спрашивал,— ответил ее брат.— Какой-то коп пришел ко мне в камеру со всем нашим барахлом минут двадцать назад. Сказал: «Все кончено, мистер Ривер. Чтобы к завтрашнему утру вас не было на этом острове». Или что-то в этом роде. И даже снабдил нас билетами до Рима, «если вы не раздумали туда лететь», как он сказал. Ну и прибавил, конечно, что государство Гернси приносит свои извинения за причиненные нам неудобства.

— Он так сказал? Неудобства? Да мы засудим этого мерзавца к чертям собачьим, и...

— Тихонько, тихонько,— сказал Чероки.— Лично меня интересует только одно: как быстрее попасть домой. Если бы сегодня был рейс, поверь мне, я уже был бы на нем. Один вопрос: ты в Рим хочешь?

— Я домой хочу,— ответила Чайна.

Чероки кивнул и поцеловал ее в лоб.

— Должен признаться, моя хижина в каньоне еще никогда не казалась мне такой привлекательной.

Дебора наблюдала эту сцену между братом и сестрой, и на сердце у нее становилось все легче. Она знала, кто ответствен за освобождение Чероки Ривера, и благословляла его. Саймон не однажды приходил ей на помощь, но никогда еще результаты его вмешательства не были столь блестящими. Но дело было не только в этом. Дело было в том, что он прислушался к ее интерпретации фактов. Даже больше: он наконец услышал ее.

Рут Бруар завершила медитацию, ощущая душевный покой, которого не знала уже многие месяцы. Со смерти Ги она совсем забросила свои ежедневные тридцатиминутки спокойного созерцания, и результат не замедлил сказаться: ее мысли перескакивали с одного предмета на другой, а тело впадало в панику от каждого приступа боли. В таком состоянии она носилась по адвокатам, банкирам и брокерам, а в свободные минуты рылась в бумагах брата, чтобы понять, как и почему он изменил свое завещание. Эти занятия разнообразили лишь визиты к врачу, с которым они подбирали лекарство для более эффективной борьбы с болью. В результате все ответы и решения, в которых она нуждалась, оказались внутри ее самой.

Этот сеанс показал ей, что она еще не утратила способности к сосредоточенному созерцанию. Одна в своей комнате, со свечой, горевшей на столе рядом с ней, она сидела и сосредоточивалась на своем дыхании. Усилием воли гнала снедавшую ее тревогу. На полчаса ей удалось отпустить горе.

Увидев, что дневной свет сменился темнотой, она встала с кресла. В доме стояла полная тишина. Давно знакомые приветливые звуки, наполнявшие дом при жизни ее брата, затихли с его смертью, оставив пустоту, в которой она чувствовала себя как человек, выброшенный внезапно в космическое пространство.

Так все и будет здесь до ее собственной смерти. Остается только желать, чтобы это произошло поскорее. Она неплохо держалась, пока дом наполняли гости и надо было готовиться к похоронам Ги и проводить их. Но ей предстояло дорого заплатить за это — усталость и боль предъявили свой счет. А наступившее одиночество давало возможность оправиться от пережитого. И отпустить былое.

Теперь ей не перед кем разыгрывать здоровье, подумала она. Ги умер, а Валери все знает, хотя Рут не обмолвилась с ней ни словом. Но это ничего, ведь Валери всегда умела держать язык за зубами. Рут не жаловалась на болезнь, а Валери ни о чем не спрашивала. Чего еще требовать от женщины, которая большую часть времени проводит в одном доме с тобой.

Из ящика комода Рут достала пузырек и вытряхнула из него на ладонь пару пилюль. Запила их водой из графина, стоявшего на столике у кровати. От пилюль ей захочется спать, но в доме все равно никого нет, так зачем бодрствовать. Она может спать хоть за обедом, если захочет. Или у телевизора. Да что там, она может уснуть прямо здесь, в своей спальне, и не выходить из нее до рассвета. Вот только примет еще пару пилюль. Это была соблазнительная мысль.

Но вдруг она услышала шелест гравия под колесами автомобиля, подъезжавшего к дому по аллее. Подойдя к окну, она успела заметить лишь задние огни машины, огибавшей дом. И нахмурилась. Она никого не ждала.

Она пошла в кабинет брата, к окну. Через двор увидела, как кто-то ставит огромный автомобиль в бывшую конюшню. Задние фары еще горели, точно водитель раздумывал, что делать дальше.

Она смотрела и ждала. Казалось, человек в машине тоже ждет ее ответного хода. И она решилась.

Покинув кабинет Ги, подошла к лестнице. От долгой неподвижности во время медитации у нее затекло все тело, так что спускаться пришлось медленно. Запах обеда, оставленного на плите Валери, щекотал ноздри. Однако она шла на кухню не потому, что хотела есть, а потому, что это казалось ей разумным.

Окна кухни, как и окно кабинета ее брата, выходили во двор. Под предлогом того, что собирается обедать, она посмотрит, кто это приехал в Ле-Репозуар.

Ответ на свой вопрос она получила, одолев последнюю лестницу. По коридору, ведущему в заднюю часть дома, она пошла к полуоткрытой двери, из которой на ковер косо падал луч света. Толкнув дверь, увидела, что у плиты, энергично помешивая содержимое кастрюльки, оставленной Валери томиться на дальней конфорке, стоит ее племянник.

— Адриан! Я думала...

Он обернулся.

— Я думала... Ты здесь. Но ведь твоя мать сказала, что уезжает...

— И ты подумала, что я уеду тоже. В этом есть смысл. Обычно я следую за ней, куда бы она ни направлялась. Но не в этот раз, тетя Рут.

И он протянул ей длинную деревянную ложку, чтобы она попробовала блюдо — кажется, говядину по-бургундски.

— Ты готова? Где будешь обедать: в столовой или здесь?

— Спасибо, но я не хочу есть.

По правде говоря, у нее кружилась голова, возможно, это был результат пилюль, принятых на голодный желудок.

— Это заметно,— сказала Адриан.— Ты сильно похудела. Разве тебе никто этого не говорил?

Он подошел к буфету и взял оттуда супницу.

— Но сегодня ты поешь.

Он начал накладывать в супницу мясо. Потом закрыл ее крышкой и достал из холодильника зеленый салат, тоже приготовленный Валери. Из духовки вынул еще одну кастрюльку — с рисом — и начал расставлять все это на столе посреди кухни. Добавил стакан для воды, тарелки и приборы на одного.

— Адриан, зачем ты вернулся? Твоя мать... Конечно, она ничего конкретного не сказала, но, когда она собралась уезжать, я решила... Дорогой, я знаю, как разочаровало тебя завещание отца, но он был непреклонен. И как бы там ни было, по-моему, я должна уважать...

— Я не жду от тебя никаких изменений ситуации,— успокоил ее Адриан.— Отец все доходчиво объяснил. Садись, тетя Рут. Я принесу тебе вина.

Рут испытывала тревогу и озабоченность. Дожидаясь его возвращения, она слушала, как он рылся в кладовке, которую Ги давным-давно превратил в винный погреб. Адриан выбирал вино из отцовской коллекции дорогих бутылок. Вот одна из них звякнула о мраморную полку, изначально предназначенную для сыров и мяса. В следующий миг Рут услышала журчание текущего из горлышка вина.

Она задумалась над его поступком, удивляясь, что он затеял. Когда через несколько минут племянник вернулся с откупоренной бутылкой бургундского в одной руке и стаканом вина в другой, она заметила, что бутылка старая: этикетку покрывала пыль. Ги ни за что не выбрал бы ее для столь незначительной трапезы.

— По-моему...— начала она, но Адриан пролетел мимо и церемонно выдвинул из-за стола стул.

— Садитесь, мадам,— сказал он.— Обед готов.

— А ты разве не будешь?

— Я перехватил кое-что по дороге из аэропорта. Кстати, мама улетела. Она уже, наверное, на месте. Мы с ней наконец-то умыли руки по отношению друг к другу, чего Уильям — это ее нынешний муж, если ты забыла,— не сможет не оценить. Да я его и не осуждаю. Он ведь не планировал приобрести постоянного жильца в лице пасынка, когда женился на ней, правда?

Не знай Рут своего племянника, она бы увидела в его поведении и словах признаки маниакального состояния. Но за все тридцать семь лет его жизни она ни разу не замечала в нем ничего похожего на маньяка. Значит, тут что-то другое. Просто она не знает, как это назвать. И что это значит. И как к этому относиться.

— Вот странно-то,— прошептала Рут.— Я была совершенно уверена, что ты забрал свои вещи. Чемоданов я, правда, не видела, но... Странно, какими представляются нам события, когда мы настроены воспринимать их определенным образом.

— Как ты права.

Он положил на ее тарелку рис и прибавил мяса. Поставил все это перед ней.

— Эту беду мы навлекаем на себя сами, с предубеждением глядя на жизнь. И на других людей. Ты ничего не ешь, тетя Рут.

— Аппетит... с этим у меня трудно.

— Ну так я тебе помогу.

— Не вижу как.

— Знаю, что не видишь,— ответил он.— Но я не так бесполезен, как кажусь.

— Я не хотела...

— Ничего.— Он поднял ее бокал.— Выпей немного вина. Если я чему и научился от отца, так это выбирать хорошие вина. К примеру, вот это.

Он поднял вино и посмотрел его на свет.

— С удовольствием сообщаю, что у него исключительная выдержка, восхитительное послевкусие, прекрасный букет с легкой остротой в конце... Фунтов пятьдесят за бутылку? Или больше? Хотя это не важно. Главное, что оно прекрасно подходит к тому, что ты ешь. Попробуй.

Она улыбнулась ему.

— Если бы я тебя не знала, то подумала бы, что ты хочешь меня напоить.

— Тогда уж отравить,— сказал Адриан.— И унаследовать состояние, которого не существует. Полагаю, что твоим наследником я также не являюсь.

— Мне очень жаль, но это так, дорогой мой,— ответила ему Рут. И когда он протянул ей бокал с вином, добавила: — Я не могу. Мое лекарство... Боюсь, что если смешать его с вином, легче мне не станет.

— А-а.— Он поставил стакан.— Не хочешь слегка рискнуть напоследок?

— Риск — это по части твоего отца.

— Да, и вот до чего он его довел,— сказал Адриан.

Рут опустила глаза и дотронулась до вилки.

— Мне будет не хватать его.

— Не сомневаюсь. Попробуй говядину. Она очень вкусная.

Она посмотрела на него.

— Ты пробовал?

— Никто не умеет готовить так, как Валери. Ешь, тетя Рут. Я не выпущу тебя из кухни, пока ты не съешь хотя бы половину.

То, что он так и не ответил на ее вопрос, не укрылось от Рут. В сочетании с его возвращением в Ле-Репозуар, когда она считала, что он улетел с матерью, это заставляло задуматься. Однако никаких причин бояться племянника у нее не было. О завещании своего отца он знал все, а о своем она сообщила ему только что. И все же она сказала:

— Такая забота с твоей стороны... я просто польщена.

Они разглядывали друг друга через стол, на котором дымились блюда с говядиной и рисом. Однако молчание между ними отличалось от того молчания, которым Рут наслаждалась некоторое время тому назад, и потому она была рада, когда зазвонил телефон, вдребезги разбив тишину своим настойчивым «брррринг».

Рут стала вставать, чтобы ответить.

Адриан ее опередил.

— Нет. Ты ешь, тетя Рут. Ты уже целую неделю о себе не заботилась. Кто бы там ни звонил, он позвонит позже. А ты тем временем успеешь подкрепиться.

Она подняла вилку, показавшуюся ей невероятно тяжелой.

— Да. Хорошо. Раз ты настаиваешь, дорогой...

Она вдруг поняла, что ей все равно, что будет. Так или иначе, скорого конца не избежать.

— Но могу я спросить... Зачем тебе все это, Адриан?

— Никто никогда так и не понял одного: я любил его,— ответил Адриан.— Несмотря ни на что. А он хотел бы, чтобы я был здесь, тетя Рут. Ты это не хуже меня знаешь. Он хотел бы, чтобы я был с тобой до самого конца, потому что сам бы так сделал.

Против этой правды возразить было нечего. Вот почему Рут положила в рот первый кусок.

29

Когда Дебора покидала дом королевы Маргарет, Чероки и Чайна перебирали свои пожитки, убеждаясь накануне отъезда, что все на месте. Но прежде Чероки затребовал сумочку Чайны и шумно рылся в ней в поисках кошелька. Он объяснил, что ищет деньги, чтобы пойти куда-нибудь поужинать и весело провести ночь перед отъездом. Но все кончилось вопросом:

— Сорок фунтов, Чайн?

Он оценил недостаточность средств, которыми располагала сестра.

— Господи, похоже, придется мне самому бежать за едой.

— А это, конечно, многое меняет,— заметила Чайна.

— Подожди-ка.— Чероки поднял палец, как человек, которого внезапно посетило вдохновение.— Бьюсь об заклад, на Хай-стрит есть банкомат, из которого ты можешь взять деньги.

— И даже если нет,— добавила Чайна,— по чистой случайности у меня с собой имеется кредитная карта.

— Сегодня и впрямь мой счастливый день.

И брат с сестрой весело рассмеялись. Они открыли свои дорожные сумки, чтобы проверить, все ли в них на месте. Тут Дебора с ними попрощалась. Чероки пошел провожать ее к двери. Снаружи, на полутемной лестнице, он ее остановил.

Стоя в тени, он особенно походил на мальчишку, которым, скорее всего, навсегда останется в душе.

— Дебс. Спасибо тебе. Без тебя... и без Саймона... в общем... спасибо.

— Мне кажется, мы ничего особенного не сделали.

— Ты много сделала. И вообще, ты была здесь. Как друг.— Он коротко усмехнулся.— Хотя мне хотелось большего. Черт. Ты знала? Знала, конечно. Замужняя дама. Мне всегда не везло с тобой.

Дебора моргнула. Ей стало жарко, но она молчала.

— Не то время, не то место,— продолжал Чероки.— Вот если бы все было по-другому, тогда или сейчас...

Он поглядел куда-то за нее, на крохотный дворик и уличные фонари за ним.

— Я просто хотел, чтобы ты знала. И не из-за того, что ты для нас сделала. Так было всегда.

— Спасибо,— ответила Дебора.— Я это запомню, Чероки.

— Если когда-нибудь наступит время...

Она положила руку ему на плечо.

— Оно не наступит,— сказала она.— Но все равно спасибо.

— Да. Ну ладно,— вздохнул он и поцеловал ее в щеку.

А потом, прежде чем она успела увернуться, взял ее за подбородок и поцеловал прямо в рот. Его язык коснулся ее губ, раздвинул их, скользнул внутрь и отпрянул.

— Мне хотелось сделать это с тех самых пор, как я тебя увидел,— признался он.— Черт возьми, и за что это английским парням такое везение?

Дебора отступила назад, все еще чувствуя вкус его поцелуя. Ее сердце билось быстро, легко и чисто. Но если она и дальше будет стоять в полутьме с Чероки Ривером, то оно забьется по-другому.

— Английским парням везет всегда,— ответила она и оставила его у двери.

По дороге в отель ей хотелось продолжать думать об этом поцелуе и обо всем, что ему предшествовало. Поэтому она избрала самый долгий путь. Спустилась вниз по лестнице Конституции и направилась на Хай-стрит.

Людей на улице почти не было. Магазины закрылись, а те рестораны, которые еще работали, располагались дальше, возле Ле-Полле. Три человека стояли в очереди к банкомату напротив Нет-Уэст, да пятеро подростков разговаривали по одному мобильному так громко, что их голоса эхом отдавались от стен домов на узенькой улочке. Тощая кошка поднялась по ступенькам с набережной и заскользила дальше, прижимаясь к фасаду обувного магазина, а где-то поблизости залился лаем пес, и мужской голос прикрикнул на него, чтобы он замолк.

Там, где Хай-стрит поворачивала направо и превращалась в Ле-Полле, спускавшуюся к гавани покатым склоном из аккуратно уложенных булыжников, Смит-стрит начинала свой подъем. Дебора свернула на нее и стала карабкаться на холм, думая о том, как за двенадцать коротких часов день перевернулся с ног на голову. Все началось с тревоги и нарастающего отчаяния, а кончилось шумным весельем. И откровением. Но эту мысль она тут же выбросила из головы.

Она знала, что слова Чероки родились под влиянием сиюминутной бурной радости и ощущения свободы, которую он почти уже потерял. Не следует принимать всерьез слова, сказанные на пике такого счастья.

Но вот поцелуй... Его она принимала всерьез. Но только как то, чем он был, то есть просто поцелуй. Ей понравилось его ощущение. Более того, ей понравилось возбуждение, которое он с собой принес. Однако ей хватило мудрости не принимать возбуждение за что-то более серьезное. И она не чувствовала себя вероломной или виноватой перед Саймоном. Ведь это был, в конце концов, всего лишь поцелуй.

Она улыбнулась и вспомнила все, что ему предшествовало, миг за мигом. Способность так по-детски радоваться всегда была отличительной чертой характера Чероки. А приступ серьезности, охвативший его на Гернси, возможно, впервые за все его тридцать три года, был скорее исключением, чем правилом.

Теперь они свободны либо продолжать путешествие, либо вернуться домой. Но что бы они ни выбрали, они унесут с собой частичку души Деборы, которая за три коротких года в Калифорнии из девочки превратилась в женщину. Без сомнения, Чероки будет бесить свою сестру и дальше. А Чайна будет по-прежнему сокрушать планы своего брата. Пикировка между ними не прекратится никогда, как это обычно бывает с личностями сложными и незаурядными. Но они всегда будут вместе. Такова природа кровных уз.

Думая об их отношениях, Дебора шла мимо магазинов Смит-стрит, почти не глядя по сторонам. И остановилась только на середине улицы, ярдах в тридцати от автомата, где купила газету сегодня днем. Она поглядела на окружавшие ее здания: Бюро консультации населения, «Маркс и Спенсер», турагентство Дэвиса, булочная Филлера, галерея Сент-Джеймса, книжный магазин Баттона... Прочитав эти и другие вывески, она нахмурилась. Вернулась к началу улицы и медленно пошла наверх, внимательно осматриваясь вокруг. У военного мемориала она остановилась.

«Похоже, придется мне самому бежать за едой».

Дебора поспешила в отель.

Саймона она нашла не в номере, а в баре. Он читал «Гардиан» и попивал виски — стакан стоял у его локтя. Целая компания бизнесменов толкалась в баре, они шумно опрокидывали свой джин с тоником и ныряли в общую миску за чипсами. В воздухе крепко пахло сигаретным дымом и человеческими телами, пропотевшими за долгий офшорно-финансовый рабочий день.

Дебора пробилась к мужу сквозь толпу. Она увидела, что Саймон одет для ужина.

— Пойду переоденусь,— торопливо сказала она.

— Не стоит,— ответил он.— Сразу пойдем или сначала выпьешь?

Она удивилась, почему он не спрашивает, где она была. Он сложил газету и поднял свой стакан в ожидании ответа.

— Я...— замешкалась она,— ну, может быть, шерри?

— Я принесу,— сказал он и двинулся к стойке, лавируя между посетителями.

Когда Саймон вернулся с напитком, она сказала:

— Я была у Чайны. Чероки отпустили. Им сказали, что они могут уезжать. Точнее, что они должны уехать первым же рейсом. В чем дело?

Казалось, он всматривается в нее, и это мгновение тянулось так долго, что на ее щеках выступила краска.

— Тебе ведь нравится Чероки Ривер, правда?

— Мне они оба нравятся. Саймон, в чем дело? Скажи мне. Пожалуйста.

— Картину украли, а не купили,— сказал он и бесстрастно добавил: — В Южной Калифорнии.

— В Южной Калифорнии?

Дебора чувствовала тревогу в своем голосе, но ничего не могла поделать, несмотря на все радостные события двух последних часов.

— Да. В Южной Калифорнии.

Саймон рассказал ей историю картины. И все время не сводил с нее долгого взгляда, который начал ее раздражать, потому что она чувствовала себя девчонкой, разочаровавшей своего родителя. Она терпеть не могла этот его взгляд еще с давних пор, но ничего не сказала, дожидаясь, пока он закончит свой рассказ.

— Добрые сестры больницы «Санта-Клара» приняли все меры предосторожности, когда узнали, что за полотно находится у них в руках, но их оказалось недостаточно. Кто-то внутри уже разузнал — тогда или раньше,— что, где и как. Фургон был бронирован, охранники вооружены до зубов, но дело происходило в Америке, стране, где быстро и без проблем можно купить все, что угодно, от АК-47 до взрывчатки.

— Значит, фургон попал в засаду?

— Да, когда картину возвращали из реставрации. Легко и просто. Причем засада была устроена так, что на калифорнийских дорогах ни у кого не вызвала бы подозрения.

— Пробка. Или дорожные работы.

— То и другое.

— Но как они это сделали? И как им удалось скрыться?

— Фургон перегрелся, стоя в пробке, чему способствовала течь в радиаторе, обнаруженная позже. Шофер свернул на обочину. Ему пришлось выйти, чтобы проверить мотор. Об остальном позаботился мотоциклист, проезжавший мимо.

— На глазах у свидетелей? Ведь там было столько машин.

— Да. Но что они видели? Сначала какой-то мотоциклист останавливается, чтобы предложить помощь шоферу обездвиженного автомобиля, а немного погодя тот же самый мотоциклист уносится прочь, лавируя между рядами автомобилей, где никому больше не проехать...

— И его никто не преследует. Да. Могу себе представить, как это было. Но где... Как Ги Бруар узнал... Ведь это же было в Южной Калифорнии?

— Дебора, он разыскивал эту картину много лет. Если уж я нашел ее историю в Интернете, то какую проблему это составило бы для него? Главное для него было — получить информацию, а потом его деньги и один визит в Калифорнию сделали остальное.

— Но если он не знал, насколько важна эта картина... кто ее написал... в общем, ничего... Саймон, это значит, что ему приходилось проверять историю каждого произведения искусства, которое он мог раздобыть. Долгие годы.

— У него было для этого время. К тому же это необычная история. Некий ветеран Второй мировой, находясь при смерти, завещал в дар больнице, где когда-то спасли жизнь его маленькому сыну, «сувенир», доставшийся ему во время войны. Подарок оказался бесценным полотном, о существовании которого не подозревали даже специалисты. Оно стоит миллионы долларов, и монахини собирались продать его с аукциона, чтобы на вырученные средства пополнить скудеющую казну своей больницы. Такую историю нельзя не заметить, Дебора. Оставалось только ждать, когда Ги Бруар наткнется на нее и примет свои меры.

— И он поехал туда лично...

— Да, чтобы договориться обо всем. Только за этим. Чтобы договориться.

— Значит...

Дебора понимала, как он истолкует ее следующий вопрос, но не могла его не задать, потому что ей надо было знать. Здесь было что-то не так, и она это чувствовала. Она почувствовала это еще на Смит-стрит.

— Если все произошло в Южной Калифорнии, то почему инспектор Ле Галле отпустил Чероки? Почему он велит им обоим — Чероки и Чайне — убираться с острова?

— Полагаю, у него есть какие-то новые улики,— ответил Саймон.— Что-то, указывающее на кого-то еще.

— А ты не рассказывал ему...

— О картине? Нет, я ему не говорил.

— Почему?

— Человек, который доставил картину к адвокату в Тастине для последующей передачи на Гернси, был не Чероки Ривер, Дебора. Он совсем не похож на Ривера. Чероки тут ни при чем.

Не успел Пол Филдер притронуться к ручке входной двери их дома в Буэ, как ее распахнул перед ним Билли. По всей видимости, он поджидал Пола, сидя в гостиной у орущего телевизора, посасывая свои папироски, потягивая пиво и покрикивая на младших ребятишек, чтобы оставили его в покое, когда те оказывались слишком близко. Через окно он увидел, как Пол подошел к неровной дорожке, ведущей к дому. Когда Пол поплелся к двери, он вскочил и встал за дверью, чтобы первым поприветствовать брата, когда тот войдет.

Пол не успел еще переступить через порог, как Билли выпалил:

— Поглядите-ка, кто к нам пришел. Перекати-поле наконец прибило к нашему порогу. Что, полиция с тобой разделалась, ты, мудила? Показали тебе в каталажке кузькину мать? Слыхал я, на это они большие мастера.

Пол прошел мимо него. Он слышал голос отца откуда-то сверху: «Это наш Поли пришел?» А мать отозвалась из кухни: «Поли, это ты, дорогой?»

Пол бросил взгляд сначала на лестницу, потом в сторону кухни и удивился, почему его родители дома. Отец всегда возвращался со своих дорожных работ с наступлением темноты, но мать допоздна работала за кассой в Бутсе, да еще и сверхурочных прихватывала, когда могла, то есть почти каждый день. В результате семья ужинала кое-как. Кто хотел, открывал банку супа или печеной фасоли. Или обходился тостами. Каждый заботился о себе сам, кроме малышей. Их обычно кормил Пол.

Он шагнул к лестнице, но Билли его остановил.

— Эй! Где твоя псина, мудила? Где твой постоянный компаньон?

Пол замешкался. И тут же почувствовал, как страх железной хваткой сдавил его внутренности. Он не видел Табу с самого утра, с тех пор как за ним приехала полиция. На заднем сиденье черно-белой машины он все время вертелся, потому что Табу бежал за ними, лаял и не отставал от автомобиля в надежде догнать.

Пол озирался. Где же Табу?

Он сложил губы трубочкой, чтобы свистнуть, но почувствовал, что во рту пересохло. Он услышал шаги отца на лестнице. В тот же миг из кухни показалась мать. На ней был передник, весь в пятнах от кетчупа. Она вытирала руки полотенцем.

— Поли,— печально начал его отец.

— Дорогой,— подхватила мать.

Билли захохотал.

— Его сбили. Тупую псину сбили. Сначала машина, потом грузовик, а он все продолжал бежать. И кончил на обочине, где выл, как дикая гиена, ожидая, пока кто-нибудь придет его пристрелить.

— Хватит, Билли! — рявкнул Ол Филдер.— Убирайся в свой паб или куда ты там собирался.

— Я не намерен...

Мейв Филдер закричала:

— Немедленно делай, что отец говорит!

И этот вопль, столь нехарактерный для их обычно мягкой матери, настолько поразил ее первенца, что он уставился на нее с открытым ртом, как рыба во время кормежки, и прошлепал к двери за курткой.

— Тупой ублюдок,— процедил он сквозь зубы Полу.— Ни о чем как следует позаботиться не можешь. Даже пса и того нельзя тебе поручить.

Он вышел в ночь, захлопнув за собой дверь. Пол слышал, как он громко загоготал и сказал:

— Мать вашу так, растяпы.

Но никакие слова или поступки Билли не могли задеть его сейчас. Шаткой походкой он прошел в гостиную, не видя ничего, кроме Табу. Как тот бежит за полицейской машиной. Табу на обочине, смертельно раненный, крутится волчком и огрызается, чтобы никто не посмел подойти близко. Это все он виноват, надо было упросить полицейских остановить машину всего на секунду, чтобы Табу мог запрыгнуть внутрь. Или, по крайней мере, дать ему время вернуться домой и привязать собаку.

Почувствовав, что его колени уперлись в старый потертый диван, он повалился на него с затуманенными глазами. Кто-то торопливо подошел к нему, сел рядом и положил ему на плечо руку. Кто-то хотел его утешить, но его словно каленым железом обожгло. Он закричал и попытался вырваться.

— Я знаю, как это расстроило тебя, сынок,— прошептал отец прямо ему в ухо, чтобы он не пропустил ни слова.— Беднягу увезли к ветеринару. Им сразу позвонили. Твою маму вызвали с работы, кто-то узнал, чей это был пес...

Был. Он говорил про Табу «был». Пол не мог слышать это незначительное слово в применении к своему другу, единственному существу, знавшему его, как никто другой. Он — его друг, этот лохматый пес. И для него он не больше «был», чем он сам.

— ...так что мы прямо сейчас и поедем. Они ждут,— закончил его отец.

Пол посмотрел на него, смущенно, испуганно. Что он сказал?

Мейв Филдер, похоже, поняла, о чем думает ее сын.

— Его еще не усыпили, милый. Я их попросила. Сказала, чтобы они подождали. Я сказала им, что наш Поли должен с ним проститься и что пусть они сделают все возможное, чтобы ему не было больно, и подождали, пока не придет Пол. Папа тебя отвезет. А мы с ребятишками...

И она показала в сторону кухни, где братишки и сестренка Пола, вне всякого сомнения, пили чай, радуясь такому исключительному событию, как присутствие дома мамы в этот вечер.

— Мы подождем вас здесь, дорогой.

А когда Пол с отцом встали и прошли мимо нее, она добавила:

— Как мне тебя жаль, Пол.

На улице отец Пола ничего больше не сказал. Волоча ноги, они подошли к старому фургону, на борту которого все еще была видна полустертая надпись «Мясная торговля Филдера. Мясной рынок». В молчании они влезли в фургон, и Ол Филдер завел мотор.

Дорога из Буэ на рю Изабель, где находилась круглосуточная ветеринарная клиника, заняла много времени, потому что это был другой конец города, куда не было объездного пути. Так что им пришлось пробираться через весь Сент-Питер-Порт в самый тяжелый час, и все это время Пол был в тисках болезни, от которой плавились его внутренности. Его ладони стали мокрыми от пота, а лицо — ледяным. Перед глазами стоял его пес, и только пес: как он бежал за той машиной и все лаял и лаял, потому что она увозила прочь единственного человека, которого он любил. Они ведь никогда не расставались, Пол и Табу. Даже когда Пол уходил в школу, пес ждал его где-нибудь рядом, терпеливый, как монах.

— Ну вот, сынок, приехали. Заходи внутрь, ладно?

Услышав ласковый голос отца, Пол позволил ему довести себя до дверей хирургической. Перед глазами у него все было как в тумане. В нос ударил смешанный запах животных и лекарств. Он слышал голоса отца и помощника врача. Но ничего не видел до тех пор, пока его не провели через весь кабинет в тихий сумрачный уголок, где электрический обогреватель сохранял тепло в крохотном, закутанном во все белое тельце, а капельница вливала что-то в его вены.

— Ему не больно,— прошептал отец Полу на ухо, прежде чем тот успел протянуть к собаке руку.— Мы их попросили, сынок. Пусть ему будет хорошо. Но не усыпляйте его до прихода нашего Поли, пусть знает, что он не один. Так они и сделали.

Тут раздался третий голос.

— Это хозяин? Ты Пол?

— Это он,— сказал Ол Филдер.

Пока они разговаривали через голову Пола, мальчик склонился над собакой, приподнял покрывало и увидел Табу: тот лежал, полузакрыв глаза, и неглубоко дышал, а из шва, тянувшегося вдоль всей его лапы, торчала игла. Пол наклонился лицом к собаке. И дохнул в ее лакричный нос. Пес заскулил, его веки затрепетали. Он высунул язык, но едва-едва, и коснулся щеки Пола, словно говоря «здравствуй».

Кто мог сказать, через что они прошли вместе, чем были друг для друга и каким общим знанием обладали? Никто. Ведь они никогда и никому не рассказывали об этом. Обычно люди думают о собаках как о животных. Но Пол никогда не думал так о своем псе. Он-то знал, что дог отличается от бога всего на одну букву. Если у вас есть пес, то с вами любовь и надежда.

«Вот дурак»,— сказал бы сейчас его брат.

«Вот дурак»,— сказал бы сейчас весь мир.

Но Полу и Табу это было безразлично. Ведь у них была одна душа на двоих. Они были частью одного существа.

— ...Хирургические процедуры,— говорил врач. Пол не мог сказать, говорит ли он с отцом или с кем-то другим.— ...Селезенка, но это не смертельно... самая большая проблема... задние лапы... попытка может ни к чему не привести... трудно сказать... очень серьезный случай.

— Боюсь, это исключено,— с сожалением сказал Ол Филдер.— Цена... Я, конечно, ничего не хочу такого сказать.

— Понимаю... конечно.

— Я имею в виду, сегодня... то, что вы сделали...— Он судорожно вздохнул.— Это будет кое-чего стоить.

— Да. Я понимаю... Конечно... Конечно, сейчас сказать ничего не возможно, особенно имея в виду раздробленные лапы... обширное ортопедическое вмешательство...

Когда до Пола дошло, о чем говорят отец с ветеринаром, он поднял голову. С того места, где он стоял, склонившись над своим псом, врач в длинном белом халате и Ол Филдер в пыльной рабочей одежде казались ему великанами. Многообещающими великанами. Они подавали Полу надежду, которая была ему нужна.

Он выпрямился и взял отца за руку. Ол Филдер посмотрел на него и покачал головой.

— Это больше, чем мы можем себе позволить, больше, чем я и твоя мама можем заплатить. И даже если они все это с ним сделают, бедняжка Табу уже никогда не будет таким, как прежде.

Пол обратил встревоженный взгляд к врачу. На его халате был пластиковый значок с надписью: «Алистер Найт, Д. В. М., Ч. К. В. О.». Ветеринар ответил:

— Быстро бегать он не сможет, это правда. Со временем у него начнется артрит. И вообще, как я уже говорил, все это может ему и не помочь. А если поможет, то выздоровление затянется на многие месяцы.

— Слишком долго,— сказал Ол Филдер.— Ты ведь понимаешь, Поли? Мы с твоей мамой... Нам столько не осилить... Речь ведь идет о целом состоянии, сынок. У нас нет... Мне очень жаль, Пол.

Мистер Найт погладил Табу по всклокоченной шерстке.

— Хороший он пес. Правда, малыш?

Табу, точно поняв, что речь идет о нем, снова высунул свой бледный язык. Он хрипло дышал, его бил озноб. Передние лапы подергивались.

— Придется, значит, усыплять,— сказал мистер Найт, выпрямляясь.— Пойду принесу шприц.

И добавил, обращаясь к Полу:

— Вам обоим будет лучше, если ты его подержишь.

Пол снова склонился над псом, но брать его на руки, как сделал бы раньше, не стал. Ведь поднять его значило навредить ему еще больше, а Пол не хотел причинять ему нового вреда.

Пока они ждали возвращения ветеринара, Ол Филдер переминался с ноги на ногу. Пол нежно прикрыл израненного Табу одеялом. Протянул руку и пододвинул обогреватель к псу поближе, а когда ветеринар вернулся, неся по шприцу в каждой руке, Пол был готов.

Ол Филдер приблизился. Ветеринар тоже. Пол протянул руку и остановил врача.

— У меня есть деньги,— сказал он мистеру Найту так четко, словно это были первые слова, произнесенные когда-либо между людьми.— Мне все равно, сколько это будет стоить. Спасите мою собаку.

Дебора и ее муж только принялись за первое блюдо, как к ним почтительно подошел метрдотель и заговорил с Саймоном. Он сказал, что некий джентльмен — похоже, это определение он применял в самом широком смысле — хочет поговорить с мистером Сент-Джеймсом. Он ждет за дверью ресторана. Может быть, мистер Сент-Джеймс хочет ему что-нибудь передать? Или предпочитает поговорить с ним лично?

Саймон повернулся в кресле и посмотрел в том направлении, откуда появился метрдотель. Дебора тоже взглянула туда и увидела грузного человека в темно-зеленом анораке, который слонялся за дверью, наблюдая за ними, в особенности за ней, как ей показалось. Едва их взгляды встретились, как он тут же перевел глаза на Саймона.

— Это главный инспектор Ле Галле,— пояснил Саймон.— Извини, дорогая.— И вышел.

Оба повернулись к двери спиной. Говорили они меньше минуты, а Дебора наблюдала, пытаясь понять, что означает столь неожиданное появление полицейского в отеле, а также определить степень напряженности — или отсутствия таковой — в их беседе. Очень скоро Саймон вернулся к столу, но садиться не стал.

— Мне придется тебя покинуть.

Вид у него был серьезный. Он поднял салфетку, брошенную перед этим на стул, и, повинуясь привычке, аккуратно сложил ее.

— Почему? — спросила она.

— Кажется, я был прав. У Ле Галле появились новые улики. Он хочет, чтобы я взглянул на них.

— А они не могут подождать до...

— Ему не терпится. Похоже, он намерен произвести арест уже сегодня.

— Арест? Чей? С твоего разрешения, что ли? Саймон, это же не...

— Я должен идти, Дебора. А ты ужинай. Я скоро приду. Только дойду до полицейского участка и обратно. За угол и сразу назад.

Он наклонился и поцеловал ее.

— Почему он пришел за тобой сам? Мог бы... Саймон!

Но он уже уходил прочь.

С минуту Дебора сидела, глядя на единственную свечу, горевшую на их столике. Ее охватило то ощущение неловкости, которое всегда испытывает человек, услышав заведомую ложь. Ей не хотелось бежать за мужем и требовать у него объяснений, но и сидеть тихо, как горлица в лесу, она тоже не собиралась. Поэтому она избрала нечто среднее и перешла из ресторана в бар напротив, откуда был хорошо виден фасад отеля.

Там она увидела Саймона, натягивающего пальто. Ле Галле что-то говорил констеблю в форме. На улице, перед отелем, их дожидалась полицейская машина, водитель скучал за рулем. Чуть дальше виднелся белый полицейский фургон, сквозь окна которого Дебора разглядела силуэты других полицейских.

Она слегка вскрикнула. Ей вдруг стало очень больно, и она хорошо понимала природу этой боли. Но подсчитывать убытки было некогда. Она заспешила к выходу.

Сумочку и пальто она оставила в номере отеля. Так предложил Саймон, с запозданием вспомнила она. Он еще сказал: «Вряд ли они тебе понадобятся, правда, дорогая?» — и она согласилась с ним, как соглашалась всегда... ведь он такой мудрый, такой заботливый, такой... какой? Решил во что бы то ни стало не дать ей последовать за ним. Свое пальто он, разумеется, оставил где-то поблизости, зная, что оно понадобится ему, когда Ле Галле придет за ним в разгар ужина.

Но Дебора была вовсе не так глупа, как, очевидно, считал муж. Ее преимущество заключалось в интуиции. А также в том, что она уже бывала там, куда они, по ее мнению, собирались сейчас. Больше им некуда было собираться, несмотря на все, что Саймон рассказывал ей раньше, пытаясь сбить ее со следа.

Схватив пальто и сумочку, она слетела по лестнице вниз и выбежала в ночь. Полицейские машины уехали, тротуар был пуст, улица свободна. Дебора бегом бросилась за угол, к автостоянке, на которую выходили окна полицейского управления. Ни одной черно-белой машины или фургона во дворе управления не было, но это ее не удивило: с самого начала было маловероятно, чтобы Ле Галле явился за Саймоном лично да еще и привел целый эскорт с намерением сопроводить его до полицейского управления, которое отделяли от отеля всего сто ярдов.

— Мы позвонили в поместье, чтобы предупредить ее,— говорил Сент-Джеймсу Ле Галле, пока они неслись сквозь тьму к Сент-Мартину,— но никто не ответил.

— Что это, по-вашему, может значить?

— От души надеюсь, что она на весь вечер куда-нибудь ушла. На концерт. В церковь. Ужинать с подругой. Она член общества самаритян, а у них вполне может быть сегодня какое-нибудь мероприятие. Остается только надеяться.

Они свернули по Ле-Валь-де-Терр и поехали вверх по улице, прижимаясь к замшелой каменной стене, которая подпирала лесистый склон холма. Их машина, а за ней и полицейский фургон вынырнули из-под деревьев в окрестностях Форт-Джорджа, где уличные фонари лили свет на пустынную лужайку, окаймлявшую Форт-роуд с востока. Дома на западной стороне улицы выглядели до странности нежилыми в этот поздний час — все, кроме жилища Бертрана Дебьера. В его саду горел весь свет, какой только был, словно архитектор хотел превратить свой дом в маяк для кого-то.

На большой скорости они проследовали в сторону Сент-Мартина, тишину в машине нарушало лишь периодическое потрескивание полицейского радио. Свернули на одну из неизбежных на этом острове узких троп и продолжали нестись по ней, петляя между деревьями, пока не достигли стены, отмечающей границу Ле-Репозуара. Тут Ле Галле схватился за рацию. И велел водителю ехавшего за ними фургона свернуть на дорогу, которая приведет его прямо вниз, к бухте. Машину он приказал оставить там, а самим подниматься наверх по тропе. На связь он велел выходить не раньше, чем они окажутся на территории поместья.

— И ради всего святого, постарайтесь не высовываться,— добавил он, прежде чем сунуть рацию на место, а водителю своей машины приказал: — Притормози у «Бейсайда». Заедешь сзади.

«Бейсайдом» назывался отель, закрытый на зиму, как и многие его собратья вокруг Сент-Питер-Порта. Он громоздился в темноте у края дороги, в трех милях от въезда в Ле-Репозуар. Они подъехали к зданию сзади, где у закрытой на висячий замок двери стоял мусорный бак. Немедленно вспыхнули сигнальные огни. Ле Галле поспешно расстегнул ремень безопасности и выскочил из машины, едва она перестала двигаться.

Пока они пешком шли к собственности Бруаров, Сент-Джеймс просветил Ле Галле относительно планировки поместья. Войдя на его территорию, они сразу нырнули в густую каштановую рощу, окаймлявшую подъездную аллею, и стали ждать, когда из бухты поднимется еще группа полицейских и присоединится к ним.

— А вы точно не ошиблись? — спросил его Ле Галле, пока они в темноте переминались с ноги на ногу, чтобы не замерзнуть.

— Другого объяснения просто быть не может,— ответил Сент-Джеймс.

— Хорошо бы.

Почти десять минут прошло, прежде чем остальные полицейские, тяжело дыша после поспешного подъема в гору, прошли в ворота и растаяли в тени деревьев.

— Показывайте дорогу,— сказал Ле Галле Сент-Джеймсу, тем самым передавая командование ему.

Чутье на детали, которым обладала его жена-фотограф, не подвело ее и на этот раз: Дебора заметила и запомнила такие подробности, что, руководствуясь ими, он просто не мог не найти дольмен. Главное было не попасться никому на глаза — обогнуть на краю парка коттедж, обиталище Даффи, обойти дом, в котором скрывалась не ответившая на их звонок Рут Бруар. Для этого пришлось все время держаться восточного края подъездной аллеи. Она провела их ярдах в тридцати от здания, и весь путь им пришлось идти под деревьями на ощупь, не зажигая фонарей.

Ночь выдалась на редкость темной; тяжелый полог облаков скрывал и звезды, и луну. Полицейские шагали под деревьями в затылок друг другу, вел их Сент-Джеймс. Таким порядком они приблизились к кустарнику за конюшнями и начали искать в нем просвет, чтобы пробраться в рощу, где была тропа, упиравшаяся в огороженный луг с дольменом в центре.

Никакого перелаза через каменную стену не было, и потому пробраться на луг оказалось непросто. Конечно, для человека, не носящего металлических скобок на ногах, перелезть через стену было легче легкого. Но для Сент-Джеймса ситуация была сложной, и еще больше ее усложняла темнота.

Похоже, Ле Галле это понял. Ни слова не говоря, он вытащил карманный фонарик, зажег его и водил лучом по верхнему краю стены до тех пор, пока не обнаружил место, где камни раскрошились, оставив проем, сквозь который можно было сравнительно легко подтянуться наверх.

— Это, думаю, сгодится.

С этими словами он полез первым.

Перебравшись через стену, они оказались в цепких зарослях шиповника, боярышника и ежевики. Ле Галле сразу же зацепился своим анораком за какой-то куст, и тут же еще двое из следовавших за ними констеблей зашипели, кляня коварные кусты на чем свет стоит.

— Господи Иисусе,— ворчал Ле Галле, вырывая свою куртку из объятий куста, на котором она повисла.— А вы уверены, что это здесь?

— Здесь наверняка есть более удобный вход,— ответил Сент-Джеймс.

— Тут вы, черт возьми, правы.— Ле Галле скомандовал одному из своих подчиненных.— Посвети-ка нам, Сомаре.

Сент-Джеймс начал:

— Но мы можем спугнуть...

— Хороши мы будем,— сказал Ле Галле,— если запутаемся здесь, как мухи в паутине. Сомаре, свети. Фонарь держи ниже.

Поток света залил землю, когда упомянутый констебль щелкнул кнопкой мощного фонаря, что держал в руках. Увидев это, Сент-Джеймс застонал — наверняка из дома заметят,— но зато оказалось, что они удачно выбрали место для перелаза. Потому что в десяти ярдах справа от них начиналась тропа, которая вела через пастбище.

— Выключай,— скомандовал Ле Галле, когда сам ее увидел.

Свет погас. Главный инспектор первым двинулся через кусты ежевики, приминая их для следовавших за ним. Темнота снова стала благодеянием и проклятием одновременно. Она скрыла тропу, куда они стремились, оставив их барахтаться в какой-то ботанической трясине. Но она же делала незаметным и их маленький отряд, который наверняка был бы как на ладони, выдайся ночь лунной.

Дольмен был точно такой, каким его описывала Сент-Джеймсу Дебора. Он торчал прямо посреди луга, как будто много поколений тому назад кто-то специально огородил этот клочок земли, чтобы не дать доисторической постройке исчезнуть. Человек непосвященный при взгляде на него наверняка подумал бы, что это обычный холм, который каким-то непостижимым образом возник посредине ровного, давно заброшенного пастбища. Однако наметанный глаз сразу угадывал в нем многообещающий археологический объект.

Дольмен можно было свободно обойти кругом, так как у его стен в зарослях была прорублена дорожка шириной не более двух футов. Полицейские шли по ней до тех пор, пока не наткнулись на тяжелую деревянную дверь, на которой болтался кодовый замок.

Тут Ле Галле остановился, снова достал из кармана фонарик, зажег его и посветил на замок. Потом повел лучом в сторону зарослей, сплошь состоявших из папоротников вперемешку с ежевикой.

— Ну и местечко для засады,— сказал он тихо.

В его словах была правда. Если убийцу придется караулить в засаде, то ничего приятного их не ждет. Зато им не придется уходить далеко от дольмена: в таких джунглях, как здесь, спрятаться можно хоть у самой дорожки.

— Хьюз, Себастьян, Хейзел,— сказал Ле Галле и кивнул в сторону зарослей.— Займитесь. У вас есть пять минут. Мне нужен легкий доступ и абсолютная незаметность. И потише. Даже если кто из вас ногу сломает, все равно пусть молчит. Готорн, ты пойдешь к стене. Как только увидишь когонибудь, шли сообщение на мой пейджер, он в режиме вибрации. Остальные выключают мобильники, пейджеры и радио. Не болтать, не чихать, не пердеть и не рыгать. Если мы здесь все профукаем, то будем начинать все с самого начала, а мне от этого радости никакой. Поняли? Действуйте.

Сент-Джеймс понимал, что их самым большим преимуществом было выбранное время суток. Несмотря на то что темнота стояла — хоть глаз выколи, час был отнюдь не поздний. Шансов, что убийца сунется к дольмену до полуночи, было не много. Зато риск наткнуться в поместье на когонибудь еще был гораздо выше, а объяснить, почему целый отряд полиции крадется по территории особняка в темноте, с потушенными фонарями, не представлялось возможным вообще.

Поэтому Сент-Джеймс удивился, когда минут через пятнадцать Ле Галле ругнулся сквозь зубы и сказал:

— Готорн засек кого-то на периметре. Вот черт. Кого там несет,— и напустился на констеблей, которые рубили ежевику футах в пятнадцати от деревянной двери: — Эй вы, я же сказал, пять минут. Мы заходим.

И первым шагнул в кусты, Сент-Джеймс за ним. Людям Ле Галле удалось прорубить в кустах некое подобие тоннеля размером с собачью будку. В ней могли уместиться двое. Но набились пятеро.

Человек, о приближении которого предупредил Готорн, двигался быстро и уверенно; с легкостью преодолев каменную стену, он зашагал по тропе. Очень скоро к окружавшей их тьме добавилось еще одно темное пятно. Только вытянутая тень, скользившая по заросшему папоротником холму, позволяла судить о движениях человека, который наверняка уже бывал здесь раньше.

И вдруг спокойный и такой знакомый голос уверенно произнес:

— Саймон, где ты?

— Что за черт...— прошептал Ле Галле.

— Я знаю, что ты здесь, и никуда не уйду,— произнесла Дебора отчетливо.

Сент-Джеймс издал нечто среднее между проклятием и вздохом. Этого следовало ожидать. Он сказал Ле Галле:

— Она догадалась.

— Сам вижу,— отозвался главный инспектор.— Уберите ее отсюда как-нибудь.

— Это,— ответил Сент-Джеймс,— будет нелегко.

Он протиснулся мимо Ле Галле и его констеблей. Вернулся к дольмену и окликнул:

— Я здесь, Дебора.

Она обернулась на его голос.

— Ты мне солгал,— просто сказала она.

Он не отвечал, пока не подошел к ней вплотную. В темноте ее лицо стало каким-то призрачным. Широко распахнутые глаза так некстати напомнили ему глаза девочки, какой она была лет двадцать тому назад, когда стояла у гроба своей матери, глядя на всех с испугом — и с надеждой.

— Прости меня,— сказал он.— У меня не было другого выхода.

— Я хочу знать...

— Здесь не место. Тебе надо уйти. Ле Галле и без того пошел на большую уступку, позволив мне присутствовать. На тебя она не распространяется.

— Нет,— сказала она.— Я знаю, о чем ты думаешь. И останусь посмотреть, как ты сядешь в лужу.

— Дело не в том, кто из нас прав, а кто нет.

— Ну разумеется. Для тебя дело всегда в чем-то другом. В фактах и в том, как ты их истолковываешь. А все, кто толкует их иначе, могут отправляться к черту. Но я знаю этих людей. А ты нет. И никогда не знал. Ты видишь их только...

— Ты торопишься с выводами, Дебора. А нам некогда спорить. Это слишком рискованно. Тебе надо уйти.

— Только если ты унесешь меня отсюда.— В ее голосе прозвучала сводящая с ума нотка упрямства.— Тебе следовало подумать об этом раньше. «А что я буду делать, если дорогая Дебора догадается, что я пошел вовсе не в полицейский участок?»

— Дебора, ради бога...

— Что тут происходит? Скажите мне, черт возьми!

Ле Галле задал вопрос из-за спины Сент-Джеймса и двинулся на Дебору с намерением взять ее на испуг.

Сент-Джеймс не любил прилюдно, и особенно в присутствии едва знакомых ему людей, признаваться, что эта рыжеволосая своевольная красотка не подчиняется каждому его слову и никогда не подчинялась, видит бог. В другом месте и в другое время мужчина мог обладать хотя бы видимостью власти над такой женщиной, как Дебора. Но к несчастью, они давно не жили в таком мире, где женщина становилась собственностью мужчины лишь потому, что вышла за него замуж.

— Она не будет...— начал он.

— Я никуда не пойду,— заявила Дебора прямо в лицо Ле Галле.

— Вы сделаете то, что вам будет велено, мадам, а иначе я запру вас за решетку,— ответил главный инспектор.

— Отлично,— сказала она.— Это у вас неплохо получается, как я понимаю. Вы уже упрятали за решетку двух моих друзей без видимой причины. Так почему бы и не меня?

— Дебора...— Сент-Джеймс понимал, что спорить с ней сейчас бесполезно, но все же предпринял попытку.— Ты не все знаешь.

— А почему? — спросила она его с ехидством.
— Времени не было.
— Неужели?

Судя по ее тону, а также по тем эмоциям, которые скрывались за ним и которые Сент-Джеймс ощущал едва ли не шестым чувством, он недооценил впечатление, произведенное на нее его решением предпринять решающий шаг, не поставив ее в известность. Но у него просто не было времени посвятить ее в дело так глубоко, как она этого, очевидно, желала. События развивались слишком стремительно.

Тихим голосом она сказала ему:

— Мы же вместе приехали сюда. И вместе хотели им помочь.

Он понимал, что Дебора не произнесла главного: «И мы должны были вместе закончить это дело». Но все оказалось не так. И в данный момент он даже не мог объяснить почему. Они же не современные Томми и Таппенс*, приехавшие на Гернси, чтобы поразвлечься, расследуя злобные козни, членовредительство и убийство. Погиб человек, а не сказочный злодей, которого никому не жалко, потому что он давно напрашивался на плохой конец. И единственное, что правосудие могло сделать для этого человека,— заманить его истинного убийцу в ловушку, которая, однако, не сработает, пока Сент-Джеймс не придет к согласию с женщиной, стоявшей перед ним.

— Прости меня. Сейчас нет времени. Позже я все объясню.

— Прекрасно. Я подожду. Можешь навестить меня в тюрьме.

— Дебора, ради бога...

— Господи Иисусе, парень,— перебил его Ле Галле и заявил Деборе: — А с вами, мадам, я разберусь позже.

Он повернулся на каблуках и зашагал к укрытию. Сент-Джеймс истолковал это как разрешение Деборе остаться.

---

* Детективы-любители, герои произведений Агаты Кристи.

Это не вполне его устраивало, но он предпочел не затягивать бесполезный спор с женой. Ему тоже придется отложить разбирательство до лучших времен.

30

Для себя они устроили укрытие. Дебора увидела, что оно представляло собой прямоугольник грубо утоптанной растительности, в котором сидели в засаде двое полицейских. С ними был и третий, только он почему-то устроился с той стороны ограды. Какой в этом смысл, ей было непонятно, ведь на пастбище был только один вход и одна тропинка, которая вела через кусты.

В остальном она не имела понятия о том, сколько всего здесь полицейских, да это ее и не заботило. Она никак не могла справиться с тем, что муж обманывал ее, намеренно и продуманно, впервые в их супружеской жизни. По крайней мере, она надеялась, что это случилось в первый раз, хотя отныне поверить могла во что угодно. Поэтому она попеременно то кипела от злости, то вынашивала планы мести, а то подбирала слова, которые бросит ему в лицо, когда полицейские арестуют того, кого они намерены сегодня арестовать.

Холод опустился на них, точно кара Господня, его волна накатила из бухты и залила луг. Они почувствовали его ближе к полуночи, по крайней мере Деборе так показалось. Никто не отваживался зажечь огонь, чтобы взглянуть, который час.

Все хранили молчание. Минуты шли, складываясь в часы, но ничего не происходило. Лишь иногда какой-нибудь шорох в кустах заставлял их насторожиться. Но за шорохом не следовало ничего, кроме нового шороха, и они успокаивались, решив, что это возится какой-нибудь зверь, в чье жизненное пространство они вторглись. Может быть, крыса. Или дикая кошка любопытствует взглянуть на незваных гостей.

Деборе показалось, что уже наступило утро, когда Ле Галле прошептал одно-единственное слово: «Идет», на которое она и внимания бы не обратила, если бы полицейские вдруг не напряглись, как один человек.

Тогда она услышала: сначала на стене зашуршали камни, потом под ногой человека, приближавшегося в темноте к дольмену, хрустнула ветка. В руках у ночного гостя не было фонаря: видимо, путь к холму был ему хорошо известен. Не прошло и минуты, как кто-то — весь в черном, словно банши,— скользнул на круговую дорожку.

У двери человек все-таки зажег фонарик и направил его на замок. Но Дебора из кустов не могла разглядеть ничего, кроме крохотного пятна света, которого едва хватало, чтобы сделать видимой черную спину, склоненную над кодовым замком.

Она стала ждать, когда полицейские что-нибудь предпримут. Но никто не двигался. Никто, кажется, даже не дышал, следя за черной фигурой, которая, открыв замок на двери, согнулась и вошла в доисторическую постройку.

Входная дверь осталась открытой, и через мгновение Дебора увидела мягкий мигающий свет — она уже знала, что это свечка. Затем света стало больше — зажглась вторая. Однако ничего другого сквозь дверной проход видно не было, и всякое движение, происходившее внутри, скрывали от глаз наблюдателей каменные стены камеры и земля, засыпавшая их много веков назад.

Дебора не могла понять, почему полиция бездействует.

Она шепнула Саймону: «Что...»

Его пальцы стиснули ее плечо. Лица она не видела, но ей показалось, что он не отрываясь смотрит на вход в дольмен.

Прошло минуты две, не больше, когда свечи внутри вдруг потухли. Вместо них снова зажегся фонарик, и, когда его маленький, но четкий луч двинулся к входу, главный инспектор Ле Галле прошептал:

— Сомаре, готовься. Не спеши. Погоди. Погоди, парень.

Едва фигура внутри достигла выхода и выпрямилась, он скомандовал:

— Давай!

Полицейский вырос из травы рядом с ними и включил фонарь, такой мощный, что его свет на мгновение ослепил и Дебору, и Чайну Ривер, которая попала в его луч, как в расставленную Ле Галле ловушку.

— Не двигайтесь, мисс Ривер,— приказал старший инспектор.— Картины здесь нет.

— Нет,— выдохнула Дебора.

Она слышала, как Саймон прошептал: «Прости меня, любимая», но у нее не было времени разобрать его слова, потому что все стало происходить очень быстро.

У дверей дольмена Чайна стремительно обернулась, когда второй луч возник откуда-то сзади и взял ее на мушку, точно охотник свою жертву. Она ничего не сказала. Просто нырнула в земляное нутро и захлопнула за собой дверь.

Дебора встала не раздумывая.

— Чайна! — закричала она в ужасе и тут же, обернувшись к полиции и своему мужу, добавила: — Вы не так поняли.

Словно не слыша ее, Саймон отвечал на какой-то вопрос Ле Галле:

— Только складная кровать, свечи, деревянная шкатулка с презервативами...

Дебора поняла, что каждое слово, сказанное ею о дольмене мужу, он передавал полиции.

Каким бы нелогичным, смешным и глупым это ни казалось, но Дебора ничего, ну ничего не могла с собой поделать: она решила, что своим поступком муж предал ее окончательно. У нее не было сил ни вдуматься в ситуацию, ни забыть. Выскочив из укрытия, она устремилась к подруге.

Саймон схватил ее, не успела она пробежать и пяти футов.

— Пусти! — закричала она и вырвалась из его рук.

Услышав приказ Ле Галле: «Черт, уберите ее отсюда!» — она воскликнула:

— Я приведу ее к вам! Пустите меня. Пустите!

Вывернувшись из объятий Саймона, она все же не убежала. Тяжело дыша, они стояли друг против друга. Дебора сказала:

— Ей некуда больше идти. Ты же знаешь. И они тоже. Я приведу ее. Ты должен позволить мне привести ее сюда.

— Это не в моей власти.

— Скажи им.

— Вы уверены? — спросил Саймона Ле Галле.— Другого выхода нет?

Дебора ответила:

— Даже если бы был, какая разница? Куда она денется с острова? Она знает, что вы тут же перекроете аэропорт и гавань. Что она, вплавь, что ли, до Франции доберется? Она выйдет, когда я... позвольте мне сказать ей, кто здесь...

Ее голос дрогнул, и она тут же возненавидела себя за то, что здесь и сейчас ей приходится бороться не только с полицией и Саймоном, но еще и со своими треклятыми эмоциями, которые никогда не позволяли ей стать такой же, как он: холодной, бесстрастной, способной в доли секунды переменить решение, если это было нужно для дела. А сейчас это было нужно.

— Как ты догадался...— сломленным голосом обратилась она к Саймону, но не закончила вопроса.

— Я не знал. Не был уверен. Просто думал, что это наверняка один из них.

— Что ты от меня скрыл? Не надо, не говори. Не важно. Дай мне пойти к ней. Я расскажу ей, что ее ожидает. Я приведу ее сюда.

Саймон молча вглядывался в нее, и по его умному угловатому лицу она видела, что он никак не может решиться. А еще она видела, что он встревожен и пытается оценить, насколько его поступок подорвал ее доверие к нему.

Через плечо он попросил Ле Галле:

— Вы позволите...

— Черт побери, нет, конечно. Речь идет об убийце. Один труп у нас уже есть. Второй мне не нужен.

И тут же бросил своим людям:

— Вытащите оттуда эту сучку.

Этого было достаточно, чтобы Дебора снова бросилась к дольмену. Она пролетела сквозь кусты с такой скоростью, что добежала до деревянной двери быстрее, чем Ле Галле успел скомандовать: «Взять ее!»

Полицейским оставалось только ждать. Конечно, они могли попытаться взять дольмен штурмом и тем самым подвергнуть жизнь Деборы опасности, если Чайна окажется вооружена. Но Дебора была уверена, что оружия у подруги нет и полиция дождется, пока они вдвоем выйдут из холма. Что будет с ними дальше — может быть, их обеих возьмут под стражу,— Дебору в тот момент не волновало.

Она толкнула тяжелую деревянную дверь и вошла в древнюю камеру.

Как только дверь закрылась, ее окружила чернота, густая и беззвучная, словно в могиле. Последним звуком, долетевшим до нее снаружи, был вопль Ле Галле, который заглушила тяжелая дверь. Последнее, что она увидела, был узкий, точно копье, луч света между дверью и косяком, исчезнувший вместе со звуком.

— Чайна,— сказала она в тишину и прислушалась.

Она пыталась вспомнить, что видела внутри дольмена, когда приходила сюда с Полом Филдером. Прямо перед ней был ход в главную камеру. Вторая — справа. Она понимала, что слева тоже могли быть камеры, но в прошлый раз она их не видела и не помнила никаких отверстий в стенах, сквозь которые туда можно было попасть.

Она попыталась поставить себя на место подруги, на место любого человека, оказавшегося в таком положении. Безопасность, подумала она. Чувство возвращения в утробу. Внутренняя камера, маленькая и надежная.

Она потянулась к стене. Ждать, пока привыкнут глаза, не было смысла, потому что привыкать было не к чему. Тьма стояла кромешная, ни искорки, ни блика.

Она заговорила:

— Чайна. Там, снаружи, полиция. Они на лугу. Трое прячутся в тридцати футах от двери, один на стене и еще сколько-то среди деревьев. Я не с ними. Я не знала. Я пришла позже. Саймон...

Даже теперь она не в силах была сообщить подруге о том, что именно ее муж стал инструментом ее падения.

— Отсюда нет выхода,— сказала она.— Я не хочу, чтобы тебе было больно. Я не знаю, почему...

Понимая, что с этим предложением без дрожи в голосе ей не справиться, она выбрала другой маршрут.

— Все можно объяснить. Я знаю. Можно. Правда, Чайна.

Нашаривая в стене ход во внутреннюю камеру, она вслушивалась в каждый звук. Она говорила себе, что бояться нечего, что это ее подруга, женщина, которая помогла ей пережить тяжелое время, тяжелее которого в ее жизни не было ничего. Время, когда она любила и потеряла любовь, не знала, на что решиться, потом совершила поступок и переживала его последствия.

Именно Чайна держала тогда ее за руку и говорила: «Дебс, все пройдет. Пройдет, поверь мне».

В полной темноте Дебора еще раз окликнула Чайну:

— Позволь мне вывести тебя отсюда. Я хочу тебе помочь. Я с тобой.

Она добралась-таки до внутренней камеры, задев курткой за стену. Было слышно, как шуршит материал, и Чайна, очевидно, тоже это услышала. Она наконец заговорила.

— Со мной,— сказала она.— О да, Дебс. Ты всегда была со мной.

Она зажгла тот самый фонарик, которым освещала замок на двери дольмена. Луч света ударил Деборе прямо в лицо. Он шел снизу, со складной кровати, на которой сидела Чайна. Ее лицо над источником света было бледно, словно мраморная посмертная маска, парящая в темноте.

— Ты ни черта не смыслишь в дружбе,— просто сказала ей Чайна.— И никогда не смыслила. Поэтому не рассказывай мне, на что ты готова пойти, чтобы мне помочь.

— Это не я привела сюда полицию. Я не знала...

Но Дебора не могла солгать, особенно в этот решающий момент. Потому что она была на Смит-стрит. Она вернулась туда и прошла всю улицу, так и не найдя магазина сластей, в котором Чайна якобы купила для своего брата конфет. Да и сам Чероки открывал ее сумочку в поисках денег, но не достал из нее ничего похожего на его любимые конфеты. И Дебора сказала не столько Чайне, сколько себе:

— Это было турагентство, правда? Ты ведь туда ходила? Да, больше некуда. Ты строила планы, куда поедешь, когда тебя отпустят с острова, ведь ты знала, что тебя скоро выпустят. Они же получили того, кто им нужен. Наверное, именно на это ты и рассчитывала с самого начала и даже планировала. Но почему?

— Тебе интересно, да?

Чайна провела лучом вверх и вниз по телу Деборы.

— Ты же у нас само совершенство. За что ни возьмешься, все у тебя получается. И мужики на тебя всегда заглядываются. Понятно, что тебе хотелось бы знать, как чувствует себя неудачница, которую всякие доброхоты попрекают ее неудачами.

— Но ты же не могла убить его из-за... Чайна, что ты наделала? Зачем?

— Пятьдесят долларов,— сказала та без всякого выражения.— Пятьдесят долларов и доска. Только подумай, Дебора. Пятьдесят долларов и видавшая виды доска.

— О чем ты?

— О цене, которую он заплатил. О ценнике. Он решил, что больше одного раза ему не понадобится. Они оба так думали. Но все оказалось так здорово, куда лучше, чем ожидал он, и куда лучше, чем думала я,— и ему захотелось еще. Изначально планировалось дать вишенке подрасти, но мой брат заверил его, что я на все соглашусь, если он правильно себя со мной поведет, будет ласков, но ненавязчив, притворится, что это его совсем не интересует. Он сделал, как мой брат ему сказал, и я сделала так же. Только затянулось это все на тринадцать лет. Так что он, можно сказать, не прогадал, отслюнявив моему брату пятьдесят долларов и потрепанную доску. Моему родному брату!

Фонарик задрожал у нее в руках, но она сдержала эмоции и даже смогла усмехнуться.

— Ты только представь. Я-то считала, что у нас с ним вечная любовь, а он, оказывается, приходил только потрахаться хорошенько, а сам все это время — все время, Дебора! — крутил романы с адвокатессой из Лос-Анджелеса, хозяйкой картинной галереи из Нью-Йорка, хирургом из Чикаго и бог знает с кем еще по всей Америке. Хотя ни одна из них — просекаешь, Дебора? — ни одна не трахает его так, как я, почему он и возвращается ко мне все время. А я, дура, сижу и думаю, что пройдет время и мы все равно будем вместе, ведь нам так хорошо вдвоем, так хорошо, что когда-нибудь он сам поймет это. И он понимает, все понимает, только у него есть другие и всегда были, о чем он сам рассказал мне, когда я прижала его к стенке после разговора с моим чертовым братцем, который признался, что продал меня лучшему другу за пятьдесят баксов и доску, когда мне было семнадцать лет.

Дебора не шевелилась и едва осмеливалась дышать, боясь, что одно неверное движение — и ее подруга сорвется с края пропасти, на котором балансировала.

— Этого не может быть,— прошептала Дебора.

— Чего именно? — переспросила Чайна.— Того, что случилось с тобой, или того, что случилось со мной? Тогда я тебе скажу, что моя история — это правда, которая чуднее вымысла. Значит, ты говоришь о себе. Наверное, ты хочешь сказать, что в твоей жизни тоже не все гладко и не каждый день идет по плану.

— Конечно нет. И никогда не было. Так вообще не бывает. Ни у кого.

— Отец тебя обожает. Богатый любовник был готов ради тебя на что угодно. Только он исчез, как тут же появился вполне приличный муженек. Все, что захочешь. Никаких проблем. Ну да, в Санта-Барбаре тебе не повезло, но ты и там выкрутилась, как это всегда у тебя получается. Все у тебя всегда получается.

— Чайна, не бывает жизни без трудностей. Ты же знаешь.

С тем же успехом Дебора могла не раскрывать рта.

— А ты просто смылась. Как все. Словно я не вложила в нашу дружбу все свое сердце и всю душу, когда ты особенно в ней нуждалась. Но ты поступила как Мэтт. Как все остальные. Взяла, что хотела, а у кого, и думать забыла.

— Ты хочешь сказать... Неужели ты сделала все это... все, что ты сделала... неужели все это из-за...

— Тебя? Не льсти себе. Расплачиваться будет мой брат.

Дебора задумалась. Она вспомнила, что рассказал им Чероки в ту первую ночь в Лондоне, когда только пришел к ним в дом.

— Ты не хотела ехать с ним на Гернси, сначала.

— Не хотела, пока не подумала, что могу использовать поездку как способ заставить его заплатить долг,— призналась Чайна.— Я еще не знала, когда и как, но была уверена, что способ найдется. И подумала, что подброшу дурь ему в багаж, когда мы будем проходить таможню. Мы планировали заехать в Амстердам, и я решила, что куплю там что-нибудь. Это было бы здорово. Не вполне надежно, но все-таки шанс. Подбросить можно было что угодно: оружие, взрывчатку. Короче, мне было все равно — что. Я знала одно: если смотреть в оба, то случай обязательно подвернется. А когда мы приехали в Ле-Репозуар и он показал мне... в общем, то, что он показал...

Мраморное лицо над лучом света исказила мрачная улыбка.

— Я поняла: это то, что надо,— сказала она.— Жалко было проходить мимо.

— Чероки показал тебе картину?

— А,— сказала Чайна,— ты и это знаешь. Пари держу, ты и твой чудо-муж Саймон вместе пронюхали. Нет, Дебс, просчиталась. Чероки и знать не знал, что везет. И я не знала. Пока Ги мне не показал. «Приходи ко мне в кабинет, выпьем по стаканчику на сон грядущей, моя прелесть. Я покажу тебе то, что наверняка поразит тебя сильнее всего, что я показывал тебе до сих пор, и о чем говорил, и что делал, пытаясь залезть тебе в трусы, потому что именно этого я хочу, и ты не прочь, я же вижу. Но даже если нет, то попытка — не пытка, ведь я богат, а ты нет, а богатым парням не надо делать ничего, чтобы добиться всего у женщин, достаточно просто быть богатыми». Ну, ты-то это знаешь, Дебс, кому и знать, как не тебе. Только на этот раз речь шла не о пятидесяти долларах и доске, да и плата пошла не моему братцу на карман. Я убивала не двух зайцев, а целую дюжину. Поэтому я трахнула его прямо здесь, как только он показал мне это место, ведь он за этим и привел меня сюда, поэтому называл меня своим особым другом — олух,— за этим зажег свечи, похлопал по кровати и сказал: «Как тебе нравится мое убежище? Шепни мне, что ты думаешь. Подойди ближе. Дай мне тебя потрогать. Я могу заставить тебя чувствовать, и ты можешь заставить меня чувствовать, и свет так нежно гладит нам кожу, ведь правда, и золотит нас там, где мы больше всего хотим, чтобы нас трогали. Вот здесь и еще вот тут... Господи, по-моему, ты все-таки та самая, моя дорогая». И тогда я сделала это с ним, Дебора, и, можешь мне поверить, ему понравилось, так же как нравилось Мэтту, и сюда же я принесла картину, которую украла у него в ночь перед убийством.

— О боже,— сказала Дебора.

— Боже тут совершенно ни при чем. Ни тогда. Ни сейчас. И вообще никогда. К моей жизни он не имеет никакого отношения. К твоей, может, и имеет, а к моей нет. Хотя, знаешь, это ведь нечестно. С самого начала было нечестно. Потому что я ничем не хуже тебя и любого другого человека, и я не заслужила той гадости, которую получила.

— Значит, это ты взяла картину? Ты знаешь, что это?

— Газеты-то я читаю,— усмехнулась Чайна.— В Южной Калифорнии они так себе, а в Санта-Барбаре и того хуже. Но громкие истории они печатают. Да. Громкие истории они не забывают.

— И что ты собиралась с ней делать?

— Я не знала. Решила подумать об этом после. Оставила эту задачу на закуску, как самую вкусную часть пирога. Я знала, где она лежит в кабинете. Он не очень-то старался ее спрятать. Вот я ее и взяла. Положила в тайник. И решила, что вернусь за ней позже. Я знала, что здесь с ней ничего не случится.

— Но ведь кто угодно мог войти сюда и увидеть,— возразила Дебора.— Для этого нужно было только пробраться в дольмен, ведь всякий, кто не знает комбинации, может просто сломать дужку замка. А потом зайти, посветить фонарем, увидеть картину и...

— Как?

— Да так: обойди алтарь и сразу увидишь. Она же бросалась в глаза.

— Ты там ее нашла?

— Не я. Пол... друг Ги Бруара... Тот мальчик...

— А-а,— сказала Чайна.— Так значит, это его я должна благодарить.

— За что?

— За этот подарок.

И Чайна вытащила на свет руку, в которой не было фонаря. Зато Дебора увидела в ней объект, по форме похожий на небольшой ананас. Одними губами она произнесла: «Что это?», в то время как в мозгу уже сложилась догадка.

За стенами дольмена Ле Галле сказал Сент-Джеймсу:

— Даю ей еще пару минут. И все.

Тот все еще пытался свыкнуться с тем фактом, что именно Чайна Ривер, а не ее брат оказалась у дольмена. Хотя он и говорил Деборе, что преступник — один из Риверов, поскольку только это объясняло все: от кольца, найденного на пляже, до флакона в поле,— сам он почти сразу пришел к выводу, что это брат. А признаться в этом, даже самому себе, у него не хватало сил. И дело было не в том, что убийство ассоциировалось у него больше с мужчинами, чем с женщинами. Дело было в том, что на уровне подсознания, исследовать которое ему совсем не хотелось, он жаждал, чтобы этот американец убрался из его жизни, жаждал с тех самых пор, как тот, здоровый и веселый, возник на пороге их лондонского дома и стал звать его жену Дебс.

Вот почему он не сразу отреагировал на слова Ле Галле. Он был слишком занят, пытаясь найти какую-нибудь логическую увертку, которая позволила бы ему не признаваться в собственной ошибке и презренной слабости.

— Сомаре,— продолжал тем временем Ле Галле.— Приготовься к броску. Остальные...

— Она ее приведет,— сказал Сент-Джеймс.— Они же подруги. Та послушает Дебору. И она ее приведет. Другого выхода у нее нет.

— А у меня нет желания рисковать,— ответил Ле Галле.

Граната выглядела древней. Даже издалека Дебора видела, что ее всю проела ржа и облепила грязь. Граната походила на артефакт времен Второй мировой и потому казалась совсем не страшной. Разве такие штуки взрываются?

Чайна, словно прочитав ее мысли, сказала:

— Но ведь ты не знаешь наверняка, правда? И я тоже. Расскажи мне, как они все устроили, Дебс.

— Что устроили?

— Я. Здесь. С тобой. Они бы не привели тебя сюда, если бы не знали. Какой смысл?

— Я не знаю. Я же говорила тебе. Я пошла за Саймоном. Мы обедали, и вдруг появилась полиция. Саймон сказал...

— Не ври мне, ладно? Они наверняка нашли флакон из-под опия, иначе не пришли бы за Чероки. Они решили, что остальные улики подбросил он, чтобы все поверили, будто это я, ведь какой мне смысл подбрасывать улики против самой себя, надеясь только на флакон, который неизвестно еще, найдут или нет. Но они его нашли. А что было дальше?

— Я ничего не знаю про флакон,— сказала Дебора.— И про опий тоже.

— Ой, только не надо. Все ты знаешь. Пай-девочку разыгрываешь? Саймон от тебя ничего важного не утаит. Так что давай выкладывай, Дебс.

— Я все рассказала. Я не знаю того, что знают они. Саймон не говорил мне. И не скажет.

— Значит, не доверяет, да?

— Видимо, нет.

Признание заставило Дебору вздрогнуть, как от неожиданного шлепка, нанесенного родительской ладонью. Флакон с опием. Он не доверял ей.

— Нам надо идти,— сказала она.— Они ждут. Они войдут сюда, если мы не...

— Нет,— сказала Чайна.

— Что — нет?

— Я не буду сидеть. Не пойду под суд. Или как это у них тут называется. Я выхожу из игры.

— Но как... Чайна, тебе некуда идти. Ты же не можешь сбежать с острова. Они, наверное, уже перекрыли... Это невозможно.

— Ты неправильно понимаешь,— сказала Чайна.— Выйти из игры не значит сбежать с острова. Выйти — значит выйти. Вместе с тобой. Подруги — так до самого конца.

Она осторожно положила фонарик и начала возиться с чекой гранаты. Себе под нос она бормотала:

— Вот не помню, как скоро эти штуки взрываются, а ты?

— Чайна! Нет! Она не взорвется. А если взорвется...

— На это я и надеюсь,— сказала Чайна.

К ужасу Деборы, ей удалось раскачать чеку. Старая, ржавая, повидавшая за последние шестьдесят лет бог весть какие непогоды, она должна была стоять на месте, как влитая, но она двигалась. Как те неразорвавшиеся бомбы, которые время от времени извлекают из-под земли на южной окраине Лондона, граната сгустком памяти лежала на ладони Чайны, а Дебора судорожно пыталась вспомнить, сколько времени есть у них — у нее — в запасе, чтобы попытаться избежать смерти.

Чайна начала считать:

— Пять, четыре, три, два...

Дебора качнулась назад и, не раздумывая, упала в темноту. Какую-то секунду, которая показалась ей длинной, как вечность, ничего не происходило. Вдруг стены дольмена сотряс такой грохот, словно наступил конец света.

И все исчезло.

Дверь сорвало с петель. Точно снаряд, она отлетела в густую растительность, а за ней наружу вырвался порыв ветра, жаркий, словно адское сирокко. Времени не стало. Застыли все звуки, как будто их поглотил ужас.

Через час, или минуту, или секунду весь свет сошелся клином на этом крохотном кусочке острова Гернси. Звук и движение взвихрились вокруг Сент-Джеймса, словно поток воды из прорванной плотины, несущий с собой грязь, листья, поломанные ветки, вырванные с корнем деревья, изувеченные трупы животных. Он чувствовал какую-то толкотню и возню в тесном пространстве утоптанной растительности, которое служило им наблюдательным пунктом. Он ощущал движения людей и слышал проклятия одного и громкие крики другого — голоса долетали до него, словно с другой планеты. Где-то далеко кто-то пронзительно вопил, вопли будто парили над ними, а лучи света вокруг метались и раскачивались в пыльной темноте, словно руки и ноги повешенных.

А он, не сводя глаз с дольмена, осознавал, что все — и слетевшая с петель дверь, и шум, и жаркое дуновение, и суета вокруг — было проявлениями события, которое никто не предвидел даже в теории. Свыкнувшись с этой мыслью, он, шатаясь, двинулся вперед. Он шел прямо к двери, не обращая внимания на заросли ежевики, которые цеплялись за него со всех сторон. Он рвал колючие побеги руками и даже не замечал, как они ранят его плоть. Он видел только дверь, коридор за ней и непередаваемый страх, о котором он не хотел даже думать, хотя прекрасно понимал, что именно случилось с его женой и убийцей, запертыми вместе.

Кто-то схватил его, и до него дошел чей-то крик. Не только звук, но и слова тоже.

— Господи, вот он. Сюда, парень! Сомаре! Да приведите его, Христа ради. Сомаре, черт тебя побери, посвети нам. Готорн, сейчас прибегут из дома. Не пускай их сюда, ради всего святого.

Его тянули, дергали и наконец толкнули вперед. Освобожденный от ежевики, которой зарос весь луг, он плелся позади Ле Галле в направлении дольмена.

Ибо тот продолжал стоять, как стоял здесь уже сто тысяч лет: гранитные блоки, вырубленные из породы, составлявшей самую основу этого острова, оправленные в гранит, окруженные гранитом, крытые гранитом и выложенные гранитом изнутри. Да еще и засыпанный землей, которая отражала многочисленные попытки человека разрушить его.

Это не удалось никому. Даже теперь.

Ле Галле отдавал приказы. Вытащив фонарь, он светил им внутрь холма, откуда летели клубы пыли, словно души, освобожденные в день Страшного суда. Кто-то из его людей подошел сзади и спросил его о чем-то, и этот вопрос — какой именно, Сент-Джеймс не разобрал, поскольку не в силах был воспринимать ничего, кроме того, что открывалось его взгляду,— заставил главного инспектора замешкаться на пороге. Сент-Джеймс воспользовался паузой и проник туда, куда при других обстоятельствах его бы не пустили. Делая шаг вперед, он молился, заключая сделку с Богом: «Если она выживет, я сделаю все, что Тебе угодно, стану кем угодно, приму все, что угодно. Только не это, Господи, только не это».

Фонаря у него не было, да и на что он ему, когда у него есть руки. Он пополз внутрь на ощупь, охлопывая ладонями шероховатые поверхности камней, ушибая колени, и даже стукнулся один раз лбом о какую-то низкую притолоку. У него закружилась голова. Теплая струйка крови потекла из ранки над бровью. А он все твердил свою молитву: «Стану кем угодно, сделаю что угодно, приму все, что Тебе угодно, не спрашивая, стану жить только для других, только для нее, буду честным и верным, буду слушать каждое ее слово и постараюсь понять, потому что в этом главная моя ошибка, здесь я всегда ошибался. Господи, Ты ведь знаешь, потому Ты и забрал ее у меня. Господи, Господи, Господи».

Ему хотелось встать на четвереньки и ползти, но он не мог, чертова скоба не давала ему согнуть ногу. Но ему необходимо было пасть ниц, встать на колени и вознести свою мольбу в пыльной темноте, где он не мог найти ее. Поэтому он разорвал штанину и пытался дотянуться до проклятого пластика и застежки-липучки, но ничего не получалось, и он то молился, то ругался. За этим занятием и настиг его луч света от фонаря Ле Галле.

— Господи Иисусе, парень,— сказал главный инспектор и крикнул через плечо: — Сомаре, свети сюда!

Но Сент-Джеймсу это уже не было нужно. Он видел цвет: медный. И роскошную волну ее волос, таких любимых.

Раскинув руки и ноги, Дебора лежала позади чуть приподнятого камня, который она называла алтарем и под которым Пол Филдер якобы нашел портрет красивой дамы с книгой и пером.

Спотыкаясь, Сент-Джеймс двинулся к ней. Смутно он сознавал, что вокруг него движутся другие люди, а пещеру заливает яркий свет. Он слышал голоса и шарканье ног по каменному полу. Запах пыли и едкая вонь взрывчатки забивали ему нос. Медно-соленый привкус собственной крови наполнил его рот, и он ощутил сначала холодный жесткий шершавый камень алтаря, до которого дотронулся рукой, а потом теплую податливую плоть, которая была телом его жены.

Он не видел ничего, кроме Деборы. Повернул ее на спину. Ее лицо и волосы заливала кровь, одежда была изорвана, глаза закрыты.

С яростью он притянул ее к себе. С яростью прижался щекой к ее щеке. Он больше не мог ни молиться, ни сквернословить: центр его жизни, то, что делало его самим собой, вдруг исчезло, вырванное из его сердца мгновенно и неожиданно. Он даже не успел приготовиться.

Он позвал ее. Закрыл глаза, чтобы не видеть. И ничего не услышал в ответ.

Зато он почувствовал, как в теле, которое держал в объятиях и не собирался отпускать ни за что и никогда, билась жизнь. Он ощутил дыхание, неглубокое и частое, у самого своего горла. Господь милосердный, она дышала!

— Господи,— прошептал Сент-Джеймс.— Господи, Дебора.

Он опустил жену на пол и хрипло стал звать на помощь.

Сознание возвращалось к ней постепенно. Сначала она услышала высокий звук, не менявшийся ни в громкости, ни в частоте, ни в тоне. Он заполнял ее ушные каналы, стучась в тонкие защитные мембраны у их основания. Позднее он словно просочился сквозь барабанные перепонки в ее мозг и там застрял. Для обычных звуков не осталось места, и она оказалась словно выброшенной из привычного мира.

За слухом пришло зрение: свет и тьма, тени на фоне освещенного экрана, который будто вобрал в себя само солнце. Его накал был так велик, что она могла выносить его лишь несколько секунд кряду, а потом снова закрывала глаза, отчего в голове у нее начинало гудеть еще сильнее.

Гудение не исчезало никогда. С открытыми глазами или с закрытыми, в сознании или за его пределами, она слышала его постоянно. Наверное, то же слышат дети, когда только появляются на свет из утробы, думала она. И все же это было кое-что осязаемое, за звук можно было ухватиться, что она и делала, стремясь к нему всем своим существом, как пловец, поднимающийся из глубины озера, стремится к его далекой поверхности, покрытой тяжелыми колышущимися складками, но сверкающей обещанием воздуха и света.

Когда она наконец смогла выносить ослепительный свет дольше нескольких секунд, то обнаружила, что просто наступила ночь. Вместо залитой сиянием сцены, на которую устремлены взгляды сотен зрителей, она оказалась в небольшой комнате, где горела лишь одна флуоресцентная лампа над ее кроватью, набрасывая свой мерцающий покров на ее тело, всеми своими бугорками и впадинами прорисовывающееся сквозь тонкое одеяло. Рядом сидел ее муж, пододвинув стул так, чтобы положить голову на матрас. Руки он подложил под голову, лицо отвернул в сторону. Но она все равно знала, что это Саймон, ведь она в любом месте и в любое время узнала бы его среди тысячи других. Она знала его рост и фигуру, знала, как завиваются волоски у него на шее, знала, как сходятся его лопатки, когда он сцепляет пальцы на затылке.

Она обратила внимание на то, что его рубашка испачкана. Медно-рыжие пятна покрывали воротник, как будто Саймон порезался во время бритья и промокал кровь рубашкой. Ближний к ней рукав был весь в потеках грязи, а манжеты испещряли другие медно-рыжие пятна. Больше она ничего не видела, а разбудить его у нее не было сил. Она обнаружила, что может лишь подвинуть пальцы на пару дюймов. Но этого оказалось достаточно.

Саймон поднял голову. Видеть его было чудом. Он заговорил, но из-за шума в ушах она не слышала ни слова, и тогда она покачала головой и попыталась заговорить сама, но у нее ничего не вышло: во рту было так сухо, что губы и язык словно прилипли к зубам.

Саймон потянулся за чем-то к столику рядом с постелью. Слегка приподняв Дебору, он поднес пластиковый стаканчик к ее губам. Из него торчала соломинка, которую Саймон аккуратно вставил ей в рот. Она благодарно потянула в себя воду, та оказалась тепловатой, но ей было все равно. Пока она пила, он подвинулся к ней ближе. Она чувствовала, как он дрожит, и подумала, что вода наверняка прольется. Она попыталась остановить его руку, но он ее удержал. Прижал ее ладонь к своей щеке, а пальцы приложил ко рту. Нагнулся над ней и прижался щекой к ее макушке.

Ему сказали, что Дебора выжила лишь потому, что либо не входила во внутреннюю камеру, либо выбралась из нее за доли секунды до взрыва. В том, что это была именно граната, полицейские не сомневались. Это подтверждали улики.

Что до той женщины... Вряд ли хоть один человек, сознательно взорвавший начиненную тринитротолуолом бомбу у себя в руке, выжил, чтобы рассказать об этом. А взрыв, как полагали полицейские, был вызван сознательно. Другого объяснения не было.

— Счастье, что это произошло внутри кургана,— сказали Сент-Джеймсу полицейские, а затем и двое докторов, которые осматривали его жену в больнице принцессы Елизаветы.— От такого взрыва любая другая постройка рухнула бы им на головы. Ее раздавило бы в лепешку... или унесло куда-нибудь в Тимбукту. Ей повезло. Вам всем повезло. Современная взрывчатка снесла бы холм, а заодно и весь луг. Но где она раздобыла гранату, вот в чем вопрос?

Вопрос, но лишь один из многих, думал Сент-Джеймс. Все остальные начинались со слова «зачем». Никто не сомневался в том, что Чайна Ривер вернулась к дольмену за картиной, которую спрятала внутри. Ясно было и то, что она каким-то образом узнала о плане переправить картину на Гернси вместе с чертежами. О том, что она задумала и совершила преступление, основываясь на привычках Ги Бруара, которые изучила уже на острове, они узнали из собеседований с главными участниками событий. Но вот зачем она все это сделала, долгое время оставалось непонятным. Зачем похищать картину, которую она не могла надеяться продать открыто, а лишь в частную коллекцию за сумму гораздо меньшую, чем она стоила на самом деле... да и то при условии, что ей удастся найти коллекционера, который не побоится незаконной сделки? Зачем подбрасывать улики против самой себя, надеясь лишь на то, что полиция найдет флакон с отпечатками пальцев ее брата и следами опиата, которым отравили жертву? Зачем вообще подбрасывать улику против единокровного брата? Этот вопрос не давал им покоя больше всего.

Были и другие вопросы, начинавшиеся со слова «как». Как к ней попало кольцо фей, которым она удушила Ги Бруара? Сам ли он показал его ей? Знала ли она, что он его носит? Планировала ли она использовать его? Или такая мысль пришла ей в голову потом, в момент озарения на пляже, когда она обшаривала карманы сброшенной им одежды и решила воспользоваться камнем вместо кольца, которое принесла с собой для этой цели?

Сент-Джеймс надеялся, что частично на эти вопросы сможет когда-нибудь ответить его жена. Остальные так и останутся без ответа.

Ему сказали, что слух к Деборе вернется. Конечно, из-за близости к взрыву она, наверное, никогда не будет слышать так же хорошо, как раньше, но это станет ясно только со временем. Она перенесла тяжелую контузию, последствия которой будут давать о себе знать еще не один месяц. Без сомнения, она не скоро сможет вспомнить события, происшедшие непосредственно перед взрывом и сразу после него. Поэтому не надо приставать к ней с расспросами. Придет время, когда она все вспомнит сама, ну а не вспомнит, значит, не вспомнит.

Каждый час он звонил ее отцу, докладывал о ее самочувствии. Когда всякая опасность миновала, он заговорил с Деборой о случившемся. Он говорил ей прямо в ухо, не повышая голоса и положив ладонь ей на ладони. Повязки с порезов на ее лице сняли, но швы на большой рваной ране на подбородке остались. На ее синяки было страшно смотреть, но ею уже овладело нетерпение. Ей хотелось домой. Там ее ждали отец, фотография, собака и кошка, Чейни-роу, Лондон и все, что она хорошо знала.

Голосом, все еще дрожащим от слабости, она спросила:

— Чайны больше нет, правда? Расскажи мне. Думаю, что я услышу, если ты сядешь поближе.

Этого ему как раз и хотелось. Поэтому он осторожно опустился рядом с ней на больничную койку и рассказал все, что ему было известно. А заодно и то, что утаил от нее раньше. И сознался, что скрыл это из желания наказать ее за непослушание в той истории с кольцом, а больше всего за взбучку, которую он сам получил тогда от Ле Галле. Он сказал ей, что, узнав от американского поверенного Ги Бруара о черном растафарианце, который принес в его контору чертежи, он убедил Ле Галле расставить ловушку на убийцу. Раз это один из них, то отпустить следует обоих, предложил он главному инспектору. Пусть себе катятся на все четыре стороны, только с условием, что они покинут остров с утра первым же рейсом. Если мотивом убийства была картина, найденная в дольмене, то убийца придет за ней... если, конечно, убийца — один из них.

— Я ожидал, что им окажется Чероки,— сказал Сент-Джеймс на ухо жене. И замялся, перед тем как сделать очередное признание.— Я хотел, чтобы им оказался Чероки, Дебора.

Дебора повернула голову и посмотрела на него. Он не знал, услышит ли она его, если он не будет шептать ей на ухо, и сможет ли прочесть по его губам, но все равно продолжал говорить, а она не отводила от него взгляда. После всего, что он натворил, он обязан был исповедаться перед ней до конца.

— Я все время задавал себе один и тот же вопрос: дойдет когда-нибудь до этого или нет,— сказал он.

Она то ли услышала его слова, то ли прочла по его губам. Не важно. Важно то, что она сказала:

— До чего до этого?

— Я против них. Такой, какой я есть. И они такие, как есть. Твой выбор против того, что ты могла бы иметь в ком-то другом.

Ее глаза округлились.

— Чероки?

— Кто угодно. На нашем крыльце возникает незнакомец, какой-то тип из Америки, о котором ты, по-моему, никогда даже не говорила с тех пор, как вернулась оттуда, и оказывается, что он тебя знает. И ты его тоже знаешь. Он явно часть того времени. А я — нет. И уже никогда не буду. Это сразу засело у меня в голове, и началось: оказывается, этот симпатичный, здоровый парень явился затем, чтобы увезти мою жену на Гернси. Потому что к этому все идет, что бы он там ни твердил про американское посольство. И я знаю, что может из этого выйти. Но не хочу этого допустить.

Она всматривалась в его лицо.

— Как ты мог подумать, что я оставлю тебя, Саймон? Ради кого бы то ни было. Разве так поступают с человеком, которого любят?

— Дело не в тебе,— сказал он.— А во мне. Ты такая... Ты никогда ни от чего не уходила и не станешь, потому что если бы ты уходила, то не была бы такой, какая ты есть. Но я-то вижу мир глазами человека, который уходил, Дебора. И не раз. И не только от тебя. Поэтому для меня мир — это место, где люди только и делают, что губят друг друга. Губят своим эгоизмом, жадностью, чувством вины, глупостью. Или страхом, как в случае со мной. Чистейшим животным страхом. Который начинает мучить меня всякий раз, как кто-нибудь вроде Чероки Ривера внезапно появляется на моем крыльце. Страх снедает меня, и каждый мой поступок окрашен им. Я хотел, чтобы он оказался убийцей, потому что только так я мог быть уверен в тебе.

— Неужели ты правда считаешь, что это так важно, Саймон?

— Что — это?

— Ты знаешь.

Он опустил голову и поглядел на свою руку, лежавшую поверх ее ладоней, так что она вряд ли смогла бы прочесть по губам его следующие слова.

— Мне было трудно даже добраться до тебя, любимая. Там, в дольмене. Таким, какой я есть. Поэтому да. Для меня это очень важно.

— Но только если ты считаешь, что я нуждаюсь в твоей защите. А это не так. Саймон, мне ведь давно не семь лет. И то, что ты делал для меня тогда... теперь мне это больше не нужно. Более того, твоя забота мне только мешает. Все, что мне нужно, это ты сам.

Он выслушал ее слова и попытался их переварить. Он стал калекой, когда ей исполнилось четырнадцать, через много лет после того дня, как он разобрался с кучкой ребятишек, не дававших ей житья в школе. И он знал, что они с Деборой вошли в ту стадию отношений, когда ему полагается доверять силе, которую они составляют вместе как муж и жена. Но он не был уверен, что способен на это.

Для него это был миг перехода через Рубикон. Он видел переправу, но не мог различить, что там, на другом берегу. Чтобы отважиться и шагнуть вперед, требовалась недюжинная вера. Где ему взять такую веру, он не знал.

— Я попытаюсь привыкнуть к тому, что ты уже взрослая,— сказал он наконец.— Это все, что я пока могу тебе обещать, и то, наверное, буду постоянно делать глупости. Стерпишь ли ты их? Захочешь ли стерпеть?

Она повернула свою руку в его руке и ухватила его за пальцы.

— Лиха беда начало,— был ее ответ.— Я рада, что ты решился.

31

Сент-Джеймс поехал в Ле-Репозуар на третий день после взрыва и обнаружил там Рут Бруар и ее племянника. Они как раз проходили мимо конюшен, возвращаясь с заброшенного луга, куда пошли по просьбе Рут — ей хотелось увидеть дольмен. Разумеется, она всегда знала, что он там, но думала о нем лишь как о древнем могильнике. О том, что ее брат исследовал этот холм, нашел вход в него, оборудовал и превратил в свой тайник, она не имела ни малейшего понятия. И Адриан тоже, как убедился Сент-Джеймс.

Среди ночи они услышали грохот, но что это было и где, так и не поняли. Соскочив с постелей, они бросились в коридор, где и встретились. Рут не без смущения призналась Сент-Джеймсу, что с перепугу решила, будто взрыв имеет прямое отношение к возвращению племянника в Ле-Репозуар. Чутье подсказало ей, что где-то взорвали бомбу, и она связала это с настойчивым желанием Адриана накормить ее ужином, который он помешивал на плите, когда она вошла в кухню. Она подумала, что он подмешал ей в еду снотворное. Поэтому когда от взрыва задрожали стекла в окне ее спальни и по всему дому захлопали двери, она никак не ожидала встретить в коридоре одетого в пижаму племянника, вопящего что-то про упавший самолет, утечку газа, арабских террористов и боевиков Ирландской республиканской армии.

Она призналась, что решила, будто он хочет причинить поместью вред — не досталось мне, так не доставайся же ты никому. Но, понаблюдав, как он взялся за дело: вызвал полицию, «скорую», пожарную команду,— она переменила свое мнение. Без него она просто не справилась бы.

— Я поручила бы все Кевину Даффи,— сказала Рут Бруар.— Но Адриан сказал «нет». Он сказал: «Даффи не член нашей семьи. Мы не знаем, что произошло, и, пока не узнаем, будем все контролировать сами». Так мы и сделали.

— За что она убила отца? — спросил Сент-Джеймса Адриан Бруар.

Это привело их к разговору о картине, которая, насколько удалось установить Сент-Джеймсу, и была целью Чайны Ривер. Но конюшни были не самым подходящим местом для разговора о полотне семнадцатого века, и потому Сент-Джеймс спросил, не могут ли они пройти в дом, чтобы поговорить в непосредственной близости от дамы с пером и книгой. Ведь с ее судьбой еще не все ясно.

Картина оказалась наверху, в галерее, занимавшей почти всю длину восточного крыла дома. На обшитых ореховыми панелями стенах расположилась собранная Ги Бруаром коллекция современной масляной живописи. Красивая дама, лежавшая без рамы на столике для миниатюр, выглядела здесь не на месте.

— А это что? — спросил Адриан, подходя к столу.

Он зажег лампу, и отблески света заиграли в волосах святой Варвары, пышным покрывалом спадавших на ее плечи.

— Отец ведь не собирал такие вещи.

— Это та самая дама, с которой мы обедали,— ответила Рут.— Когда мы были маленькими, она висела в нашей столовой в Париже.

Адриан посмотрел на нее.

— В Париже? — Его голос посерьезнел.— Но после Парижа... Как же она сюда попала?

— Ее нашел твой отец. По-моему, он планировал для меня сюрприз.

— Где он ее нашел? Как?

— А вот этого я никогда не узнаю. Мистер Сент-Джеймс и я... Мы подумали, что он, наверное, нанял кого-то. Она пропала после войны, но он никогда не забывал о ней. И о них тоже: я имею в виду нашу семью. Все, что от них осталось, это единственная фотография — пасхальный обед, помнишь? Ну, та, у отца в кабинете, на которой есть и эта картина. Наверное, поэтому он и не забыл. Их вернуть он, разумеется, не мог, но найти картину было в его силах. И он ее нашел. Она была у Пола Филдера. А он отдал ее мне. Наверное, Ги просил его сделать это, если... Ну, в общем, если что-нибудь случится с ним раньше, чем со мной.

Адриан Бруар был не дурак. Он взглянул на Сент-Джеймса.

— Это имеет какое-то отношение к его смерти?

— Не вижу связи, дорогой,— сказала Рут.

Подойдя к племяннику, она встала рядом с ним и стала рассматривать картину.

— Она ведь была у Пола, так что вряд ли Чайна Ривер могла о ней знать. И даже если бы она узнала, если бы отец сам рассказал ей по какой-то причине, что с того, ведь это просто воспоминание, последняя память о нашем семействе. Она имеет ценность лишь как воплощение того обещания, которое дал мне твой отец в детстве, перед отъездом из Франции. Она помогает восстановить чувство семьи, которую он так и не смог мне заменить. Кроме того, это просто красивая вещь, но и только. Просто старая картина. Какое значение она может иметь для кого-то еще?

Разумеется, подумал Сент-Джеймс, рано или поздно она узнает об истинной ценности этой картины, хотя бы от того же Кевина Даффи. Не сегодня, так завтра он зайдет в дом и увидит ее либо в каменном холле, либо в утренней комнате, здесь, в галерее, или в кабинете Ги. Увидит и заговорит... если, конечно, не узнает от Рут, что этот хрупкий холст — простое напоминание о времени и людях, которых уничтожила война.

Сент-Джеймс понял, что с ней картина будет в безопасности, как тогда, когда она была всего лишь красивой дамой с книгой и пером и передавалась от отца к сыну, пока ее не похитили солдаты вражеской армии. Теперь она принадлежала Рут. Став хозяйкой картины уже после убийства брата, она не была связана условиями ни одного завещания или какой-либо договоренности, предшествовавшей его смерти.

И могла делать с ней все, что угодно, и когда угодно. Но лишь до тех пор, пока Сент-Джеймс будет молчать.

Конечно, о картине знал Ле Галле, но что именно было ему известно? Только то, что Чайна Ривер хотела похитить произведение искусства из коллекции Ги Бруара. И ничего больше. На какую именно картину она нацелилась, кто ее нарисовал, откуда она взялась и как было совершено ограбление... Единственным человеком, посвященным во все подробности, был сам Сент-Джеймс. В его власти было поступить сейчас так, как он сочтет нужным.

— В нашей семье отец всегда передавал ее старшему сыну,— пояснила племяннику Рут.— Наверное, так наследник становился патриархом. Тебе хотелось бы иметь ее, дорогой?

Адриан покачал головой.

— Со временем, возможно,— ответил он ей.— Но не сейчас. Отец хотел, чтобы она была у тебя.

Рут с любовью коснулась картины в том месте, где на переднем плане навеки застыли текучие складки платья святой Варвары. За ее спиной неизменные каменщики вытесывали и укладывали гранитные глыбы. Рут улыбнулась спокойному лику святой и прошептала:

— Спасибо, брат. Спасибо. Ты сдержал слово, которое дал маме.

Она встрепенулась и спросила Сент-Джеймса:

— Вы хотели увидеть ее снова. Почему?

Ответ оказался очень простым.

— Потому что она прекрасна,— сказал он,— а я пришел сказать вам «прощайте».

После этого он ушел. Они дошли с ним до лестницы. Он просил их не провожать его дальше, так как дорога ему известна. Но они все же спустились на один пролет и остановились на площадке. Рут сказала, что хочет отдохнуть у себя. Она слабела с каждым днем.

Адриан вызвался сам уложить ее в постель.

— Возьми мою руку, тетя Рут,— велел он ей.

Дебора дожидалась завершающего визита невролога, который наблюдал за ее выздоровлением. Он должен был снять последний запрет, после чего они с Саймоном смогут отправиться назад, в Англию. Она даже оделась соответствующим образом, предвкушая благословение врача. И села на неудобный шведский стул у кровати, а чтобы не оставить у врача никаких сомнений относительно своих желаний, даже свернула одеяло и простыню, подготовив место для следующего пациента.

Ее слух улучшался с каждым днем. Швы с подбородка сняли. Синяки заживали, царапины и ссадины на лице исчезали прямо на глазах. Вот с внутренними повреждениями дело обстояло сложнее. Пока никаких особых неудобств они ей не причиняли, но Дебора знала, что день расплаты рано или поздно придет.

Когда дверь ее палаты отворилась, она ожидала увидеть врача и даже привстала, чтобы поздороваться. Но на пороге стоял Чероки Ривер.

— Я сразу хотел прийти, но... дел было много. А когда их стало меньше, я не знал, как показаться тебе на глаза. И что сказать. Я и сейчас не знаю. Но мне надо было прийти. Через пару часов я уезжаю.

Она хотела пожать ему руку, но он не взял протянутую ему ладонь.

— Мне очень жаль.— Она опустила руку.

— Я везу ее домой,— продолжал он.— Ма хотела прилететь и помочь, но я сказал...

Он усмехнулся, но не от радости, а чтобы скрыть горе. И провел по своим кудрявым волосам ладонью.

— Она бы не захотела, чтобы ма приехала. Она вообще никогда не хотела, чтобы ма была рядом. Да и вообще, что толку ей сюда ехать: лететь в такую даль, чтобы тут же развернуться и назад? Но она рвалась приехать. И так плакала. Они не разговаривали... не знаю сколько. Может, год. А может, два. Чайне не нравилось... не знаю. Я вообще не знаю, что ей нравилось, а что нет.

Дебора настойчиво усаживала его на низкий неудобный стул.

— Не надо. Лучше ты посиди,— говорил Чероки.

— Я на кровать сяду,— ответила она и примостилась на уголке оголенного матраса.

Чероки опустился на стул, но не на все сиденье, а только на край и уперся локтями в колени. Дебора ждала, когда он заговорит. Сама она не знала, что сказать, кроме того, что она очень сожалеет о случившемся.

— Я вообще ничего не понимаю,— продолжал он.— До сих пор не могу поверить... Ведь не было никаких причин. Но она спланировала все заранее. Только вот понять не могу зачем.

— Она знала, что у тебя есть маковое масло.

— Для смены часовых поясов. Я ведь не знал, чего ожидать. Сможем мы уснуть или нет, когда попадем сюда. Я не знал... ну, это... сколько мы будем привыкать к другому времени и привыкнем ли вообще. Вот я и купил масло дома и взял его с собой. А ей сказал, что пользоваться можем вместе. Но я к нему так и не прикоснулся.

— И даже забыл, что оно у тебя с собой?

— Не забыл. Просто не думал. Может, оно было у меня. А может, я отдал его ей. Я вообще о нем не думал.

Он оторвал взгляд от своих туфель и посмотрел на Дебору.

— Когда она травила им Ги, она, наверное, забыла, что это мой флакон. И просто не отдавала себе отчета в том, что он весь в моих отпечатках.

Теперь отвела глаза Дебора. На краю матраса обнаружилась вытянутая нитка, и Дебора обмотала ее вокруг своего пальца. Посмотрела, как наливается кровью ногтевое ложе.

— Отпечатков Чайны на флаконе не было. Только твои.

— Ну да, но этому должно быть какое-то объяснение. Например, она так его держала. Или еще что-нибудь.

В его голосе звучало столько надежды, что Дебора не нашла в себе силы ответить, только посмотрела на него. Пауза между ними все затягивалась. В тишине она услышала сначала его дыхание, потом из коридора донеслись голоса. Кто-то спорил с медперсоналом, какой-то мужчина требовал отдельной палаты для своей жены. Ведь она, «черт возьми, работает в этой дурацкой больнице. Неужели она не заслужила чуть более внимательного отношения?»

Наконец Чероки хрипло спросил:

— Почему?

Дебора не знала, где взять слова, чтобы ответить. С ее точки зрения, брат и сестра Риверы отплатили друг другу ударом за удар, но и это не помогло уравновесить чаши весов, потому что когда речь идет о совершенных преступлениях и перенесенных страданиях, то месть всегда кажется неадекватной, особенно некоторое время спустя.

— Чайна ведь так и не простила вашу маму, правда? За то, какой она была, когда вы были детьми. За то, что ее никогда не было рядом. За детство, проведенное в мотелях. За магазины, в которых она покупала вам одежду. За свою единственную пару туфель. Она так и не смогла понять, что это всего лишь мир, который ее окружает. И ничего более. Все это значит только то, что значит: мотель — это просто мотель, одежда из секонд-хенда — это просто одежда, туфли — это туфли, а мама, которая приезжает на день или на неделю,— это все равно ее мама. Но для нее все имело какой-то особый смысл. Она воспринимала жизнь как великую несправедливость, совершенную по отношению к ней, вместо того чтобы воспринимать ее как набор карт, с которыми она вольна поступать как хочет. Ты понимаешь, о чем я?

— Значит, она убила... Значит, она хотела, чтобы копы поверили...— Чероки явно не в силах был взглянуть правде в лицо, не говоря уже о том, чтобы произнести ее вслух.— Нет, я все равно не понимаю.

— Мне кажется, она видела несправедливость там, где другие люди видят просто жизнь,— объяснила ему Дебора.— И так и не смогла перестать думать об этой несправедливости, о том, что случилось, о том, что сделали...

— Ей,— закончил Чероки мысль Деборы.— Да. Верно. Но я-то что? Нет. Когда она подливала ему опиум, она не думала... Она не знала... Она не понимала...

Его голос замер.

— Как ты узнал, где искать нас в Лондоне? — спросила его Дебора.

— У нее был твой адрес. Она сказала, что, если у меня будут проблемы с посольством или еще что-нибудь, я смогу разыскать тебя и ты поможешь. Твоя помощь может понадобиться, сказала она, чтобы докопаться до истины.

Так оно и вышло, подумала Дебора. Правда, не совсем так, как рассчитывала Чайна. Она не сомневалась в том, что Саймон, свято веря в ее невиновность, будет оказывать давление на местную полицию до тех пор, пока они не найдут подброшенный ею флакон с опиатом. Но она не учла, что полиция найдет флакон самостоятельно, а муж Деборы начнет искать совершенно в другом направлении, узнает о картине и использует ее как приманку в ловушке на убийцу.

Дебора мягко сказала брату Чайны:

— Значит, она послала тебя за нами. Она знала, что будет, когда мы приедем.

— Что меня...

— Этого она и хотела.

— Повесить на меня убийство.

Чероки встал и подошел к окну. Оно было закрыто жалюзи, и он дернул за шнур.

— Чтобы я кончил... как? Как ее отец, что ли? Неужели она затеяла все это из мести за то, что ее папаша в тюрьме, а мой — нет? Как будто это моя вина, что этот неудачник достался ей в отцы. Это не моя вина. Я тут ни при чем. Да и мой-то папаша что, намного лучше, что ли? Тоже мне, благодетель человечества, всю жизнь спасал то ли пустынных черепах, то ли желтых саламандр, то ли еще каких-то тварей. Господи, да какая разница-то? Какая, черт побери, ей была разница? Вот чего я не понимаю.

— А ты хочешь понять?

— Конечно. Она ведь была моей сестрой. Еще как хочу, черт побери!

Дебора встала с кровати и подошла к нему. Мягко вынула шнур у него из рук. Подняла жалюзи, чтобы в комнате стало светлее и на их лица упал рассеянный свет далекого декабрьского солнца.

— Ты продал ее невинность Мэттью Уайткомбу,— сказала она.— Твоя сестра узнала об этом, Чероки. И хотела, чтобы ты заплатил.

Он не отвечал.

— Она думала, что он любит ее. Все эти годы. Что бы ни происходило между ними, он всегда возвращался, и она решила, что это значит то, чего вовсе не было. Она знала, что он изменял ей с другими женщинами, но верила, что рано или поздно он перерастет это и останется с ней навсегда.

Чероки наклонился вперед. Прижался к холодному оконному стеклу лбом.

— Он правда изменял,— прошептал Чероки.— Но только с ней. Не ей. А с ней. О чем, черт возьми, она думала? Он проводил с ней один выходной в месяц. Два, если повезет. Пять лет назад они съездили в Мексику, а когда ей было двадцать один — в круиз на теплоходе. Да этот козел женат, Дебс. Уже полтора года, а ей так и не сказал. А она все ждала и ждала, а я не мог... я просто не мог сказать ей. Не мог так с ней поступить. Мне не хотелось видеть, какое у нее будет лицо. Поэтому я взял да и рассказал ей, с чего у них все началось, надеялся, что она взбесится и бросит его.

— Ты хочешь сказать...— Дебора едва устояла на ногах, до того ее напугала эта мысль, столь ужасная в своих последствиях.— Ты не продавал ее? Она только думала... что за пятьдесят долларов и доску ты продал ее Мэтту? А ты этого не делал?

Он отвернулся. Посмотрел вниз, на больничную стоянку, куда как раз въехало такси. Пока они оба смотрели, из машины вышел Саймон. Он поговорил с водителем, и такси осталось стоять, когда он подошел к больничной двери.

— Тебя выпустили,— сказал Чероки Деборе.

Она повторила:
— Так ты не продавал ее Мэтту?
— Ты уже собралась? Встретимся в холле, если хочешь.
— Чероки!
— Черт, мне хотелось кататься. А для этого нужна была доска. Брать взаймы было недостаточно. Мне нужна была своя собственная.
— О господи,— выдохнула Дебора.
— Не понимаю, почему это так важно,— сказал Чероки.— Для Мэтта это было совсем не важно, и для любой другой девчонки тоже. Но откуда мне было знать, как воспримет это Чайна и что, по ее мнению, должно было выйти из того, что она «отдалась» какому-то придурку? Господи, Дебс, да о чем тут говорить, ну, трахнулись, да и все.
— А ты, значит, обыкновенный сутенер, да и все.
— Все было совсем не так. Я же видел, что он ей нравится. И ничего страшного в этом не было. Она бы и не узнала никогда, не реши она превратить свою жизнь в рулон туалетной бумаги, чтобы истратить ее на какого-то придурка. Поэтому я просто должен был ей сказать. Она не оставила мне выбора. Это было сделано ради ее добра.
— Как и сама сделка? — спросила Дебора.— Хочешь сказать, тебе она была не нужна? Разве ты не желал заключить ее и разве ты не использовал для этого свою сестру? Разве не так все было?
— Ну ладно. Да. Так. Но зачем было так серьезно все воспринимать? Не надо было зацикливаться.
— Правильно. А она взяла и зациклилась,— напомнила Дебора.— Потому что трудно поступить иначе, когда тебя обманывают.
— Никто ее не обманывал. Все она видела, только понимать не хотела. Господи, и почему она никогда ничего не забывала? Все, что попадало ей внутрь, гноилось там, как незаживающая рана. Вечно она думала о том, как все должно было быть, по ее мнению.
Дебора знала, что по крайней мере в одном он прав: Чайна имела привычку определять цену всему, что предлагала

ей жизнь, и всегда считала, будто та ей сильно задолжала. В последнем разговоре с ней Дебора наконец поняла: Чайна слишком многого ждала от людей. От жизни. Ее ожидания и стали причиной тех разочарований, которые привели ее к роковому концу.

— Но хуже всего то, Дебс, что ее никто не заставлял это делать,— сказал Чероки.— Никто не приставлял заряженный револьвер ей к виску. Он заигрывал с ней, а я свел их вместе, это верно. Но все остальное она позволила сама. И позволяла снова и снова. Так с какой стати я оказался во всем виноватым?

На этот вопрос у Деборы не было ответа.

«В последние годы члены семейства Ривер слишком часто перекладывали друг на друга вину за свои поступки»,— подумала она.

В дверь отрывисто постучали, и в комнату вошел Саймон. Кивнув Чероки, он спросил у Деборы:

— Готова ехать домой?

— Еще бы,— улыбнулась она.

32

Фрэнк Узли дождался двадцать первого декабря, самого короткого дня и самой длинной ночи в году. Закат в этот день наступает рано, а именно закат и был ему нужен. Длинные тени, которые предметы отбрасывают в этот час, подходили ему как нельзя лучше, скрывая его от глаз посторонних, чтобы те не стали нечаянными свидетелями последнего акта его личной драмы.

В половине четвертого он взял сверток. Картонная коробка стояла на телевизоре с тех самых пор, как он привез ее из Сент-Сэмпсона. Края были склеены липкой лентой, но Фрэнк еще раньше приподнял ее, чтобы проверить содержимое. Все, что осталось от его отца, уместилось в обычном пластиковом пакете. Прах к праху. Цветом останки напоминали пепел и пыль, но были темнее и легче, а кое-где в них встречались осколки костей.

Он знал, что где-то на Востоке есть обычай перебирать прах умерших. Все члены семьи садятся и палочками выбирают из пепла остатки костей. Что они делают с этими костями, он не знал,— может быть, хранят в домашних усыпальницах, как кости мучеников хранили в ранних христианских церквях, чтобы придать им святость. Но он ничего такого делать не собирался. Все останки отца станут частью того места, которое Фрэнк выбрал для его последнего упокоения.

Сначала он решил, что это будет водохранилище. Место, где погибла его мать, примет и отца, даже если не развеивать над водой останки. Затем он вспомнил об участке у церкви Святого Спасителя, отведенном под музей войны. Но передумал, ведь похоронить отца на земле, отданной людям совсем иного склада, граничило бы со святотатством.

Он бережно вынес то, что осталось от отца, на улицу и уютно устроил в пассажирском кресле старенького «пежо», заботливо обернув старым полотенцем, с которым бегал на пляж в детстве. Потом со всеми предосторожностями выехал из Тэлбот-Вэлли. Деревья уже совсем оголились, и только дубовая рощица на южном покатом склоне долины еще сохраняла листву. Но и там листья густым ковром лежали на земле, окружая большие уютные стволы пелеринами цвета шафрана и умбры.

Дневной свет всегда рано покидал Тэлбот-Вэлли. Яркие огни зажглись в окнах редких коттеджей, притаившихся между холмами, чьи склоны веками подмывали ручьи. Но едва Фрэнк въехал из долины в Сент-Эндрю, характер местности резко переменился, а вместе с ним и освещение. Склоны, издавна служившие пастбищем для коров, уступили место полям и деревушкам, где дома, окруженные десятком-другим теплиц каждый, поглощали и отражали последние солнечные лучи.

Он направлялся на восток и въехал в Сент-Питер-Порт через дальнюю окраину, мимо больницы принцессы Елизаветы. Добраться оттуда до Форт-Джорджа не составляло труда. Хотя день шел к концу, для автомобильных пробок было еще рано. Впрочем, в это время года их вообще не бывает. Вот наступит Пасха, тогда и дороги начнут заполняться.

Ему пришлось пропустить лишь трактор, который продребезжал через перекресток в конце Принц-Альберт-стрит. После этого Фрэнк в считаные минуты доехал до форта Георга, скользнув под тяжелую каменную арку его ворот в тот самый миг, когда закатное солнце отразилось в живописных окнах роскошных домов на его территории. Несмотря на название, форт давно перестал служить каким-либо военным целям, но в отличие от других крепостей, разбросанных по всему острову от Дойла до Ле-Крока, не был и руиной из гранита и кирпичей. Близость к Сент-Питер-Порту и вид на Солджер-Бей сделали его престижным местом, где все налоговые изгнанники ее величества пожелали строить свои роскошные дома. Так они и поступили: за высокими живыми изгородями из самшита и тиса, за коваными оградами с электрическими воротами, в окружении просторных лужаек стояли дома, а рядом с ними ждали хозяев «ягуары» и «мерседесы».

Машина Фрэнка неизбежно вызвала бы подозрение у обитателей этих особняков, вздумай он отправиться на ней куда-либо еще, кроме кладбища, расположенного по иронии судьбы в самой живописной части района. Оно находилось на южном крае бывшего армейского плаца и занимало восточный склон. Вход на кладбище отмечал военный мемориал в виде гигантского гранитного креста с мечом посередине, повторявшим серую крестообразную форму, в которую он был помещен. Возможно, скульптор вовсе не добивался иронического эффекта. Скорее всего, так вышло случайно. Тем не менее ирония на этом кладбище процветала.

Фрэнк оставил машину на засыпанной гравием площадке у мемориала и перешел дорогу, направляясь к воротам кладбища. Оттуда были хорошо видны островки Герм и Джету, встававшие в тумане над неподвижными водами пролива. Оттуда же бетонный пандус с металлической оградой — чтобы никто случайно не упал с него в бурную погоду — плавно спускался к кладбищу, которое состояло из нескольких террас, высеченных в склоне холма. Под прямым углом к ним в сохранившуюся стену бухты Рокейн были врезаны бронзовые барельефы людей в профиль, быть может, жителей острова, солдат или жертв войны. Фрэнк не знал, кто они. Но надпись — «Жизнь есть и за могилой» — указывала на то, что это, скорее всего, лики усопших, нашедших на этом кладбище последний приют, а сама надпись была вставлена в дверь, которая открывала взору имена погребенных.

Он их не читал. Просто остановился, положил коробку с прахом отца на землю и открыл ее, чтобы извлечь пластиковый мешок.

По ступеням сошел на первую террасу. Здесь лежали храбрецы из местных, погибшие в Первую мировую. Их могилы под старыми вязами тянулись ровными рядами, отмеченными падубом и пиракантой. Фрэнк миновал их и продолжил свой путь вниз.

Он уже решил, в какой точке кладбища начнет свой одинокий обряд. Ряды одинаковых надгробий появились здесь значительно позже Первой мировой. На простых белых камнях были вырезаны кресты, сама форма которых яснее имен, выбитых под ними, говорила о том, кто здесь лежит.

К этим могилам и направлялся Фрэнк. Их было сто одиннадцать, и ровно столько раз ему предстояло опустить руку в пакет с пеплом и столько же раз просыпать прах отца над могилами немцев, которые пришли на остров Гернси как оккупанты и остались на нем навсегда.

Церемония началась. Сначала он чувствовал отвращение, когда его живая плоть касалась превращенных в пепел останков отца. А когда осколок кости в первый раз царапнул его ладонь, он вздрогнул и его затошнило. Но начатое надо было закончить, и он остановился, чтобы успокоиться. Провожая отца к тем, кого он сам выбрал себе в товарищи, Фрэнк вчитывался в имена, фамилии, даты рождения и смерти на каждом надгробии.

Он видел, что среди них было много мальчишек девятнадцати-двадцати лет, которые, должно быть, впервые уехали так далеко от дома. Интересно, как они чувствовали себя на крохотном Гернси после большой страны, в которой привыкли жить? Не казалась ли им здешняя служба ссылкой на другую планету? Или они, наоборот, радовались, что не попали в кровавую мясорубку передовой? Каково это: жить среди людей, обладая всей полнотой власти над ними, и в то же время чувствовать, что они презирают тебя?

Но презирали, конечно, не все. В этом и крылась главная трагедия того времени и места. Не все видели в оккупантах презренных врагов.

Словно автомат, Фрэнк переходил от могилы к могиле, спускаясь все ниже и ниже, пока не опустошил мешок. Закончив, он подошел к указателю внизу кладбища и постоял рядом с ним, глядя на покрытый могилами склон холма, по которому он спустился.

Он увидел, что на могилах немецких солдат не осталось и следа тех кучек праха, которые клал на них Фрэнк. Пепел осел на листьях плюща, вьюнка и падуба, местами скрывавших могилы, и превратился в обычную пыль, тонкую пленку, которую первый же порыв ветра подхватит и, превратив в невесомое облачко, унесет вдаль.

А ветер скоро налетит. С ним придет дождь. От дождя вздуются ручьи и побегут по склонам холмов в долины, а из них в океан. Часть праха, бывшего когда-то его отцом, утечет с ними. А часть останется здесь и станет землей, покрывающей мертвых. Землей, питающей живых.

Благодарности

Как обычно, я обязана многим людям, помогавшим мне создать эту книгу.

Из жителей милого острова Гернси я должна поблагодарить инспектора Тревора Коулмана, любезных сотрудников Бюро консультации населения, а также мистера Р. Л. Хьюма, директора Музея германской оккупации в Форесте.

В Великобритании я по-прежнему в долгу перед Сью Флетчер, моим редактором в издательстве «Ходдер и Стоутон», а также ее изумительно изобретательной помощницей Свати Гамбл. Моя благодарность распространяется и на Кейт Брэндис из посольства Соединенных Штатов.

Моя бессменная французская переводчица Мари Клод Ферре любезно помогла мне написать ряд диалогов для этого романа, а Вероника Кройцаг из Германии снабдила меня правильными немецкими названиями артефактов Второй мировой войны.

Благодаря блистательной работе американского профессора Джонатана Петрополуса «Сделка Фауста» и его личному участию я разобралась в сути того, что нацисты называли «репатриацией искусства». Также в Соединенных Штатах доктор Том Рубен любезно снабжал меня необходимой медицинской информацией, Билл Халл помогал вникнуть в профессию архитектора, а мой коллега по перу Роберт Крайс не возражал против моего использования добытой им информации по отмыванию денег. Сьюзен Бернер я чрезвычайно признательна за готовность, с которой она прочла первые гранки этого романа, а моему мужу Тому Мак-Кейбу — за терпение и уважение к длительному процессу написания романа. И наконец, лишь благодаря постоянному присутствию, помощи и бодрости духа моей ассистентки Даниэллы Азулей я вообще смогла начать эту книгу.

В процессе написания этого романа мне особенно помогли следующие книги: упомянутая выше «Сделка Фауста» Джонатана Петрополуса, «Безмолвная война» Фрэнка Фола, «Жизнь с врагом» Роя Маклафлина, «Здания в городе и приходе Сент-Питер-Порта» С. И. Б. Бретта, «Гернсийский фольклор» Мари Де Гари, «Ландшафт Нормандских островов» Найджела Джи, «Утрехтские живописцы голландского золотого века» Кристофера Брауна, а также «Вермеер и живопись Делфта» Алекса Рюгера.

И наконец, несколько слов о святой Варваре. Знатокам истории искусств, разумеется, известно, что, хотя картины, фигурирующей в этом романе, не существует, рисунок, который я приписала Питеру де Хооху, все же есть. Правда, сделан он вовсе не Питером де Хоохом, а Яном Ван Эйком. Единственная причина, по которой я столь вольно обошлась с авторством рисунка, заключается во времени, когда он был сделан и когда творил Ван Эйк. Случись ему действительно нарисовать святую Варвару, он изобразил бы ее на дубовой доске, как было принято в тот период. Мне же для моих целей нужен был холст, вошедший в употребление гораздо позднее. Надеюсь, читатели простят мне такое самоуправство в вопросах искусства.

Вне всякого сомнения, в книге присутствуют ошибки. В том, что они вкрались в роман, повинна лишь я, а никак не те прекрасные люди, которые мне помогали.

Содержание

Литературно-художественное издание

Элизабет Джордж

ТАЙНИК

Ответственный редактор *Е. Гуляева*
Выпускающий редактор *Е. Березина*
Художественный редактор *Б. Волков*
Технический редактор *О. Шубик*
Компьютерная верстка *С. Шведова*
Корректор *М. Ахметова*

ООО «Издательский дом «Домино»
191014, Санкт-Петербург, ул. Некрасова, д. 60
Тел./факс: (812) 272-99-39. E-mail: dominospb@hotbox.ru

ООО «Издательство «Эксмо»
127299, Москва, ул. Клары Цеткин, д. 18/5. Тел. 411-68-86, 956-39-21.
Home page: **www.eksmo.ru** E-mail: **info@eksmo.ru**

Оптовая торговля книгами «Эксмо»:
ООО «ТД «Эксмо». 142702, Московская обл., Ленинский р-н, г. Видное,
Белокаменное ш., д. 1, многоканальный тел. 411-50-74.
E-mail: **reception@eksmo-sale.ru**

По вопросам приобретения книг «Эксмо» зарубежными оптовыми покупателями *обращаться в отдел зарубежных продаж ТД «Эксмо»*
E-mail: **international@eksmo-sale.ru**

International Sales: *International wholesale customers should contact Foreign Sales Department of Trading House «Eksmo» for their orders.*
international@eksmo-sale.ru

По вопросам заказа книг корпоративным клиентам, в том числе в специальном оформлении, *обращаться по тел. 411-68-59, доб. 2299, 2205, 2239, 1251.*
E-mail: **vipzakaz@eksmo.ru**

Оптовая торговля бумажно-беловыми и канцелярскими товарами для школы и офиса «Канц-Эксмо»: Компания «Канц-Эксмо»: 142700, Московская обл., Ленинский р-н, г. Видное-2, Белокаменное ш., д. 1, а/я 5. Тел./факс +7 (495) 745-28-87 (многоканальный). e-mail: **kanc@eksmo-sale.ru**, сайт: **www.kanc-eksmo.ru**

Подписано в печать 17.10.2011.
Формат 60x90 $^1/_{16}$. Печать офсетная. Усл. печ. л. 46,0.
Тираж 3000 экз. Заказ 1340.

Отпечатано с готовых файлов заказчика
в ОАО «Первая Образцовая типография»,
филиал «УЛЬЯНОВСКИЙ ДОМ ПЕЧАТИ»
432980, г. Ульяновск, ул. Гончарова, 14

ISBN 978-5-699-55369-3

9 785699 553693 >